經學研究論叢

◆第十二輯◆

林慶彰主編

張穩蘋
葉純芳編輯

臺灣 學生書局 印行

編者序

本輯本應於九十二年底或九十三年初出版。所以遲至九十三年底才出版，主要原因是筆者自九十二年六月起，因生病無法正常工作；編輯張穩蘋小姐也因協助執行中央研究院「中國古代文明的形成」之分支計畫「經典與文化的形成」，分身乏術。編輯工作也因此而延宕下來。謹向海內外研究經學的先進、同好，表達深深的歉意。

「經學總論」部分，北京大學中文系教授漆永祥先生整理趙之謙《漢學師承續記》，乃繼承江藩之書而作，是瞭解晚清學術發展相當重要的工具書。「詩經研究」部分，賴欣陽〈論朱熹詮《詩》態度與觀點的轉變〉和郭全芝〈《詩集傳》與《毛詩氏傳疏》〉，是對朱子《詩經》學作深入的比較研究，開拓新的研究方向。

「禮學研究」部分，有專研禮學的林素英教授所作〈早期儒家服喪措施的文化意義〉，是以郭店簡服喪紀錄作爲討論的基礎，足見新出土文獻的實用價值。「經學人物」部分，民初學者胡毓寰先生是《孟子》學專家，著有《孟子大旨》、《孟子本義》、《孟子事蹟考略》。可是生平事蹟久不爲人所知。筆者商請何淑蘋小姐，從零星之資料，勾勒出胡氏生平大略和著作目錄，是發潛德、出幽光的工作。

感謝所有作者，沒有大聲責問，而來函慰問者不少。本輯由張穩蘋學弟按照往例承擔大部分的編輯工作，臺南女子技術學院助理教授侯美珍學弟協助本輯部分校對工作，東吳大學中國文學系博士生葉純芳學弟願意加入編輯陣容，在此一併感謝。

二〇〇四年十二月**林慶彰**誌於
中央研究院中國文哲研究所

經學研究論叢 第十二輯

目　次

【禮學研究】

【四書研究】

【經學人物】

【經學文獻】

【古史研究】

【專題書目】

【學術機構】

【學術會議】

【出版資訊】

【附　錄】

經學研究論叢
第十二輯　頁1～14
臺灣學生書局　2004年12月

由經有數家、家有數說到括囊大典、貫通六藝
——論鄭玄通學的產生

史應勇*

經學是中世紀中國的政治統治學說。它的地位的確立過程，朱先生在二十年前作過專門的考察。❶這一過程不僅與鞏固中央集權的內在要求有關，還與具體的權力紛爭、利益衝突有關。

經學地位確立以後，作爲官學，由最初的殘缺不全發展到宣、元以後十二博士定員，再到東漢以後全國各地郡國學校也普及了經學教育的內容，這一過程沈文倬作過較爲詳細的考察。❷那篇文章對於每一個想要了解漢代經學發展歷史的人都不會陌生。

還有一個過程，即經學由經有數家、家有數說的異說紛爭局面，如何發展到東漢晚期鄭玄括囊大典、貫通六藝，這同樣是經學史研究中值得關注的重要課題。

---

* 史應勇，四川大學文學與新聞學院博士後研究。

❶ 見朱維錚：〈經學史：儒術獨尊的轉折過程〉，載《上海圖書館建館三十周年紀念論文集（1952－1982）》（上海：上海圖書館，1983年）。

❷ 見沈文倬：〈黃龍十二博士的定員和太學郡國學校的設置〉，同載《上海圖書館建館三十周年紀念論文集（1952－1982）》。

一、經典文本的不同

造成漢代經學經有數家、家有數說的直接原因主要有兩個：一是所依據的文本有不同，二是在師承遞傳中經說出現了分歧。而這兩個方面又是有所關聯的。

漢代的經學興起以後，經典的文本不僅出現了文字上的差異，還出現了內容上的差異。這種差異的具體表現主要就是所謂「今文經」與「古文經」。漢朝之所以出現「今文經」與「古文經」的不同，這與秦朝的焚書是有直接關係的。

秦始皇三十四年（公元前 213 年）的焚書令頒布後，先秦古文舊書遭受了一次大劫難，除了「博士官所職」以及「醫藥、卜筮、種樹之書」，民間藏書幾乎被一網打盡。七年以後，項羽又一把火燒了秦宮室。我們還難以推斷其中有沒有或有多少先秦古文舊書。

總之，由於秦朝的焚書，漢朝前期逐漸興起的經書傳授，其文本主要是通過口耳相傳，用漢代通行的隸書寫定的，這就是後人所稱之「今文經」。這些今文經在武帝設立五經博士的政策實施後，陸續被立在學官，成爲西漢經學發展的主流。而與此同時，隨著西漢王朝的廢挾書律與開獻書路，一部分劫後餘生的用先秦古文寫成的儒家舊經典也陸續被發現並收藏於秘府，這就是所謂「古文經」，這裡主要指的是《左傳》、《古文尚書》、古文《禮》、《周官》、古文《易》、《毛詩》這六部書。❸這六部書西漢時期長期未被立在學官，民間偶有人傳習，但不顯於儒林。❹後來劉歆隨父親劉向校理秘府藏書，發現了這幾部古文經，特別予以重視，

❸ 《毛詩》出於河間獻王，但似不屬於先秦古文舊書。《漢書．景十三王傳》：「河間獻王德以孝景前二年立，修學好古，實事求是……四方道術之人不遠千里，或有先祖舊書，多奉以奏獻王者，故得書多，與漢朝等……獻王所得書，皆古文先秦舊書，《周官》、《尚書》、《禮》、《禮記》、《孟子》、《老子》之屬，皆經、傳、說、記，七十子之徒所論。其學舉六藝，立《毛氏詩》、《左氏春秋》博士。」《漢書．藝文志》列「《毛詩》二十九卷，《毛詩故訓傳》三十卷」，未曾言其爲「古文」。《詩》「遭秦而全者，以其諷誦，不獨在竹帛故也。」可見《毛詩》與今文三家《詩》的區別主要在解說不同而不在文字。但《毛詩》後來被歸於古文經的範圍。

❹ 據哀帝時劉歆所作〈移讓太常博士書〉，民間有「魯國柏公、趙國貫公、膠東庸生之遺學」與其秘府中所見古文經相同。王先謙補注曰：「柏」當作「桓」。貫公傳《左氏春秋》於貫

哀帝時請立《毛詩》《左氏》、古文《逸禮》❺、《古文尚書》於學官，得罪了今文博士官及今文博士官培養出來的在朝權貴，未能成功。這就是今古文之爭的發端。平帝即位後，王莽擅權，劉歆再次回到朝廷任職，這四部古文經才被正式立於學官。古文《易》學則一直未立在學官。

漢代的經學家詮解經義的最終目的是要從中找到治人之術，而詮解經義所依據的文本的差異，最終會導致從中所見的先聖先王之道有所不同，有時甚至會分歧很大，而且經學一但被立在學官，經學教科書的選定也是很重要的問題，因此今文、古文的問題在經學史上長期受到特別的重視，不僅漢代的經學家爲此而發生糾紛，以後的經學家、經學史家也都爲此耗費過不少心血。這既包括秦漢以來通行的隸書與先秦六國古文的差異問題，也包括不同門派、不同地域的儒門後學所傳承的經傳內容的差異問題，比如古文《周禮》的內容就不爲傳統的今文家所接受，古文《春秋左氏傳》就與今文《春秋公羊傳》、《春秋穀梁傳》的內容大不相同，同屬今文的《公羊》與《穀梁》的內容也有差異。❻

二、今文經師法、家法的衍變

由於師承的不同，同一經出現不同的解說，這種現象早已有之。不同地域的不同師傳造成經說的歧異，這在經學地位確立以前就存在。孔子在世時其弟子的意見

誼，庸生傳《古文尚書》於都尉朝。桓公即桓生，傳《禮》於徐生。並見《儒林傳》。—見王先謙《漢書補注》（上海：上海古籍出版社，《四部精要》本），卷 37，頁 550。又，民間有費氏《易》與中古文《易》同。又有高氏《易》，自言出於丁寬。《周官》則西漢無傳人。

❺ 魯恭王壞孔子宅，得古文《禮》五十六篇，其中十七篇與高堂生所傳《士禮》同，餘三十九篇即所謂古文《逸禮》。

❻ 近人崔適在《春秋復始》中認爲《穀梁傳》屬古文經學。此說不爲大多數經學家所接受。東漢許慎在《五經異義》中也明確認爲《穀梁》屬今文經學。茲從大多數經學家的意見：《公羊》、《穀梁》同屬今文經學。參見許道勛、徐洪興：《中華文化通志．經學志》（上海：上海人民出版社，1998 年 10 月），頁 355；皮錫瑞：《駁五經異義疏證》（民國 24 年河間李氏重刊本），收入上海古籍出版社《續修四庫全書》（以下簡稱《續修》）群經總義類（第 171 冊）。

就有分歧。孔子死後，儒分爲八。一部《春秋》，出現三種不同的解說。這在秦朝以前就已存在。究竟誰的解說才是眞孔學？這種疑問韓非已經提出。就漢代說，漢初言《詩》者有齊、魯、韓三家，儘管「其歸一也」，但其間的歧異也是不容否認的，如《韓詩內外傳》，「其語頗與齊魯間殊」；言《春秋》有公羊、穀梁兩家較顯，而公羊學又有董仲舒、胡母生二家之不同；《禮》學雖以「魯高堂生最本」，但「諸學者多言《禮》」；其餘言《尙書》自濟南人、故秦博士伏生，言《易》自齊人田何，起初還未見分歧，但隨著經學的發展，其學也進一步發生衍變。

漢代經學傳承中的「家法」概念最晚在東漢已被人廣泛使用，比如和帝永元年間，剛剛被任命爲司空的徐防，在上疏中就特別強調要博士弟子謹守「家法」，不可背師；《後漢書・儒林傳》：「立五經博士，各以家法教授」；《宦者列傳・蔡倫傳》：「通儒謁者劉珍及博士良史詣東觀，各校讎家法」❼《質帝紀》：（本初元年）夏四月令大將軍至六百石皆遣子詣太學受業「又千石、六百石、四府掾屬、三署郎、四姓小侯先能通經者各令隨家法。」❽

晚清經學史家皮錫瑞又進一步提出「師法」的概念。「師法」與「家法」究竟如何界定，似無確論，我以爲二者當作相對的理解，也就是皮錫瑞所說的「師法溯其源，家法衍其流」。皮錫瑞舉例說：「如《易》有施、孟、梁丘之學，是師法；施家有張、彭之學，孟有翟、孟、白之學，梁丘有士孫、鄧、衡之學，是家法。」那麼楊何之學之於施、孟、梁丘之學，當前者是師法，後者是家法。王先謙簡單地認爲：「儒生爲《詩》者謂之《詩》家，《禮》者謂之《禮》家，故言各隨家法。」❾他籠統地以「家法」論門派，未說「師法」，且似不單指今文經，與皮錫瑞所論有所不同。

皮錫瑞的師法、家法說的本意是在說明，漢代的今文經學在已有歧異的基礎上進一步發生了分化，也就是皮錫瑞所說的：「幹既分枝，枝又分枝，枝葉繁滋，浸

---

❼ 參見皮錫瑞撰，周予同注本：《經學歷史》（上海：上海書店，1996年）三、四兩章。

❽ 見王先謙：《後漢書集解》（北京：中華書局 1984 年影印本，1991 年秦皇島第二次印刷），頁 118。

❾ 同前註，頁 118。

失其本」，這種情況確實是存在的。比如今文《易》最初爲齊人田何（漢初徙京兆杜陵）所傳，三傳而後便有了施、孟、梁丘《易》的不同。後來在施、孟、梁丘三家《易》之外又發展出京氏《易》學，也曾增立於學官。又有高氏《易》學，自言出於丁寬，未曾立於學官。再比如今文《禮》最初爲魯人高堂生所傳，傳至后蒼即有推士禮至於天子之說，形成自己的一家之言，昭、宣時后氏禮學顯於一時，至后蒼的弟子一輩開始有了大、小戴、慶氏禮學的不同。❿今文《尚書》從伏生的弟子、千乘人歐陽生以下，逐漸發展出歐陽、大夏侯（夏侯勝）、小夏侯（夏侯建）三家今文《尚書》學。《春秋》公羊學本來就有胡毋生、董仲舒兩支，到西漢晚期又衍出嚴氏、顏氏兩家。今文經師法、家法衍變的具體情形，《漢書·儒林傳》的記述頗詳，茲不備錄。

三、古文經學的興起

就現有的文獻資料看，漢代的古文經主要來自兩個源頭：一是河間獻王劉德，一是魯恭王劉余。⓫其出現都在景、武之際。但古文經學作爲政治統治學說在漢代

❿ 今文《禮》在漢初的傳承線索不清。《史記·儒林列傳》、《漢書·藝文志》、《漢書·儒林傳》均言漢初有魯高堂生傳《士禮》十七篇。但據《漢書·儒林傳》，后蒼之《禮》學出自徐氏，而徐氏與高堂生的關係，《史》、《漢》均無明言。《史記·儒林列傳》：「……諸學者多言禮，而魯高堂生最本。禮固自孔子時而其經不具，及至秦焚書，書散亡益多。于今獨有《士禮》，高堂生能言之。而魯徐生善爲容，孝文帝時，徐生以容爲禮官大夫，傳子至孫徐延、徐襄。襄，其天姿善爲容，不能通禮經；延頗能，未善也。襄以容爲禮官大夫，至廣陵内史。延及徐氏弟子公户滿意、桓生、單次，皆嘗爲漢禮官大夫。而瑕丘蕭奮以禮爲淮陽太守。是後能言禮爲容者，由徐氏焉。」《漢書·藝文志》「漢興，魯高堂生傳《士禮》十七篇，訖孝宣世，后蒼最明，戴德、戴聖、慶普皆其弟子，三家立于學官。」《漢書·儒林傳》：「漢興，魯高堂生傳《士禮》十七篇。而魯徐生善爲頌。孝文時徐生以頌爲禮官大夫……（以下與《史記·儒林列傳》文同—筆者注）……孟卿，東海人也，事蕭奮。奮以授后蒼……」清初朱彝尊《經義考》述《儀禮》之傳授只及徐氏而未及高堂生。—見《經義考》（北京：中華書局縮印《四部備要》本，1998 年），卷 285，頁 1461。楊東純《中國學術史講話》列蕭奮爲高堂生弟子，並無根據。劉汝霖《漢晉學術編年》也未明高堂生與徐生的關係。以後學者均未能明。

⓫ 劉德收購儒家古文舊典已見註所引。又據《漢書·藝文志》：「武帝末，魯恭王壞孔子宅，

整個經學界的崛起，則在一百多年以後的歆、莽時代。在這二十餘年的時間內，以《左傳》和《周禮》爲主要代表的古文經被先後立在學官，並開始發揮現實的政治作用，這對以後東漢的經學局面的影響是深刻的。

東漢政權雖然明確說要繼西漢之正統而討伐王莽之篡逆，但在具體的禮制建設和經學建設中，卻不能擺脫王莽時代的影響。王莽改制所制定的一些儀典，就作爲「元始故事」而被東漢政權奉行。有學者指出，東漢初年，光武、明帝、章帝三朝在意識形態方面實際是繼承了王莽的政策。⓬東漢初年古文經學的影響已很大。劉歆之後學賈徽、賈逵父子，鄭興、鄭眾父子，衛宏、徐巡師徒等都在經學界頗有名聲，有所謂「鄭賈之學」，「爲學者所宗」。⓭光武時作過侍御史、大司空的杜林也特別珍愛自己在避難河西時所得的漆書《古文尚書》。鄭興在建武前期受杜林之薦作過太中大夫，子鄭眾在章帝建初年間官至大司農。衛宏在光武時作過議郎，官至給事中。建武初年尚書令韓歆上書請求立古文經費氏《易》及《左氏春秋》於學官，引起陳元、范升等人的激烈辯難。光武帝本來立了《左氏春秋》，而且古學家陳元被太常選爲博士第一，爲了迴避矛盾，光武帝將李封立爲《左氏》博士。但李封的病故使《左氏》最終立而復廢。

以《左氏》爲代表的古文經雖然沒能確立在太學中的博士官地位⓮，但以另外

欲以廣其宮，而得《古文尚書》及《禮記》、《論語》、《孝經》凡數十篇，皆古字也。」此所謂「武帝末」是爲誤說。清代閻若璩已考定其事當在景帝時。文繁不錄。見白新良：〈孔安國獻書考〉，中國歷史文獻研究會編：《中國歷史文獻研究集刊》第 4 集（長沙：岳麓書社，1984 年）。

⓬ 參見閻步克：《士大夫政治演生史稿》（北京：北京大學出版社，1996 年），頁 413。

⓭ 《後漢書·鄭興傳》、〈陳元傳〉。

⓮ 據《左傳注疏》卷 1，〈春秋序〉題下孔穎達〈疏〉：「……及歆親近，欲建立《左氏春秋》及《毛詩》、《逸禮》、《古文尚書》，皆列於學官。哀帝令歆與五經博士講論其義，諸儒博士或不肯置對。歆因移書於太常博士責讓之。和帝元興十一年鄭興父子及歆創通大義，奏上，《左氏》始得立學，遂行於世。至章帝時賈逵上《春秋大義》四十條以抵《公羊》、《穀梁》，帝賜布五百匹。又與《左氏》作《長義》。至鄭康成《箴左氏膏肓》、《發公羊墨守》、《起穀梁廢疾》。自此以後二傳遂微，《左氏》學顯矣。」此段文字踳駁不精，不足爲據。〔宋〕王應麟已力駁其非。〔清〕盧文弨亦曰：所謂「和帝元興十一年」，當改作「建武初元」。王應麟說備錄於阮元〈校勘記〉中，此不贅。王仲犖《魏晉南

的途徑影響了東漢的政治及經學教育。特別是賈逵，他在家學的薰陶下，幾乎精通全部古文經，但今文經學畢竟是先帝所立之正學，是功令之學，完全拒絕今文經也難找到飯吃，因此賈逵又曾以大夏侯《尚書》學教授生徒。這當是錢穆所謂古文家大多以「通」見長的一個重要原因。面對古文經始終不能在皇家博士教育中佔據一席之地的境遇，賈逵不再像陳元那樣只強調「尊廣道藝」，只強調左丘明親受孔子，而是在《左傳》中找到西漢兩百年一直未能找到的漢王朝的統系問題的證據，所謂「漢紹堯運」。他從古文經中找到了與東漢統治者特別尊信的圖讖相印證的內容。明帝時，賈逵的《左氏解詁》、《國語解詁》受到朝廷重視，寫藏秘館。賈逵明確指出，因為先師不曉圖讖而使《左氏》立而復廢。雖然清人惠棟考證這些都是附會之說，但賈逵這一「經術」，大大改變了古文經學的命運。明帝的冠冕、衣裳、珮玉、乘輿之制已經以《周禮》為依據。⑮後來，肅宗章帝又特別喜好古文經，就讓賈逵入講白虎觀，讓他擇出《左氏》大義中長於《公》、《穀》二傳者，讓他自選《公羊》嚴、顏諸生高才者二十人教以《左氏》，讓他撰寫《古文尚書》與今文《尚書》三家同異、《毛詩》與齊、魯、韓三家之同異，並作《周官解詁》。後來又詔令各家今文儒生都選高才受古文經。從此，古文經大行於世。⑯在東漢政治中發生過很大影響的外戚四姓——樊氏、郭氏、陰氏、馬氏，其弟子所謂四姓小侯，就主要由古文經師來教授。安帝時曾與馬融同校書於東觀的許慎，號稱五經無雙，就是古學家賈逵的弟子。馬融本人也以古學著稱。白虎觀會議尚以立在學官的今文博士之學為主體，但從《白虎通義》中可以看出，古文經義已滲入其中。⑰丁鴻在白虎觀會議上以論說歐陽《尚書》稱名，得到章帝的賞識。而他的弟

北朝史》在討論經學的章節中據《正義》說而曰：「到了和帝元興十一年（公元 99），經鄭興、鄭眾父子力爭，遂在學官裡復置《左氏傳》博士。」王仲犖：《魏晉南北朝史》（上海：上海人民出版社，1994 年），頁 880。殊不知，和帝根本無「元興」年號，公元 99 年當和帝永元十一。顯有誤。見阮刻《十三經注疏》（北京：中華書局，1980 年），頁 1703、1710。

⑮ 參見周天游：《後漢紀校注・明帝紀》（天津：天津古籍出版社，1987 年 12 月），頁 243。

⑯ 見前揭王先謙：《後漢書集解・賈逵傳》，頁 436－438。

⑰ 參見〔清〕陳立撰：《白虎通義疏證》（北京：中華書局，1994 年，《新編諸子集成》第 1 輯）。

子楊倫即開始以《古文尚書》教授生徒。漢安帝延光年間，朝廷曾專門召選通古文經者。同樣的召選在漢靈帝時也曾進行。⓲關於東漢以後古文經學的興盛，經學史家已有較爲詳盡的陳述⓳，這裡不用多說。

四、通學的產生

經學是政治統治學。王朝政治統治中出現的種種難以解決的問題，促使經學家不斷從經學中尋找新的依據和詮釋，而且這種經學依據與詮釋和具體的政治權力利益直接相關。古文經的出現與西漢後期出現的社會危機不無關係。面對興於殘缺之後的今文經學，既然已經發現並清理出新的經書文本，那麼擴大經學視野就成爲必然選擇。經學世家的劉歆利用得天獨厚的條件，在經學領域作出了與眾不同的選擇。王莽代漢，需要有新的經學依據爲其政治行爲作出說明，這進一步促進了經學的更新。事實上王莽時代的經學曾有過空前的建設規模。繼漢平帝即位，《毛詩》、《左氏》、《逸禮》、《古文尚書》四部古文經被立於學官後，元始四年（公元 4），「莽奏起明堂、辟雍、靈臺，爲學者築舍萬區，作市、常滿倉，制度甚盛。立《樂經》。益博士員，經各五人。」「王莽爲宰衡，起靈臺，作長門宮，南去隄三百步，起國學于郭之西南，爲博士之官寺。門北出，正于其中央爲射宮，門出殿堂南向爲墻，選士肄射于此。中北之外爲博士舍三十區，周環之。北之東爲常滿倉，倉之北爲會市。但列槐樹數百行爲隊，無墻屋。諸生朔望會此市，各持其郡所出質物及經書傳記、笙磬樂器，相與買賣，雍容揖讓，或論議槐下。其東爲太學官寺，門南出，置令、丞、吏，詰奸宄，理詞訟，五經博士領弟子員三百六十，六經三十博士，弟子萬八百人，主事高弟侍講各二十四人。學士同舍，行無遠近皆隨檐，雨不塗足，署不暴首。」緊接著《周禮》被隆重推出。王莽正式登基後，以「琅邪左咸爲講《春秋》、穎川滿昌爲講《詩》、崔發爲講《樂》祭酒。」一時名儒達才仕莽者甚眾，錢穆列舉可考者數十人。天鳳年間，王莽還常常與公卿「講合六經」，「旦入暮出」。當然也不乏不願仕莽者，如孔家「自安國以下，世傳《古

⓲ 參見劉汝霖：《漢晉學術編年》（北京：中華書局，1987 年），頁 43、175。

⓳ 參見馬宗霍：《中國經學史》（上海：商務印書館，1936 年）。

文尚書》、《毛詩》」，孔子建「少游長安，與崔篆友善。篆仕王莽為建新大尹，勸子建仕。對曰：吾有布衣之心，子有袞冕之志，各從所好，不亦善乎？」⑳

王莽時代在增立古文經的同時，並未取消今文經，只是對繁瑣的今文章句開始了刪削。讖緯之學也在此時開始興起。

多種政治學說共同受到統治者的扶持，從學說繁榮的角度講，無疑是值得稱道的。漢代的經學博士由五經博士尚不能齊備，發展到黃龍十二博士定員㉑，再到王莽時代建立六經博士三十人的員額，弟子達萬八百人。這表徵者帝國通過治經以求仕的候補文官隊伍是在逐步擴大規模。統治者「尊廣道藝」，在擴大文官選拔範圍的同時，還可以廣泛吸取不同經說中的有用之術。但是異說之間的矛盾怎麼解決？當初在確立經學的獨尊地位時，董仲舒說明確說：

> 諸不在六藝之科、孔子之術者，皆絕其道，勿使並進，邪僻之說滅息，然後統紀可一而法度可明，民知所從矣。㉒

經學興起的本來目的是一統紀，明法度，使民知所從。這與李斯提出的安寧之術在本質上沒有什麼區別。但是現在多種經說並存，相互之間的矛盾又不可避免，經說紛擾雜陳，顯然對於王朝實現意識形態的統一不利，不符合經學興起的初衷。隨著皮錫瑞所謂「經學極盛時代」的到來，這個問題也越來越突出。王莽到底如何「講合六經」，今天已不能知其詳情。可以確信的是，歆莽時代的經學建設對於東漢以後的經學狀況發生了深遠的影響。由於古文經學影響的擴大，東漢初年很快就有人請求立《左氏》與費氏《易》於學官，於是有兩次激烈的御前辯論，中心問題是《左氏》要不要立於學官。㉓

---

⑳ 見錢穆：《劉向歆父子年譜》，《錢賓四先生全集》(八)（臺北：聯經出版公司，1994年），頁 102、141－145、160－166。

㉑ 關於西漢的經學博士設置如何由五經尚不能齊備，發展到黃龍十二博士定員，見前揭沈文倬〈黃龍十二博士的定員和太學郡國學校的設置〉。

㉒ 《漢書・董仲舒傳》。

㉓ 關於東漢初年兩次今古文經學辨難的具體情形，參見章權才：《兩漢經學史》（廣州：廣東

面對傳統的今文經學與新興的古文經學為了立學官之事所發生的矛盾，統治者出面干預，但並沒有評判各自的是非，而是繼續採取兼容的態度。古文經雖然最終沒能正式立博士官，但以另外的方式得到官方的認可與扶持。意識形態需要統一，但孔門後學所傳的不同經傳又難論其是非，實際是各自從不同角度詮釋了「儒術」。於是統治者出面要求經生們打破門戶界限，互相學習，取長補短。前文所述章帝命賈逵擇《公羊》高才授以《左氏》，並撰寫今古文經學之間異同，就是這樣一種措施的具體表徵。賈逵本來就是一位通學家，儘管不能否認他以古學見長。他雖然繼承父親賈徽之業，學習了絕大部分的古文經㉔，但又「以大夏侯《尚書》教授，雖為古學，兼通五家《穀梁》之說。」他在比勘今古文的異同之後指出：

> 臣謹摘出《左氏》三十事尤著明者，斯皆君臣之正義，父子之紀綱。其餘同《公羊》者什有七八，或文簡小異，無害大體。至如祭仲、紀季、伍子胥、叔術之屬，《左氏》義深于君父，《公羊》多任于權變，其相殊絕，固以甚遠，而冤抑積久，莫肯分明。㉕臣以永平中上言《左氏》與圖讖合者，先帝

人民出版社，1990年），頁206－211。

㉔ 「徽從劉歆受《左氏春秋》，兼習《國語》、《周官》，又受《古文尚書》于塗惲，學《毛詩》于謝曼卿，作《左氏條例》二十一篇。逵悉傳父業。」—見王先謙：《後漢書集解》，頁436。

㉕ 見《後漢書》范升、陳元、賈逵本傳。關於賈逵所釋祭仲、紀季等事在《左氏》與《公羊》之不同，王先謙《集解》曰：「《左傳》曰：宋人執鄭祭仲曰：不立突將死。祭仲許之。遂出昭公而立厲公。杜預注云：祭仲之如宋，非會非聘，見誘被拘，廢長立少，故書名罪之。《公羊傳》曰：祭仲者何？鄭之相也。何以不名？賢也。何賢乎？祭仲以為知權也。其知權奈何？宋人執之謂曰：為我出忽而立突。祭仲不從其言則君必死，國必亡；從其言則君可以生易死，國可以存易亡。古之有權者，祭仲之公權是也。《左傳》紀季以酅入于齊，紀侯大去其國。賈逵以為紀季不能兄弟同心以存國，乃背兄歸仇，書以譏之。《公羊傳》曰：紀季者何？紀侯之弟也。何以不名？賢也。何賢乎？服罪也。其服罪奈何？請后五廟以存姑姊妹。《左傳》楚平王將殺伍奢，召伍奢子伍尚、伍員曰：來，吾免而父。尚謂員曰：聞免父之命不可以莫之奔，親戚為戮不可以莫之報，父不可棄，名不可廢。子胥奔吳，遂以吳師入郢，卒復父仇。《公羊傳》曰：父受誅，子復仇，推刃之道也。《公羊》不許子胥復仇，是不深父也。《左傳》曰：冬，邾黑肱以濫來奔。賤而書名，重地故也。君子曰：名之不可不

> 不遺芻蕘，省納臣言，爲其傳詁，藏之祕書。建平中……至光武皇帝奮獨見之明，興立《左氏》、《穀梁》，會二家先師不曉圖讖，故令中道而廢。凡所以存先王之道者，要在安上理民也。今《左氏》崇君父，卑臣子，強幹弱枝，勸善戒惡，至明至切，至直至順。且三代異物，損益隨時，故先帝博觀異家，各有所採，《易》有施、孟，復立梁丘；《尚書》歐陽，復有大、小夏侯。今三傳之異，亦猶是也。又五經家皆無以證圖讖，明劉氏爲堯後者，而《左氏》獨有明文，五經家皆立顓頊代黃帝而堯不得爲火德，《左氏》爲少昊代黃帝即圖讖所謂帝宣也。如令堯不得爲火，則漢不得爲赤。其所發明，補益實多。陛下通天然之明，建大聖之本，改元正曆，垂萬世則，是以麟鳳百數，嘉瑞雜遝，猶朝夕恪勤，游情六藝，研機綜微，靡不審核，若復留意廢學，以廣聖見，庶幾無所遺失矣。

很明顯，面對已被先帝立在學官約二百年的傳統今文經學，賈逵並沒有著意品評其是非，而是強調先帝「博觀異家，各有所採」的傳統，強調《左氏》、《公羊》各有特色，而《左氏》尤有用於當時。在承認傳統今文經學固有價值的同時，彰顯新興的、同出於聖門的古文經也有不可忽視的意義，這對於號稱繼西漢之正統，又需要用新的經義緣飾新的政權的東漢王朝來說，當然是再好不過了。正因爲如此，賈逵受到皇帝特別的恩寵，獲獎「布五百匹，衣一襲」，隨後他又受命撰著今古文異同，並擇選受傳統今文經學教育的「高材生」，廣泛授以古文經。

愼。以地叛，雖賤必書地以名其人，終爲不義，不可滅已。是以君子動則思禮，行則思義。《公羊傳》：冬，黑肱以濫來奔。文何以無邾婁？通濫也。曷爲通濫？賢者子孫宜好地。賢者孰謂？謂叔術也。何賢乎叔術？讓國也。〔集解〕蘇輿曰：祭仲出忽，終以復辟；紀季之奔，由于君命（見《繁露．玉英篇》）。〈伍子胥傳〉有『父不受誅，子可復仇』之文。是固以復仇許之也。叔術妻嫂，傳亦以公扈子之說　之矣。逵欲附會《公羊》之失，不深究本末，致詬病《公羊》者至今未已。詳見余《春秋董義述》。因略著其說於此。先謙曰：官本又作文好作有是。」「請后五廟以存姑姊妹」，《集解》原文「五」作「立」。「文何以無邾婁」，《集解》原文「文」作「又」。均恐有誤。見前揭王先謙《後漢書集解》，頁436。參前揭阮刻《十三經注疏》本《左氏》、《公羊》桓十一年、莊三年、昭三十一年等篇。《集解》所引與原文多有出入。

在這樣的形勢下，「通」就成爲不可避免的趨勢。而「通」的觀念受到官方的支持並以「法典」形式表現出來，那就是《白虎通義》。

《白虎通義》是公元一世紀東漢王朝在各路經學家經過一個多月的討論的基礎上頒布的一部「神學的法典」。㉖有人又把它稱爲「國憲」。范曄在《後漢書・曹褒傳論》中所說的「孝章永言前王，明發興作，專命禮臣，撰定國憲」，到底指的是不是《白虎通義》，還値得研究，但《白虎通義》的「通」字確實値得注意。其關鍵不在於皇帝欽定，而在於通過「考詳同異」，在不同經典、緯書、傳、記中找到了共通的東西。這就是所謂「通義」。㉗《白虎通義》沒有具體地評判那一家經說的是非，而是按照問題依章敘述，這些都是中世紀王朝政治中遇到的共性的問題，爵、號、謚、五祀、社稷、禮樂、封公侯、京師、五行、三軍、誅伐……等。而且它所採用的經說，雖然以今文經爲主，但也兼採了古文經。

統治者要從眾家經說中尋找共通的「道」，所以就要「通」。「通」就不能謹守一家章句，就不能「幼童守一藝，白首而後能言」，因此過於繁瑣的今文章句屢被刪減。繼王莽刪減今文章句之後，東漢以來的章句減省也一直在進行。比如建武時的博士伏恭就減省過他養父伏黯的《齊詩》章句。㉘光武帝的表兄弟、《公羊春秋》嚴氏博士丁恭的弟子樊儵曾刪過《公羊嚴氏春秋章句》，他的弟子張霸又再加刪定，於是有《公羊嚴氏春秋》樊氏學、《公羊嚴氏春秋》張氏學。㉙光武帝中元元年（公元 56 年）的詔書中重申「五經章句煩多，議欲減省」。㉚漢明帝的經學導師桓榮曾將他的老師朱普所傳《尚書》章句四十萬言刪爲二十三萬言，他的兒子桓郁又刪爲十二萬言，於是有所謂「桓君大小太常章句」。㉛以後漢桓帝永壽年間作過安定屬國都尉的張奐曾將周堪的傳人牟卿的《歐陽尚書章句》四十五萬言減省

㉖ 見侯外盧主編：《中國思想通史》（北京：人民出版社，1957 年 3 月），卷 2，頁 225。

㉗ 參見章權才：《兩漢經學史》（廣州：廣東人民出版社，1990 年 12 月），頁 215。

㉘ 《後漢書・儒林傳・伏恭傳》。

㉙ 見王先謙：《後漢書集解・樊宏傳》，前揭本，頁 397。

㉚ 《後漢書・肅宗章帝紀第三》。

㉛ 《後漢書・桓榮傳》。

爲九萬言等等。㉜今文章句的被減省，幾乎伴隨了整個東漢時代。

章帝等等建初年間是朝廷出面引導今古文兩家打破門戶界限，互相學習，取長補短，形成「通」的導向的關鍵時間。成書於此時的《漢書》㉝在論及經學時也正明確了這樣一種導向。班固在《漢書·藝文志》中說：

> 古之學者耕且養，三年而通一藝，存其大體，玩經文而已，是故用日少而畜德多，三十而五經立也。後世經傳既已乖離，博學者又不思多聞闕疑之義，而務碎義逃難，便辭巧說，破壞形體，說五字之文至於二三萬言，後進彌以馳逐，故幼童而守一藝，白首而後能言，安其所習，毀所不見，終以自蔽，此學者之大患也。

不能不注意的是，既然要「玩經文」，就不能不明訓詁，考字義，而這正是古文家治經的一大特色。所以古文經學在東漢以後得到長足的發展，朝廷數次專門徵召通古文經者，就是一個方面的表徵。

白虎觀會議以後，兼通今古而不守一家章句者越來越多，比如白虎觀會議上深受章帝賞識的歐陽《尚書》家丁鴻的弟子楊倫，就在傳受歐陽《尚書》的同時兼習《古文尚書》㉞；賈逵的弟子許慎作《五經異義》，「說九族則不從古《尚書》說而從今禮戴、《尚書》歐陽說，其論諸侯無去國之義，則不從《左傳》說而從《公羊》說」；《公羊》學家李育也「頗涉獵古學」；何休《公羊解詁》「亦多本《毛詩》，兼引佚禮」㉟；荀淑「少有高行，博學而不好章句，多爲俗儒所非」；盧植「少與鄭玄俱事馬融，能通古今學，好研精，而不守章句。」等等。正因爲通學成爲潮流，所以西漢以來興起的章句之學在東漢以後逐漸走向衰微。㊱

㉜ 《後漢書·張奐傳》。

㉝ 見趙翼：《廿二史劄記·班固作史年歲》。參張孟倫：《中國史學史》（上）（蘭州：甘肅人民出版社，1983年），頁149。

㉞ 見前揭王先謙：《後漢書集解》，頁896。

㉟ 見馬宗霍：《中國經學史》（上海：商務印書館影印1936年本，1998年），頁45。

㊱ 關於東漢以後章句之學逐漸衰微的情形，余英時曾作過討論。見余英時：《士與中國文化》（上海：上海人民出版社，1987年《中國文化史叢書》），頁352－354。

鄭玄的通學正是東漢以來經過朝廷干預而日漸形成的兼通眾家的經學傾向的最後形式，只是以往的經學家還沒能作到「括囊大典，網羅眾家，刪裁繁蕪，刊刻漏失，自是學者略知所歸」，他完成了。經過對兩漢各家經說完整系統的整合，他使經學在他這裡走向了「小統一」，因此被稱爲兩漢經學的集大成者。

經 學 研 究 論 叢
第 十 二 輯　　頁15～80
臺灣學生書局　2004 年 12 月

趙之謙《漢學師承續記》

漆永祥整理*

《漢學師承續記》手稿殘本三冊，不分卷，清趙之謙撰，今藏中國國家圖書館。

趙之謙（1829－1884），字益甫，號撝叔，亦號梅庵、悲盦等，會稽（今浙江紹興）人。咸豐九年（1859）舉人。五上禮部不第，以謄錄勞敘官，分發江西知縣，初權鄱陽，繼權奉新、南城，卒於官。之謙以書畫篆刻名世，故其學反為所掩，人多不知。其論學「主金壇段氏、高郵王氏及武進莊氏、劉氏，蘄進於西漢巨儒微言大義之旨」。❶趙氏曾主纂《光緒江西通志》一八五卷，其著述筆者所見刻本有《補寰宇訪碑錄》五卷《失編》一卷、《六朝別字記》、《張忠烈年譜》、《勇廬閑詰》一卷等，另刻有《仰視千七百二十九鶴齋叢書》五集。國圖尚藏有趙氏稿本如《悲盦家書》、《悲盦書札》兩種、《章安雜說》、《趙悲盦詩文稿》等多種。

《漢學師承記》乃清乾嘉時期學者江藩（1761－1830）所撰，凡收錄自清初至道光時學者全書正傳四十人，附傳十七人，又附六十二人，總計一百一十九人。❷

---

* 漆永祥，北京大學中文系、北京大學古文獻研究中心副教授。

❶ 見蔡冠洛編：《清代七百名人傳・金石書畫・趙之謙》。

❷ 案：此「正記」謂江書諸卷目錄中大字在前者，「附記」謂目錄中小字附見者，「又附」謂名不見於目錄，然於卷末簡略提及者。如卷五〈錢大昕記〉，附錢塘、錢坫之記，又附錢大昭、錢東垣、錢繹、錢侗、錢東壁、錢東塾等。下論趙氏《續師承記》中「正記」、「附記」、「又記」，亦同此例。

其書刊布後，影響極大，幾爲研治清代學術必讀之要籍。但因江氏乃乾嘉時人，又因體例所限，故所記學者時間止於嘉慶前期，其後則付諸闕如。

趙氏《漢學師承續記》，乃續江書之作。所記之學者，起嘉慶時，迄太平天國之後，然原書所記人數，已不可知。今存稿中有正錄二十人，附錄十九人，又附十五人，僅江書之半略強。是書清代公私目錄中，惟朱記榮《國朝未刊遺書志略·史目》中著錄，然不明卷數。筆者遍檢趙氏所著書，凡已刻未刻之著述、書札中，皆不見其言著《漢學師承續記》事。清末學者程秉銛在爲趙氏所撰〈墓志銘〉中謂，「撰《國朝漢學師承續記》如干卷，多明微言大義之學，師法謹嚴，論說精美，在江藩原書之右。」❸蔡冠洛亦曰趙氏著「《國朝漢學師承續記》，未成」。今人宋慈抱等所編《兩浙著述考》雖據上述材料著錄，然亦曰「未見」。

是書今存尚有稿本三冊，藏於中國國家圖書館。❹前後無目錄，無序跋，無頁碼，每頁九行，每行字數不等，總計約五萬餘字。其中一冊封面有「國朝漢學師承續記稿本第二」字樣，餘二冊皆書衣無字，全稿以行草書之，遇清帝名諱或出格跳行，或無，改竄塗乙，處處皆見，因書無頁碼，裝訂不知出自誰氏，前後錯頁，紛如亂絲。從趙氏文中情況看，此稿雖在生前未能寫定成全帙，但應較現存三冊爲多，蓋趙氏亡後，有所失散耳。書中有「之」「謙」連珠、「大興馮氏玉敦齋收藏圖書記」長方、「大興」小長方、「御賜蘊眞靈邁」、「御賜景星照堂」、「御賜鳳庭集祉」、「御賜經厚」、「御賜蕃祉」、「公」圓形、「公度」小長方、「北京圖書館」小方諸印。

此次整理，筆者所做主要工作爲：

1.進行大致之編次工作，並釐清亂頁，各歸傳主本人名下。❺

---

❸ 見程秉銛：〈故江西知縣會稽趙君墓志銘〉，閔爾昌編：《碑傳集補》，卷25。

❹ 案：趙書之存佚，筆者初亦不知，1999 年 5 月參加臺灣中央研究院中國文哲研究所舉辦之「乾嘉經學研討會」，時中央研究院歷史語言研究所陳教授鴻森先生亦與會，告之藏於中國國家圖書館，趙書之能整理發表，陳先生賜示之功實不可沒。全稿整理畢後，陳先生又對識讀及標點等誤，糾正甚多，故附記此段因緣於此，並向陳先生表示誠摯的謝意！又北京大學中文系沈培學兄也通讀全稿，多所是正，在此一併表示衷心感謝！

❺ 案：趙氏原書次序爲張澍、凌堃、張穆、丁履恒、劉文淇（原第二冊）；汪喜荀、王念孫、

2.參考清代史籍及諸家碑狀、傳記、文集、筆札等，進行標點與校勘。

3.原書中人物生卒年月及著述卷數，偶有空缺待補者，今據諸家碑狀、著述及書目等，據以補入，一般不作說明。如〈胡培翬記〉中原作「年　十　卒」，今補為「年六十八卒」；又如所著「《燕寢考》　卷、《禘祫問答》　卷、《研六室文鈔》　卷」，今補作「《燕寢考》三卷、《禘祫問答》一卷、《研六室文鈔》十卷」等。

4.因全書引文多為刪節而成，故若非節引過簡而失其原意者，皆不出校；凡錯訛脫漏者進行補校，皆出校記。

5.對古今字、異體字進行適當的統一工作，個別行文中則酌情予以保留。

6.避清帝諱字及明顯筆誤之字，則逕予改正，不再出校。

因筆者水平所限，加之此書為未成之手稿，中多草書，識讀不便，其中誤識之字，定當不少。大方之家，敬請賜正；糾謬補缺，尚俟來日！

一、錢大昭 于東垣　繹

錢大昭，字晦之，晚號可廬，嘉定人。國子監生。嘉慶丙辰，薦舉孝廉方正，賜六品頂帶。少詹事竹汀先生之弟也。

君學出少詹事，隱居讀書，多文日富。治《詩》守漢經師遺說，於毛無所異，於魯、齊、韓無所廢，說有證必引申之，衷於至是。治小學，校定《爾雅釋文》；於《說文》定十例，為《說文統釋》。十例者：曰疏證，求古義；曰音切，復古音；曰考異，存古本；曰正俗，黜別字；曰通義，明互借；曰從母，說孳乳；曰別體，廣異義；曰正訛，訂訛誤；曰崇古，知古文；曰補字，蒐放失。於史補《漢書》表，補《續漢書・藝文志》，考《後漢郡國令長》；又為《兩漢書辨疑》，王君西沚序之，以為「生千百年以下，追及幾千年以上，如掌上羅紋」；又為《三國

龔鞏祚、洪震煊、胡匡憲、胡秉元、胡秉虔（另一冊）；胡培翬、胡廷綬、錢大昭、錢侗、胡承珙、朱右曾、汪萊、王引之（又一冊）。今依生卒年月、師承淵源、地域關係、家學淵源等因素，排列次序為錢大昭、錢侗、朱右曾、王念孫、王引之、汪萊、洪震煊、丁履恒、胡承珙、張澍、汪喜荀、劉文淇、龔鞏祚、凌堃、張穆、胡匡憲、胡秉虔、胡秉元、胡培翬、胡廷綬。

志辨疑》。

其致力之專且久，有《廣雅疏義》，凡三十年始具草稿。儀徵阮文達視學山東、浙江，皆辟君往，曾爲記〈蕉窗註雅圖〉。桂冬卉見其書，稱爲精審者也。《廣雅》舊無註，雖隋曹憲爲之音釋，厥後千有餘年，微文奧義，罔知說解。自高郵王氏撰《疏證》成，海內尊之，蔑有異義，而君書遂不復傳。乙丑之冬，余過杭州書肆，得蕭山王撫軍紹蘭家藏殘帙，尚存五卷，因取《疏證》參伍校讀，其所徵引繁富相埒，若創通大義，考索幽隱，誠有不如《疏證》之精，然而旁搜遠紹，務爲其難，苦心不可沒也。兵燹之後，遺書散失，斷簡數寸，長留難言，因刺其中與《疏證》異者若干條亟錄之。如釋「月行九道」曰：

> 《禮記疏》引《尚書考靈耀》云：「萬世不失九道謀。」鄭註引《河圖帝覽嬉》云：「黃道一，青道二出黃道東，赤道二出黃道南，白道二出黃道西，黑道二出黃道北。日春東從青道，夏南從赤道，秋西從白道，冬北從黑道。」《漢書．天文志》：「日有中道，月有九行。中道者，黃道，一曰光道。光道北至東井，去北極近；南至牽牛，去北極遠；東至角，西至婁，去極中。夏至至於東井，北極近，故晷短；冬至至於牽牛，遠極，故晷長；春秋分日至婁、角，去極中，而晷中。月有九行者，黑道二，出黃道北；赤道二，出黃道南；白道二，出黃道西；青道二，出黃道東。立春、春分，月東從青道；立秋、秋分，月西從白道；立冬、冬至，月北從黑道；立夏、夏至，月南從赤道。然用之，一決房中道。青赤出陽道，白黑出陰道。若月失節度而妄行，出陽道則旱風，出陰道則陰雨。」
>
> 盧學士云：「《左氏》昭二十一年傳《正義》云：『日月異道，互相交錯，月之一周，必半在日道裏，從外而入內也；半在日道表，從內而出外也。或六入七出，或七入六出，凡十三出入而與日一會，曆家謂之交道。通而計之，一百七十一日有餘而有一交。交在望前，朔則日食，望則月食；交在望後，望則月食，後月朔則日食。此自然之常數也。』」
>
> 戴吉士震〈九道八行說〉云：「月道出入黃道內外，二十七日有奇而交道一終。交終不復於原處，其差一度又幾半度，每年之差，自東而西十九度奇。

古曆家有『九道八行』之説，所以考其差也。借青朱白黑以別之，借八節之名以命之：春分青道爲正東，立春青道爲東南，冬至黑道爲正北，立冬黑道爲東北，秋分白道爲正西，立秋白道爲西北，夏至朱道爲正南，立夏朱道爲西南。如交在冬至南緯二十三度半而入陰曆，半交必在春分黃道內五度半，春分無南北緯，則月北緯五度半是爲春分青道。凡三十交，退在立冬南緯十六度奇而入陰曆，半交必在立春黃道內五度半，立春南緯十六度奇，則月南緯幾十一度，是爲立春青道。又三十交，退在秋分無南北緯而入陰曆，半交必在冬至黃道里五度半，冬至南緯二十三度半，則月南緯十八度，是爲冬至黑道。又三十交，退在立秋北緯十六度奇而入陰曆，半交必在立冬黃道五度半，立冬南緯十六度奇，則月南緯幾十一度，是爲立冬黑道。又三十交，退在夏至北緯二十三度半而入陰曆，半交必在秋分黃道里五度半，秋分無南北緯，則月北緯五度半，是爲秋分白道。又三十交，退在立夏北緯十六度奇而入陰曆，半交必在立秋黃道里五度半，立秋北緯十六度奇，則月北緯幾二十三度，是爲立秋白道。又三十交，退在春分無南北緯而入陰曆，半交必在夏至黃道里五度半，夏至北緯二十三度半，則月北緯二十九度，是爲夏至朱道。又三十度交，退在立春南緯十六度奇而入陰曆，半交必在立夏黃道里五度半，立夏北緯十六度奇，則月北緯幾二十二度，是爲立夏朱道。又三十交，退在冬至，月復循青道。以四年過半循二青道，四年過半循二黑道，四年過半循二白道，四年過半循二朱道，十八年過半，八行一周。古曆以自南而北交於黃道爲中交，常以中交爲主，今曆謂之正交。古曆自北而南爲正交，今曆謂之中交。日食，朔當交也；月食，望當交也。九道自宋人牾之，至元而遂廢。考諸古曆，未有明析其必分之故者。由今思之，可以知交道出入焉，可以考當交、半交、距赤道遠近焉，可以明交終所差，每月交於某宮某度焉，可以辨交之中終與朔望不齊，每朔望去交遠近及當交而有食焉。古法之廢而宜舉者此也。」

戴所云朱道者，本作赤道，但此乃九行之赤道，天體中央去南北極適中處亦名赤道，與此名同易惑，故改之也。戴所云南北緯者，在赤道爲南緯，在赤道北爲北緯也。

詹事兄曰：「月道與黃道相交，正交從黃道北出黃道南，古謂之陽曆；中交從黃道南入黃道北，古謂之陰曆。凡三十七日有奇而月行之出入一終。」又族子塘云：「九道固即交道，而交道似有二種：月與日交而有交食，即昭廿一年《正義》所言是也；九道與宿度交則爲八節，即《漢志》所說是也。古節氣有常度，月行有常率，大抵十九歲而九道小終，千五百廿歲而大終，與交食無預也。《廣雅》所說宿度，未知何據。」

〈釋地〉「少原」、「渚毗」、「幽都」，王氏闕疑，君舉《韓詩外傳》「孔子出游少原之野，有婦人中澤而哭甚哀」證之；盧學士說以爲「渚毗」即「諸毗」，引《南山經》「浮至之山，北望具區，東望諸毗」，郭註「水名」證之；以「幽都」爲即〈禹貢〉「大陸」，引《漢書・地理志》鉅鹿郡鉅鹿縣，「〈禹貢〉大陸澤在東北」證之。正〈釋丘〉「皀，細也」爲「細，阜也」之誤曰：「字書無『皀』字，疑『自』之訛。《說文》：『自』，小阜也。象形。徐鉉曰：『今俗作堆。』《國語》賈逵註：『小阜曰魁。』見《史記・趙世家》。魁即阜也。」釋「洋，厓也」《集韻》引作洚。曰：「洋，疑是泮。《玉篇》泮亦瀰字，深也，盛也。《漢書・地理志》：『〈邶〉又曰：河水洋洋。』今〈邶〉詩無此句，不知乃泮泮之誤也。瀰爲水盛，似不當在此，然亦得與潯、漘、汜爲類。或疑是汻字，《說文》：『汻，水厓也。』徐鉉云：『今作滸，非是。』《爾雅》『岸上滸』，註『岸上地』。段氏玉裁云：『洋，疑泮之誤。《詩・衛風》：隰則有泮。《傳》：泮，坡也。《箋》云：泮，讀爲畔。畔，涯也。』案：洚爲厓，未見所出，段說近之。」〈釋水〉：「瀍，理也。」引兄詹事說曰：「《說文》無『瀍』字，《淮南・本經訓》：『禹辟伊闕，導廛澗。』註：『廛，澗。』澗，水名。讀如裹纏之纏。廛從里，疑古有里音，故轉訓爲理。」

其他考訂文義，足互資辯證者尚數十筆，惜不能讀其全也。所著《詩古訓》十二卷、《爾雅釋文補》三卷、《廣雅疏義》二十四卷、錢直卿《藝文志略》作《疏證》，錢東生《文獻徵存錄》作《輯註》，未成書。亦誤。余所得者爲六、七、十四、十七、十八凡五卷。《說文統釋》六十卷、《後漢書補表》八卷、《補續漢書藝文志》二卷、《後漢郡國令長考》一卷、《兩漢書辨疑》四十四卷、《三國志辨疑》三卷、

《嘉定金石文字記》四卷、《信古編》十卷、《邇言》六卷、《雜志》六卷、《詩集》四卷、《長興縣續志》二十卷。年七十，卒於家。

子東垣、繹、侗，世其學。東垣，字既勤，號亦軒，嘉慶戊午舉人。浙江松陽縣知縣，有政績。以憂去職，服闋，銓授上虞縣知縣，卒於官。東垣端重寡言，克守家法，淹貫經史，篤於內行。弟侗早卒，教育其子。續成許氏《五經異義》，繼少詹事與徵君之志，爲《五經異義輯存》二卷。著《孟子解誼》十四卷、《小爾雅校證》二卷、《補經義考》四十卷、《續經義考》二十卷、《列代建元表》十卷、《建元類聚考》二卷、《䢅宮瓦當文考》一卷、《錢志》一卷、《稽古錄辨僞》一卷、《青華閣帖考異》三卷、《勤有堂文集》六卷、《詩集》六卷。

繹字以成，一字子樂，號亦廬。諸生。精於小學，嘗言詁訓本於聲音，必求古音以通古義，爲《爾雅疏證》十九卷、《說文解字讀若考》三卷、《說文解字闕疑補》一卷、《釋大》一卷、《釋小》一卷、《釋曲》一卷、《字詁類纂》一百六卷、《十三經斷句考》十三卷、《方言箋疏》十三卷。

侗別見。

二、錢侗 錢師徵

錢侗，字同人，號趙堂，嘉定人，可廬徵君之季子。以諸生應召試，名列二等。嘉慶庚午，舉京兆試，充文穎館校錄，授職知縣。年三十八而卒。

侗家世碩儒，沈篤好學，自其弱歲，已有聞於公卿間。精研聲音訓詁，旁及金石泉幣，搜索探討，綜舉罔遺。嘗依劉成國《釋名》之例，撰《釋聲》，〈自序〉曰：

> 言小學者有二端：曰故訓，《爾雅》、《說文》之屬是也；曰聲音，《釋名》之屬是也。有文字然後有訓詁，而聲音實在文字之先，故言小學必通訓詁，言訓詁必先識字，欲識字必先眾聲音。所謂聲者，萌芽於二儀初判之時，廣益於草昧既開而後，非後世四聲、七音、三十六字母之說也。周公制《爾雅》，有〈釋詁〉言訓，獨無釋「聲」與「名」者，是以劉氏廣之爲《釋名》。然案〈釋訓〉云「幬謂之帳」，即繼以「侜張，誑也」；又云

「不辰，不時也」，「鬼之爲言歸也」。同聲比類，已舉最凡，蓋未嘗不寫《釋聲》於諸篇中也。後儒增補，間或昧於聲音，如釋「栝樓」爲「果蠃之實」之類，若依〈釋魚〉「科斗，活東」之例，但云「果蠃，栝樓」足矣，何取一物而區以別之乎？難者曰：「果蠃」、「栝樓」既爲同聲之字，但云「果蠃」足矣，「栝樓」兩言，豈非疣贅？則又不然。大抵文字有定，而聲音無定，氣有清濁，居有南北，語有高下、輕重、緩急、長短，今欲執從其一，是猶教燕、趙之人而吐辭必學吳語，強謅吃之輩而出言胥協古音，此不待知者辯其惑也，故謂「必也正名乎」！《記》曰：「書同文。」天下古今之名之文可正而同也，天下古今之聲音則莫能一也。夫聲隨人變，則字亦隨之俱變，書傳所記，異言殊語，紛更錯雜，新學後進，罔識據依。甚者不知「督郵」爲「獨提」，而疑神農尚無此官；不知「文無」即「蘼蕪」，而謂「當歸」，以贈羈旅。此《釋聲》之書所以繼《釋名》而作也。

余幼習家業，兼奉義方，得稍知小學源流。年既及冠，世父詹事公示以所著《聲類》，益知聲音之妙，觸類可通。因擴其例，徵集群書同物異名之文，比而釋之，《爾雅》而外，以爲言故訓者首推許慎，言聲音者當宗劉熙，所以詮釋諸名，俱以聲爲定準，蓋深有得乎六書形聲之旨者。而彼所釋必據聲音以求故訓，此所釋則皆以聲音概文字，故其命名亦殊也。冥思苦索，積若干年，編爲若干卷，以從劉氏之後。茫茫今古，宜有賞心！義或駭俗，致來駁詰，其知其罪，非吾所能億中也。

君既撰《釋聲》，復取里俗方言，原其聲轉，衷以古音，出之苦思，得則創獲。與同里陳進士詩庭互求證釋，成《吳語詮》。復以《孟子》僞《疏》舛訛叢出，另撰《正義》。又與兩兄偕金君秬和、秦君照若輯《崇文總目》。天不假年，未竟其志，然其所成就者已無能及矣。

君所著《說文音韻表》五卷、《說文重文小箋》二卷、《說文孳乳表》二卷、《九經補韻考》二卷、《方言義證》六卷、《釋聲》八卷、《吳語詮》、《孟子正義》十四卷、《至聖世系表》一卷、《錢氏世系表》一卷、《四史朔閏考補》一卷、《崇文總目輯釋》五卷、《續隸續》三卷、《列代錢幣圖考》二十卷、《古錢待訪錄》二卷、《正名錄》四卷、《唐文集錦》十卷、《元詩紀事》三卷❻、《擬太倉州志人物傳例》一卷、《文集》六卷、《詩》八卷、《詞》二卷。《客杭日記》二卷、《丁丑丙寅日記》四卷，則記友朋講學之詞，考證金石經籍之事。又《讀書日疏》十卷。

子師璟，字直卿，葛君其仁之女夫。能守家法，曾撰《嘉定錢氏藝文志略》者也。

從子師徵，字鑒人，號靜孺，亦精考證，著《五代史記補註》、《漢玉剛卯考》一卷、《金石文字管見錄》二卷。亦早卒，年僅三十五。

三、朱右曾 葛其仁 陳詩庭 陳瑑

朱右曾，字尊魯，一字序周，號咀霞，晚號亮甫，嘉定孝子朱皋亭先生瑋子也。其先世出河南，宋紹聖諫官勃勃子鴻臚卿敦，見《宋史・文苑傳》。南渡後，五傳，卜居吳縣洞庭東山。入國朝康熙中，遷嘉定，遂爲嘉定人。皋亭先生邃於《春秋》之學，著《春秋萃要》，有《歸研齋文》一卷、《詩》四卷。君年十四而父歿，母陸以賢孝聞，撫而訓之曰：「汝父家徒四壁，有遺書數卷耳。能讀耶，敬承父志；不能，其改業賈。」君涕泣受命，學以養親。十八，補縣學弟子。越十年道光戊子，舉於鄉。戊戌，成進士。改庶吉士，散館，授編修，充國史館協修纂修官。君會試出故相穆彰阿之門，官京師十年，終不謁見，人或笑之，不顧也。及後召對稱旨，始授徽州府知府。之任年餘，以母憂去官，遂不復出，終於家。君之行類古獨行君子，其居官也，不矜矜察察，民不欺焉，不爲煦煦孑孑，民愛且敬焉；其教士也，士用向學；其持身也，寡言笑；官典郡矣，事母以孝，謹身節用，一如其爲子爲士之日。其學求精勤，不事辨論，撰《左傳賈服註疏》、《詩地理徵》，皆未見，或未成書。❼已刻者，爲《周書集訓校釋》十卷、《汲冢紀年存眞》二

---

❻ 案：《元詩紀事》乃錢大昕之作，非錢侗之作，趙氏誤。錢東壁、錢東塾編《竹汀居士年譜》乾隆五十六年下錢慶曾註曰：大昕「又有《元詩紀事》若干卷，以稿屬從祖同人及陶凫香兩先生編次成書。」則錢侗乃後來編輯是書耳。

❼ 案：朱氏《詩地理徵》七卷，有《續皇清經解》本、南菁書院刻本等。

卷。《集訓》徵引極博，孔晁所未及。《存眞》則進退上下數千年事，異同是非，鉤摭決眾，罔不綜核。〈自序〉一篇，括舉大旨，言今本可疑者十二事，眞古文可信者十六事，出洪氏頤煊所舉四誤四證之外。略曰：

《晉書·束晳傳》言《紀年》十三篇，《隋·經籍志》作十二卷，《新》、《舊唐書·藝文志》並云十四卷，今本只二卷，篇目可疑一。〈束晳傳〉言《紀年》夏以來至周幽王後，以晉事接之，三家分，仍述魏事。杜預亦云特紀晉國，起殤叔至曲沃莊伯。莊伯十一年十一月，魯隱公元年正月也。今本自黃帝元年至隱王十六年，大半依據《史記·年表》，體例可疑二。古文全用夏正，杜預言可據。今本平王五十一年春三月己巳，日有食之。桓王二十三年三月乙未，王陟。全襲《春秋》，可疑三。《史記正義》引《紀年》，自盤庚徙殷至紂之滅，二百七十三年更不徙都；今本則云，武乙三年「自殷遷河北」，十五年「自河北遷沬」，不知盤庚出徙，已居河北，可疑四。《集解》引《紀年》夏用歲四百七十一年，今本附註云「起壬子終壬戌」，則四百三十一年，可疑五。自來簡冊不詳周公薨年，今本於成王二十一年書「周公薨於豐」，而成王十三年書「夏六月，魯大禘於周公廟」，豈有周公尚存，魯已主廟？可疑六。《書序》周公既沒，命君陳分正東郊；今本成王十年「周文公出居於豐」，十一年「王命周平公治東都」，顯非事實，可疑七。宋陳、晁書目，皆無此書，而《宋志》有《竹書》三卷，是亡而後復輯之證，可疑八。凡《史記註》所引「田侯剡立齊桓公，弒其君母」；梁惠王、成王「會齊威王於平阿」；齊宣王八年，「弒其王后」；秦惠王薨，「秦內亂，殺其大后及公子雍、公子莊」。《水經註》所引鄭築長城，「自亥谷以南」，「鄭師敗邯鄲」，「師於平陽」。此類確是《紀年》古文，而今本俱軼，可疑九。《紀年》不講書法，故王季、文王亦加王號，魯隱、邾莊皆舉謚法，今本改王季爲周公季歷，改文王爲西伯，改許文公爲許男，改平王爲宜臼，可疑十。《水經註》引晉烈公三年，「楚人伐我南鄙」。十二年，「王命韓景子、趙烈子及我師伐齊」。我者晉也。梁惠成王元年，「趙成侯偃、韓懿侯若伐我」。葵二年，「齊田壽率師伐我，圍觀」。我者魏。

今本用周紀年，則我皆爲周，文義俱失，可疑十一。《梁書・沈約傳》不言註《竹書紀年》，《隋志》亦無《紀年》沈約註，今本取《宋書・符瑞志》，託爲休文之註，可疑十二。案：趙氏原註：前後四條，同洪氏說。

其可信者：黃至禹爲世三十，譜牒所紀闕漏甚多，而舜□姑稷契爲堯親弟，舉可旁通，一撤其障，一也。禹都陽城，足證《孟子》，二也。太康、羿、桀，俱居斟鄩，即雒汭之滆口，足證《周書・度邑》因有夏之居，三也。鳴條在陳留，湯伐桀，桀自斟鄩東出，故戰於鳴條，足證《書序》，四也。商五遷：囂、相、耿、庇、奄，前不數亳，後不數殷，故云「於今五邦」，五也。周武王十一年伐殷，禽受，故《書序》、〈泰誓〉言十有一年，足破僞古文十三年之謬，六也。武王陟年五十四，與《周書・度邑》言自「發之未生，至於今六十年」合，上距克殷只閱六載，故《中庸》云「武王未受命」，足辟文王十五生武王，八十二生成王之說，七也。共伯干王位，故《左傳》云「諸侯釋位以間王政」，若周、召共攝政，不得云諸侯，八也。攜王爲王子，餘臣以庶孽，故云「奸命」，若伯服則既立爲太子，不得言「奸命」，九也。《莊子》言越人三弒其君，田成子十二世而有齊國，稽之《史記》，殊形參錯；證之眞古文，若合符節，十也。梁惠王改元稱王，故孟子至梁，稱之曰王，十一也。惠王六年，徙都大梁，故十八年田忌欲直走大梁，十二也。惠王後元十一年，「楚敗我襄陵」，故告孟子「南辱於楚」，如《史記》則無南辱之事，十三也。齊威王三十六年薨，當梁惠王後元十五年，而後齊宣王立，《孟子》之書，先梁後齊，本爲實錄，《史記》之誤，不辯自明，十四也。燕王之亂，在齊宣王七年，足證《史記》、《荀子》以伐齊爲湣王及《通鑑》增年之謬，十五也。《孟子》言由周而來七百有餘歲，依《三統曆》則《孟子》言齊之歲，上距克殷已八百餘載，依眞古文推較，確是七百有餘，十六也。

又言：

少讀《孟子》，疑伐燕之事，及觀《通鑑》增年求合，病其鑿空，取《索隱》所引《紀年》之文，排比類次，渙然冰釋。乃知史遷之誤，唐宋儒者讀書之鹵莽，因廣搜故冊，掇拾叢殘，成爲是書。

然君爲學大凡，亦見於此矣。

君守徽時，同里葛君鐵生，官歙縣教諭，振起文學，相與有成，徽之人至今道之。葛君名其仁，世所稱「嘉定七生」之一也。嘉慶戊辰舉人。精研故訓，撰《小爾雅疏證》五卷。子家逵，官浙江縣丞。咸豐庚申殉節。

「杭州七生」中又有陳瑑者，字聘侯，號恬生，更號小蓮，陳先生詩庭之長子也。詩庭字令華，嘉慶己未進士。著《讀書證疑》、《讀書記》。瑑承家學，成《說文引經考證》、《六九齋饌述》，皆未刻。❽壽陽祁文端❾公爲余言，視學江南時，諸生通經學者，瑑爲第一。後中道光甲辰舉人。余未見其著書，從文端公得所作〈祁大夫字說〉一篇，因錄于末。說曰：……❿

四、王念孫

王念孫，字懷祖，號石臞，戴君東原弟子也。先世居蘇州，明初遷高郵，爲高郵州人。曾祖式耜，中康熙戊午榜貢生。學通五經，不求仕進。祖曾祿，諸生。父安國，雍正甲辰進士。吏部尚書，謚文肅。文肅三娶，生子皆殤。祖年七十餘歿，遺命名孫念孫，及生先生，遂以名之。幼具夙慧，甫能言，已識字。四歲，文肅口授《尚書》，過輒成誦，日盡百數十行。八歲，工文詞。十歲，畢誦《十三經》。

---

❽ 案：陳氏《六九齋饌述稿》三卷，有《心矩齋叢書》本、民國蘇州文學山房本等。卷中前識語曰：「二十年前曾有《說文引經考》之作，書成八卷，說亦可存，特以《說文》偁經之書，近日作者不一家，誼多雷同，說轉繁雜，因簡爲《說文引經異文解》五篇。」此五篇今皆存《述稿》卷中，爲《說文引經異文解》、《說文引書異文解》、《說文引詩異文解》、《說文引春秋傳異文解》、《說文引禮異文解》。

❾ 案：「端」字原缺，據《續碑傳集》卷四秦緗業〈祁文端公神道碑銘〉補。祁寯藻，字穎叔，又字淳圃，避御名改字實甫，號春圃，山西壽陽人。嘉慶十九年進士。道光十六年督江蘇學政。官至戶部、工部尚書、體仁閣大學士等職。卒贈太保，謚文端。《清史稿》卷385、《清史列傳》卷46有傳。下文「端」字亦爲缺文補入者。

❿ 案：此〈記〉爲未完之稿。陳氏《六九齋饌述稿》中無〈祁大夫字說〉，蓋未入此稿中。

流覽史書，作〈秦檜傳〉，斷制中律令。十七，補州學生。

年二十二，乾隆乙酉，高宗純皇帝南巡，時文肅已歿，先生以大臣之子迎鑾，獻頌冊，恩賜舉人。乙未，成進士，改庶吉士。大興朱學士筠負海內重望，凡後進投謁，恒不答，至君則曰：「是當代通儒正士！」躬答拜焉。

越五年，散館，授主事，觀政工部都水司，爲〈導河議〉上下篇，論導河北流、建倉通運之法，會有旨纂修《河源紀略》，撰〈辨訛〉一門，證舊指河源所出之誤。補虞衡司主事，擢營繕司員外郎、制造庫郎中。旋補陝西道監察御史，轉掌山西京畿道吏部掌印給事中。

嘉慶四年己未，高宗純皇帝升遐，隨班哭臨，自以世受國恩，朝夕哀慟，退草密疏，劾大學士公和珅黷貨攬權狀，仁宗睿皇帝覽奏稱善，和珅伏誅，天下歙然傳誦其議，文刻《集》中。是年夏，授直隸永定河道。明年夏，淫雨兼，河溢皋陸，有旨革職逮問，尋命仍赴工次效力。及辛酉工竣，賞六品頂戴，署永定河道。壬戌四月，有旨賞主事銜，留於直隸，令周歷通省水利事宜，悉心記載，一二年後，交直隸總督匯奏辦理。因上書總督顏公，言直隸河渠。略曰：

> 直隸大川有五：曰南運河，曰北運河，曰永定河，曰大清河，曰滹沱河。大清河下游爲淀河，滹沱河下游爲子牙河。永定、大清子牙三河，必先合南、北兩運而後入海河。伏秋之交，五河泛漲，畢注三岔一口，而海潮牴牾，洄漩不下，上游或受其害。欲治直隸之水，必先治兩運河之減河，減河治則入海路分，而海河之受水少，受少則易消納，而三河乃暢然東注。今北運河兩減河，南運河兩減河，及南運河在山東境之兩減河，皆淤塞，宜大疏浚，使暢流入海。六減河既疏浚，則南、北兩運河入海自寬。南、北兩運河治，次及子牙河，格淀隄殘缺卑薄之處，急爲修補，自當城以下修築堅實，不設涵洞以復其舊。子牙故道深通，仍由紅橋入運，則來溜遄行，沙不旁散，自無壅塞患矣。其在大城境內者，向分正、支二河，後全歸支河，而正河淤。今當疏正河，使分流以殺盛漲。其在獻縣者，當浚完固口一帶，於完固口建減水石壩二，分水入減水河。如此，則子牙河治。次及大清河，大清河以東、西兩淀河爲蓄泄，今當開趙北口橋下各河，導西淀諸水由毛兒灣入玉帶河，

> 開雄縣窰河，以分白溝入淀之勢，開盧僧河以分白溝上游，此西淀諸水當治者也。東淀當浚中亭河，使與玉帶河分流；又玉帶河自苑家口以東，分南、北、中三股，實爲東淀之腹，尤需浚使暢達。其楊芳港至三河頭，事同一律，此東淀諸水當治者也。兩淀南岸千里長隄，處處殘缺，應培厚以資捍禦，如此則大清河首尾治矣。
>
> 永定河挾山西、直隸眾山之水，建瓴而下，一過盧溝，地勢漸平，水流漸緩，沙亦漸停。及至下游，沙無出路，日漸淤塞。惟有培多岸隄，或益埽工，亦爲補偏救弊之方。格淀隄既修復，則子牙、大清不相混，永定、大清兩河尾閭暢泄。是格淀一隄，實三河之關鍵也。
>
> 總之，減河疏導，則入海路寬，格淀隄復，則清濁各不相干，而子牙、大清、永定三河咸暢流入運。五河既治，則全省河道已得大綱，雖一勞難言永逸，而除害即以興利。

顏公據以入告，有旨再詳悉履勘，候酌量經理。癸亥，賞四品頂戴，授山東運河道，復調永定河道。甲子，河水復潰出二丈有奇，人力既窮，弗能隄塞，即具章自劾，奉旨以六品休致。道光乙酉，八十二，京兆尹奏請重赴鹿鳴筵宴，恩給四品職銜。年八十九卒。

先生之學，出於休寧，而精宷過之。金壇段先生序其書，稱先生「能互求古今形、音、義三者分合，能以古音得經義」。推爲天下一人，非過譽也。壯歲里居，與李君惇、賈君田祖、汪君中、劉君台拱、任君大椿、程君瑤田論學講書，所業日進。官御史時，撰《廣雅疏證》，日釋三字，寒暑罔間，十年而成。罷官後，就養邸第，鍵戶著書，年齒耄耋，神明不衰，目覽手記，孜孜忘倦。嘗笑而言曰：「人生各有所樂兮，余獨著書以爲常。」可謂篤信好學，守死善道者矣。所著書《廣雅疏證》二十二卷。校定《戰國策》、《史記》、《管子》、《晏子春秋》、《荀子》《逸周書》、《墨子》、《漢書》附《漢隸拾遺》，爲《讀書雜志》八十二卷、《志餘》二卷，未刻者《方言疏證補》一卷。之謙曩居京師，見《十三經校勘記》中，有先生手書案語百數十條。書後歸某氏，閟不出，未克錄副以歸，至今恨之。少作則有《六書正俗》一編，中歲已棄其稿，故不及見。其分定古韻二十一部，有〈與李許齋書〉載《經義述聞》；復有〈與江君晉三論韻學〉前後兩書，茲錄其一曰：

念孫少時，服膺顧氏書。年二十三，入都，得江氏《古韻標準》，始知顧分十部，尚有罅漏。旋里後，取《三百五篇》反復尋繹，始知江氏書仍未盡善，輒以己意重加編次，分爲二十一部，未敢示人。服官後，得亡友段君所撰《六書音均表》，見其分支、脂、之爲三，眞、諄爲二，尤、侯爲二，皆與鄙見若合符節，惟入聲分合及分配平、上、去多有不合。己卯秋，段君入都，始獲商定古音。告以侯部自有入，月、曷以下非脂之入，當別爲一部。質亦非眞之入。質、月二部皆有去而無平、上，緝、盍二部無平、上，並無去。段君從者二，謂侯部有入，及分術、月爲二部。不從者三。

自段君外，意多不合。及奉讀大著，則與鄙見如出一軌，不覺狂喜。曩李許齋方伯聞所編入聲有與段君不合者，曾走札相詢，今將復札錄呈，然其中有與大著不合者，好學深思，心知其意，無如足下，故敢略言其概焉。

段氏以質爲眞之入，非也；而分質、術爲二，則是。足下以謂質非眞之入，是也；而合質於術以承脂，則有未安。《詩》中質、術同用者，唯〈載馳〉三章之「濟」、「閟」，〈皇矣〉八章之「類」、「致」，「是類」與「是致」爲韻，「是禡」與「是附」爲韻，皆通韻也。〈抑〉首章之「疾」、「戾」，不得因此而謂全部皆通也。若〈賓之初筵〉「以洽百禮，百禮既至」，此以兩「禮」字爲韻；「四海來格，來格其祁」，亦以兩「格」字爲韻。凡下句之上二字與上句之下二字相承者，皆韻也。質、術相近，猶術、月相近。〈候人〉四章之「薈」、「蔚」，〈出車〉二章之「旆」、「瘁」，〈雨無正〉二章之「滅」、「戾」、「勩」，〈小弁〉四章之「嘒」、「淠」、「屆」、「寐」，〈采菽〉二章之「淠」、「嘒」、「駟」、「屆」，〈生民〉四章之「旆」、「穟」，術、月之通較多於質、術，而足下尚不使通，則質、術之不可通，明矣。

念孫以爲，質、月二部皆有去而無平、上，術爲脂之入，而質非脂之入，故不與術通，猶月非脂之入，故亦不與術通也。孔氏分東、冬爲二，亦服其獨見。然考〈蓼蕭〉四章皆每章一韻，而第四章「沖沖」、「雝雝」，相對爲文，則亦相承爲韻。孔以「沖沖」韻「濃」，「雝雝」韻「同」，似屬牽強。〈旄丘〉三章之「戎」、「東」、「同」，孔謂「戎」字不入韻，然「蒙戎」爲疊韻，則「戎」入韻明矣。《左傳》作「尨茸」，亦與「公」、「從」爲韻也。又《易·彖傳》、〈象傳〉合用者十條，而孔或以爲非韻，或以爲隔協，皆屬武斷。又如《離騷》之「庸」、「降」爲韻。凡若此者，皆不可析爲二類。故此部至今尚未分出。

又與陳君碩父論《毛詩》曰：

〈鄭風·女曰雞鳴〉篇：「宜言飲酒。」此承上「宜之」而言，「宜」亦當訓肴，猶「弋言加之」，承上「弋鳧與雁」而言也，不當上下異訓。毛於上「宜」字訓爲肴，則此「宜」字亦爲肴可知。《爾雅》：「宜，肴也。」李巡曰：「宜，飲酒之肴。」是「宜言飲酒」之「宜」，訓爲肴矣。蓋《毛詩》說本如是，當從李巡。

〈正月〉篇：「哿矣富人，哀此惸獨。」「哿」與「哀」對文，哀者憂悲，哿者歡樂也。言樂矣彼有屋之富人，悲哉此無祿之惸獨也。〈雨無正〉篇「哀哉不能言」、「哿矣能言」亦對文，言悲哉不能言之人，其身困瘁；樂矣能言之人，身處安樂也。哿、嘉俱加聲，其義相近。〈禮運〉：「以嘉魂魄。」鄭註：「嘉，樂也。」〈大雅〉「假樂君子」，《中庸》引作「嘉樂」，是嘉與樂同義。哿之爲言猶嘉耳。昭八年《左傳》引《詩》「哿矣能言」，杜註：「哿，嘉也。」《毛傳》訓哿爲可，可亦快心愜意之稱。《廣雅》：「厭、愜、哿，可也。」故《箋》曰：「富人已可，惸獨將困。」宋岳珂本、《七經孟子考文》引古本、宋本並作「富人已可」，明監本始作「猶」，淺人改之。《正義》失之。

又曰：

〈北山〉篇：「我從事獨賢。」《孟子》引此釋之曰：「此莫非王事，我獨賢勞也。」賢亦勞也，賢勞猶言劬勞，故《毛傳》曰：「賢，勞也。」《鹽鐵論．地廣篇》亦曰：「《詩》云：『莫非王事，而我獨勞。』刺不均也。」鄭《箋》、趙《註》並以「賢」爲「賢才」，失其義矣。

又〈與桂君未谷論《廣雅》〉書曰：

承示《廣雅》「愼，愩也」，愼爲憒之誤。《文選．幽通賦》「周賈盪而貢憤兮」，憤亦爲憒之誤。念孫案：愩有潰亂之義，曹大家訓愩爲潰是也；亦有恐懼之義，《廣雅》訓伐、愼爲愩是也。欲知《廣雅》愩字之義，當於伐、愼二字求之。《說文》：「伐，惕也。」《春秋．國語》曰：『於其心伐然。』」鄭註《易》云：「惕，恐懼也。」是伐爲恐懼之義。《廣雅》：「愼，恐也。」是愼亦有恐懼之義。《方言》：「蛩烘，戰慄也。荊、吳曰蛩烘。蛩烘又恐也。」《廣雅》：「鱷、蛩、烘、畏、恐，懼也。」「鱷、愼、忌、畏，恐也。」「伐、愼，愩也。」轉相訓釋，而義自明。愩恐、蛩烘，聲近義同。若改愼爲憒，則與伐義不類。《廣韻》：「伐，意愼伐也。」尤足證愼之不誤。

又憒亦有潰亂義，是以慶鄭言「亂氣交憤」，是以曹大家、孟康皆訓憒爲亂，字通作貢。《荀子．彊國篇》「下比周賁，潰以離上」，《韓詩外傳》作「憒」，是憒與潰同義。《說文》：「憒，懣也。」「懣，煩也。」煩亦亂也。李奇註《漢書．敘傳》云：「愩，懣也。」是憒與愩亦同義，無煩改憒爲憒也。

又舉惠氏《左傳補注》引《字林》：「藐，小兒笑也。」此本李善《文選註》，毛刻有脫謬。一本云《字林》：「藐，小也。」「孩，小兒笑也。」惠氏不檢，遂沿其誤。其論辨詳愼類如此。

先生所著書，流播寰海，窮經學古之士，咸知服習。凡解說具《讀書雜志》中者，不復述焉。詩宗漢魏，不多作，今存者僅十餘章。其講求治河法要，有〈籌復滹沱故道說〉、〈籌議唐河豬龍河東西淀圖說〉、〈挑浚趙王河議〉諸篇，其言洞悉利害，無浮文。吳言「天事困人，不竟其用」。兩官河道，再起復躓，仁宗睿皇帝曾有「數奇」之歎。談者言先生官運河道時，見屬吏不設客位，送客不出門閾，疑其拓大，然薦舉視治事優絀，無敢有干請者，人服其無欲。所居廳事樸陋，寢室中堆古書數架而已。嘗誦《左傳》「足欲，亡無日矣」之語以自厲。事上官侃侃不阿，有某公始甚恚之，及某敗，向之阿附者皆不相顧，獨先生周恤其孥，某感且悔，其操行誠篤又如此。

守經訓，終身不惑於二氏之學。晚歲多疾，謝絕賓客，然四方學者謁見，殷殷教誨；同志之友，問學相質，直言無隱。故交遺書，未及改正者，必爲宋定。福德長壽，洞源儒樸，冠倫魁師，天下宗仰。後生小子，雖饕詖憒眊，敢有毀鄭、服，議賈、董，於先生卒無閒言，且有文其說，謂宋儒再生，必取其說者，亦可見學行至是，斷不能顛倒白黑以是爲非也。

子引之，世其學，記於後。

五、王引之

王引之，字伯申，號曼卿，初名述之，高郵州人。石臞先生長子也。母吳孕八月而公生，幼小弱，五歲從師受書，師不忍督責也。師偶他適，公默識書，義未通者，歸一一請析，師大奇之。十七，補州博士。省父京師，肄業太學，應京兆試不第，歸而事母。家居四年，取《爾雅》、《說文》、《方言》諸書，研求聲音訓詁之學。復至都，以所業質父，父大喜曰：「是可傳吾學矣！」石臞先生撰《廣雅疏證》。……⓫

六、汪萊

汪萊，字孝嬰，號衡齋，歙人。七歲能詩，十五補縣學生。天性孝友，家素窮困，嘗負米數十里外。一日，詣典肆質衣，爲犬所嚙，恐傷父母心，遂閟不言。遭歲饑，無所得食，百計謀甘旨，奉親而已。從山氓鑿石面食之，喉格格不得下，強

⓫ 案：是〈記〉亦爲未完之稿。

咽果腹，腸胃阻塞，退而作歌，以自悼歎。其學貫串經史百家，尤精算術，極繁賾幽秘，他人翻覆再三莫能理者，君見之砉然解，不言人已言，能言人所未言與所不能言。前兩江總督鐵保公曾延君測算六塘河新海口地勢，與雲梯關外舊海口高下，啓放減壩，注河入海，名動公卿間。嘉慶丁卯，以優貢生赴朝考，復考取八旗官學教習。

初，御史徐國楠奏請續修天文、時憲二〈志〉，大學士等議準移付史館。定例以翰林、中書充纂修協修官，及傳問諸翰林、中書官，無通曉天文者，會君入都，學士祿康等遂薦君及徐準宜入館纂輯，奉旨俞允。書成，各以本班議敘，然二〈志〉實出君一手也。謁選得石埭縣訓導，卒於官。遺孤長者止四歲耳，賴石埭士民醵金，歸櫬其家。

君於群經註疏，成誦在心，是非得失，擿觖盡意，人以疑義相質，必往復論曉，無所舛午。漢唐儒說積疑經事，受其勘正，渙若冰釋。《司馬法》：「一甲士三人，步卒七十二人，又士十人，徒二十人。」曰：「甲士三人，步卒七十二人，凡家出一人，七十五家出車一乘，此鄉遂軍法也；士十人，徒二十人，凡十家出一人，三百家出車一乘。三百家即成也。成三百家，據受田數而言。實除旁加之一里治溝洫者，即甸也。故又曰：甸出長轂一乘。此都鄙之軍法也。鄭氏《禮》註，本不相混，自服虔註《左傳》，合而爲一，疏家始生轇轕矣。」

又以其說解《論語》「千乘之國」曰：

> 出軍之法，侯國亦異，外內鄉遂七十五家出車一乘，都鄙一成百井出車一乘，載於《司馬法》者昭然。「千乘之國」蓋合境而出之，乃方二百里之小國，「攝乎大國之間」而生畏者耳。試取〈司徒〉、〈司馬〉、〈載師〉、〈匠人〉之文而約計之，方二百里，其地四同，同萬井，九萬夫，城郭、宮室、塗巷三分去一，上地、中地、下地通率二而當一，實受田者三萬家，置一同於中，去二萬五千家爲一鄉，一遂凡三百三十三乘三分乘之一，餘五千家。廛里場圃之等九者各去五百家，餘五百家，從後計外周四面合三同，造都鄙卿鄉三致仕卿三，宜殺於王卿約方四十里，親公子弟地從卿數，又宜減於王親約二，凡一百二十八乘，大夫五致仕，大夫五約方二十里疏，公子弟

地從大夫數約三，凡五十二乘。餘一同二終爲十萬八千夫，三而當一，實受田者三萬六千家，通前五百家分處公邑，出車從鄉遂，凡四百八十六乘三分乘之二合千乘云。

又論《儀禮・士虞禮記》「虞沐櫛」註曰：註言「今文曰沐浴」，校者不言所謂，遂疑今文曰「沐浴」，古本不曰「沐浴」。「古文作『沐浴不櫛』，今文作『沐浴』，無『不櫛』二字耳。所異在『不櫛』之有無，不在『沐浴』也。」

又言：《周禮》：「女巫掌歲時祓除釁浴。」鄭註：「如今三月上巳。」陸氏《釋文》音祀。後人多讀爲祀。己音紀。以太初法推之，第三蔀第三章第三年三月三日恰是己日，其支爲丑，而非祀。足證音祀之訛。且古以上稱日者，用干不用支，賈《疏》明云一月三己，己之音紀，無疑也。

又《史記》太初元年名焉逢攝提格，是爲甲寅。《漢書》述三統，推太初元年歲名丙子。君決之曰：「《三統》，劉歆所作。王莽以火德消盡，土德當代，依太初元年甲寅數至建國元年，則爲丙午，莽急欲即眞，不能待戊己之年，故更元年爲己巳，則冠土於火上，遂改太初甲寅爲丙子，又僞爲超次之法，遠託十四萬三千二百三十九年之前，以爲太極上元起於丙子，超若干法至建國元年，恰爲己巳。此與即位之日用戊辰，令天下以戊子代甲子同意。歆以欺莽，莽以欺天下而已。」其說經史不苟同多類是。

君深於《三禮》，服膺鄭氏，惟於《易》則云：「註以象爲主，先取本卦象，無則取之卦象、互卦象、之而互之象、爻辰上値列宿之象，令聖人繫辭，無一字虛設，較王弼之宗尚玄虛，誠爲得已。然《繫辭》曰：『彖者，言乎象；爻者，言乎變。』是解《彖辭》不能取之卦之象，解《爻辭》當取一爻獨變之象。康成之註此例未協。」欲綜全經作《易疏》，未成。

又著《三聲論》曰：

聲止於三：一曰平，二曰上，三曰去。三聲皆有濁聲，而上聲之濁最顯。定聲類者不審其精，讀之過急，乃於清聲之後，繼以上聲之濁而別之爲入聲，相沿至今，習焉不察，韻書葛藤，從此起矣。故有以去濁爲上入之濁者等韻群、定諸母是也。說者謂上聲之濁似去而非去，群、定諸母則誠然矣，疑、泥諸母何又不似去乎？蓋既誤別上濁爲入聲，因求群、定之聲而不得，遂取方音別上入之訛爲去濁者而塡之。以聲而論，則眞去也，何似之有？至疑、泥諸母既因平聲之清無字，不立其母，遂竟以清聲塡諸濁位，此誤別入聲，致生支離之咎也。有上入不分，清濁二位任意通用者，〈經世音圖〉暨〈韻法直圖〉是也。蓋欲上入之外，別其清濁，而不能別因重其聲以擬平去而不可分，此誤別入聲，致生蒙混之咎也。有制啌、嘡、上、去、入爲五聲，而上去入皆不分清濁者，方以智之《通雅》是也。蓋既讀上濁爲入聲，別求上入之濁而不得，遂疑仄聲一例並去濁而昧之，此又誤別入聲，致生挂漏之咎也。

所言足證顨軒孔氏「古無入聲」之說。君嘗手制渾天、簡平、一方各儀器，與同郡巴君孟嘉、江都焦君里堂、甘泉江君鄭堂、元和李君尚之論算學，皆折服友善。程君易疇撰《磬折古義》成，屬君考定，君爲較重心比例之法，明磬鼓直縣之制。江君述君與李尚之論開方題解立天元一法不合，遂致齮齕，今讀焦君所爲〈別傳〉，詳載兩家異同之故，言若殊趨，義實互證，其書具在，可考而知焉。所著《衡齋算學》七卷、《考定磬氏倨句令鼓旁綫中縣而縣居綫右解》一卷、《覆載通幾》一卷、《校正九章算術》及《戴氏訂訛》一卷、《參兩算經》一卷、《樂律逢原》一卷、《□考定開方表》、《十三經註疏正誤》、《說文聲類聲譜》，皆未刻。今有錄《衡齋文集》三卷。

弟子傳其學者，績溪胡君培翬。

七、洪震煊⓬

洪震煊，字樾堂。嘉慶癸酉拔貢生。厲學敦行，名亞於兄。阮文達公撫浙時，書「鄂不軒」額寵之，且稱之曰：「侍郎之後，復見洪生。」侍郎者，天臺齊

⓬ 案：「洪震煊」大題，原無，今以全書之例補出。趙氏於頂格註曰：「當附其兄後。」然今稿本不見其兄頤煊之《記》，蓋或未成稿，或散佚耳。首句「震煊」亦依例補出「洪」字。

召南也。君性孤介，友朋間惟孫與人、徐北溟相善。其學一本漢儒，甚疾虛無之說。嘗讀《夏小正》用夏正日躔求昏旦星，謂以經證經，上合〈堯典〉，下通〈月令〉，其說甚辯。又以「正月鞠則見」，鞠爲虛星。說曰：

> 《天官書》星無名鞠者，近註家皆謂鞠星即柳星，「則見」爲昏見。震煊謂鞠非柳星，其虛星也。案：《小正》凡一月候數星者，必一在晨一在昏。四月昴則見者晨也，初昏南門正者昏也；五月參則見者晨也，初昏大火中者昏也。七月漢案户初昏，織女正東向者昏，斗柄縣在下則旦者晨；八月辰則伏者昏，參中旦者晨。九月內火者昏，辰繫於日者晨。十月初昏南門見者日者晨。十月初昏南門見者昏，織女西北向則旦者晨。「正月鞠則見」若已爲昏也，下「初昏參中斗柄縣在下」又爲昏，三星一候，非《小正》例也。蓋鞠則見者晨候也，初昏參中斗柄縣在下則昏候也。〈月令〉每月中星必一言昏一言旦，本《小正》之法也。
>
> 《小正》凡言星之則見者三：正月鞠則見，四月昴則見，五月參則見，皆謂晨見。五月晨見者參，四月晨見者昂，正月晨見者虛矣。正月日躔在營室，虛星東距日躔三十度許，故晨見也。《小正》凡言「則見」者，皆謂嚮見而後伏，伏而再見。柳自季夏以後無夜不見於天，不應至正月始言「則見」，南門之候，於十月之昏也，言見不言則也。若虛星自十一月始伏，至正月始見，故經曰「則見」，傳曰「再見」，宜也。《爾雅・釋詁》云：「鞠，盈也。」鞠有盈義，盈虛相反，鞠之爲虛，其猶治之爲亂、甘之爲苦與？古人原有以義適相反命名者，則謂虛星爲鞠星是也。

又考〈禹貢〉「降水」曰：

> 〈河渠書〉：禹導河，「至於大伾」，「以爲河所從來者高，水湍悍，難以行平地，數爲敗，乃廝二渠以引其河。北載之高地，過降水，至於大陸。」太史公親從孔安國問故，此必古文家說也。《漢書・地理志》於上黨屯留云「桑欽言絳水出西南，東入海」，於信都國信都云「〈禹貢〉降水亦入

海」。云桑欽言降水，云〈禹貢〉降水出，而不云古文，明非古文家之說也。〈地理志〉引〈禹貢〉字作「降」，〈溝洫志〉亦作「降」，而〈地理志〉郡國下字特作「絳」，二文是錯，抑亦有戾於古文，故鄭君駁之，以爲「水土之名變易，世失其處，見降水則以爲絳水，故依而廢讀，或作絳字，非也」。鄭君傳古文是「降」非「絳」，益信〈地理志〉郡國下之絳水非古文家說，降水在漢時已難尋其故道，故鄭君以爲「今河内共北山，淇水内焉。東至魏郡黎陽入河，近所謂降水也」。又「今河所從，去大陸遠矣，館陶北屯氏河其故道與」？云「近所謂」，云「其故道與」，鄭君自爲疑詞，不敢確指淇水即爲絳水，屯氏河即〈禹貢〉故道，以經典無明文，故言之過愼。顧或據《水經註》，絳亂漳津，漳、絳通稱，謂絳即漳，則難信也。〈禹貢〉有二水而同一名者矣，如「漆沮既從」，又「東過漆沮」是也，未有一水而二名者也。如果一水，冀州曰衡漳，導河曰降水，忠質之世，主名山川，何有此繁稱哉！況〈地理志〉漳、降並列，漳水入河、降水入海，是古者漳、降二水分也，降水非洚亦非漳。

案：〈溝洫志〉王橫云：「禹之行河水，本隨西山下東北去。《周譜》云定王五年，河徙。則今所行非禹之所穿。宜更開空，使緣西山足乘高地而東北入海。」賈讓云：「決黎陽遮害亭，放河使北入海。河西薄大山，東薄金隄。」「遮害亭西十八里，至淇水口，乃有金隄高一丈。自是東地稍下隄稍高，至遮害亭，高四五丈。」王橫所稱「西山」，即賈讓所謂「放河使北西薄大山」，即賈讓所謂淇水口「東地稍下隄稍高」。則淇水口以上隄下而地高可知，此即王橫所謂「緣西山足乘高地」，亦即太史公所謂「至大伾，引河北載之高地」。賈讓所稱「淇水口」，即鄭君所稱淇水「近所謂降水」。黎陽即鄭君所謂淇水「自魏郡黎陽入河」。由是知鄭君以淇爲降，非出胸臆，蓋亦古文家之舊說也。

又撰〈曾氏一貫論〉曰：

夫郁草十葉爲貫，錢貝十百爲貫。然則貫者備十數也。一者數之始，十者數之終，是故一貫三爲王，十合一爲士，一貫之旨，考文可知。貫從毌生，從毌從貝。從貝則非無物，從毌則非一數。羅縷道妙，必絕慮於虛無也；錯綜理蘊，宜辭聲於固陋也。實字從貫，貫從實文，實義不虛，貫數非一，貫之與實旁通情矣。《周語》單子之言曰：「忠，文之實也。」《戴記》著孔子之言者，「内思畢心曰知中，中以應實曰知恕」。由斯以譚，忠恕者，實學之通義，一貫之雅詁爾。考中度衷，必有實功；聞一知十，亦非空悟。博學審問，是爲講貫；好古敏求，是爲累貫。夫子之道無隱乎爾。故《管子》亦云：「聞一言以貫萬物，謂之知道。」豈有高談性理，存神乎冥漠之鄉，矯語從容，荒忽乎名物之數，而自以爲泛應曲當哉？

屮之屯也上貫一，木之才也上貫一，艸之乇也上貫一。夫「一貫」與「貫一」殊情，「以貫」與「自貫」殊致。彼草木之無知，故貫地以自然；若人爲物靈，動爲世則，觀玩則上下無常，酬酢則人己兩盡，必強識事數之全，乃克盡物情之變。語曰：「忠信爲周」。周正言乎其全爾。而數從一始，一在其下爲本，一在其上爲末，本末具而上下通，忠恕之效也。二爲偶一，三爲函一，四成四分，五象五行，入八爲六，衺出爲七，分別相背者八，屈曲究盡者九。數之未備，皆未可言貫，惟至於十而全數見矣。東西其一也，南北其貫也。故曰「一貫」。再稽《周禮》太史算器謂之中，《考工》桃氏穿莖亦謂之中。然則忠之從中得聲，亦謂當握其全數而貫穿之。恕從忠出，忠恕同事，物數雖繁，一以貫之，算法所謂「實如法得一」，蓋取諸此。《逸書》曰：「先算其命。」言王者統業，先立算數，以命百事也。《曾子》首篇曰：「博學而算焉。」其亦謂此與？他日函丈問答，詳盡變禮，十篇書成，究極天圜，惟道傳於備數，故功成於篤實也。

其他如〈復禮〉、〈論性情說〉、〈格物說〉諸篇，皆樸實有根柢。震煊貢成均，赴都就試，不得歸，直隸學使某公延之襄校，以疾卒於深州。年四十六，所著書不傳。

八、丁履恒

丁履恒，字道久，號東心，別字若士，武進人。系出宋集賢校理寶臣之後。縣學生。嘉慶六年，選拔貢太學，朝考不入選。十三年，應淀津召試，名列二等，賜大緞二匹，充文穎館謄錄官。期滿，敘銓贛榆縣學教諭。

履恒負澹雅才，爲詩文，時出己意，見者驚異，咸以文士目之。年二十一，遭父喪，方受業盧紹弓學士之門，與臧君在東爲友，臧貽書勖學，恒答言：「三代時，力行爲先，學文爲後；西漢大儒，專業《六經》，而文章附以行；至東漢，經生以章句名家，則有通經義而文章不傳者；迨唐宋人，自以文爲載道之言，而經義或弗深講。文章、經術之分舊矣。誠肆力於文章，則必玩索古經，通其大義，爲明體達用之文；下亦綜挹群言，芳潤六藝，遠絕浮薄嘩囂之習。若研究聲音訓詁，以蘄明白乎經義，則期之終身。」其立志如此。

履恒久爲教官，俸滿，例得保薦。蕭山湯文端夙知履恒，語人曰：「百里尚不以屈士元，況廣文耶！」爲言於大府，舉之。道光七年，銓授山東肥城知縣。出都時，仁和龔儀部自珍作〈常州高才篇〉送其行。既至官，則修社倉，備饑歲；行保甲，靖匪種；立普濟堂，恤煢獨無告之民。民無怨咨，官無留事。嘗曰：「毛公傳《詩》『烹魚煩則碎，治民煩則亂』。吾何能稱職？求爲不煩而已！」治肥城三年，以足疾引退，未及行而母歿，訃至，擗踊奔歸，年餘，病卒。

履恒綜覽漢唐以來師儒經說，不事瑣屑飣餖之業，不斆性天愚誣之言。每論先民立身成敗、民生利病及夫宏濟艱難、支持危局、生死骨肉之事，赴湯蹈火之遇，必反復推求，以知其故，以冀用其所學。而少壯幾何，濩落閑散，年逾五十，甫得一官，無所設施，鬱鬱以歿，良可悲已！

履恒撰有《春秋公羊例》、《左氏通義》、《毛詩名物志》、《諧聲部分篇通合篇》、《思賢閣詩文稿》、《倚聲寫韻齋詞稿》、《燕齊游草》、《熊湘游草》、《漚寄賸草》、《宛芳雜著》、《望雲聽雨山房札記》，凡若干卷。庚申，寇陷常州，虐焰所過，幾無孑遺。曾求遺書於陽、武兩邑人士，皆言無之。余藏有《諧聲部分篇通合篇》副本，爲日照許君印林手校者，經高郵王先生念孫及劉儀部逢祿閱定，標識上方，間有改正，疑亦未定稿也。

履恒治韻，溯宋鄭夾漈，合以顧氏、江氏、段氏、孔氏、張氏五家之說，準之己意，分爲十九部。論〈部分〉曰：

鄭氏合魚、虞、歌、麻爲一部，蕭、宵、豪、尤爲一部，得古韻關通消息，而陽、庚、青、烝並合於東，則大闊疏；入聲分配多未愜。顧氏分尤部之侯合魚、虞，分尤之半合支、脂，分支之半合歌、戈，分麻之半合虞、模，分庚之半合耕、青，最爲入細，其入聲配合尤當。江氏分眞、元爲二，侵自爲部，洵出獨見，而侯合於幽，猶囿俗音，入聲質、術以下十三韻分配眞、元亦舛。段氏別之、咍、支、佳於脂、微，別眞、先於諄、元，視顧、江加密，而入聲質、櫛、屑合眞，臻、先，尚沿江氏之誤。孔氏別冬於東、江，別談於覃、咸，別虞於魚、模以合侯，別蕭於宵、豪以合幽，特識遠軼前人。惟分入聲緝、合以下別爲一類，以爲談、鹽、咸、嚴之陰聲，則殊未確。《廣韻》下平、上去、入最後各九韻，四聲轉合本甚明晰，既分侵、談爲二類，則緝、盍亦當分配，不必別立合類也。張氏大旨師法段氏，惟冬別於東，則宗孔氏，而別泰、怪⑬、夬以下五韻自爲一部，說本莊氏述祖，實爲創獲。但怪爲皆之去，隊爲灰之去，術附質爲脂、旨、至之入，迄附物爲微、尾、未之入，黠爲皆、駭、怪之入，沒爲灰、賄、隊之入，各有聲轉，不應別出。惟去聲祭、泰、夬、廢，入聲月、曷、末、鎋，合之平上無所附麗。試以《詩・草蟲》、〈甘棠〉諸篇所用韻，孔盡求之，其爲歧出於脂、微諸韻，固自犂然。揖部不必分，亦沿孔氏之誤。履恒不敏，卒業於斯，輒集諸家之成，證之《詩》、《易》故書之韻，釐然爲十九部，統於十日之干，亦古人令甲、賦甲之義。

又論〈通合〉曰：

顧氏既分古音爲十，每字必求本音以合之，其有不合，則以爲非韻，又以爲

⑬ 案：「怪」字原脫，據丁氏《形聲類篇》卷1〈形聲部分篇〉末案語補。

方音。江氏且以《離騷》、《七諫》用「調」協「同」爲強效《詩》韻〈車攻〉之誤，遂使古人有韻之文，變爲無韻，千載存疑，莫開其實。段氏始於本音之外，創爲合韻，分十七部爲六類，從次第遠近求之，而以異平同入爲樞紐。孔氏以陰聲九類與陽聲九類相配偶，其偶皆可通合。張氏又廣合韻之例爲五法，益加密焉。今宗二家之說，師張氏之恉，分爲四科：一曰比類通合，二曰同入通合，三曰同列通合，四曰同⑭類旁合。引而伸之，觸類而長之，合韻之理，思過半矣。

履恒之書，以顧氏《音表》一部爲甲部上下，十部爲乙部上下，九部爲丙部，七部、八部爲丁部上下，四部爲戊部上中下，二部爲己部上下及庚部上又辛部，六部爲庚部下，五部爲壬部上下，三部爲癸部上下。⑮於段氏《十七部表》中分九部、十五部各爲二，於孔氏《詩聲類》中分辰類、脂類各爲二以合類分入侵談類。於張氏《毛詩韻》二十部中合揖部於林岩部爲十九部，末附《餘論》。則列同得聲字分收各部者，與所從得聲字不同部者，字可兩讀應兼收各部者，又字可兩讀應專收一部者，從偏旁省聲形近而訛者，得聲之字形近相訛應改正者，得聲字應從古文偏旁補入者，凡七科，計書總三萬餘言。

子嘉蔭、嘉葆，能世其學。葆字仲生，道光十九年進士，官至翰林院侍讀學士，視學貴州卒。著述未見。

九、胡承珙

胡承珙，字景孟，號墨莊，涇縣人。嘉慶辛酉拔貢生，其年中江南鄉試。乙丑，成進士。改庶吉士，散館授編修。庚午，典試廣東，尋遷御史，轉給事中。數陳利弊，多見施行。嘗條陳虧空弊端四事，時論韙之。又奏江、浙漕船舵工水手，多習教斂錢，糾結黨與，恐釀事端。未幾，浙江漕船滋事案起，咸服君先見。已

⑭ 案：「同」，原作「從」，據《形聲類篇》卷2〈形聲通合篇・通論〉改。

⑮ 案：丁氏原文爲：「甲部上東、下東，乙上侵、下談，丙蒸，丁上陽、下耕，戊上眞、中文、下元，己上脂、下祭，庚上支、下歌，辛之，壬上幽、下宵，癸上侯、下魚。」

卯，充順天鄉試同考官，旋授福建延、建、邵道，調臺灣道，以病乞歸。

君治經專《毛詩》，竭畢生心力，撰《毛詩後箋》，同時治《毛詩》者，有長洲陳徵君奐，撰《毛詩故訓傳疏》，君與友善，數貽書講論徵君之疏，務申《傳》義。君爲《後箋》，別能於《傳》文前後際會，通其指歸。上考周、秦古書，反覆尋究，證明毛說，以逆詩志。論者謂千百年來述《毛詩》者，無過二家。雖賈、徐、陳、謝，不是過也。稿本屢易，末年手自寫定，至〈魯頌·泮水〉而疾作，未卒業，其子先翰、先頫乞陳徵君爲補成，校定授梓。嘗與績溪胡竹邨戶部書論《毛詩》曰：

> 承珙《後箋》專主發明《毛傳》，爲之既久，然後知《箋》之於《傳》，有申毛而不得毛意者，有異毛而不如毛意者。蓋毛公秦人，去周近，語言文字名物訓故，已有後漢人所不能盡通者，而況唐人乎？況於宋人乎？姑以一事言之：《召南》：「厭浥行露，豈不夙夜，謂行多露。」《傳》：「興也。厭浥，濕意也；行，道也。豈不，言有是也。」《箋》云：「我豈不知當早夜成昏禮歟？謂中道之露太多，故不行耳。」案：此詩首章三語，初讀之似與〈王風〉之「豈不爾思，畏子不奔」，〈小雅〉之「豈不懷歸，畏此簡書」，文法相類，故《箋》語云云。《正義》用以述《傳》，但此女方被訟不從，而乃云豈不欲之，作此婉辭，不合語意，且他處言「豈不」者，下皆言有所畏而不敢，此則是「謂」非「畏」，蓋此「謂」與下章「誰畏」之「畏」，一律皆訟者誣蔑之辭，眾不能察，而欲於召伯之聽之者也。故此云厭浥者道中之露，然必早夜而行，始犯多露，豈不早夜者而亦謂多露之能濡己乎。以興本無犯禮，不畏彊暴之相誣也。毛於他詩「豈不」無傳，而獨於此言明其詞旨不同：「豈不言有是」者，謂有是早夜而行者，乃可謂道中多露，《經》反言之，《傳》正言之耳。
>
> 故不熟讀《經》文，不知《傳》文之妙，不細繹《傳》文，不知《箋》說之多失《傳》旨。鄭學長在徵實，短於會虛，前人謂其「按迹而語性情」以此。唐人作疏，每欠分曉，或《箋》本申毛，而以爲易《傳》；或鄭自爲說，而妄被之毛。至毛義難明，不能旁通曲鬯，輒以「傳文簡質」四字了

> 之。拙著從毛者十之八九，從鄭者十之一二，始則求之本篇，不得則求之本經，不得則證以他經，又不得，然後泛稽周秦古書，於語言文字名物訓詁，往往有前人從未道及者，不下數十百條，擬俟通錄一本後，摘出別鈔，以便就正。

此君撰書之大略也。其於《儀禮》古今文曰：

> 鄭註所謂今文者，乃小戴本，出於高堂生所傳；所謂古文者，則《前漢・藝文志》云「古經出魯淹中」者。鄭君作註，參用二本，從今文者則今文在經，古文出註；從古文者則古文在經，今文出註。然今文、古文各有一字兩作者，如「膱」爲今文，「胾」爲古文，而又云「今文膱或作植」；「繅」爲古文，「璪」爲今文，而又云「古文繅或作藻」。且有不言今古文，但云「某或作某」者，殆當時更有別本。典籍流傳，字多通借，《周禮》故書，《禮記》他本，《論語》異讀，凡皆審定聲義，務存折衷。此經之註，亦同斯旨。最其略例，蓋有數端：有必用正字者，取當文易曉，從「甒」不從「廡」，從「盥」不從「浣」之類是也；有即用借字者，取經典相承，從「辯」不從「徧」，從「膉」不從「嗌」之類是也；有務以從古者，「視」爲正字，「示」乃俗誤行之，而必從「視」是也；有兼以通今者，「升」當爲「登」，「升」則俗誤已久，而仍從「升」是也；有因彼決此者，則別白而定所從，〈鄉飲〉、〈鄉射〉、〈特牲〉、〈少牢[16]〉諸篇是也；有互見而並存者，可參觀得其義，〈士昏〉從古文作「枋」〈少牢〉從今文作「柄」之類是也。

論《小爾雅》曰：

> 《小爾雅》者，《爾雅》之羽翼，六藝之緒餘也。《漢書・藝文志》與《爾

[16] 案：「少牢」二字原無，據胡承珙《求是堂文集》卷4〈儀禮古今文疏義自序〉補。

> 雅》並入《孝經》家。揚子雲、張稚讓、劉彥和之倫，皆以《爾雅》為孔門所記以釋六藝之文者，然則《小爾雅》猶是矣。漢儒訓詁，多本《爾雅》，毛公傳《詩》，鄭仲師、馬季長註《禮》，亦往往有與《小爾雅》合者，特以不著書名，後人疑其未經援及。然如《說文》所引《爾雅》之「㹃」，則固明明在《小爾雅》矣。其中如金鳥之解、公孫之偁、請命之禮、屬婦之名，合符《詩》、《書》，深裨經誼。沿及魏晉，援據益彰，李軌作《解》，今雖不存，而所註《法言》「曼無卲美」，即用雅訓，是足以明其學矣。唐以後人取為《孔叢子》第十一篇，世遂以《孔叢》之僞而並僞之，而酈氏註《水經》，李氏註《文選》，陸氏《音義》，孔、賈《義疏》，小司馬註史，釋玄應譯經，其所徵引，核之今本，粲然具存，可見《孔叢》本多剌取古籍，而所取之《小爾雅》，猶系完書，未必多所竄亂也。

休寧戴君嘗疑《小爾雅》凡四事，君為一一辨釋。又言惠氏《九經古義》不及《爾雅》，補撰數十條。凡所著書，《毛詩後箋》三十卷、《儀禮古今文疏義》十七卷、《小爾雅義證》十三卷、《爾雅古義》二卷、《求是堂詩集》二十二卷、《奏摺》一卷、《文集》六卷、《駢體文》二卷，又《春秋三傳文字異同考證》、《公羊古義》、《禮記別義》，或未成。

君雄於文，通經術，精小學。官臺灣時，首獲洋盜張充等，斬以徇，餘孽遁迹。尤行清莊保甲法，民番安穩，四境肅然。歸九載，不出里門，以事著述，聞於二三同志，為詩酒之會而已。然遇修城郭、置書院、凶年平糴，必勇成之。年五十七，遘瘧疾。病亟時，一日夜半，微雨無聲，室中人不聞也。君忽問：「有雨乎？」皆曰：「無之。」君曰：「有。」啓戶視，地已濕。次日，君卒，嗚呼！有自來矣。

一〇、張澍

張澍，字介侯，武威人。父應舉，以孝友稱於鄉，多隱德。澍誕生岐嶷，博聞強識，里黨目為奇兒。乾隆五十九年，舉於鄉。赴都應試，問業於餘姚邵學士晉涵，學士勉以讀書，始研尋古義，窮究經術。嘉慶四年，成進士。改庶吉士，年甫十九。散館，以知縣用，朝論惜之。授貴州玉屏知縣。澍宰玉屏歲餘，旋攝遵義、廣順，迎父至襄陽，父患目眚，道返里，澍即引疾歸。貧無以養，復出游，主講蘭山書院。會親年例得告近，再出謁詮，漢軍張文敏公方奉命治李家樓決河，奏以澍管料場，力革宿弊，以勞敘選四川屏山，歷任興文、大足、銅梁、南溪。遭父喪歸。服闋，再任江西永新、瀘溪。所至稱治，民以爲神。

澍性疆直，治事以剛果聞。宰遵義時，里多巨滑，値趁虛則結外方奸民，刦人於市。澍初至，吏民以其少也，且易之。澍乃召里甲，斥其素桀黠者，而選其願慤者，令絕飲博，守侳塞。戒曰：「容匪類，瞥不協力，被盜匿不報，皆罪無赦，且責倍償。失者不務捕，務偵，偵盜所在，必捕，捕必獲，獲有賞；賄脫盜則罪之，亦責倍償。」於是劇盜把地、王賽、曹操等皆就擒，餘黨震恐，散遁桐梓、正安、綏陽諸縣。桐梓令衛天民見澍而慨然曰：「吾子以鄰國爲壑！」澍笑曰：「君甘爲逋逃藪耶？」衛不能答。

澍攝興文時，代玉屏令陳某，黷貨無厭，虐民多死。洎澍還，民爭赴愬。澍素疾惡，將發之，陳先以事誣澍，澍揭陳婪贓斃命凡六百餘案，陳之黨仇澍，咸致毒焉。大府素知澍，奏陳某革職，澍解任待質。案定，陳從輕而徒，澍事卒白。又嘗抶巡撫前騶索金者。布政使僕某毆催丁銀，至澍署，澍痛箠之。上書辨是非，語若嚴師教弟子，上官多優容之，顧心弗善也。坐是一官三十年，不獲上考，澍落落不以介意。曰：「吾行吾志，無愧百姓而已！」嘗語其友潘君挹奎曰：「余幼負志，恥爲文人，幸籍科第，鞅掌簿書，思稍有樹立。」潘規之曰：「子方而不員，無以獲上，人且齕子矣，烏能行所學哉！」

澍博綜載籍，抗心希古，雖久服官，不廢著述，姓氏之學，尤爲專家撰〈姓氏五書〉，爲〈姓氏論〉三篇。其略曰：

> 何人不有姓？何人能知姓？不知姓則不知其性，不知性則不知其生。姓者，生也。諸羌性宏，諸姚性仁，張、王性寬，李、趙性愨，劉、范性急，嬴、偃性雄，尚、呂性狷，熊、芈性褎，姬、黃性廣，曹、檜性偪。古人因五音定姓，因姓知性，因性知生。後人違仇難而改，蒙豢養而冒，畏權勢而易，慕華胄而假，久則迷其始、忘其祖矣。佛家者流，背父母，棄妻子，不姓不

氏，其徒亦蔑姓氏，從之，亂先王之大倫，瀆生民之正典，何不仁之甚耶！

又曰：

> 姓氏不明，世次必亂，人倫因之，瀆紊風俗，浸以衰薄。如堯伊祁姓也，舜姚姓也，聳昧者以爲皆出黃帝，是重華爲堯五世從玄孫，乃妻五世高祖姑矣。張汭之碑，以張本於張宿；柳敏之碣，以柳因於柳星。何所依據，造是訛⑰言？改武爲蝮，更李爲虺，易楊爲梟，變蕭爲蛸，削孫爲厲，沒竇爲毒，損元爲兀，以惡號加本支，族誼離矣；張爲叱羅，劉爲獨孤，王爲鉗耳，侯爲賀吐，李爲徒何，辛爲普屯，田爲紇干，以左言冠中華，習俗移矣。秦皇燔簡編、薄姓系，君子深歎其斁倫；魏帝捨拓跋、紀元氏，君子重貴其背祖。可不省歟！

樹蒐採繁富，辨證精審，上從王符、應劭所述，下正林寶、孔志、鄧名世、王應麟之誤，經史譜牒，同條共貫，固一代之絕學也。澍說經守漢經師家法，深疾不根之談。善屬文，才識博辨，學足輔之。其解〈牧誓〉「庸蜀羌髳微盧彭濮人」曰：

> 《傳》訓「八國皆蠻夷戎狄屬文王者，國名」。今人句讀多　。岳珂《九經三傳沿革例》「羌在西」句「蜀叟」句，「髳微在巴」句，「蜀盧彭在西北」句，「庸濮在江漢之南」句，最爲分明。
>
> 庸即魚國，夔州房陵、上庸之地。《括地志》：「房州竹山縣本漢上庸縣，古之庸國。周武王伐紂，庸蠻在焉。」《左傳》文公十六年「庸人率群蠻叛楚」，楚人伐庸，「七遇皆北，惟裨、儵、魚人實逐之」。杜註：「庸邑，即魚復。」「庸，今上庸。屬楚之小國。」《後漢・郡國志》劉昭註：「魚復，古庸國。文十六⑱年魚人逐楚師是也。

---

⑰ 案：「訛」，《養素堂文集》卷17〈姓氏論中〉作「詭」。

⑱ 案：「六」原作「九」，誤。《後漢書・郡國五》：「魚復。」注作「十年」，北京中華書

蜀即叟，《後漢書⑲・劉焉傳》「馬騰與劉範謀誅李傕，焉遣叟兵五千助之。」〈董卓傳〉：「呂布軍有叟兵內反。」註：「叟兵⑳，即蜀兵也。漢代謂蜀爲叟。」常璩曰：「夷人大種曰昆，小種曰叟。」《漢書・西羌傳》西羌「出自三苗，姜姓之別」。又云羌無弋爰劍子孫「各自爲種」。即武都豫狼、廣漢白馬、汶山冉駹、巴中板楯，今松藩、茂州諸州諸夷也。

髳即旄牛種，即越嶲夷。〈西南夷傳〉：天漢四年，以沈黎郡並蜀郡，置兩都尉，一居旄牛，主徼外夷。延光二年，旄牛夷叛，攻靈關。《蜀志・張嶷傳》：「旄牛道絕，已百餘年。賂其帥狼路，通舊道。奏封路爲旄牛㽛町王。」《華陽國志》旄牛地在「邛崍山表」。《寰宇記》通望縣有「故旄牛城」。又云「陽山縣、臺登縣即旄牛地。」《詩・小雅》：「如蠻如髦。」《箋》：「髦，西夷別名。武王伐紂，八國從焉。」《疏》引〈牧誓〉曰：「彼『髳』此『髦』，音義同也。」是髦、旄、髳字通。唐貞觀時置髳州。《括地志》云「姚府以南，古髳州之地。」

微即木耳夷。《九州要記》：「越嶲郡界千里，有木耳夷，常居木上作屋，有尾長二寸，損尾立死，地上居則預窟穴以安尾。」蓋以此夷生尾，故謂之微。微與尾通，《書》「鳥獸孳尾」，古文作「字微」；《論語》「微生高」，《人表》作「尾生高」。《水經註》建興三年，分益州爲建寧郡於溫水側，「皆是高山，山水之間，悉是木耳夷居土」。即微夷地矣。

盧即瀘州戎，今敘州長寧，興文諸夷皆是。《路史・國名記》：「瀘，盧戎也。」古文作纑，又通作盧。習鑿齒《襄陽耆舊傳》、樂史《寰宇記》以爲中盧在襄陽西漳縣，非也。《左傳》桓公十三年「羅與盧戎兩軍之」，杜預亦誤爲中盧。

彭即彭水夷。《國名記》：「彭，黔之彭水縣，在忠州。」《太平寰宇記》

局校點本補作「十六年」，是。此指上文所引「魚人實逐之」，事見《左傳》文公十六年。《養素堂文集》卷 30〈庸蜀羌髳微盧彭濮人解〉亦作「十六年」。

⑲ 案：「後漢書」原作「漢書」，據《養素堂文集》卷 30 補「後」字，事見《後漢書》卷 75《劉焉傳》。又案：下文〈董卓傳〉亦爲《後漢書》，見《後漢書》卷 72。

⑳ 案：「兵」字原無，據《後漢書》卷 72〈董卓傳〉補。

彭冒山在「建寧始縣九十里，彭冒獠之姓也」。一云即賨人。《郡國志》：「賨人勁勇，銳而善跳舞，漢高帝募賨民定秦地。」《華陽國志》「長老言宕渠爲古賨國」，城在流江縣東北七十里。又云「閬中有渝水，賨民多居水左右。」是彭即賨人也。《括地志》「戎府之南，古微、盧、彭三國之地」是矣。

濮即「百濮爲會」，無濮夷。《左傳》：「麇人率百濮聚於選。」穎容《條例》：「麇在當陽縣。」《漢書・地理志》：「濮水出徼外，東南至來唯入勞。」僕與濮同。《華陽國志》：青蛉，「濮水出」。又云：「會無縣路通寧州，渡瀘得住㉑狼縣，故濮人邑。今有濮人冢，冢不閉户。有天馬河。」地出大竹，亦謂之濮竹。濮，〈王會解〉之卜人也。濮、卜音近。《爾雅》「南至於濮鉛」，亦是濮夷。羅泌云：「濮，熊姓，在三峽外。」《左傳》文公十六年「麇人率百濮伐楚」，昭十九年「楚子爲舟師伐濮」，杜預以爲建寧郡南濮夷地。《釋例》曰：「建寧郡南有夷，無君長總統，各以邑落自聚，故稱百濮。」劉伯莊云：「濮在楚西南」《太平寰宇記》：「尾濮國，一名木濮，在興古郡；」「木棉濮，其土有木棉樹；」「文面濮，其俗劖面，以青蓋之；」「赤口濮，折齒劖唇；」「折腰濮，生子皆折其腰；」「黑棘濮，在永昌西南。山居，耐勤苦。」所謂百濮也。

楚人王泉之解〈何彼穠矣〉詩，謂武王以元女太姬配胡公，以次女嫁楚熊繹之子。平王爲平正之王，指武王；齊侯爲齊一之侯，指熊繹。澍駁之曰：

夫鬻熊事文、武，其子繹歷事文、武成康，繹生熊艾，古書具在，無繹子爲武王壻事。《毛傳》謂「武王女，文王孫」，此武王少女適伋之子乙公也。乙公爲世子，而伋爲之娶，故曰「齊侯之子」。觀《左傳》楚靈王謂右尹子革曰：「昔我先王熊繹與呂伋、王孫牟、燮父、禽父並事康王，四國皆有分，我獨無有。」子革曰：「齊王，舅也；晉及魯、衛，王母弟也。楚是以

㉑ 案：「住」當爲「堂」之誤。參劉琳《華陽國志校註》卷3。

> 無分而彼皆有。」是珍寶之器，周尚不以之賜予，況以王姬以下嫁於華路藍縷之蠻夷乎？如果周、楚爲甥舅，豈子革通曉古事而不言之？泉之又謂楚稱「子」，亦可稱「侯」，且楚曾稱「王」矣。然楚之稱「王」，始於武王熊通，而《春秋》秖書「子」，豈有武王頒爵是子，當武王世即僭稱「侯」者？

泉之又言衛靈公無子，澍駁之曰：

> 《世本》：「衛靈公生昭子郢，郢生文子木。」郢字子南，木字彌牟。左哀公《傳》：「衛侯游於郊，子南僕。」杜註：「子南，靈公子郢也。」與《世本》合。泉之以郢非靈公子，以公有「余無子，將立汝」之言爲據，是未覩杜註也。杜云：「蒯聵出奔，無太子，故言無子。如晉獻公曰：『余無子』，亦言無適子也。」泉之不知古人立言之體，故鹵莽乃爾。而其說本之姚姬傳，以郢爲靈公庶弟也，最叵信。

其持論斷斷不爲苟同如此。

晚歲告歸，客游終老，卒年七十餘。所著《姓氏五書》，曰《姓韻》、曰《遼金元三史姓錄》，附以《西夏》，曰《姓氏尋源》、曰《姓氏辯誤》、曰《古今姓氏書目考證》。《詩小序翼》、《說文引經考證》、《五涼舊聞》四十卷、《蜀典》三十卷、《續黔書》、《秦音》、《三古人苑》、《萬物權輿》。所編輯《諸葛忠武侯文集》四卷，《附錄》二卷、《故事》五卷，總爲十一卷。又輯《子夏易傳》，《司馬法》，《世本》，《張太常》、《段太尉》、《皇甫司農卿》、《陰常侍》、《李尙書集》，《周生烈子》、《漢皇德傳》、《補風俗通姓氏篇》、《三輔決錄》及《舊事故事》、《帝王世紀》、《三秦記》、《十三州志》、《西河舊事》、《涼州異物志》、《涼州記》、《補敦煌實錄》、《西河記》、《沙州記》，別爲《張氏叢書》，又《養素堂文集》三十五卷，詩曰《扣舷吟草》。或言澍又撰《三禮權衡》，余未之見也。

一一、汪喜荀

汪喜荀，字孟慈，江都大儒容甫先生子也。少孤，事母至孝。嘉慶丁卯舉於鄉。母誡之曰：「無爲縣官。」因援例授中書。君剛健篤實，猛志疾邪，能守先人之緒。嘗曰：「孔孟言狂狷爲可以傳道，孔孟之所與，後世之所惡也。狂者以爲狂矣，狷者直以爲不可與言，於是以鄉願爲中行，豈知中行可得與哉！孔孟所不得與，顧欲棄狂狷得中行，必以德之賊爲中庸矣。」又論仁曰：「三代以前，未施教化，民未有爭心，故言仁不言義；三代後，霸術失禮教，刑法失學問，故言知不言仁。聖賢言仁繼義，言知繼丘，所以防流失也。仁存於心，義禮知信，見諸言行，仁之爲用大矣。仁不裁以義、履以禮、辨以知、成以信，則釋氏之慈悲矣。」其持論如是，然坐是不諧於俗。

嘉慶二十二人，君在中書，大學士曹文正公薦試軍機京章，忌者有言，遂不入試。文正復奏充武英殿總校，固辭。及校玉牒，告成，列一等，往見提調某公，某送君出大門，引入曲徑，謂：「君盍行此？」君不復見。

道光初元，以員外郎觀政戶部。八年，補山東司員外郎。九年，監督儲濟倉，時漕運總督爲朱公幹臣，倉場侍郎爲史公望之，或譖之曰：「是恐興大獄。」二公有戒心焉。及君往經年，事畢治，二公甚賴之。京察，擬一等，奏上，部議駁之。旋遭母喪去官，既行，有送之四十里外者。服闋，戶部或言於尚書，謂君墨守古人，因命治井田科事。戶部有井田科，自雍正二年，上命怡賢親王、大學士朱軾，於畿輔近地瀕海有水利者行井田法，開墾教稼，遷八旗之無業者授田，福建司主其事，別置官防一，曰「戶部管理井田科關防」。乾隆十七年，廢置。道光初，總督林公奏請大興，直隸水利復井田科。君爲井田之科，首陳四事：四舊地新租，毋加多；曰永定河水次沙壓地畝，毋抑令交稅；曰籍沒地畝，免舊欠；曰官地及老圈地無稽者，均免。皆中時弊。

十九年，奉命東河學習，總河栗恭勤公奏以君往河南防汛。行抵原武，風大水溢，將潰隄，主簿奔告，君曰：「去，溺職，心何安？」守□□[22]，權事闓濟，屹

---

[22] 案：此二字草書，難以識讀。

立隄上，誓以身御，倏風定，水退三丈餘，一時驚以爲神。阮文達聞之，與之書曰：「此讀書人實事求是之一端也！」……㉓

一二、劉文淇 子毓崧 戴清

劉文淇，字孟瞻，儀徵人。先世居溧水，高祖春和，始遷揚州，遂爲籍儀徵。縣學生。嘉慶二十四年，蕭山湯文端公視學江南，重君學，舉優貢生，歷十四試不遇，君泊如也。父錫瑜，以醫名世，壽九十餘，君色養備至，令親有歡。自其幼時即研究古學，貫串群經，於《春秋左氏傳》致力最深。嘗言徵南襲取先儒，攘善專己，博稽先秦諸子、漢唐故書，旁及史傳紀載，上下千年，成書凡八十卷。又以孔沖遠刪定舊疏，非出一手，既剿《述議》，復滅故訓，混淆覆匿，功過不掩，撰《春秋左氏傳舊疏考正》八卷。〈自序〉言：

> 近讀《左傳疏》，反覆根尋，乃知唐人刪定者，僅駁劉炫說百餘條，餘皆光伯《述議》也。文十三年《傳》：「其處者爲劉氏。」《疏》云：「討尋上下，其文不類，深疑此句或非本旨。蓋以漢室初興，捐棄古學，《左氏》不顯於世，先儒無以自申，劉氏從秦從魏，其源本出於劉累，插註此辭，將以求媚於世。」此《疏》未著何人之說，無以知爲光伯語。及檢襄二十四年《傳》「在周爲唐杜氏」，《疏》云：「炫於『處秦爲劉』，謂非邱明之筆，豕韋、唐杜，不信元凱之言。」則前《疏》爲光伯語，顯然可見。……㉔

一三、龔鞏祚

龔君璱人，初名自珍，號定盦，三十六歲更名易簡，字伯定，最後改鞏祚，仁和人。嘉慶庚午，副貢生。戊寅，舉於鄉。道光己丑，成進士。由內閣中書、宗人府主事，授禮部儀制司主事。自君祖、父及君，三世皆以進士官禮部。祖敬身，字

㉓ 案：此〈記〉亦當爲未完之稿。

㉔ 案：此〈記〉錄劉氏序文首段，亦當爲未完之稿。

匏伯，嘗七校《漢書》，手寫定本，藏於家。父麗正，字暘谷，號闇齋，金壇段先生玉裁婿也。師事段先生，撰《國語韋昭註疏》。

君生而有異稟，負絕才。年十二，從其外王父段先生授許氏部目。已知以經說字，以字說經。鄉試出高郵王文簡公之門。受《春秋》於武進劉君逢祿。宦學京師，及見乾嘉以來經學大師，上下論議，見見聞聞，智能通達。於經通《公羊》之學；於史通天地東西南北之學；於文字通倉籀形聲、神珙字母、準回方語、四合五合迄國書主輔之學；其於今古政典、掌故、法制利病，原始要終，洞若觀火。旁及考證、金石、校讎、目錄，逮夫九流百家之賾，五陰七覽之事，罔弗管綜。發為文詞，比踪董、賈。蓋近百年中無其倫也。

少壯盛氣，思用所學，制〈明良論〉四篇。居京師時，於畿輔大吏，陳〈北直種桑之策〉。在史館，上書總裁論西北塞外部落原流山川形勢，訂《一統志》疏漏凡二千言。及官禮部，復上書論四司政體，宜沿宜革，又三千言。作《西域[25]置行省議》、《罷東南番舶議》，傳於世。君之意自以為滅竈徙臼，言之至言，而不知其蚤莫失時，不惟主人之為笑也。名滿北南，言滿北南，如猶知者，推服之、愛之、敬之；凡不知者，怪之、怒之。怒之不已，一人目之，萬人耳之，終且知者惜之，久亦畏之，而君竟不用以死矣。君以道光辛丑死於丹陽旅次，年五十。

余不及見君，得讀君書，其中若〈五經大義終始篇〉、〈古史鉤沈論〉、〈平均〉、〈農宗〉諸篇，殆庶周情孔思，昭昭乎揭日月而行也，文繁不錄。所著說經之書，已刻者為《大誓答問》一卷，校《史記・儒林傳》、《漢書・藝文志》，證伏生原本二十九篇次，今文無〈大誓〉，古文亦無〈大誓〉；明夏侯、歐陽無增篇；辨近儒異序同篇及序當一篇之非。凡設二十六事，同時治《尚書》家無以難也。未刻者《尚書序大義》一卷、《尚書馬氏家法》一卷，《詩・非序》、《非毛》各一卷，《左氏春秋服杜補義》一卷，《左氏決疣》一卷，則正劉歆竄益之有迹者，《春秋決事比》六卷。又以許氏《說文》述古文少，據三代彝器秘文說其形義，補《說文》一百四十七字，《金石通考》五十四卷、《羽琌山金石墨本記》五卷、《羽琌山典寶記》二卷、《鏡苑》一卷、《瓦韻》一卷、《漢官拾遺》一卷、

[25] 案：「域」原作「北」，據《龔自珍全集》第一輯〈西域置行省議〉改。

《泉文記》一卷。於史訂裴駰《集解》之誤，爲《孤虛表》一卷、《古今用兵孤虛圖說》一卷、《讀漢書隨筆》四百事、《西漢君臣稱春秋之義考》一卷，又《典客道古錄》、《奉常道古錄》一卷、《布衣傳》一卷、《平生師友小記》一卷、《紀游》一卷。文詩集已刻者《文》三卷、《餘集》一卷、《破戒草》一卷、《破戒草之餘》一卷、別集《詞》四卷、《己亥雜詩》一卷。末年究西方之書，爲《龍藏考證》七卷、《三普銷文紀》七卷及《龍樹三椏記》。文未刻者尙存百餘篇。撰《蒙古圖志》、《今方言》、《圓明園木作經》，皆未成。君家自壬午後，兩攖火患，藏書及稿本多燬。

龔君之友曹籀，今尙存。籀字竹書，號葛民，仁和諸生。爲《穀梁》之學，群經皆有撰述。庚申、辛酉之難，遇賊，身被十餘創，又餓經月，幸不死。所著書盡失，已刻者《春秋鑽燧》三卷、《古文原始》一卷、《釋天》一卷、《石屋叢書》四卷。未成之書，尙數十種，如《穀梁發微》、《說文訂訛》，皆精誼可傳。十年前，余曾聞其旨者也。葛民爲人強直，無依違，不信宋儒性理書，深疾當世空談廢務之士，故屢受侮，鄉人詈者尤眾。然余所識杭人學者，葛民而外，鮮可語焉。雖無老成人，尙有典型。身世之感，庸能既乎！

一四、凌堃

凌堃，字仲訥，別字厚堂，烏程人。明兵部侍郎謚忠清義渠之後也。父鳴喈，嘉慶四年進士，兵部車駕司主事。以上疏言馬政越職，罷官。著《讀詩蠡言》、《尙書考疑》。有子三，堃其仲也。堃蚤喪母，後母督諸子嚴，日夕榜箠無人色，伯兄以杖死，堃幼罔知，則大懼，以爲必死，遂數求死。或憫之曰：「子不聞乎？孝子事親，小杖則受，大杖則走。」堃曰：「諾。」走山西，乞食於道，有相者見而奇之，令習其伎，得錢以自給。因變姓名，自稱鐵簫子。堃既盡相人術，又遍習陰陽家建除叢辰之學，言多奇中，一時驚爲神。父執某方官山西，聞之，迹以來，勸之爲制舉業。道光十一年，應順天鄉試中式，始歸見父，跽不敢起，父掖之起，乃退居室。

堃學宗漢儒，甚惡新說，疾之如仇。嘗言：「以理殺人，比於酷吏舞法，骨肉毀折，無以達情。」俗儒咸駭怪之。堃於《易》、《書》、《春秋》，皆有纂述，而《易》爲最深。自其幼時，即搜集漢魏以來說解百數十家，綜互裁擇，成《周易翼》十卷，凡六易稿而後定。著述大旨，見於〈自序〉。其略曰：

> 堃世守經説，幼承義方，於《易》則首裒李氏《集解》中漢儒精義，會而通之，復網羅諸家註釋，及宋元以來儒士所輯錄，益自擴充，折衷至當。自癸亥至癸酉，十閱寒暑，始得成編，名曰《周易翼》。又別推《易》書條貫曰《易象》、曰《易準》，從《易》所滋可爲運候、占驗、卜筮用者，曰《易滋》、曰《易運候》、曰《易占驗》、曰《易林明》。占爲四道之一，《易》非盡卜筮用也。《易》之教，絜靜精微，博之則兩間所盈無有不通，約之則一陰一陽乾元資始，若未有始，意絕辭荒，聖人弗尚。去聖既遠，人與天違。四時五行生廢孤虛之候，卦爻分值消長順逆之機。技者竊以惑世，隱者假以長生。於是流別爲九，教並爲三，道非聖人之道，傳皆二氏之傳，而自古經訓微言，反斥爲陰陽五行家說，若不屑道，蓋誠弗能道耳。既弗能道矣，乃妄分。主卦氣者孟，主納甲者京，主爻辰者鄭，主升降者荀，主消息者虞。不知京以下皆推孟氏之學。孟出於田，田出於商，商親受之孔子，故孟、京皆得引孔子之言以爲證。
>
> 或曰：「諸家所引，皆緯候陰陽家言，托之孔子者也。一行《卦議》所引長卿之言，與聖人之經不相類也。」曰：「以八卦四時配八方，《傳》固明言之矣。《傳》曰：『變通配四時。』又曰：『寒往則暑來，暑往則寒來。』又曰：『數往者順，知來者逆。』又曰：『其出入以度。』非卦氣、納甲、消息乎？曰乾坤㉖之策，當期之日，日月運行，一寒一暑，非分爻值日乎？若夫反復、消息、旁通、二與四、三與五相互，《傳》又明明言之。天數五，地數五，五位相得，而各有合，是五行甲子也。〈巽〉之究爲躁卦，謂〈巽〉下伏〈震〉也。」
>
> 或曰：「《傳》固疑非孔子作矣。」曰：「古人作甲子以紀陰陽、推律曆也。曆起冬至，律本黃鐘，皆謂之元。蓋法乾元甲子，一陽起復，順行至

㉖ 案：「坤」，原作「元」，據凌堃《周易翼自敘》改。

〈臨〉也，孔子以至日傳。〈復〉象亦曰：『反復其道，七日來復。』〈臨〉曰：『至於八月，有凶。』〈蠱〉曰：『先甲三日，後甲三日。』〈巽〉之五曰：『先庚三日，後庚三日。』〈小畜〉上九、〈中孚〉六金並曰：『月幾望。』則卦爻之分値日月、納甲、消息也。〈泰〉五曰：『帝乙歸妹。』〈泰〉中互〈歸妹〉也。〈小畜〉初、二言『復』，明旁通。〈豫〉爲〈復〉初之四，陰從陽也。四、五言『孚』，上同〈中孚〉，言『月幾望』，以二至上，互〈中孚〉也。〈兑〉二、五言『孚』，以初至五，互〈中孚〉也。〈泰〉曰『小往大來』，〈否〉曰『大往小來』，明升降也。〈需〉曰『利涉大川』，〈訟〉曰：『不利涉大川』，〈履〉五曰『夬履』，明兩易也。〈損〉五、〈益〉三並言『或益之十朋之龜』，明反復也。〈泰〉、〈否〉爻辭初二似同而異，明對待也。〈遯〉上之初〈革〉，故〈遯〉二、〈革〉初並用『黃牛之革』，〈巽〉五變〈蠱〉，故爻辭似〈蠱〉象也。〈頤〉大〈離〉，故有龜象。〈大壯〉大〈兑〉，故有羊象。〈大畜〉三至上體〈頤〉故有不家食象。他如半〈震〉、半〈艮〉及初九〈震〉爻、初六〈巽〉爻之類，則由此爲廣，所謂『曲成不遺』者也。孔子釋〈噬嗑〉曰：『頤中有物。』庖犧觀象設計之巧，當亦有書言所不能盡者矣。

堯舜治天下，取諸乾坤，授時分命，以正四時，以奠四方，以察民物，以紀日星，以齊七政，以代天工。孔子刪《書》，斷自唐虞，爲百王法者，天人合也。刪《詩》，首〈關雎〉，猶上、下經首〈乾〉〈坤〉、〈咸〉〈恆〉也。天地萬物之情，於六爻發揮旁通見之矣。君子之道，造端乎夫婦；及其至也，察乎天地，明道始終乎陰陽而已。捨陰陽爲言道，是道之異端也，辭而辟之可已。道以定上下、辨民志者禮，禮形於讓，自卑遵人，故〈履〉旁通〈謙〉，與樂相比，故〈謙〉升爲〈豫〉。子游作〈禮運〉，明陰陽之道，喪祭、射御、冠昏、朝聘，必本於天、殽於地、列於鬼神，孔子繫《易》，首章所以明制禮作樂之原，後賢取以爲《記》，漢儒本之詁《易》，授受數十世不可變革，道在然也。而謂漢儒專言天道、迂於人事，不亦陋與？《周官》以立民極，《春秋》以紀人事，而名官以天地四時行事，繫元繫年繫時日，豈徒飾號分編哉？

六官相屬以義，布政弊吏，考工以時，建國分井，徵徒制器，興禮設教，以象數非馮相、保章、太史、太卜之類，乃觀陰陽五行也。《春秋》托始豕韋，以元首備三正，以盈乾備四孟，以著方伯，二百四十年二十二門一千八百餘事，日者凡六百八十有一，以示緩急、輕重、得失，非志災異百二十二，乃觀陰陽五行也。是故《易》象陰陽，經以《易》爲最大且古。如彼所疑《傳》非孔子，經亦非文王、周公，是《六經》之罪人也，何足與論！」或曰：「《易》象無所不備，道貫乎《六經》。然後世陰陽家言，舉足以明《易》道與？」曰：「外敷諸禮樂政刑，内質[27]諸倫常性命，曰道不然則藝而已矣。藝，偏者也。偏則非《易》，或占異捨常，或迹象遺義，或累數逆億，或因物測機，原同流異，遷則弗良。若夫可久可大，一以貫之，斯所稱至精、至變、至神者與！堃竊碩學焉，而未之逮也。」

又曰：

趙宋以後，釋辭者半宗輔嗣，尚數與占者半宗希夷，而學者因「罪浮桀紂」一語，謂以老莊説《易》者自輔嗣始，輔嗣不可逭矣。然辭不卒讀，義未深通，而輒襲陳言，妄生菲薄，是亦不學之一大患也。

又曰：

王之註《易》，僞孔之傳《書》，杜、范之解《左》、《穀》，盡毀漢儒説經義例，使七十子之微言剩義，蕩然無存。然彼皆深通漢學，而後能去其町畦、化其艱滯，非若膚識末學，不肯爲漢唐人分疏，而徒腐坐尸嘘、譏貶聖賢，以不學古訓爲超，以師心頓悟爲尚也。

---

[27] 案：「質」，凌氏〈自敘〉原文作「印」。

又撰《學春秋理辨》□卷㉘，《尚書述》則未成之書也。

堃生有異質，能伏氣行水中，客山西時，聞臨汾張老人有易筋洗髓術，年且百歲，力能曳九牛，往受學，遂能擊刺。偶單騎他出，遇群盜刦人於途，堃大呼馳救，盜眾被創遁，手搏渠魁，旋與語，語過人，縱令去，解己囊與之。又嘗出資買不耕之地，劃溝洫，引河灌溉，植穀及蔬，分畛事耕築，澄渠育魚鮭，行之大效。恒自喜曰：「以此富天下，管仲不足爲也。」

晚年，銓授金華教諭，則辟學圃，行區田均，獲致豐。咸豐十年，浙西寇警，棄官歸。家在晟舍，十一年，賊圍湖州，眾趨堃行，堃嘆曰：「行將奚之！」賊入其室，掠晟舍，堃方與所善潘生坐飲酒，賊不敢近，賊帥繼至，脅之降，堃大罵立格，殺數賊，賊忿，攢刃刺之，死焉。年六十七。潘生亦從死。

堃取安氏，早卒。安名璿珠，知書，通經義。堃成《周易翼》，璿珠爲《釋義》三十餘篇，《釋十翼篇第》發奸擿伏，足以息數百年來侜張之喙，宜錄之。釋曰：

> 古人傳註與經文本各單行，若《左》、《公》、《穀》傳《春秋》之體，自謙以尊經也。學者尋習端委，篤信尊師，兩兩相配㉙，誰得過之？唐宋以後，無知妄作，並皆配經以行，而謂孔子大傳，反不當附文王、周公後耶？如云雜也，則必卦自爲卦，彖自爲彖，爻自爲爻，而後傳自爲傳。夫《易》，肇未有文字之先，數大聖人相因翼贊，古莫古於此矣，不於觀象繫辭探其本意，徒紛紛於離之爲古，合之爲今，不亦末乎！
>
> 《漢志》：《易》十二篇。未嘗云古《易》，顏師古註：「上下經及十翼，

㉘ 案：凌氏〈自敘〉末其妻安氏識語曰：「珠入侍經帷，得見《易翼》、《學春秋理辯》初稿，盈各數尺。乙丑，易第二稿，《易翼》四十八卷，《學春秋理辯》七十二卷。越歲戊寅，《易翼》已五易稿，《學春秋理辯》已七易稿。」然今存凌氏《傳經堂叢書》有《周易翼》十卷，而《學春秋理辯》僅存一卷。則所謂四十八卷與七十二卷者，蓋謂初稿時所積之稿，類資料長編耳。

㉙ 案：「配」，安氏《周易翼釋義・釋十翼篇第》作「麗」。下文「配經以行」，亦作「麗經」。

故十二篇。」亦猶孔沖遠之論十翼也。孔言：「數十翼亦有多家，既文王《易經》本分上下二篇，則區域各別，彖象釋卦，亦當隨經而分，故一家數十翼云：上彖一，下彖二，上象三，下象四，上繫五，下繫六，文言七，說卦八，序卦九，雜卦十。鄭學之徒，並同此說，故今亦依之。」曰「有多家」，則不一矣；曰「一家」，則一家言耳；曰「鄭學之徒，並同此說」，則一家乃費氏也，蓋馬、荀、鄭並傳費氏。弼本亦鄭本也，不言費氏，以未立學官，不足爲弼重所自也；曰「今亦依之」，則上本附上，下本附下，鄭與王未之改也。其一二之次，則十翼之數，而非篇第數也。班《志》時立施、孟、梁邱博士，篇適十二，至唐亡久矣。顏氏意度爲註，何足據也？即淳于俊等謂鄭氏合彖象於經，欲使學者「尋省易了」云云，亦屬懸測，目實未見黍書若何篇第也。劉向以中古文校施、孟、梁邱經，或脱去「無咎悔亡」，唯費氏經與古文同。則費本爲古，明明有徵焉，馬、鄭、王弼並同費本。宋以前註《易》家，未有舍弼本而別稱古《易》本者以此。

自河、洛太極托始陳搏，而《河圖》八文之外，更造《龍圖》；顛倒補綴，肇於昭素、胡旦；范諤昌竊漢註天地生成之數，謂老子自西周授孔子《龍圖》作《易》之源。王洙僞撰古《易》，竄亂經文；呂大防、晁説之、呂祖謙等，以意增損；歐陽修、王景山、李清臣、朱新仲等，疑《易傳》非孔子作；張芸叟並疑爻辭非聖人作矣。小人無忌憚之心，直欲駕文王、周公、孔子而上耳。不然，無極、太極、先天、後天之説，果何所自而乃謂開萬世理學之原，發往古不傳之秘耶？

《漢書》述費長翁以〈彖〉、〈象〉、〈繫辭〉十篇、〈文言〉解說上下經，正稱費氏解經之愼，而宋人乃指爲亂經之罪自費氏始，甚於康成與弼者。蓋東漢後《易》師皆用費氏，施、孟、梁邱亡於西晉，鄭、王盛於齊、陳，唐後鄭氏始衰，天下並宗王弼，虛無説理，弼實開之。乃思申陳、邵，則必退[30]文、周、孔子，思退文、周、孔子，則必廢費傳弼本，費氏亡，《易》必與之俱亡。於是無極、先天、順逆、方員，可縱所欲言而無忌矣。

[30] 案：「退」，安氏原文作「廢」。又下句「退」字亦作「廢」。

其目施、孟、梁邱爲古，目費氏爲今者，幸施、孟、梁邱之亡不足徵也。郝氏敬謂其㉛直欲懸空說影，薛氏瑄謂其主邵子非主孔子，可謂能鑒其隱矣。誠使篤信三家爲最古，則其書雖亡，卦氣、消息之說，或散見於他書，何又毀之，而獨於莫須有之十二篇目齗齗求合耶？且即如所科亂經之罪，以傳附經，以聖附聖例之，《大學》一篇，錯亂補綴，孰重孰輕，平心易曉。何數百年來，學者茫昧，匪古是從，惟僞言是尚，豈以蔑象之罪浮桀紂，並欲火其書與？不然，何不審之甚也。

璿珠撰有《德輿子》，持論多可傳。

一五、張穆 苗夔

張穆字誦風，一字石州，初名瀛暹，平定州人。優貢生。正白旗漢教習。祖佩芳，乾隆二十二年進士，泗州知州。著《希音堂集》、《陸宣公翰苑集註》、《春秋世系》。父敦頤，嘉慶十八年進士，翰林院編修。

穆少孤，依母黨莫侍郎晉師、蕭山吳□君，知明儒之學，長出交當世方聞士，乃通詁訓、篆籀、曆算、地理之學，講求經世之務，於兵制、農田、水利、海運、錢法，尤致力焉。文筆兀奡鬱硉，歙程侍郎恩澤見而驚曰：「東京崔、蔡之匹也！」性剛負氣，好直言，久居京師，名譽日起，問字之車，盈於戶外。穆不自貶屈，凡所不可決，指摘釁垢，不避在位，向之冀望見顏色者，復畏避之。然穆持己峻，不絕物，見奇士，雖出己下，推許甚至。晉江陳給諫慶鏞直聲震天下，獨俯首於穆，嘗謂人曰：「令斯人著獬豸冠樹立，過吾輩遠甚！」見重如此。

穆豪於飲，恒以酒自隨。道光十九年，應順天鄉試，攜巨榼載酒以入，監搜者訶止之。穆曰：「飲可乎？」乃立飲之，飲不盡，揮之，餘酒汙監者衣，監者怒，命悉索筆硯衣，被毀之盡，無所得，穆鼓腹曰：「是中便便經笥，若輩能搜耶？」監者摭筆囊中字一行，爲篆書《離騷》二句，則援片紙只字之禁移刑部，讞白其

㉛ 案：「其」，安氏原文作「本義」，即朱子《周易本義》，蓋趙氏以其語氣太過質直，故隱去書名耳。

枉，卒坐擯斥，諸所知者爲之悼惜，穆夷然不以介意。閉戶人海十餘年，爲靈石楊氏校栞《叢書》，刻甫半而遽卒，年四十五。

穆天性孝友，兄早歿，恤其孤，教養兼至。既困厄，著書終老，或勸之刻，則曰：「吾祖集猶未刻也，不可。」重然諾，戚友緩急必應。自言海內學者，惟長洲陳碩父未及內交，與黟俞理初，邵陽魏默深，道州何子貞，晉江陳頌南，光澤何願船，日照許印林，安邱王菉友，甘泉羅次球，歙鄭浣香，大興徐星伯，烏程徐君青、沈子惇，武進趙伯厚，肅寧苗先路，論學相切劘。其與朝貴僅莫、程兩侍郎，儀徵阮文達公及壽陽祁文端公爲師友。於其歿也，文端經紀其喪，並爲醵金刻遺書也。

穆無子，以兄子孝來爲之後。搜集遺文斷稿者，爲其弟子青陽吳式訓；未成稿本補綴完具，整齊排比之者，願船比部一人力也。穆撰《說文屬》、《延昌地形志》、《蒙古游牧記》、《靖陽亭箚記》，編定《閻潛邱年譜》，校補《顧亭林年譜》，《月齋文集》八卷、《詩集》四卷。

穆說經必求其至是，不務墨守，其言《易》爻法謂坤云：「《正義》以前本皆作『爻法』，蜀才作『效』。據《繫辭》：『爻也者，效天下之動者也。』效是爻之確詁，可當以效詁爻，不當以效改爻。」論《夏書・胤征》云：「羲和本屬王官，不共厥職，黜退之可也，誅殛之可也，湎㉜淫非叛逆，何至以師臨之？且羲氏、和氏未嘗命爲侯伯，享有國土，今往征之，將㉝極之何所？因疑《胤征》之書，本作《胤正》，亦即《小正》之倫，與〈堯典〉相表裡。《左傳》襄十四年師曠引《夏書》云云，或眞出於《胤正》。又曰『正月孟春於是乎有之』，則『正月孟春』不止此一條可知。漢儒既以無師說亡其篇，僞孔習爲誓誥之詞，改『正』爲『征』，而不思其事理所必無也。《書序》、《史記》諸『征』字，皆後人從僞孔改之，裴駰即引安國傳爲說，可證也。」

論《詩・淇奧・正義》，謂「孔沖遠諸人曲護《史記・衛世家》之誤，以媚時君，致有美其逆取順守、德流於民之說，曲學阿世，禍流宗社。」詞嚴義正，不可

㉜ 案：「湎」原作「緬」，據張穆《㐆齋文集》卷1《胤征序義》改。

㉝ 案：案：「將」字原無，據《㐆齋文集》卷1《爻法之謂坤解》補。

移易。論「隰則有泮」，以爲「隰當做濕。濕，故漯字。改濕爲漯，假濕爲溼。『溼則有泮』，嫌於不詞，轉改作隰。此章首末皆指淇水發興、頓丘既屬地名，不應末章獨取阪下溼之隰。漯水，出東郡東武陽，其故城在今曹州府朝城縣東北。縣名武陽者，《水經注》：漯水，『戴延之謂之武水』。水北曰陽，故名。頓丘在淇南，漯在淇北，南北相望百數十里遙耳。

余尤取其解太王翦商義，足發前人所未及。解曰：

〈魯頌〉「翦商」，《傳》：「翦，齊也。」《箋》：「翦，斷也。太王自豳徙居岐陽，四方之民咸往歸之，於是而有王迹，故云『是始斷商』。」《正義》：「翦，齊。〈釋言〉文，齊即斬斷之義，故《箋》以爲斷，其義同也。太王居岐之陽，民咸歸之，是有將王之迹，故云是始斷商，言有滅商之萌兆也。」案：《說文．止部》：「歬，不行而進謂之歬。從止，在舟上。」〈刀部〉：「前齊，句。斷也。從刀，歬聲。」《羽部》：「𦐓，羽生也。一曰矢羽。從羽，前聲。」三字截然不同，自歬字不行，隸變前爲前，復變𦐓爲翦，於是凡進導之訓皆歸之前，齊斷之訓皆歸之翦，而翦之本訓不行。凡經傳翦字，皆叚借用之。《爾雅》：「翦，勤也。」乃進義之引申，是前義也。翦，齊也、斷也、斬也、滅也，皆一義之引申，是前義也。二義亦截然不同，而後人混合爲一，解經因之歧出。

今案：「始翦商」之翦，當爲踐。《玉藻》：「凡有血氣之類，弗身踐也。」註：「踐當爲翦，聲之誤也。翦，猶殺也。」《書．正義》引鄭註《成王政序》「遂踐奄」云：「踐讀曰翦，滅也。」《史記．孝文紀》：「自當給喪事服臨者，皆無踐。」《集解》引服虔云：「踐，翦也。謂無斬衰也。」皆謂借踐爲翦，古字通用，既可借踐爲翦，亦可借翦爲踐。如此經「翦商」之當爲「踐商」是也。毛、鄭二君，惟泥前之本訓說之，故曰齊、曰斷。然是以勢言之，故《箋》云「於時而有王迹，是始斷商，言有滅商之萌兆」。未即以闇干天位，歸獄陰謀也。朱子乃踵成其義曰：「太王之時，商道浸衰，而周日強大，季歷又生子昌，有聖德，太王因有翦商之志。」以莽、操之心，上誣古聖，朱子之過，未始非毛、鄭有以啓之。夫太王方主以避狄，率親屬而西，室家草創，規模粗具，岐陽而外，尺土皆非己有，不可謂「強大」。外寇未平，遽饕神器；赤子在抱，妄希符命。此又莽、操所知其不可者，曾謂太王而有是乎？後儒覺其不安，因援「翦勤」之訓以解之，曰「至於太王，實始勤商」云爾。是其用意優矣，不知勤乃肯義，於太王之事亦不合。

何者？《緜》詩咏太王居豳，歷敘契龜、作廟、築門、宜竈之績，史遷本其意作《周本紀》，不過曰「於是古公乃貶戎狄之俗，而營築城郭室屋，而邑別居之。作五官有司。民皆歌樂之，頌其德」而已。假使太王有翊戴王室之勳，周公敢沒其祖功不錄哉？蓋周至王季始大，至文王而其勤益著，故〈皇矣〉美周，斷自王季。《太平御覽》引《竹書紀年》有「季歷來朝，王賜地三十，玉二十瑴，馬八匹」事。《後漢書．西羌傳》註引《竹書》，有周公、季歷「伐西落鬼戎，俘二十翟王」「伐余無[34]之戎，克之，命爲殷牧師」事。而〈汝墳〉、〈四牡〉皆文王勤商之實迹也。

然則「踐商」何義？曰：踐，履也。「踐商」者，踐商之朝也，義同「踐阼」之踐。溯周自後稷封邰，不窋失官，竄居戎狄之間，夏、商之際，屬迹不通於天子也久。公劉涉渭取材，復修后稷之業，周道用興，然居戎狄之間如故。其後慶節居豳，稍稍內徙，而朝貢不達於天子也。至太王，始修職覲，踐商之朝焉，故〈魯頌〉述武王克商，而推本言之曰：「后稷之孫，實爲太王。居岐之陽，實始翦商」也。「至於文、武，纘太王之緒。」則孔子所謂「三分天下有其二，以服事殷」，《周書．程典解》所謂「合六州之侯，奉勤於商」，《中庸》所謂「武王纘太王、王季、文王之緒」是也。「致天之命，於牧之野。無貳無虞，上帝臨汝。敦商之旅，克咸厥功。」則〈大明〉之詩所謂「篤生武王，保佑命爾，燮伐大商」。又曰「上帝臨汝，無貳爾心」是也。通繹古書，無太王陰謀伐商之迹，自故訓不明，而古聖人

[34] 案：「余無」二字原文互倒，誤。余無，亦作余吾，徐吾等。安氏《釋義》誤倒，趙氏從之而誤。今據《後漢書》卷 87〈西羌傳〉乙正。〈西羌傳〉：「太丁命季歷爲牧師。」註引《竹書紀年》曰：「太丁四年，周人伐余無之戎，克之。周王季命爲殷牧師也。」

之橫被誣罔也，又千餘年於此矣。亂賊生心，或至援斯以爲口實，經訓不明，其禍烈哉！

苗夔，字先路，別字仙簏，肅寧人。優貢生。與穆爲同歲生，研精音韻之學。祁文端公視學江南，重栞宋本《說文繫傳》，夔與校讎之役。其論古音，確守顧氏十部，於金壇段氏、歙江氏、歸安姚氏、嚴氏之書多所糾正。嘗言宋人如鄭樵輩，每謂漢人韻學不精，必待婆羅門書而始密，是視歷代造字之聖人，反爲不識字之人。故西晉亂聖人之雅樂及經韻，六朝人不能辭其罪，休文第一，而以下則斷推夾漈。又言古無歌、麻韻，歌、麻本西音，佛法未入中國以前無有也。既爲之說，余與胡甘伯言之，甘伯歷數多、它、我、傞、窪、奢諸字聲，以爲可信。然居京師五年，其稿不可得，偶從書攤得夔手斠姚氏《聲系》，駁數十事，亦未成書。其已刻者，爲《說文聲訂》、《毛詩韻訂》、《說文聲讀表》、《說文建首字讀》。又纂《集韻經存》、《唐韻正補正》，未寫定。窮老，客沛南，尋卒。

一六、胡匡憲

胡匡憲，字懋中，號繩軒，績溪人。思平先生第三子也。少承父訓，舉止端重異常兒。年十六，補縣學生。二十而孤，勵志力學，不附流俗，從鄭宮贊虎文讀書紫陽山中，學日進，盡通諸經。思重刊《易本義》，復《漢志》十二篇之舊。謂《詩毛氏傳》最古，鄭氏已多違義，今本《毛傳》又經王肅竄亂，異同之迹，尙可考見，撰《毛詩集釋》二十卷、《繩軒讀經記》十二卷、《讀史隨筆》六卷、《石經詳考》四卷、《繩軒集》三卷。又以《四子書》體諸倫常日用，有足補前人識解者，條記爲一書而未果。其於《易》、《書》、《詩》、《禮》、《春秋》、許氏《說文》，皆有手寫定本，存於家。

爲人嚴氣正性，言動以禮，友朋之間，咸敬畏君。後生小子，私爲不善，相戒毋令某先生知，下逮涂人廝踐，跛倚箕倨，見君至，必動容起立。治家嚴而有法，手定《亹然堂家規》以貽子孫，教學閭里，賴成立者百餘人，久於君門，僉謂：自壯至老，勤勤不倦，數十年中經師人師，無過君者。年六十卒。

子秉虔、秉元別見。

君所著書燬於兵火，惟從孫竹邨戶部《儀禮正義・士冠禮》「若不吉，則筮遠日，如初儀」節，引《讀經記》云：「『如初儀』，敖君繼善謂自『筮人執筴』以下，張稷若謂自『進受命於主人』以下，駁賈說是矣。然云受命於主人，則已知所筮宰自右贊命，則告之所筮，豈此時筮遠日，又須受命贊命乎？恐敖、張說亦未盡。」……㉟

一七、胡秉虔 胡肇昕

胡秉虔，字伯敬，號春橋，績溪人。繩軒先生長子。幼從父受經，未嘗就外傅。年十七，補縣學生，父命走京師，肄業太學。時管監事者爲劉文清公，祭酒爲汪文端公、梧門法式善公，咸愛重之。乾隆乙卯，舉京兆試。嘉慶己未，成進士，授刑部主事。遭父喪，歸里。

君家素貧，先世皆授徒自給，及君成進士，母程年老，期以祿養。服闋入都，陳情改外銓甘肅靈臺知縣，告近改江蘇寶應知縣。甫履任，謀迎母而訃至，慟不欲生，兼程奔歸，哀毀骨立。服闋再入都，居八年始補原缺，赴甘肅。總督文襄長齡公甚器君，奏調張掖，格部議者再，署涇州直隸州。涇州貢生某素豪猾，官不能制；君至，立詰以法，某慚悔匿跡，後卒改行。

道光初年，詰張掖，君以甘州爲明季三邊之一，李自成黨賀錦陷甘州，闔城死難，諸臣雖邀賜謚賜祀，而未有專祠，捐資建祠東關之南，考事實，撰《甘州成仁錄》。擢河州知州，河州番回錯處，民刁悍，夙號難治。君牧河州年餘，厲廉恥，嚴刑法，民咸服之，獄訟衰息。又以河州自宋及國朝乾隆間撒拉爾之變，捐軀赴義，代有數人，遍考史乘，撰《景忠錄》，建祠城內如張掖時。

會歲丙戌，逆回張格爾滋事新疆，朝廷命將出師，征車四出。承平日久，驟用兵，兵所過，輒不便民。總督鄂山公檄君司支應，且告曰：「東路非君往，必僨事。」君星夜馳赴涇州。初，官兵來，擾民甚，民攜家避兵。涇州固君舊治，見君至，遠近奔訴。君慰諭曰：「城無居民，兵不得食，非計也。毋遠徙，使張幕列

㉟ 案：胡氏此說見胡培翬《儀禮正義》卷 1〈士冠禮〉，趙氏所引當不僅止此，此〈記〉亦爲未完之稿，且上段「子秉虔、秉元別見」句當在全文之末，今在中間，亦與全稿體例不合。

肆，爲市城外，兵不洽直，由官代償。」皆曰：「諾。」兵民始相安，由是平涼、金㊱、安定，悉按行之，數百里賴以無事，鄂山公以爲能。事平，旨以同知直隸州陞用，署肅州直隸州。將行，百姓扶老攜幼，涕泣牽挽者數千人，肩輿不得前，論者謂百年中所未見也。

己丑，調補丹噶爾同知。初，丹噶爾主簿屬西寧縣，布政使顏公伯燾以地界邊陲，蒙番所聚，官卑無以示鎮撫，奏改同知，且事創始，非干濟才不足任，以君名上，奉旨俞允。君服官中外二十餘年，屢膺繁劇，未嘗一日廢學。及調丹噶爾，寄書猶子培翬曰：「此間事簡，可以畢吾著述！」官丹噶爾者三年，竟病卒，未竟其業。

君學貫群經，晚年研求古韻，自謂有心得。在都時，師友多方聞士，如朱文正、紀文達、汪文端、阮文達、王先生石臞，咸奉手受教，於同年則王文簡、盧敏肅、鮑君覺生、郝君蘭皋，過往從密。著《周易小識》八卷、《尚書小識》六卷、《論語小識》八卷，取諸經文字句讀異同，詳引而辯正之。又論卦畫之原，爲《卦本圖考》一卷，又《尚書序錄》一卷、《毛詩序錄》四卷，前列序說，附錄註疏，斷以己意爲錄者也。又述諸經博士師法淵源，成《西京博士考》二卷、《甘州明季成仁錄》四卷、《河州景忠錄》三卷，皆手定成書。《經義聞斯錄》，則雜考諸經，分條爲記。曰「聞斯」者，本所聞於繩軒先生也。又著《月令小識》、《四書釋名》、《小學卮言》、《對床夜話》、《惜分齋叢錄》、《消夏錄》及《文集》、《詩集》若干卷。兄子竹邨戶部爲《遺書記》，述君於《毛詩》、《說文》致力最深，撰《毛詩小識》、《說文管見》，亦未成書。《說文管見》稿本今尚存，余及見之，最舉數條於後，一曰：

古音久亡，《說文》每字既釋其義，又存其聲，如鄉從皀聲，野從予聲，移、多皆從多聲，耦、偶皆從禺聲，籔、藪皆從數聲，客、格、骼、洛皆從

㊱ 案：「金」疑爲「金城」，脫「城」字。金城，即今甘肅省會蘭州市。釋其文意，謂平涼（今屬甘肅）、金城、安定（今甘肅定西）至河西走郎一線悉按行之，兵不擾民，相安無事也。

各聲，苟、玽、狗、笱皆從句聲，皆可校正後世俗音之謬。且拓、橐皆從石聲，則知石古音託；錯、碏皆從昔聲，則知昔古音鵲；抝、窈皆從幼聲，則知幼古音杳；豎、裋皆從豆聲，則知豆古音渡；鐸、襗皆從睪聲，則知睪古音籜。奢、豬、都、瘏、翥、楮、署、緒等皆從者聲，則知者古音渚、音諸，非如《廣韻》「章也切」也；租、徂、阻、組、苴、雎、組、助等皆從且聲，則知且古音沮、音祖，非如《廣韻》「七也切」也。又由訓得聲字，如宅訓託，則知宅古音託，而《詩・鴻雁》「它」與「作」韻無疑矣；舄訓鵲，則知舄古音鵲，而〈車攻〉之「舄」與「繹」韻無疑矣。唐之中葉，已不識古音，疑〈洪範〉以「義」韻頗，不知「義」古音「俄」；疑〈冠禮〉「服」韻「德」，不知「服」古音「匐」，況其後乎！

又曰：

〈林部〉：「霖，豐也。從林𡗜。段註又補𠦜字。或說規模字，從大，段補從字。𠦜，數之積也。林者，木之多也。𠦜段改𡗜。與庶義同。《商書》曰：『庶草繁霖。』」徐鍇曰：「或說大𠦜爲規模之模，諸部無者，不審信也。」此小徐誤讀「從林霖」說字體也。「或說規模字」，言或以霖爲規模之模也。以下乃說從𡗜、從林之意。《漢書・韋玄成傳》「其規橅可見」，從無加木，即「霖」之隸變。《集韻》「模」下有重文「𡗜」，已爲小徐所誤，段氏又於「或說」上增「𡗜」字，適助成其誤矣。學者不詳繹說解，據徐、段說增重文「模」下作「𡗜」，不惟紊亂許書，即《漢書》「橅」字亦不知所從矣。「從大𠦜」當作「從」，《說文》無「𠦜」字，下「霖」字當從段氏改「𡗜」。

又：

〈夕部〉：「夤，敬惕也。衍暢字。從夕，寅聲。」通借寅卯之寅，凡經訓敬之寅皆夤之叚借也。至《周易・艮》象「列其夤」，當作「䐈」。《釋文》云：「鄭本作腹。馬云夾脊骨也。」本從肉從寅，寫者或迻「肉」於「寅」上，遂誤成「夤」耳。肉隸變通作月。《說文》：「胂，夾脊肉也。」寅、申古通用，古篆作申隸變則腹，腹即申也。《玉篇》有胂，復有腹，皆云「脊肉」，則重腹即〈咸〉象之脢。《廣疋》「胂謂之脢」是也。《經籍纂詁》於「夤」下既載《方言》「大也」、《漢書》註「敬也」，又載「列其夤焉」虞註，補遺復載《釋文》「鄭作腹」，殊失考。

又：

〈䖵部〉：「蠢，蟲齧木中也。從䖵，蠢聲。」此據宋本。古文作𧑐，毛本作從䖵象聲。「蠢聲」固誤，「象聲」亦與盧啓切音不類。段氏改作「彖聲」。篆作「蠢」，古文亦作「𧑐」，與古文不別，亦可疑。或謂鈔本《繫傳》作「蠡」，然《繫傳》自「系」至「卵」十三部宋時已闕，尤爲附會。按《豕部》有云：「今世字誤，以豕當作豕。爲彘即豕代字，以彘亦豕之代字。爲豕亦當作豕，何以明之？爲啄、琢從豕，當云喙、琢從豕。蠡從彘，亦豕之代字，謂蠡從豕也。皆取其聲，以是明之。」此三十字或非許書之語，然錢氏、段氏改本皆未可從。是蠢篆本作蠡，從䖵豕聲，式視切，與盧啓切相近。古文或作𧑐耳。〈斗部〉：「斡，蠡柄木。」《繫傳》曰：「蠡所以抒也。」《韻會》引同。大徐本亦改作「蠢」，幸《繫傳》本未誤。《一切經音義》引《尚書》「東匯澤爲彭蠡」，卷二、卷三。蠡即蠡也。䖵、虫偏旁古通用。蠢或作蚕，蝨或作蝨，蟊或作蝥，蟲或作虫，強籀文作蠶，蟁或作蚊，蠅或作蠅。又〈木部〉：「欚，江中大船名。」《一切經音義》四音註引作欚，《方言》：「劙，解也。」《一切經音義》二十。引作「劙」，似欚、劙二字唐初本《說文》、《方言》尚作「欚」，或作「欚」、「劙」，今本皆後人妄改。

又曰：

《尚書》：「懋遷有無化居。」化即貨，從貝，化聲，故亦省作化。《史記・弟子傳》：「與時轉貨貲。」《索隱》云：「《家語》貨作化。」是其證。《詩・采苓》：「人之爲言。」爲即譌，譌從言，爲聲，故亦省作爲。《孔疏》又云：「定本作僞。」《釋文》亦云「本或作僞。」從人，爲聲，聲近叚借。《史記・五帝本紀》：「便程南譌」，師古曰：「僞讀曰譌。」是其證。〈大明〉：「其會如林。」會即旝，旝從㫃，會聲，故亦省作會。《說文》正引作旝。《春秋傳》曰：「旝動而鼓。杜註：「以旝爲旃焉。」馬融〈廣成頌〉云：「旃旝森其如林。」是其證。《說文》：「旝建大木，置石其上，凡發石以追敵也。」與馬、杜異。此省文叚借也。

他論字變、論古韻諸篇，皆精實無穿鑿，文繁不錄。

俟後續撰《毛詩小識》、《說文管見》，皆未成[37]，則以天奪之速也。君三子：長培孝。培孝，附貢生。痛父而絕，距君歿止三時。孫肇昕，培孝子也。肇昕字曉庭，諸生，師事竹邨戶部，性淡泊，不慕榮利，無競心。雖處窮困，閉門著書，中怡怡然。戶部之撰《儀禮正義》也，未成而感疾，命之補作，及書成，爲戶部刊之。攜摹至江寧，戶部弟子楊大堉實任校讎，及刻成，則某竊君按語爲己有，君見之夷然不問也。所著書幾二十種，成者爲《方言義證》□卷、《說文經字考疏證》□卷、《形聲表》□卷、《如不及齋文集》、《詩集》、《東山笴記》。君謹守祖訓，寶先世遺書。咸豐初年，徽州數陷，捲祖書及己所撰述爲一囊，聞警輒負以去，登山涉水，握勿釋也。庚申以後，賊屢至績溪，竄匿荒山，書卒亡失，而君亦悔恨成疾，遂卒。

一八、胡雲林先生

胡繩軒先生之中子曰雲林先生，諱秉元，字仲志，自號雲林居士，學者稱雲林

[37] 案：此段原羼入〈胡匡憲記〉中，故上文亦有「撰《毛詩小識》、《說文管見》，亦未成書」句，下又有「君三子：長培孝，附貢生，痛父而絕，距君歿三時許。孫肇昕，培孝子也」句。今刪後數句以避複。

先生。先生與兄春喬君皆承父訓，學有原本。弱冠游京師，春喬君方官刑部，授以《毛詩》及許氏《說文解字》，朝夕研究，盡通其義。以國子監生應京兆試不利，南歸，就試金陵，終不遇，遂絕意進取，教授生徒以終。

嘗謂王伯厚《詩地理考》薈萃眾說，無所論斷，博求古地志諸書，證以今名，重爲考釋，未卒業而歿。又述音韻之學，旁及華嚴、神珙諸說，參互稽疑，孜孜不倦。易簀前數日，尚日寫等韻三四紙，亦未成書。老坐束脩，厲節博施，篤親九族，恂恂鄉黨。平居語子弟曰：「人生骨肉當相維繫，不可情意乖離。」其遇事也，義之所在，百折不移，雖利害交乘，不易其志；其教人也，先行後文，進善規過，無所含覆。然禮讓相厭，非尙鋒氣。及門請業及遠方學者，自聞其歿，皆相向哭，悲老成之徂謝，卬景行而末由。天不憖遺，著述未竟，教思無窮，奮乎百世。在昔仲弓至德，桂樹生於泰山；林宗甄藻，百川歸之巨海。雖遭際有殊，衡斯忌誼，何多讓焉！

先生有子三人：培系、培受、培字。培受，字子謙，諸生，長於說經，人質疑義，有問輒對，不著書。培字，字子書，治古文，能詩，顧困厄閭里。庚、辛之間，迭攖患難，流離播遷，先後病死，今惟培系存。

培系，字子繼，貢生，候選訓導。守家學，爲先生補《詩地理今釋》，爲竹邨戶部補《儀禮宮室提綱》。又以《周禮》賈疏考證多在九經諸緯，於諸子百家微言單詞，以及文字假借，音讀異同，漢制存亡，古制奧義，少所疏證，本儀徵阮文達公言，去其謬誤及僞緯書，釋唐宋人言禮之可存者，益以國朝諸儒之說，撰《周禮述義》，體例一依竹邨戶部《儀禮正義》之作。又撰《皇朝經世文續編》□卷、《十年讀書室集》四卷、《風雨懷人錄》、《小檀室筆談》、《金紫胡氏家藏錄》，稿半寫定。又《說文解字部目校定本》，則以教其子者也。培系糊口四方，貧困日甚，然務脩尙，華首彌固，夙興夜寐，無忝所生，殆庶當之矣。

之謙與培系同受業先師溧陽繆君之門，求其先世行誼至悉。時方馳意禪說，好談清虛，自識培系，得聆緒論，管穴之窺，實啓此日。忽忽二十餘年，精神遐漂，靡研編削，迄無闡繹，然於先生竊有私淑艾之志焉。先生之歿，汪君澤爲之誄，竹邨戶部見之，取文中「清不立異，和不苟同」二言，以爲定論。澤字手存，號竹莊，先生同里人。博涉經史，邃於考證，能文章。咸豐庚申，城陷殉節，年七十九歲矣。所著書無存者，僅論說十數條附見他書，培系尚藏其〈誄辭〉，因錄於後，宜並傳焉。文曰：

> 君諱某字某，先世居績溪邑東，後徙邑北。宋少師明國公裔也。慕城東雲林谷口之勝，自號雲林居士，四方學者咸尊之，稱雲林先生。昔顏秘監有言：「實以華誄，名以謚高，苟充德義，貴賤何算焉。」君既卒，邑中耆老及門下士數十人，相與誄其行而謀所以私謚之。余謂君學通古今，志操清白，請謚之曰「文靖」先生，眾咸曰諾。君卒時，春秋六十有三。乃作誄曰：
>
> 虞帝世胄，明德馨香。宛邱嬀滿，姓氏流芳。爰暨漢魏，迄於隋唐。名卿輩出，後先相望。濮陽安定，碩大且長。光光常侍，肇祖華陽。南渡人家，北門宅里。作善降祥，施於孫子。薦生少師，公侯復始。允文允武，大書青史。《漁隱叢話》，賅博典美。百卷書成，於苕之涘。誦芬咏烈，德澤流傳。顯考繩軒，邑里名賢。《詩》《書》世守，名教仔肩。伯兄春喬，天衢聯翩。文學政事，能兼故全。繼起有君，啓後承先。
>
> 君之制行，孝友淵睦。其在交友，情性相屬。究心青囊，山川往復。惟祖惟父，感深風木。郁郁佳城，山清水淑。窀穸春秋，永綏後福。君之學問，強記洽聞。發爲文章，泉涌葩芬。詩歌美妙，逸思繽紛。薄游京師，譽流縉紳。尤精音學，江、戴比鄰。文憎命達，天道難論。開門授徒，循循善誘。經其指示，科名則有。閉門著書，丹黃左右。《六經》、《三史》，卷不釋手。匪爵而榮，不富而厚。淵哉若人，可以不朽！
>
> 自古在昔，有死有生。天遂同期，不死者名。吾與夫子，義貫丹青。學既同道，生則同庚。庶幾夙夜同享，保餘遐齡。如何棄我，奄忽飄零。嗚呼哀哉！
>
> 老成雖謝，典型在即。君有佳兒，三峰鼎立。詩文斐然，從容適職。弔君殯宮，相持而泣。布幣蕭蕭，繐帷稷稷。故人何在，使我心惻。嗚呼哀哉！
>
> 英英夫子，南國儒宗。清不絕物，和不苟同。勤學好問，清白謙沖。尊名壹惠，竊比王通。曰文曰靖，擬議惟公。百世而下，欽仰高風。嗚呼哀哉！

先生弟子能傳其學者，族孫肇昕、澍。肇昕別見。

澍字甘伯，一字荄甫，咸豐己未舉人，內閣中書。深於聲音訓詁之學，旁及醫術，盡通古今中外方書，辨是非以求其用。著《左傳服註申》、《通俗文疏證》、《釋人註補》三卷、《正字略》及《素問校議》。澍寓杭州，遭亂，著書成者燬於火，今重寫《素問校議》凡□卷㊳。

一九、胡培翬 章遇鴻 胡紹勳 胡紹煐 楊大堉 涂煊 韓印 席元章 馬釗

胡培翬，字載屏，號竹邨，績溪人。樸齋先生之孫也。嘉慶庚午科舉人，己卯科進士。由內閣中書升授戶部主事。道光八年，充捐納房差，書吏畏而惡之，呼爲「背悔」。「背悔」見元曲，諺云「不利市」也。先是吏桑培元爲戶部大蠹，御史劉光三奏假照積弊，大學士英和以培元送步軍統領衙門，研鞫累日，竟脫罪，仍留納捐房，上下其手。君授事，即廉得舞文骫法狀，將革之，同官有陳乞者，君漫應焉。會歲除夕，陳乞者未至署，君遂大書揭於外，卒革桑培元，群吏驚怛。自君在捐納房，已知有假照事，君以爲假照之弊久而不敗者，恃竄稿也，竄稿弊除，假照弊出，定例司員不得奏事，乃與同官蔡紹江白上官，定章程十一條，竄稿之弊竟絕。九年，假照案發，司員坐失察者以百數，吏部尚書湯公查竄稿積案，皆在八年九月前，蓋君充捐納房差以是年十月也，因奏請胡培翬、蔡紹江免議。當事復雜廁六人列請議諸員後，上方震怒，遂與失察者同被議，得鐫級。十三年，奉旨準捐復原官，而君以親老，不復出。長沙陶文毅公時爲兩江總督，重其學行，延主鍾山書院。後於博山建惜陰書院，院成，延之主講，前後凡十餘年，以疾歸里。

君承祖樸齋先生之學，復少受業於叔祖繩軒先生，師事汪君孝嬰、凌君仲子，會試出高郵王文簡公之門，故淵源至粹。其記從叔春喬君遺書，述家學，自東峰君傳至君，凡十世。國朝名儒，家法授受，或一傳而止，或竟不傳，未有歷十餘世而守先待後，不爲俗學抱惑如此者。溯之漢經師，若汝陽袁氏、會稽竇氏之《易》，

㊳ 案：《素問校詩》亦稱《黃帝內經素問校議》，今存一卷。見《績溪胡氏業書》、《滂喜齋叢書》、《叢書集成初編》等叢書中。

魯夏侯氏、千乘陽氏之《書》，亦五世及八世而止，胡氏殆過之矣。

君邃精《三禮》，以《儀禮》經爲周公作，有殘闕而無僞託，鄭氏註後，惟賈《疏》盛行，然解經違經，申註失註，因博採通人，折衷至是，四十餘年，成《儀禮正義》。其著書大旨，詳所上羅尚書書，時方以侍郎任安徽學使。其略曰：

> 翬撰《正義》，約有四例：一曰補註、二曰申註、三曰附註、四曰訂註。何爲補註？鄭君康成，生於漢世，去古未遠，其視經文，多有謂無須註解者，然至今日，非註不明。故於經之無註者，一一疏之，疏經即以補註也。何謂申註？鄭君之註，通貫全經，囊括眾典，文辭簡奧，必疏通爲證明之，其意乃顯，昔人謂「讀經憑註，讀註憑疏」，是故疏以申註，疏家之正例也。然六朝唐人作疏，往往株守註義，不參眾說，不參眾說，故有「寧言周孔誤，莫道鄭服非」之謠。又孔沖遠作《五經正義》，於《禮》則是鄭而非杜，於《左傳》又是杜而非鄭，令人靡所適從，豈非疏家之過乎？今惟求之於經，是非得失，一以經爲斷，勿拘「疏不破註」之例，凡各家及近儒之說，雖異註而可並存者，則附錄之，以待後人之參考，謂之附註。其註義有未盡確者，或採他說，或下己意，以辨正之，必求其是而後已，謂之訂註。此翬作《正義》之大略也。
>
> 至賈氏公彥之《疏》，或解經而違經旨，或申註而失註意，其書相傳已久，不可無辨，《正義》間亦辨及。然必悉加駁正，恐卷帙繁多，輕重失宜，因別爲《儀禮賈疏訂疑》一書。
>
> 又宮室制度，非講明有素，則讀《儀禮》時，先於行禮方位盲然，安問其他？宋人李寶之作《釋宮》尚矣，然朝有天子諸侯之朝制，有大夫士之朝制；廟有天子之廟制，諸侯之廟制，大夫及士之廟制；寢有正寢，有燕寢。諸侯以下之制，亦與天子異，李書俱未及細別。又如朝也，有行於燕朝之禮，有行於正朝之禮，有行於外朝之禮；廟也，有行於祖廟之禮，有行於禰廟之禮。且就一廟言之，有行於廟之室之禮，有行於廟之堂之禮，有行於廟之庭之禮，有行於廟之門之禮；又同一禮也，而十七篇中行禮處，亦各不同。如冠禮行於廟，而見姑姊則在寢；昏禮行於廟，而成昏則在燕寢；婦見

> 及盥饋則在正寢。此類乍讀之頗難昭晰，今以朝制、廟制及寢制爲綱，天子、諸侯、大夫、士爲目。又學制則分別庠、序，館制則分別公館、私館。皆先將宮室考定，而以十七篇所行之禮條繫於後，名曰《宮室提綱》，書成，擬冠於《正義》之首。又陸氏《經典釋文》於《儀禮》頗略，今擬取各經《音義》及《集釋》以後各家音切，挨次補錄，名曰《儀禮釋文校補》，草創未就。

又曰：

> 翬之始致思，欲効用於世，自歷户曹，即謂國家根本在是。何者？天下錢穀，一出一入，無不由户部覈定；而出則冒濫，入則虧缺者，由於吏胥爲奸，應催不催，應駁不駁，甚至鈎通外省吏，漏報款目，久之即成無著，而主上不知也，大臣不知也，惟司員之勤於鈎稽者知之。然司員即勤於鈎稽，而書吏之趨奉愈工，終亦必入其彀中。以致惟正之供，每歲被剝蝕者，不知凡幾。故翬以爲，户部理財，不在開捐例、加鹽價，惟在理其自有者而已。

君官戶部時，定一稿必對冊籍、稽例案，悉合然後行，事重大則自擬稿以行。歸寓，必持冊籍鈎覈再三，夜分乃已。自言與吏爲仇，不避嫌怨，雖被議，清名在天下，朱鞣臣撫部桂楨亟稱之。主講江寧，束脩所入，捐置義倉；直歲歉，邑人賴以活。年六十八卒。所著有《儀禮正義》四十卷、《燕寢考》三卷、《禘祫問答》一卷、《研六室文鈔》十卷。《賈疏訂疑》、《宮室提綱》、《釋文校補》皆未成。

弟子最著者，同邑章遇鴻、葛良治、族弟紹勳、紹煐，侄肇昕，楊大堉、涂煊、韓印、汪士鐸、席元章、馬壽齡、楊秉杷。章遇鴻，字可儀，一字葦州，號秋漁，道光丁酉舉人，官江西德興縣知縣。所著有《三國地理補志》、《後漢書輯註》。葛良治，字仲文，號羲氏，道光辛丑進士。今官貴州思州府知府。於書無所不窺，著述未見。

紹勳，字文甫，拔貢生。咸豐元年薦舉孝廉方正。長於聲訓之學。壽陽太保祁文端公視學江南，聘入幕府。文端公嘗爲余言：「文甫之學，不愧竹邨高弟子也。」嘗謂古經多省文，無缺略，註經者曲爲斡旋，而反失之。《論語》：「何事於仁。」《疏》曰：「何止事於仁。」以事爲事事之事，非也。《荀子・性惡篇》：「不可事。」註：「事，任也。」〈正名篇〉：「不事而自然謂之生。」註：「事，任使也。」《廣韻》「事」又作「傳」。《周禮・太宰》註云：「任，猶傳也。」解「事」爲「任」，「止」字不必補矣。「啓予足，啓予手。」鄭註訓「啓」爲「開」，謂「使弟子開衾而視」。《說文》：「启，開也。」「啓，教也。」自俗書用「启」爲「啓」，而「啓」字廢。《論衡・四諱篇》引此作「開予足，開予手」，文不成義，必待補「衾」字、「視」字，恐不若是曲折。蓋「啓」當讀爲「䁈」。《說文》：「䁈，省視也。」啓予手足，謂省視予手足也。自經傳通用「啓」字，而「䁈」字僅存《說文》矣。

其謂《孟子》「夫既或治之」，「或」當讀爲「咸」。《易》「或承之羞」，鄭本作「咸承」。《家語》正謂「不爲末，或曰義」，註云：「或，《左傳》作咸。」「咸」與「皆」同義。蓋王驩以行事自專，故云彼「既咸治之」。於「慢其經界」，引《廣雅》訓「慢」爲「敗」。「往將食之」，引《荀子》訓「將」爲「持」。「服堯之服」，引《詩》《鄭箋》訓「服」爲「事」。「所存者神」，引《爾雅》訓爲「所在者治」。皆至當不易之論。

又云：「經字多假借，如《四書》『文獻』之『獻』爲『賢』借字；『顚沛』爲『蹎跋』借字，『聚斂』之『聚』爲『驟』借字，『徼以爲知』之『徼』爲『抄』借字，「從容中道」之『從』爲『動』借字。」博證古訓，以達其說，所舉凡數十字，爲《四書拾義》五卷，又《續拾義》□卷，已刻。別撰《四書文箋異》、《易文箋異》、《春秋文箋異》。同時耆宿如汪君手存、江君晉三、陳君碩甫，咸欽其學，稱道無異辭。

紹煐，字枕泉，道光壬辰舉人。官太和縣學訓導。文甫從弟也，與文甫齊名。初治《毛詩》，見胡君墨莊《後箋》、陳君碩甫《故訓傳疏》，遂輟業，改撰《文選後箋》。既成書，鋟板且畢，方具紙墨，賊猝至，火其屋，稿亦燬[39]。鬱鬱卒。

---

[39] 案：胡氏有《文選箋證》三十二卷，殆即此書，今存《聚學軒叢書》中。

肇昕別見。

楊大堉、涂煊、韓印、汪士鐸，皆江寧人。大堉字疋掄，嘗爲君校刊《儀禮正義》。煊撰《十三經授受世系考》。印字介蓀，道光癸卯副貢生。今官直隸知縣。手輯《區田書》。

士鐸字梅邨，道光庚子舉人。學通經史，撰〈禮服記〉三篇、《儀禮鄭註今制疏證》、《廣韻疋》、《廣韻聲紐表》、《補梁陳州郡志》、《東漢朔閏考》、《佚存書目》、《韓詩外傳疏證》、《水經註圖》二卷，益陽胡文忠公爲序而刊之。士鐸無子，有二女。長洲莚，次洲蘋，能讀書。士鐸註《通鑑地理》，纂《南北史志》，二女爲檢點書傳。咸豐丙辰五月，賊入句容，二女居許邨，長投水殉節，次從母攜子弟冀出陷，弟殤，遂絕粒死。甘泉蔣照爲之傳。

席元章，字晦甫，青浦諸生。隱於書肆，遇購書者非俗儒，則起致敬。撰《尚書古誼》，以鄭氏爲本，傅以馬氏、王氏、某氏註，附以近儒江、王、段、孫四家之說，不爲苟同。梅賾所上《僞古文》附《序篇》之後，疏其出處。元章又嘗問業於宋先生翔鳳，晚歲亦爲西方之學，陷賊中，聞餓死焉。

壽齡，字鶴船。楊秉耙，松江人。所著書皆未見。

又有馬釗者，字遠林，元和人。道光甲辰舉人。治小學，校《集韻》至精，稿本尚存。亦嘗問學者也。[40]

二〇、胡廷綬

胡廷綬，字翌屏，一字苕孫，績溪人。歲貢生，竹邨先生族弟也。克紹家學，守漢儒師法，所著書毀於寇難，詢其後人，無知者。君嘗以《尚書》今文家說五藏分屬五行，與古文家同一異四，許叔重《說文解字．心部》引「博士說」兩存之，《異義》則主古文家說，鄭君駁之而引醫病法爲證；王氏鳴盛復疑鄭說，以爲相配

[40] 案：此頁有簽註曰：「馬君似未嘗問學，俟考。」案：陳奐《師友淵源記》「馬生釗，字遠林。」《續碑傳集》卷五四馮桂芬〈馬中書傳〉亦謂釗「年二十三，始入泮問經於同縣陳徵君奐，爲高足弟子」。《碑傳集補》卷 79、《清儒學案小傳》卷 15、《疇人傳三編》卷 4、陳繼聰《忠義紀聞錄》卷 21 等，皆同。然則馬氏爲陳奐弟子，諸家皆不言爲胡氏弟子事。

相屬，言各有當。故撰《古今文五藏說》，援據經義，證之《黃帝書》以申鄭說，眞傑作也。難後，原稿亦亡，從君族弟培系鈔存本求得之，亟錄記中。說曰：

> 《今文尚書》歐陽說肝木、心火、脾土、肺金、腎水，《古文尚書》說脾木、肺火、心土、肝金、腎水。許叔重據〈月令〉春祭脾等同《古文尚書》說，鄭康成駁之，以爲〈月令〉祭四時之位，以五藏之上下次之，不得同五行之氣。遂言「今醫病之法，以肝爲木、心爲火、脾爲土、肺爲金、腎爲水，則有瘳也。若反其術，不死爲劇」。詳鄭此言，固以〈洪範〉之貌木屬肝、言金屬肺、視火屬心、聽水屬腎、思土屬脾矣。鄭註《尚書》今雖亡其註，伏生《大傳》以貌配木、言配金、視配火、聽配水、思配土，雖不言五藏所屬，然可由駁《異義》之說而推得之也。乃王氏《尚書後案》謂五行相配與相屬不同，〈洪範〉以形象之相配言，醫經以氣質之相屬言，各有攸當，不可強合爲一。蓋王氏意以醫家恆言肝竅目、肺竅鼻、心竅舌、與貌目、言金、視火皆不合，求其說而不得，遂謂康成從《今文尚書》說其意，是謂醫病，非說〈洪範〉。夫聖經澈上澈下，理無不舉，康成大儒，與九流無不通，因間以醫證經，其言原信而有徵，且鄭經師，非醫師，說[41]經安用費辭？王氏不能通其說，不守蓋闕之訓，遂並誣我康成，以爲其意如彼。於戲！顚矣。
>
> 試言之：腎水竅爲耳，脾土之志爲思，夫人而知之也。證之經，則《易》〈坎〉爲水、爲耳，虞翻逸象〈坤〉爲土、爲思，雖未嘗言於藏何屬，然證之醫書，則《內經・陰陽應象大論篇》言，北方神「在地爲水」，「在藏爲腎」，「在竅爲耳」；中央神「在地爲土」，「在藏爲脾」，「在志爲思」。經與醫固已顯然可合爲一矣。至若《易》言「〈兌〉爲口」，《管子》言「肺發爲口」，則肺於言金，不必證之醫書，其理已通。且〈兌〉位西，《內經・刺禁篇》言「肺藏於右」，人南面立，則右正直西。〈兌〉爲金、爲口，則肺亦爲金、爲口矣。《周禮》言「春有痟首疾」，《左傳》言

[41] 案：「說」上原有「非」字，吳炳湘校勘之《尚書今古文五藏說》刪之，是。今據刪。

「風淫末疾」，說者謂末為頭，即引《周禮》「痟首」為證，夫春與風之屬木貌之在頭面，不言乃知。《內經》言「東方生風，風生木，木生酸，酸生肝」。是肝於貌木，又經與醫無不合。惟心於視火，《易》言〈離〉為火、為目，而醫書言心竅於舌、肝竅於目，似與經歧，若有不可通者，不知《內經・宣明五氣篇》「久視傷血」，王冰註「勞於心也」。《五藏生成篇》「諸脈者皆屬於目」。「皇甫士安言《九卷》心藏脈，脈舍神，神明通體，故屬目」。按《九卷》謂《靈樞》，然猶曰此註家推合之言，經文未嘗明言心竅於目也。若解《精微論篇》，又不明言心者五藏之專精，目者其竅乎？是心之竅於目而為視火，又證之醫家而有鑿鑿可據者，然則肺竅口，何以又竅鼻也？曰：《內經》言肺藏氣，鼻司呼吸，氣也；口主出納辭令，亦氣也。心竅目，何以又竅舌也？曰：目別色，舌知味，皆受物之有質者，其類同也。《儀禮・特牲・饋食》註所謂「心舌知食味」，〈少牢・饋食〉註所謂「心舌知滋味」者，皆是也。且火性炎上，故目於官位最上；火炎上而恆出於空隙，故舌達於口象之，其理一也。心竅目肝，何以又竅目也？曰：《內經・五藏生成篇》曰「諸血者皆屬於心」。又曰「肝得血而能視」。視本於血，二者一藏血一主血，可得通言。且經言容貌恆徵之瞻視，〈洪範〉言貌亦必兼瞻視，蓋肝木者目之體，心火者目之用。瞻視亦言其體，視聽之視則言其用。是以視在貌則屬木，視專為視則屬火，亦可以證之醫經而通，其理如此。夫乃知康成深通醫理，故其註《周禮・醫師》、〈瘍師〉無不與醫家相發明，而茲之從《今尚書》說，亦必以〈洪範〉之理與醫相表裡，故為此說。古人言通天、地、人之謂儒，通天、地、人之謂醫，不知經者不可以言醫，不知醫者又烏可以說經乎哉！

君年五十餘，卒於家。憶咸豐乙卯，先師溧陽繆君曾舉以課士，咸從今文家說，苦無證義，讀君此篇，甚愧不及。獨周畠廬以為不然，因主古文家說為之說。其略曰：

揚雄《太玄》言「木藏脾、金藏肝、火藏肺、水藏腎、土藏心」，則古文說

> 可從也。高誘註《呂氏春秋》兼取其說，註《淮南・時則訓》同之。宋〈銅人圖〉圖人藏府部位，肝居右，與《素問》肝居左不合；泰西醫士《全體新論》，亦言肝居人身之右，其述藏府經絡，皆剖驗死人身得之者，雖異古書，而實非謬。且肝居右，質至重，皆金象，肝右脾左，肝病痛在左，金怒則克木，故發於右而受於左。肺居五藏最上，火炎上也；心居中，中央土也。又《素問》：「心者，君主之官，土居中央，君位也；肺者，相傳之官，火生土，故相傳；肝者，將軍之官，戎事用金革也；脾胃者，倉廩之官。」《白虎通》脾之爲言禆也。《春秋元命苞》脾之爲言附著也。蔡邕：〈月令〉穀藏曰倉，米藏曰廩。倉廩皆有屋，屋之成也，以木附土，成斯有禆，且木固附著於土而生者也。故脾，木也，亦可言土；肝，金也，亦言木。〈乾〉爲金、爲木果也。《五行書》云，土雖有寄王於火，鄉生於巳。故心土亦言火，肺火亦言金。何也？五行唯金在火中，生金非火不革其形，又金父土戊己，寄治丙丁，不惟此。〈乾〉納甲，金木也；〈坤〉納乙，木土也；〈離〉納己，火土也；〈兑〉納丁，金火也。

云云。說甚辨，然於經義閡矣。

皛廬名白山，字雙庚，餘姚人。諸生。工詩，知算術，爲諸子之學。撰《皛廬子》一卷、《詩》十二卷。咸豐辛酉，賊陷餘姚，匿海濱餓死。文詩皆不存，惟余尚記其一二耳。皛廬潦倒窮途，世皆欲殺，困厄至死。且每念良朋，爲之腹痛，附記此篇，聊慰地下。吁！足哀已。

參考引用書目（以出現先後爲序）

《清代七百名人傳》，蔡冠洛纂，〔臺灣〕周駿富主編《清代傳記叢刊》本，明文書局，1985 年版。

《國朝未刊遺書志略》不分卷，〔清〕朱記榮撰，光緒八年刊本。

《漢學師承記》八卷，〔清〕江藩撰，鍾哲整理，北京：中華書局，1983 年版。

《碑傳集》一六〇卷，〔清〕錢儀吉纂，上海書店影印《清碑傳合集》本，1988 年版。

《續碑傳集》八六卷，〔清〕繆荃孫纂，上海書店影印《清碑傳合集》本，1988 年版。

《碑傳集補》六〇卷，〔清〕閔爾昌纂，上海書店影印《清碑傳合集》本，1988 年版。

《兩浙著述考》，宋慈抱原著，項士元審訂，浙江人民出版社，1985 年版。
《碑傳集三編》五〇卷，汪兆鏞纂，上海書店影印《清碑傳合集》本，1988 年版。
《國朝耆獻類徵初編》七二〇卷，〔清〕李桓纂，湘陰李氏刊本。
《清史稿》五二九卷，趙爾巽等撰，北京：中華書局，1987 年版。
《清史列傳》八〇卷，王鍾翰點校，北京：中華書局，1987 年版。
《清人室名別稱字號索引》，楊廷福等編，上海古籍出版社，1988 年版。
《補寰宇訪碑錄》五卷《失編》一卷，〔清〕趙之謙撰，清章餘慶鈔本。
《六朝別字記》不分卷，〔清〕趙之謙撰（稿本一冊，今藏中國國家圖書館）。
《廣雅》一〇卷，〔三國〕張揖撰，《景印本文淵閣四庫全書》本。
《毛詩正義》七〇卷，北京：中華書局，《十三經註疏》本，1982 年版。
《說文解字》三〇卷，〔漢〕許慎撰，北京：中華書局影印本，1983 年版。
《光緒嘉定縣志》三二卷，〔清〕楊震福等纂，光緒八年刻本。
《竹書紀年》二卷，《景印文淵閣四庫全書》本。
《逸周書集訓校釋》十卷，〔清〕朱右曾撰，崇文書局刻本。
《六九齋饌述稿》三卷，〔清〕陳瑑撰，民國蘇州文學山房刊本。
《王石臞先生遺文》一卷，〔清〕王念孫撰，羅振玉輯《高郵王氏遺書》本。
《王文簡公遺集》四卷，〔清〕王引之撰，羅振玉輯《高郵王氏遺書》本。
《廣雅疏證》一〇卷，〔清〕王念孫撰，《叢書集成初編》本。
《經義述聞》二卷，〔清〕王引之撰，臺灣中華書局 1987 年影印本。
《衡齋文集》三卷，〔清〕汪萊撰，咸豐四年刻《衡齋算學遺書合刻》本。
《雕菰樓集》二四卷，〔清〕焦循撰，清活字本。
《司馬法》一卷，《景印本文淵閣四庫全書》本。
《論語註疏》二〇卷，北京：中華書局，《十三經註疏》本，1982 年版。
《文獻徵存錄》一〇卷，〔清〕錢林纂，咸豐八年喜樹軒刊本。
《史記》一三〇，〔漢〕司馬遷撰，北京：中華書局，1962 年版。
《儀禮註疏》五〇卷，北京：中華書局，《十三經註疏》本，1982 年版。
《周禮註疏》四二卷，北京：中華書局，《十三經註疏》本，1982 年版。
《養素堂文集》三五卷，〔清〕張澍撰，道光十七年棗華書屋刊本。
《左傳正義》六〇卷，北京：中華書局，《十三經註疏》本，1982 年版。
《華陽國志校註》一二卷，〔晉〕常璩撰，劉琳校註，四川：巴蜀書社，1984 年版。
《太平寰宇記》二〇〇卷，〔宋〕樂史撰，《景印文淵閣四庫全書》本。
《後漢書》一二〇卷，〔劉宋〕范曄撰，北京：中華書局，1965 年版。
《路史・國名記》七卷，〔宋〕羅泌撰，《景印文淵閣四庫全書》本。

《水經註疏》四〇卷，〔北魏〕酈道元註，楊守敬等疏，段熙仲點校，江蘇古籍出版社，1989年。
《龔自珍全集》，〔清〕龔自珍撰，王佩諍校，上海古籍出版社，1975年版。
《周易翼》一〇卷，〔清〕凌堃撰，道光八年重刊《傳經堂叢書》本。
《周易翼釋義》一卷，〔清〕安璿珠撰，凌氏《周易翼》附刊本。
《周易正義》一〇卷，北京：中華書局《十三經註疏》本，1982年版。
《月齋文集》八卷，〔清〕張穆撰，〔清〕壽陽祁氏刊本。
《研六室文鈔》一〇卷，〔清〕胡培翬撰，光緒四年世澤樓重刊本。
《文選箋證》三二卷，〔清〕胡紹煐撰，《聚學軒叢書》本。
《師友淵源記》不分卷，〔清〕陳奐撰，《邃雅齋叢書》本。
《疇人傳三編》七卷，〔清〕諸可寶撰，《南菁書院叢書》本。
《忠義紀聞錄》三〇卷，〔清〕陳繼聰撰，臺灣：明文書局，周駿富主編《清代傳記叢刊》本，1985年版。
《尙書今古文五藏說》一卷，〔清〕胡廷綬撰，《蟄園校刊五種》本。
《黃帝內經素問》二四卷，〔唐〕王冰註，〔宋〕林億等新校註，《景印文淵閣四庫全書》本。
《素問校議》一卷，《滂喜齋叢書》本。

經 學 研 究 論 叢
第 十 二 輯　　頁81～96
臺灣學生書局 2004年12月

《用易詳解》論述

劉秀蘭*

一、引言

李杞《易傳》爲南宋史事《易》之一，在繼承李光、楊萬里之後，欲以史證經，以明經爲萬世有用之學。然其生平事跡不詳，據《四庫全書總目》云：

> 《用易詳解》十六卷，宋李杞撰。杞字子才，號謙齋，眉山人，仕履未詳。考宋有三李杞，其一爲北宋人，官大理寺丞，與蘇軾相唱和，見《烏臺詩案》。一爲朱子門人，字仲良，平江人，即嘗錄《甲寅問答》者，與作此書之李杞均非一人，或混而同之者，誤也。❶

《總目》說宋代有三個李杞，一是北宋人，另一爲朱子門人，而此書之作者李杞則生平不詳。《用易詳解》原本有二十卷，後因散佚只存十六卷。其特色乃引史證之，欲《易》之切合人事，故《總目》云：

> 其書原本二十卷，焦竑《經籍志》作《謙齋詳解》，朱彝尊《經義考》作

* 劉秀蘭，高雄縣正義高中國文教師。

❶ 李杞：《用易詳解》（臺北：臺灣商務印書館，《景印文淵閣四庫全書》經部第19冊），頁350。

> 《用易詳解》。……竑及彝尊蓋未見原書，故傳聞訛異歟？外間久無傳本，惟《永樂大典》尚散見，各韻中採掇裒輯，僅缺〈豫〉、〈隨〉、〈無妄〉、〈大壯〉、〈睽〉、〈蹇〉、〈中孚〉七卦，及〈晉卦〉後四爻，其餘俱屬完善。謹排次校核釐爲十六卷，書中之例於每爻解其辭義，復引歷代史事以實之。……明《易》之切於人事也。（頁350）

《總目》認爲李光、楊萬里等人博採史籍以相證明，雖不免稍涉泛濫，不過對於其中推闡精確者，仍是諸多肯定的，並且在立象垂戒之旨方面，也多所發明，實有功於聖道。而李杞之說《易》即是有志於此，惟其中不可訓者，往往援引老莊之語，故《總目》略有微詞，並於別白存之，以作爲崇尚清談者之警戒。如在〈乾卦〉卦辭「元亨利貞」中李杞引用《老子》第十六章歸根復命之言（頁 352）作解釋，並在〈乾卦〉上九中引《莊子》天地有大美而不言以明之。（頁 361）另外在〈升卦〉九三中亦引《莊子・人間世》「虛世生白」之語（頁 479），此皆足以明李杞儒道相通之意涵。

二、變易、陰陽與性道

李杞認爲天地恆常之道並非全然不變，必待變化而後能常久，即以變致常。在〈恆卦〉彖曰：「恆，久也。剛上而柔下，……而天地萬物之情可見矣。」一文中，李杞注云：

> 夫恆利乎正，不正則不安，故正者可久之道也。雖然恆不可變，而執一以爲恆，蓋未有能久者也。……蓋惟變爲能恆，惟新爲能一，惟不已爲能久。（頁447）

李杞認爲惟有不斷地變化才能保持恆常，所以雖然舉出「天地有常道，日月有常經，四時有常序，聖人有常治，萬物有常理。」（頁 447）不過其中之常並非「執一而不變」，或成爲死寂的狀態；相反地，是在不停地更新當中以保有它的生命力而長久發展，才能源源不絕。此外，在〈恆卦〉象曰：「雷風恒，君子以立不易方。」中，李杞也說：

> 雷風，天地之變也。惟其變所以能常也。君子觀《易》之象而立不易方，立不易方，其遭變而不失其常者歟！（頁 447）

總之，「惟變爲能恒」，「惟其變所以能常也」。另外，在陰陽的概念方面，李杞認爲天地之道不過陰陽，在〈繫辭上傳〉：「仰以觀天文，俯以察地理，……是故知鬼神之情狀。」中，李杞說：

> 精氣聚而爲物，游魂散而爲變，觀其聚散則鬼神之情狀可得而識矣。夫幽明也，死生也，鬼神也，皆陰陽之變也。天地之道不過乎陰陽，而《易》與天地準，亦不過彌綸此而已。（頁 530）

李杞認爲幽明、死生、鬼神都是陰陽的變化，一氣的聚散。此外，「陰陽者，萬物之所資以生」（頁 531），就連天地間的萬事萬物都是由陰陽和合而成的，所以「天地之道，不過陰陽而已。」（頁 529－530）此乃聖人盡性之學。因此若欲識其情狀，即須由陰陽二氣之聚散入手，而《易》就是彌綸此陰陽之大化所在，不僅未有天地，已有此《易》了，更進一步說，唯有透過《易》方能範圍天地，而足以解釋所有的人、事、物，所以由《易》方能探知陰陽之道，再由陰陽去窮盡天地間的事事物物，可見天地之小而《易》之爲大。（頁 529－530）其次，當陰陽與德行相配合之時，李杞提到陽仁陰智的觀點，在〈繫辭上傳〉：「與天地相似故不違，……安土敦乎仁故能愛。」一節中，李杞說：

> 陽爲仁，陰爲智，聖人所以與天地相似，不相違者，仁智之兩盡焉者也。周乎萬物爲智，道濟天下爲仁，智而不仁則過乎陰，仁而不智則過乎陽，仁且智，是以無一偏之過，而與天地相似也。旁行者，智之達權者也。不流者，仁之守正者也。……聖人之與天地，夫豈有二道哉？亦曰仁智焉而已矣。（頁 530）

李杞以陽爲仁，陰爲智，仁智乃是聖人與天地之道相契合的本質，也唯有聖人才能仁智兩盡，而周乎萬物，道濟天下。不過這二者須適中兼備，即「樂天理，知天命，故能無憂而其智爲益深；隨所寓而安，純厚愛物，而其仁爲益廣」，如果偏陰或偏陽皆非大道，因仁、智只得天地陰陽之一端，所以智而不仁，或仁而不智，皆未足稱善，亦未臻聖人之境域。因此在〈繫辭上傳〉：「一陰一陽之謂道，……百姓日用而不知，故君子之道鮮矣。」中，李杞說：

> 天下之人惟其不能充其可繼之善，以成其性而各執其所得，故仁者遂謂道之止於仁，知者遂謂道之止於知，而不知仁與知皆各得陰陽之一偏者也。一陰一陽然後謂之道，偏陰偏陽非惟不足以爲道，亦未足以爲善也。（頁531）

最後關於性道的部分，李杞認爲性乃從道而來，故性之本質爲善。在〈繫辭上傳〉：「一陰一陽之謂道，……故君子之道鮮矣。」中他說：

> 一陰一陽，天地之道也。自有天地即有陰陽，陰陽者，萬物之所資以生，故強名之曰道，其實則天命之本然者也。自道而降，則繼之以善，善即元也，所謂元者，善之長是也，自善而充之則成之者性，性本善也，而性之所以成者，善有以爲之繼也。（頁531）

這種天命之本然賦予人者即善也，此性之所以繼道成善者。而性與道又有本然與自然的關係。本然即性之本然，自然即道之自然。在〈繫辭上傳〉：「一陰一陽之謂道，……故君子之道鮮矣。」中李杞說：

> 自道而繼之以善，馴致之理也，自善而成之以性，復性之學也。馴致之理，自天而之人者也，復性之學，自人而之天者也。然則所謂道者，其性之本然，而所謂性者，其道之自然者乎。（頁531）

李杞在本然、自然中重視天人的交流，所以馴致之理是由天而賦予人者，復性之學則是由人而返之天者。

三、經史合一

所謂經史合一即是理事合一。李杞說：

> 經學不可以史證，經學必以史證，此吾爲書之病也，亦吾爲書之意也。……故經辯其理，史紀其事，有是理必有是事，二者常相關而不可一缺焉。自後世以空言爲學，歧經與史爲二，尊經太過而《六經》之書往往反入于虛無曠蕩之域。（頁351）

李杞認爲有是理必有是事，理事乃相關而不可或缺，然後世常尊經太過而流於空言，以致於歧經史爲二，理事分家，致流於偏頗之地。有鑑於此，李杞欲合理事爲一，遂引證史料以說《易》，使經史融合無間。故雖理在氣先❷，然理無形不可得見，必待有形之物方能呈顯，如欲探究其理，即應從所附麗者以見其所以然。「蓋至虛者未有不託乎至實者以爲之地也。」所以「論《易》之妙，則出乎無形之先，而論《易》之書，則得於有形之後。」（頁 526）也因此在《易》傳中，李杞大量引用史事來證明《易》理，所以即使經、史不同家，甚至經非史，然「史可以證經」（頁 351），二者實有互補的功效。故從上古三代、秦漢三國、以至於魏晉南北朝，乃至於隋唐等歷代史事，李杞皆一一引錄。甚至前人說《易》的部份亦時有所見，例如揚雄、王弼、胡瑗、伊川、周敦頤等人之說，不勝枚舉。

至於爲何要經史合一，以史證《易》，李杞則認爲因爲聖人作《易》並非空言立說，而是爲了有用於世，所以即使歷經了千年萬代仍舊歷久彌新，而可作爲人事的準則，行動的方針。所以「不質之于史，則何以見聖人之經爲萬世有用之學也？」正因爲經只有理論上的論述，沒有實際的例子可以具體說明，若要切合人事，則必須結合後代的史事，方能彰顯聖人用《易》之苦心，故雖然駁雜，亦不廢之。因爲經是恆常不變的，史則隨時流轉，變化不息，不過變化中有不變，儘管人

---

❷ 頁 526：「有形生於無形，故太極未分，此理已具。」

事千變萬化，大抵不出聖人作《易》的法則，所以只要能掌握《易》的精神，即使世事錯綜複雜，亦有頭緒可理，如同萬川歸海般，條理分明，而在經中得到印證，此即理一分殊，事萬變而理不變之意。所以理事合一就是爲了證明《易》爲應世之學，絕不空泛虛無。而人如果能得「用」《易》之妙，才能領略《易》之眞精神。因此黃忠天說：「『用』之一字，誠爲李杞《易》學之門鑰，捨一『用』字，則無以觀李杞《易》學之奧蘊也。」❸而李杞也說：

> 夫天下有自然之物理，惟《易》有以開其端；天下有無窮之事務，惟《易》有以成其變。……聖人之用《易》也，將以之而通天下之志，以之而定天下之業，以之而斷天下之疑。（頁 542）
>
> 《易》書既作，凡所以避凶趨吉、酬酢泛應者，在天下日用之際有無窮之妙，是《易》之爲《易》，乃聖人應世之書，吉凶悔吝、治亂安危，得失禍福之理之所萃焉者也，而奈何以空言學之乎？（頁 351）

這裡提到《易》有開端成變的實際功效，所以能把《易》應用到人生的各個層面，以解決日用生活的各項疑難，才是學《易》的最終目的。因爲「學《易》非難而用《易》爲難」（頁 351），能爲世所用，並且通達其中治亂得失、安危禍福，乃至悔吝吉凶所顯示的意涵，才能幫助人們通志立業，而斷天下之疑。故「于《易》多證之史，非以隘《易》也，所以見《易》爲有用之學也。」（頁 351）因爲不如此，不僅經之理無法昭明於世，更有可能越走越隘，甚至與人事脫節，而爲人所廢。如此，儘管有再好的眞知灼見，佳言懿語，亦將淪爲空談。因此經史合一絕對有其必要性，不僅經由史而得以開啓活潑潑的生命力，以代代相傳；史亦透過經而得到驗證，並爲世人所依傍、取法，而免於重蹈覆轍，這無疑提昇了人們的形上智慧，並且培養洞燭先機的識見，如此更見其相得益彰之妙，故李杞提其書名曰《用易詳解》實是能得個中三昧。因此《總目》就說：

---

❸ 見黃忠天：〈李杞之史事易學〉，《宋代史事易學研究》（高雄：高雄師範大學國文研究所博士論文，1995 年 5 月），頁 267。

書中之例於每爻解其辭義復引歷代史事以實之。如乾初九稱舜在側微，九二稱四岳薦舜之類。案《易》爻有帝乙高宗之象，傳有文王箕子之詞，是聖人原非空言以立訓，……明《易》之切於人事也。（頁350）

《總目》認爲李杞引史事以證之，乃以實對空而言，如此《易經》能更切近人事而爲人所運用。所以杞在〈坤卦〉六五即言：「若惠伯之言可謂得用《易》之妙也。」以此明「用」之關鍵。至於其間的體用關係，李杞則說：

夫《易》之爲書，有體焉、有用焉。分剛柔以立一卦之本，是《易》之體也。極變通以趣六位之時，是《易》之用也。《易》之體一定而不易，《易》之用萬變而不窮。……天下萬變雖不可窮，然終歸于一理而已。（頁548）

李杞認爲剛柔是《易》之體，是易簡而不易的。而六位則是《易》之用，即爻象一動乎蓍卦之內，吉凶自然應之于蓍卦之外。所以聖人開物成務之功業皆因時變而後顯，此《易》之用所以變通而無窮也。因此有剛柔以立本之體，才不至於泛濫而無生；又因有變通隨時之用，才不至於滯礙而不通。故體以示其常，用以明其變，而《易》之道無餘蘊矣！此外，他又說：

蓋《易》之道雖妙乎不一，而實歸于至一。不一者，聖人應世之用，而至一者，聖人憂世之心也。故自其應世之用觀之，則《易》之爲道，推遷而不一，變動而不居。周流于六位之中，或上或下之無常，一剛一柔之相易，宜若不可爲典要，而唯變所適矣！（頁558）

李杞提到體用、常變、一多的關係，其中體一本而用萬變，剛柔易簡至一是《易》之體，是經；爻象吉凶、變動不一是《易》之用，即史也。所謂《易》之體即《易》之理，而「未有天地，《易》理已具。」（頁 546）唯有聖人「能先天下之所未見而開其端」（頁 549），並且以無私之心作《易》，將天地自然法則、道德性命之學顯於世，形於《易》，令世人知之，進而發揮此本有具足之性，他說：

> 聖人之作《易》也，豈徒有取于蓍數卦爻而已哉！蓋將示天下後世以道德性命之學爾。蓋道德性命，人人具足而不知，故聖人作《易》而還以導之，蓋將以足其所不足者也。故人莫不有道德也，而常患乎乖離而弗合，故聖人和而順之，使之圓融而爲一。……是故《易》之未作，天下具是理而不能自知，《易》之既作，天下得是理而有以自足。（頁 562－563）

而關於史事的採用方面，李杞《易》傳中所舉之例多爲政治軍事事件，且多集中在政治人物的探討及古代聖王的闡述。以上古三代而言，幾乎全爲堯、舜、禹、湯、文武、周孔、伊尹等帝王或政治家的言行事跡。而在春秋時代，描述戰爭及各國間的交通者不知凡幾。下至秦漢，則多論述始皇、項羽、劉邦、光武等帝王及張良、韓信等謀臣的事跡，及至隋唐亦復如是。所以我們可以說李杞《易》傳中的史事是環繞著古代帝王及政治軍事家而展開的。

關於上古聖王方面，在〈乾卦〉初九「潛龍勿用」中，李杞云：

> 此舜在側微之時也。舜耕于歷山，漁于雷澤，父頑母嚚，象傲克諧以孝。當是時，舜豈蘄堯之知我哉？吾惟知烝烝以自治，使不至于姦而已，茲非潛龍勿用之義乎？（頁 352）

此言舜耕於田畝，以孝自治，而沒沒無名之時。其實在〈乾卦〉九二至上九中，李杞始終環繞在舜身上論述：九二言舜嶄露頭角之時，九三是堯對舜的裁成磨練，而試歷諸艱，九四是舜攝政之初，九五言舜爲政，而萬民同心戴之，以至於海隅蒼生，萬邦黎獻，而共爲帝臣，上九則言堯舜功成弗居而得以免于悔吝，此即退藏於密，故當亢而不亢，宜有悔而不悔，故聖人能反禍爲福，全身而退。（頁 352－353）總觀〈乾卦〉六爻，李杞皆以舜成德成位之事以明之，是舜由平民以至於天子而後讓賢于禹的政治歷程，即由〈乾卦〉而統論舜之一生。另外，在〈解卦〉上六中也提到舜助堯去四凶而天下大服的例子。（頁 463）下至三代政治人物的論述，於〈乾卦〉上九「亢龍有悔，……是以動而有悔也」中，李杞說：

> 此紂之所以亡也。紂貴爲天子，謂之獨夫，則無位可知。有臣億萬，惟億萬心，則無民可知。微子去之，箕子爲之奴，比干諫而死，則無輔可知。紂方且悍然自立而不知悟，雖欲不亡得乎？（頁 359）

李杞舉了紂亡國一事來說明亢龍有悔之意，故雖貴爲天子，其實無位可言，而謂之獨夫，因爲不只民心渙散仍不自悟，更誅殺賢臣，如此眾叛親離，無疑自取滅亡。而在〈屯卦〉象曰：「雲雷，屯，君子以經綸。」中李杞論及經綸之意，所謂經綸即是經營，意即康濟天下之業，如湯武順天應人，拯救人民於水火之中的義行，所以君子觀〈屯〉之象就會自然而然的想起救世濟民之事。（頁 371）至於秦漢的政治史事，在〈蠱卦〉初六「幹父之蠱，……意承考也」中，李杞說：

> 秦皇漢武皆有奢侈窮黷之失而秦以之亡，漢以之興者。始皇之後繼以二世，則爲無子。武帝之後繼以孝昭，則有子也。故後世論武帝者，猶在七制之列，豈特無咎也哉。（頁 409）

李杞以有子無子言秦漢之國祚興亡，並解釋「幹父之蠱」。雖然秦皇、漢武都是窮兵黷武之人，然結局卻不相同，因爲二世昏庸，而孝昭賢明，此天壤之別改寫了兩朝的歷史，所以即使父不賢亦不妨礙其子之爲善也，甚者可補父之過而扭轉乾坤。至於秦亡的探討，李杞認爲始皇東遊一事剛好可以用來說明〈繫辭上傳〉「盜之招」的意涵。因爲排場之隆，兵衛之盛，已讓劉邦動大丈夫之嘆，而啓項羽取代之念，無疑種下了日後亡國之因，故李杞勉人修德以存其位，否則萬乘之富，適將得其反所。（頁 537）所以民爲國本，在〈姤卦〉九二「包有魚，……義不及賓也」中，李杞分析人民之所歸者爲主，因爲「三秦之心既嚮于高祖，則羽安能劫而取之哉。」（頁 474）故得天下之首要在於得民心。

而關於三國的史事部分，在〈需卦〉初九「需于郊，……未失常也」中，李杞提到孔明的事跡，他說：

> 東漢之末，諸侯競起，天下才智之主莫不鼓舞於功名之會，而諸葛孔明方且澹然自處，抱膝長吟於草廬之下，若無意於世者，彼固有所待爾。然則隆中高臥之舉，其需于郊之謂耶？（頁 376）

李杞認爲孔明高臥隆中之事正可以印證需于郊之意。因爲在遭遇明主之前，沈潛勿用，而不輕舉妄動，犯難而行，才能守常而無失，顯示孔明進退得宜，能看清時局而自處有道，此即君子居易以俟命，更是懂得等待時機之人。最後關於兩晉南北朝隋唐史事的徵錄，我們舉阮籍與朱泚之事來作結。在〈未濟卦〉上九「有孚于飲酒，……亦不知節也」中，李杞說：

> 當未濟之極，雖有忠信之誠，而勢不可以有爲，故自放于酒以全身遠害而已。晉阮籍之流，豈眞無意于世哉！惟知其不可奈何，不得已而以酒自迷，所以求全於亂世也。然而沈湎之極，而至于濡首而不知節，以此自信則失之矣。昔人謂爲名教之罪人，豈非以其太過也哉？（頁 524）

李杞肯定阮籍以酒自解而求全亂世的做法，然沈湎之極而流於放蕩，以致成名教之罪人又豈是始料所及哉！故李杞勉人應記取〈未濟〉不知節的教訓，才不會走過頭。正如同在〈蠱卦〉六四「裕父之蠱，……往未得也」中，舉「代宗專務姑息而德宗之姑息又過之」（頁 409）來說明「裕父之蠱」，實是每下愈況，一代不如一代，終至不可收拾的狼狽處境與結局。不過若能及時悔悟，亦猶未晚，所以在〈離卦〉六五「出涕沱若，……離王公也。」中，李杞提到在情勢危急之時，德宗能當下引咎自責，下詔罪己，「故詔書一下而武夫至于流涕，李晟因之得以忠義感三軍之心。」（頁 441）而得弭朱泚之亂，以復興唐室，來證明心誠求之，雖不近亦不遠矣。總之，這些帝王世家、政治謀臣的事跡每每成爲李杞釋《易》引證說明的對象，如此經與史的對應比附，讓《易》理更具體切合人事。

四、用世之學

李杞認爲《易》爲有用之學，故須實踐在人倫日用中。首先是政治層面，李杞認爲爲君之道當以古代聖王爲準則。而上古堯、舜、禹、湯、文武、周公的施政成就與理想即是政治的最高典範。因此李杞在《易》傳中常提到這些聖王的事跡，或歌頌、或讚嘆、以作爲後世帝王勉勵效法的對象。以〈乾卦〉六爻而言，李杞全用舜成德成位之事以明，而〈謙卦〉六爻，則全用禹之事。此外，更有堯舜禪讓、湯武革命，文王德政、武王伐紂及周公輔佐成王，制禮作樂等事跡，皆散佈於各個卦爻辭之中，足見其推崇之意。例如在〈乾卦〉用九中，李杞舉「堯之兢兢，舜之業業，禹之不矜不伐，湯之慄慄危懼，文王之翼翼小心」以證明都是能夠用九的聖王，所以能在過度之際退而抑之，以免禍全身。（頁 354）

另外，爲臣之道，李杞強調爲人臣子苟有忠信之誠則能取信於人君之志。在〈兌卦〉九二「孚兌吉，悔亡。孚兌之吉，信志也」中，李杞說：

> 人臣之於君，不患乎不能以剛介自處，而患乎無忠信之誠以固之，苟有忠信之誠，則雖犯顏敢諫，未有不能取信於人君之志者矣。（頁 510）

李杞認爲爲人臣者雖犯顏直諫，然若出於一片忠誠，必能得人君之諒解。除此之外，即是中以自處，李杞提到大臣之道在乎中而已，因此在〈離卦〉六二「黃離元吉。……得中道也」中，李杞說：

> 離自坤來者也，以柔順之德居中正之位，其大臣以道事君者乎。大臣之道，不過乎中而已，明不至于察而美在其中，是以獲元吉也，此爻惟伊周足以當之。（頁 440）

即人臣當以中道自處，不入於極端才能吉無不利。至於行事的準則方面，則是惟道是從，李杞認爲人臣之用舍行藏無須執一而不變，或拘泥於某一原則，只要能合乎道即可。所以在〈觀卦〉六三「觀我生，……未失道也」中，李杞提到伯夷之治進亂退，伊尹之治亂皆進，及孔子的仕止久速，皆各有其觀，此三聖之道，作爲雖不同，然進退之間，用舍行藏，不拘于一，皆是聖人之典範，因此實不必削足適履而舍已徇人。（頁 415）

至於使民之道，便是寓兵於農，有事而戰，無事而耕，而達到兵民合一的理想，目的是爲了使國家長治久安。所以在〈師卦〉象曰「地中有水，師，君子以容民畜眾」中，李杞提到周之井田，齊之內政，漢之材官，以及唐之府兵皆是寓兵於農的例子，更是容民畜眾之義。（頁 381）

關於教育的層面，在方法的運用上，首先是發蒙用刑。李杞認爲人於蒙昧之初當用刑以去之，方能遷善遠罪。在〈蒙卦〉初六「發蒙，利用刑人，用說桎梏，以往吝。象曰：利用刑人，以正法也」中，李杞注云：

> 發蒙之道，譬之用刑，非所以毒之，蓋將使之遷善遠罪而脫去其累爾。人之蒙蔽，其纏縛之苦甚於桎梏，故利用刑人以說之，豈非所以深愛之哉。（頁 374）

李杞認爲教育當用刑法以去其蒙昧，而非任意姑息或縱容之，因爲纏縛之苦實是甚於桎梏。然刑之用亦當適可而止，過份則致反效用。再來就是包蒙納之。李杞認爲對於蒙昧之人不可強拒之，當包容接納以待其變，此即個別適應的原則。所以在〈蒙卦〉九二「包蒙吉，……象曰：子克家，剛柔接也」中，李杞舉周公包容商民之頑抗，以待其變而果生良效以證明包蒙的確有其必要，畢竟人非聖賢，有過失或一時誤入歧途都是難免的，只要人有心改過遷善，就應該給予機會，實不必過份苛責，而拒人千里之外。（頁 374）此外，環境教育也相當重要，中國古代有孟母三遷的故事，說明了境教的影響。在〈蒙卦〉六四「困蒙吝。象曰：困蒙之吝，獨遠實也」中，李杞說：

> 以陰居陰，蒙然自蔽而無以爲之發達，困亦甚矣。蒙童之時，貴乎求賢以自輔者也，而四之所居獨遠于陽，離群索居，甘心自困而不能覺，是其爲志豈不鄙且吝哉。（頁 375）

李杞認爲環境對一個人有深切的啓發，所謂「近朱者赤，近墨者黑。」尤其在蒙童之時，更須求賢以自輔才能自覺。而在教育內容的設計方面，李杞提到禮樂之教，強調禮樂的節人化性，而王道之盛者其禮樂亦莫不興盛，這在〈賁卦〉彖曰「賁，亨。……觀乎人文以化成天下」中，可得到說明。（頁 419）再者，是復性之學，李杞認爲性本善，故爲學應返回天道之自然以成就人性之本然。使不流于情欲而歸于正道。因爲在〈乾卦〉上九「乾元者，始而亨者也，利貞者，性情也」中，李杞也說：

> 性降于情，則爲利，利即故者以利爲本之謂也。夫安而行之謂之性，利而行之謂之情。故既利矣而求有以反乎其初，于是繼之以貞，貞者，順受其正之謂也。自元而至于利，情勝而性隱，自利而至于貞，復性而情滅。故曰：利貞者，性情也，謂性其情也，此聖人教天下萬世以復性之學也。（頁 360）

李杞認爲聖人之教天下即是復性之學，所謂性其情也，使情能合乎貞正而不滅性。

最後是家道思想。家爲一國的基礎，也是正始之道，王化之基，家道不正則天下亦難正矣。所謂誠意、正心、修身、齊家、治國、平天下是也，循序漸進，以臻於大同世界。而《易經》論及家道思想者有〈咸卦〉、〈恆卦〉、〈家人卦〉、〈漸卦〉及〈歸妹卦〉等，其對男女家庭之重視可見一斑。李杞於其間亦頗有論述，在〈歸妹卦〉卦辭「征凶，無攸利。……柔乘剛也」中，李杞提到：

> 夫天地以相交爲大義，故天地絪縕，萬物化醇，男女以相配爲終始。……聖人作《易》於夫婦之際，何其詳且悉也。於〈咸〉則通其相與之情、於〈恆〉則示其持久之道、於〈家人〉則嚴其治家之法、於〈漸〉則明其漸進之禮、於〈歸妹〉則又示其不正之戒，丁寧反復，無所不用其至。（頁 499）

李杞認爲男女婚配要重視感、正、恆、嚴、禮這五大要素。首先是感通相與。不過這是無心之感，應以無心無思爲要，因有心有思即有思惟介入其間，以致於逐於物，此皆有所執而非自然之感。所以在〈咸卦〉象曰「山上有澤，咸，君子以虛受人」中，李杞說：

> 虛者，無心之至也。我以無心感，彼以無心應。彼以無心至，我以無心受，兩者皆出於不期而自然，是豈有一毫思惟之念介于其間哉！〈繫辭〉曰：「無思也，無爲也。寂然不動，感而遂通天下之故」，此之謂也。（頁444）

李杞強調無心感，無心應，皆出於不期而然，如此才能無感不通。此外，在〈咸卦〉九四「貞吉，悔亡……，憧憧往往，未光大也」中，李杞也認爲「心本無思，心而至于有思則淺于動矣。心之一動，善惡岐焉。」（頁 445）所以惟有無邪之思，方是思之正者，否則已入迷妄之地。因此咸之道必內無所執，外無所繫而後爲自然之感。其次，是感道以正與歸妹以正。李杞認爲感道必以正，否則便流入淫奔而敗壞風俗。在〈咸卦〉彖曰「咸，感也。……觀其所感而天地萬物之情可見矣」中，李杞說：

> 感之道不可不正，正者，無心以感之謂也。……婚姻之道爲人倫之始，故其相感必以正，不以正則奔淫之風侈矣。親迎之禮，雖文王不敢廢，異時刑于寡妻，以成二南之化，實基于此，咸之卦所以利乎正，而以取女爲吉也。（頁444）

因爲婚姻之道乃人倫之始，所以在男女交往之初即須正念行之，雖文王亦勉力爲之而成二南之化，如此取女方爲吉也。因爲若歸妹不正，而因說動則易有凶事。在〈歸妹卦〉彖曰「歸妹，天地之大義也。……柔乘剛也」中，李杞就說：

> 女之歸，有天地之義，有人倫之道存乎其間，而可以不正行之哉？以不正而歸，說而至於縱，動而至於淫，夫弱婦強不能正室，宜其凶且不利也。（頁499）

可見夫弱婦強而不能正室，即違反天地之義而亂人倫之序。再者，是恆久之道。李杞認爲夫婦恆久之道應是男上女下各得其正，此方能長久。在〈恆卦〉彖曰「恆，久也。剛上而柔下，……觀其所恒而天地萬物之情可見矣」中，李杞說：

> 咸者，一時相與之情也。恆者，萬世可久之正也。方其爲咸也，柔上而剛下，以男下女，其于交感之道得之矣。然而可以交而不可久焉。蓋論其情則順，而言其分則逆，感之太過而夫婦至于倒置，則何以能久乎？（頁 446－447）

李杞認爲咸乃男女相與之情，然非可久之道，因男在下女在上，違逆分際，以致夫婦倒置。而恆才是夫婦正常之道，因「前日之所謂柔上剛下者，今則各安其所處矣。前日之所謂男下女者，今則有別矣。」如此男女各得其正位，方能安於所處而成萬世久長之計。而關於治家的原則上，李杞強調嚴治家法。雖然治家太嚴或太易都不好而未達中和，然與其太易則無寧治之以嚴。所以在〈家人卦〉九三「家人嗃嗃，悔厲吉，……婦人嘻嘻，失家節也」中，李杞說：

> 治家之道，太嚴則傷恩，太易則失節，然至嚴之中至愛存焉，故雖悔且厲，而可以獲吉。苟過乎和易則狎矣，故終吝。（頁 459）

因李杞認爲由嚴入易易，然由易入嚴則難，故治家不能取其中道則寧嚴勿易。最後，就是漸進於禮。李杞認爲女子之歸當合於禮制，且漸進以序不可少躐，方能爲婚禮之正。在〈漸卦〉彖曰「漸之進也，女歸吉也。……止而巽，動不窮也」中，李杞說：

> 漸之卦獨曰女歸吉者何也？先之以媒妁、申之以介紹、將之以幣帛、決之以卜筮、納采、問名、納吉、請期、親迎，而後告之於廟，其品節次第所以防閑之甚嚴而不可少躐。夫如是而後可以爲婚禮之正，一有僭差則始進不正，其終有不可勝言者矣。故漸之進以女歸吉爲主，欲其進之以禮也。（頁 495－496）

由上可知李杞重女歸之循禮而層進，故從媒妁、介紹、幣帛、以至於納采、問名、納吉、請期、親迎……等，皆不可躁進，因為一有僭越則心念不正，如此後果將不可設想，而終有不可勝言者矣。

五、結論

綜上所述，李杞釋《易》遍及《五經》，老莊，前人之論，其兼容並蓄的治學精神，足見其學識之廣博，然最終以歸向史事為主。其間所引史事貫通古今，且多屬政治人物之探討，可知其欲《易》之有用於人事治道，而非空言立說。而此用世之學應用在政治上，李杞強調上古聖王之典範理想，與為人臣子之忠信不二，唯中道是從。至於教育思想方面，李杞主張發蒙用刑，包蒙納之，更重視環境教育的影響，期能行禮樂之教與復性之學而化民成俗。最後，在家道倫理方面，李杞強調感、正、恆、嚴、禮。認為夫婦能以無心相感、並依正道行之，如此漸進於禮，嚴治家法，家道自然和樂，以之而治國、平天下，進而達到大同世界的理想境地，如此則《易》實深切於人倫日用。

經學研究論叢
第十二輯　頁97～110
臺灣學生書局　2004年12月

《詩經》與中國古代的「誓」

王　政*

一、〈何人斯〉意旨：女子脅迫男子爲「情誓」

〈小雅・何人斯〉，傳統《詩》說以爲：蘇公、暴公二人同爲卿士，暴公陰讒蘇公，蘇公作此詩詛咒他，指斥他爲鬼爲蜮的行爲。❶

我們以爲，〈何人斯〉純是一個女子的口吻。❷在她的生活中出現了一個攪擾她和丈夫愛情始終的「第三者」，這個「第三者」不知爲「何人斯？」（斯，猶歟，疑問助辭）她和女主人公的丈夫「相從而行」，出現在女主人公家的魚梁上，或門前的過道中。她行動詭秘，猶似「飄風」，只「聞其聲，不見其身」。女主人公覺得她誘惑著自己的丈夫，她不道德。從內心中譴責她：「不愧於人？不畏於天？」由於這個女子的出現，女主人公感到自己的丈夫魂不守舍，行爲反常：「爾

*　王政，中國安徽淮北煤炭師範學院中文系教授。

❶　《毛詩序》：「〈何人斯〉，蘇公刺暴公也。暴公爲卿士而譖蘇公焉，故蘇公作是詩以絕之。」

❷　我們的認識，有袁梅、蔡厚示兩先生的觀點爲依據。袁梅說：「此篇似爲女子所詠。她的愛人反覆無常，行蹤莫測，始合終離。這女子一片赤情，卻受到如許創傷，在交織著失望與希望的心情中，『作此好歌』。一面數落那無情無義的男子，一面敦勸其回心轉意，重修琴瑟之好。」（《詩經譯注》）蔡厚示也說：「此乃相戀者之一方怨斥另一方，謂其『始者不如今，云不我可』（即始合終離，不念舊恩之意）而已。」「彼已棄我不顧，所以……只好供出三牲豬、犬、雞，欲藉盟誓來要脅對方了。」（《詩經鑑賞辭典》，頁526－527，合肥：安徽文藝出版社，1990年）

之安行，亦不遑舍。爾之亟行，遑脂爾車。」（本來應安步緩行去辦的事，卻急遑遑的一刻也不停留；本來應急著去做的事，卻反而有空給車軸加油，在那裡磨蹭。）終有一天，女主人公抵住男子，讓他說清楚。男子道：「伯氏吹塤，仲氏吹篪。及爾如貫，諒不我知？」這四句是男子唐塞女子之辭。女子責問他整天在外胡混些什麼，男子胡謅只不過和幾個稱兄道弟的朋友取取樂（或有大長兄吹塤，或有小老弟吹笛），並沒有親近女色或外遇之事；我倆多年夫妻猶如一根繩子上貫串的錢貝，你對我還不了解嗎？

女子道：「出此三物，以詛爾斯。爲鬼爲蜮，則不可得。」女子讓男子以豬、犬、雞爲牲物賭咒發誓，並脅迫斥責男子：想在我的跟前當面爲人、背後玩鬼欺騙我，那是根本辦不到的！

二、立誓用血與誓詞的書寫、念讀

在〈何人斯〉中，女子責其夫：「出其三物，以詛爾斯！」要求她的丈夫以豕、犬或雞爲牲物，起誓自詛。對此，賈公彥引《周禮・司盟》後解釋說：「不信者詛之，……殺牲歃血，告誓明神。」賈氏的意思是，爲取信而進行的自詛與誓辭，是面對神明的，一個主要的儀式細節，就是需要牲體（或豕或犬或雞）的血。所謂「歃血爲盟」、「歃血爲誓」。古之歃血，或塗牲血於口旁，或口含牲血漱口後吐出，或牲血摻酒人各飲一口，三種方式均有文獻記載。❸但從後世幫會飲血酒的風俗看，盟誓人飲下牲血，當最爲流行。

立誓用血，典籍中多見。但不一定是雞犬豕之血，人體之血也可爲用。《左傳》定公四年，吳兵圍隨宮，要隨人交出隱藏其中的楚昭王。隨人說隨國和楚人過去有過盟誓，不交。楚昭王當即割破子期胸口「與隨人（再度）盟（誓）」，強固隨楚世代相援的誓約關係。（杜預注：「當心前割取血以盟，示其至心也。」）莊公三十二年，魯莊公臨近黨氏築一高臺。在臺上見到黨氏之女孟任美婉，便相從求歡。孟任閉門拒絕。莊公許言立她爲夫人。她答應了，割臂出血和莊公盟誓。後來

---

❸ 《說文》：「盟，以血塗口旁曰歃血。」《左傳》隱公七年「歃如忘」，《疏》曰：「歃謂口含血也。」《國語・晉語》韋注：「歃，飲血也。」

就生了公子般。

江紹原先生以爲，「立誓用血」緣於「導體巫術」。血是一種「導體」，起著正反兩方面的作用。他講山西有的窮地方，全家男女老少都睡在一個土炕上。有過客借宿也就擠一擠睡。但第二天早晨走時要喝一杯涼水。如夜裡過客有不軌行爲，那水就發作起來，他會半路猝死。若無不軌，平安無事。江先生說，盟誓對共飲血水（或血酒）也是同樣道理。不背誓言，血水於人無害。若背誓言，那血水不啻一種毒殺劑。這是說「血之導體」的「反」的作用。「正」的作用是指，參誓之人共飲一種經過詛咒、融入了誓言及人神意志的「血」，此血便打通彼此間的隔膜，使之同仇敵愾，「不啻你的精神入了我的軀體；……我的精神入了你的軀體」，共守誓言、一心一德也就遂成自然了。❹

從「導體巫術」的視角來看立誓歃血，是有根據的。民俗學中類似的事實十分多見。據說在傈僳族人中，若甲認爲乙偷了他家東西，而乙又不承認。鬧到大巫師那裡，巫師會備一碗血酒讓乙頭包白紙、手持利刀，飲下後向天起誓。若乙確曾偷甲東西，誓後三日將生惡疾；否則將證明甲方誣陷乙，乙也無恙。❺《舊約・民數記》也描寫，在希伯來人中間，如果懷疑妻有淫行，祭司就叫那女子站有耶和華的面前，「發咒起誓」，並將咒誓之語寫下來，抹到一碗水中，叫婦人喝下去。她若被人玷污過，水在她腹內就變苦，她就「大腿消瘦，肚腹發脹」，一蹶不振。如果她「是清潔的，就要免受這災，且要懷孕。」這些材料對我們理解盟誓飲血的「導體巫術」用意，無疑是一種啓發。

不過，按照我們的想法，古誓取血可能與誓詞的書寫也有關係。根據原始巫術的觀念，誓詞用朱紅色（包括用血）寫出來，它的制約性、神聖性、法力性要強一些。《周禮・司約》講，「約劑書於丹圖。」意思是民間的誓約之辭應書寫爲紅色圖籍。鄭玄說：「今俗語有鐵券丹書，豈此舊典之遺言與？」據考古工作者報告，山西侯馬出土的趙簡子與其卿大夫的盟誓之辭，「是用毛筆……寫在玉石片上，字

---

❹ 王文寶，江小蕙編：《江紹原民俗學論集》（上海：上海文藝出版社，1998年），頁141。

❺ 《傈僳族社會歷史調查》（昆明：雲南人民出版社，1981年），頁61。

跡一般為朱紅色」。[6]詹鄞鑫推斷，盟誓時，宰割牲物（或雞或犬），「取牲血，盛於玉敦……然後醮血寫盟書」。[7]這種以牲血或朱紅色書寫誓約之辭的內在涵義，可能是制約立誓人不僅在世為人應遵循誓約，就是死後為鬼為魅，見朱紅丹書亦當畏之避之，不能毀約棄誓。甚至包括與立誓人有複雜親族血緣關係的祖靈陰魄也都在誓約的控制範圍之內，故需使用邪魅皆懼的朱紅丹書。

誓辭是要是要以聲表達出來的。在一般的「約誓」中，立誓人把誓言說出來即可，在比較重要的約誓或盟誓時，誓詞由專門的巫職人員誦讀出來，使全部參誓人都聽清楚，同時也等於將誓辭內容通告神靈，令神靈知曉，以介入監察。

《周禮・秋官》有「司盟」一職，責職是「掌其盟約之載及其禮儀，北面詔明神。」鄭玄注：「明神，神之明察者……詔之者，讀其載書（誓辭）以告之（神）也。」《禮記・曲禮》「約信曰誓」，鄭玄注：「坎用牲，臨而讀其盟書。」孔穎達疏：「用血為盟書，成，乃歃血而讀書。」《周禮・春官》又有「詛祝」一職，「掌盟、詛……（等八事）之祝號。」祝，是把盟約、自詛的誓詞當著立誓人的面念訴給神聽，（賈公彥所謂「辭說以告神」[8]「為辭對神要（約）之」，[9]鄭玄所謂「辭……所以告神明也」[10]）；號，是念說誓詞之前或之後，號呼神靈以注意，欲其聽之監之證之。也即江紹原先生所分析的，最早的盟誓由巫祝身分的「祝號」，在誓約儀式中「口中叫喊著所誓之辭」並「大聲喊叫，願神明降罰於破誓失信之人。」後來誓約儀式逐漸禮制化，發展為「誓禮」，也仍然有巫職人員「祝號」進行「宣讀盟（誓）書之儀」。[11]

三、誓中的象徵性行為

〈何人斯〉「出此三物，以詛爾斯」兩句，按照孔穎達的理解，還不僅僅因為

---

[6] 《中國大百科全書・考古卷》（北京：大百科全書出版社，1986年），頁201。

[7] 詹鄞鑫：《神靈與祭祀》（南京：江蘇古籍出版社，1992年），頁443。

[8] 見《周禮注疏》（北京：北京大學出版社，1999年），頁658、687。

[9] 同前註。

[10] 同前註。

[11] 同註[4]，頁126－128。

立誓需取牲血，殺牲本身就是一種巫術化的象徵行爲，⑫那含意是：盟約詛詞已「告誓神明，若有背違，……有如此牲。」⑬江紹原先生用白話表述孔氏的意思說：「誓者發出一種行動（例如「指」，又如破壞一件東西，或殺一個生物，例如一隻雞或一匹馬）並說道：『假使我不如何，願（神罰）我如何如何，有如此物。』」在談到立誓者不能履行其誓、誓言變成了自詛時又說：「殺雞犬豭是一種象徵的動作或云法術的動作。意云『願被詛者不免於禍，有如這些雞犬豭今日之爲我們殺死』。」⑭

殺牲立誓作爲巫術性的象徵行爲，古人多所採取。《公羊傳》襄公二十七年，衛公子鱄與其妻子逃離衛國，「將濟於河，攜其妻子向與之盟曰『苟有履衛地、食衛粟者，昧雉彼視。』」何休注：「昧，割也。時割雉以爲盟。猶曰視彼割雉，負此盟則如彼矣。」公子鱄在渡河前恐舟沉與妻子離散，宰割野雉與妻子共誓，即使發生意外，誰也不准再回衛國，負約者將如被宰之野雉！《文選》卷三張平子《東京賦》「示戮斬牲」李善注：「《尹文子》曰：將戰，有司讀誥誓，三令五申之，既畢，然後即敵。……《周禮》曰：大閱，斬牲以徇陣，曰：不用令者斬。」薛綜注：「有不用命者，斬之若牲也。」意思是，戰前立誓斬殺牲物，誰若不賣命以戰，將如被斬之牲。

漢以後民間立誓雖仍然採取象徵性行爲，但割斬之物不一定是牲物了。《文選》卷五十范蔚宗〈後漢書二十八將傳論〉「孫程定立順之功」注說：「漢安帝末年，江京廢皇太子劉保爲濟陰王，立北鄉侯爲天子。黃門宦門孫程起事，「與十八

---

⑫ 也有一種理解，誓禮中取雞犬豕爲殺牲，其含義不是象徵性行爲，也不是爲了取牲物之血，而是請鬼神見證誓語時奉獻給鬼神品嚐之用的。古祭中所謂「饋獻」。這種理解也有民俗史料爲證。《世說新語・任誕篇》記載「劉伶病酒渴甚，從婦求酒。婦捐酒毀器，涕泣諫曰：『君飲太過，非攝生之道，必宜斷之。』伶曰：『甚善。我不能自禁，唯當祝鬼神自誓斷之耳。便可具酒肉。』婦曰：『敬聞命。』供酒肉於神前，請伶祝誓。伶跪而祝曰：『天生劉伶，以酒爲名。一飲一斛，五斗解醒。婦人之言，愼不可聽。』便飲酒進肉，隗然已醉矣。」劉伶此「誓」雖爲戲謔，但其婦在誓前將酒肉供於神前，當是古誓禮向神奉牲物與酒之遺。

⑬ 孔穎達《左傳疏》，據《江紹原民俗學論集》頁 137 引。

⑭ 《江紹原民俗學論集》，頁 132－133。

人謀取於西鐘（樓）下，皆截衣爲誓，斬江京，迎濟陰王立之，是爲順帝。」後順帝封孫程爲浮陽侯。所云「截衣爲誓」，即象徵性行爲。〈梁詩〉卷二十八收有詩人衛敬瑜妻王氏小傳。說她「年十六而夫亡，父母舅姑欲嫁之，（王氏）乃截耳爲誓。」王氏立誓不再嫁，自割己耳，以示絕不聽勸嫁之言。

從《舊約》的記載看，希伯來人的盟誓活動也用牲，但不是象徵性行爲。〈利未記〉第五章說：「人在什麼事上冒失發誓……在這其中的一件上有了罪……要因所犯的罪，把他的贖衍祭牲，就是羊群中的母羊，或是一只羊羔，或是一只山羊，牽到耶和華面前爲贖罪祭。」這是說誓言若有背棄時，要用羊牲奉祭耶和華神，以贖減自己的違誓之罪。

四、求地神見證盟誓與指河爲誓

〈何人斯〉篇中，女子讓男子「出此三物」（雞犬豕）以爲詛誓的牲物。牲物的用途除了上面談到的取血歃飲、取血寫誓詞、殺牲以爲象徵三種以外，還有更重要的一點：牲體要馱載盟誓之詞埋於地下。即《周禮・司盟》所講的「盟載之法」。鄭玄解釋說：「載，盟辭也。盟者書其辭於策，殺牲取血，坎（坑埋）其牲，加書於上而埋之，謂之載書。」賈公彥也說：「盟時坎用牲，加書於牲之上，以牲載書於上，謂之盟載也。」意思是盟誓時把敬奉神靈的牲物（雞犬等）割耳取血後，牲物隨即埋於挖好的坑中，盟誓的言辭刻寫於簡策或布帛，加放於牲物（雞犬豕）身上，一同掩埋。這樣，牲物就被送給了爲盟誓見證、主持公道的神靈，盟誓之辭也將以文本的形式由牲物奉呈於神靈。《周禮・司盟》所謂「凡盟詛……眾庶共（供）其牲而致焉。」

傳統祭典向神靈獻牲物的方式一般爲，天上之神，牲物燒化，牲物隨煙火上達於天（所謂「燎」與「燔」）。水中之神，牲物沉於江河（所謂「沈」）。地下之神，牲物則埋於土中（所謂「瘞」、「埋」、「坎」）。盟誓用牲法既以牲體加誓書一同埋於地下（坎中），其所祈求佑助（見證）的神靈顯然屬於地神的範疇了。

對照《左傳》的史料看，春秋時期人們盟誓所求監證的地神多是立誓人的地下祖靈。山神或社神很少參與「誓」的活動。例如：《左傳》襄公十一年，晉國與宋、衛、曹、齊、莒、邾、滕、薛、杞等十二國在亳盟誓討伐鄭國，其誓詞有云：

「或間茲盟（一本盟作命）……先王先公，七姓十二國之祖，明神殛之。」意謂不履行誓言者，將受到十二國祖先神靈的誅討。由此也可以見出，在誓禮中，長眠於地下的祖靈是監督立誓人的主要神靈。《左傳》定公六年，孟孫赴晉，對晉國的范獻子說：「陽虎若不能居魯，而息肩於晉，所不以爲中軍司馬者，有如先君！」孔穎達疏：「言『有如』……是誓辭。」孟孫的意思是陽虎在魯國將待不下去，他下一步必然會到晉國來把中軍司馬的要職謀奪在手，我以我祖先神靈爲監證，敢打這個賭誓。

爲人們見證盟誓的還有河神。只要把盟誓言辭書寫好沉於水中，河神即可予以監督。《左傳》定公十三年荀躒說「載書在河。」杜預注：「爲盟書沉之河。」即屬此種情況。在一般情況下，詛誓之人多是呼請河神以爲證，而無需書其辭投於河。《左傳》文公十三年，秦康公扣押士會妻奴家臣令其去晉國談判。士會不願，擔心事若不成，「妻子爲戮」。秦康公誓曰：「若背其言，所不歸爾帑者，有如河！」秦康公說，「事若不成，也歸還你的妻小；我這裡向河神起誓。」士會這才同意去晉國。又昭公三十一年，荀躒奉晉君之命勸魯昭公回國，不要再和季平子計較。昭公曰「君惠顧先君之好……將使歸……，則不能夫人（季平子）。已所能見夫人者，有如河！」「荀躒掩耳而走」。（杜預注：「明如河以自誓。」）魯昭公堅決不與季平子再見，誓以河神，荀躒不願聽這般惡誓，捂著耳朵走了。

按照春秋時的盟誓禮儀，請河神爲監證，要向河神獻玉璧。方法是將玉璧沉於河水。也即所謂「沉祭」。《左傳》僖公二十四年，子犯說要離開外甥晉公子重耳。重耳不允，發誓說：「所不與舅氏同心者，有如白水。」[15]說完「投其璧於河。」重耳起誓與舅父同心，由河神作證，以玉璧獻予河神。

不過《左傳》中也有誓於河神不沉璧的情況。如襄公十九年，晉中軍之帥荀偃患腦疾死。眼不閉，牙緊咬，向口中放「玉含」放不進去。范宣子撫其遺屍立誓：「主茍終，所不嗣事於齊者，有如河！」誓後，荀偃「乃瞑，受含。」范宣子誓

---

[15] 希伯來人也以水爲盟誓之見證。只是不是河水，而是井水。《舊約・創世紀》中的亞伯拉罕就和亞比米勒在井旁邊約誓。後來那個地方就取名叫「別是巴」。「別是巴」即希伯來語言中「盟誓之井」的意思。

說：「您死後，我如不繼續努力於齊國的戰事，有河神爲證！」言訖，偃之遺體閉目開口，接受了放進嘴裡的含玉。范宣子此誓根本不在河邊，所以也就談不上給河神投璧。

後世以河爲誓的情況仍較多，但河神爲證的意識似乎淡化了。現在我們在《漢書・高惠高后文功臣表》中仍可看到漢家皇帝與其分封侯王立下的誓詞：「使黃河如帶，泰山若礪，國以永存，爰及苗裔。」意謂就是黃河變細流、泰山變磨刀石，分封給你們的領地也依然算數，你們可以傳給後嗣。《文選》卷四十二阮元瑜〈書中〉「光武指河而誓朱鮪」一句注引謝承《後漢書》說：漢光武劉秀進攻洛陽，守將朱鮪畏罪不降，劉秀爲去其顧慮，立誓相勸，說：「建大事不忌小怨，今降，官爵可保……（指水曰：）河水在此，吾不食言。」又《文選》卷四十六，任彥升〈王文憲集序〉「郭璞誓於淮水」一句注說：「王氏家譜曰：初王導渡淮，使郭璞筮之，卦成，璞（誓）曰：吉無不利，淮水絕，王氏滅。」郭璞以誓語爲王導渡淮增加信心，意思是淮水不會枯竭，家族繁興不衰，此舉沒有凶險。還有敦煌曲子詞中的情誓之詞：「枕前發盡千般願，要休且待青山爛，水面上秤錘浮，直待黃河徹底枯。……」（〈菩薩蠻〉）以河之不枯喻情之不背，也是爲人熟知的。

五、指日爲誓

《詩經・王風・大車》則以太陽爲盟誓之見證。「大車檻檻，毳衣如璊。豈不爾思，畏子不奔。穀則異室，死則同穴。謂予不信，有如皎日。」詩的主人是個女子，她被迫離開她所愛的男子，礙於禮教或其它原因，她又不能和男子私奔遂情，兩個人非常痛楚地分手了。女子依然表示她的忠貞之愛，她向男子立誓：活著不能在一起，死了也定相會幽冥；你若不信我之癡心，有那天日可以作證。

以天日作情誓之證，中國詩歌史上不乏其例。《晉詩》卷六收有陸雲〈爲顧彥先贈婦往返詩四首〉。其中第三首託爲顧彥先的口吻：「隆愛結在昔，信誓貫三靈。秉心金石固，豈從時俗傾。美目逝不顧，纖腰徒盈盈。何用結中款，仰指北辰星。」男子說，他不會因爲京都的美婦如雲而忘棄遠方家鄉的妻子。原因很簡單，他和妻子曾經對著「三靈」（日、月、星）盟誓過衷情，此心此信是不會更移的。漢樂府中那首著名的〈上邪〉：「上邪！我欲與君相知，長命無絕衰。山無陵，江水爲竭，冬雷震震，夏雨雪，天地合，乃敢與君絕！」（聞一多注引莊述祖說：〈上邪〉「指天日以自明也。」）女子呼請天日，聽證她的愛情誓言，以表與男子（「君」）的永愛之思。

以太陽作爲約誓見證的觀念，看來很古老。從理論上說，太陽神的意識產生後，太陽作爲盟誓見證之神的可能性也就產生了。從留下來的史料看，《尚書·湯誓》講夏王朝到了桀，眾心欲叛，眾人視桀必敗。夏桀立誓說：「時日曷喪，予及汝皆亡！」孔穎達《疏》引鄭氏說：「桀見民欲叛，乃自比於日，曰：『是日何嘗喪乎？日若喪亡，我與汝亦皆喪亡。』」⑯夏桀指日爲誓，太陽不滅他不亡。《左傳》襄公十八年也載：晉軍追殺齊軍，晉國的州綽連發兩箭射在齊兵殖綽兩肩，殖綽仍帶箭逃跑。州綽喊：「停住！你可以做我軍俘虜，免你一死。否則我再向你後心射一箭」。殖綽回頭道：「爲私誓。」（你發誓）州綽（誓）曰：「有如日！」（有太陽爲證）於是殖綽停下來甘做了俘虜。這些都是春秋前民間以日神監管誓約的實際情況。到了周人的官方禮儀中，太陽神的神格也就相應增生了一層新的內容，它也是盟誓之神。不過它管的盟誓不是一般人的，而是帝王天子的盟誓信約。《儀禮·覲禮》「祭天，燔柴。」鄭玄注：「王巡守之盟，其神主日也。」賈公彥疏說：「日月是其明，故同爲盟神也」。⑰意思是天子、帝王的盟誓以太陽爲見證，太陽（和月亮一樣）是主持、監察人間誓詛活動的天神，太陽是盟神之一。

古人賭誓喜歡以太陽爲證，這其中一定有它的原由所在。鄭玄在解釋夏桀以日爲誓時說：「引不亡之徵，以脅恐下民也。」他的看法是太陽是千秋萬代不消亡的久長之物，所以夏桀引爲己身之象徵，並爲誓語作見證。從民俗學的傳統看，這種物之久長、宜爲誓語證的理解是有道理的。

不過在西方古代民間，賭誓見證的長久之物不是太陽，而是能夠經得住風蝕水瀝的石頭。蘇曼殊所譯彭斯（Burns）的「情誓詩」裡就有這樣的話：「倉海會流枯，頑石爛炎熹，微命屬如絲，相愛無絕期。」⑱在希伯來文化經籍《舊約》中也

---

⑯ 《尚書正義》（北京：北京大學出版社，1999年）頁，192。

⑰ 《儀禮注疏》（北京：北京大學出版社，1999年），頁533。

⑱ 錢鍾書：《管錐編》（北京：中華書局，1979年），冊2，頁602。

可以找見指石爲誓的材料。《創世紀》三十章寫道，拉班和他的女婿雅各立誓約。「雅各就拿一塊石子立作柱子，又對眾弟兄說：『你們堆聚石頭。』他們就拿石頭來堆成一堆……拉班說：『今日這石堆作你我中間的證據。』……『我們彼此離別以後，願耶和華在你我中間鑒察。你若苦待我的女兒，又在我的女兒以外另娶妻，雖沒有人知道，卻有神在你我中間作見證。』拉班又說：『你看我在你我中間所立的這石堆和柱子。這石堆作證據，這柱子也作證據。』」〈約書亞記〉二十四章則描述：約書亞與百姓立約（誓），他將誓約「都寫在神的律法書上，又將一塊大石頭立在橡樹下耶和華的聖所旁邊。約書亞對百姓說：『看哪，這石頭可以向我們作見證……。』」以石頭爲誓言證的風俗，中國少數民族中存在。據說雲南怒族人，在械鬥和解、念過「自以後永不自悔」的誓詞後，要在岩石縫裡釘上一個木樁，意謂就以此岩爲憑證。⑲

六、誓詞的戒守意義

首先，誓言一經說出，就是立誓人自身行爲之信條，就必須堅守。若違背，就是「食言」，就是背信。所謂「君子一言，駟馬難追。」《詩經・衛風・氓》中，棄婦最爲氣惱、也是女子揪住男子不放的一點，就是男子當初對她允下的那句誓言。棄婦譴責男子：「士也罔極，二三其德……『及爾偕老』，老使我怨！……信誓旦旦，不思其反。」鄭玄說：「旦旦者，言（男子）懇惻爲信誓，以盡……款誠也。」「不思其反」是男子「不復念其前言。」孔穎達說，這是棄婦在「言男於本謂（對）己云：『與汝爲夫婦，俱至於老，不相棄背！』何謂今我既老（色衰），反薄我，使我怨？何不念其前言也？」「前言，謂前（男子）要（約）誓之言……今乃違棄，是不思念復其前言也。」鄭、孔二人對詩語的體會準確而細緻。他們看出詩中「及爾偕老」一句是關鍵，此即當初男子對女子立下的「山盟海誓」之言，女子在被拋棄以後，仍然死死地抓住這一句誓約之辭，怒斥男子何以違背信誓？〈小雅・何人斯〉最後兩句也說：「作此好歌，以極反側。」高亨注：「極，借爲

⑲ 《怒族社會歷史調查》（昆明：雲南人民出版社，1981年），頁19。

誋，《說文》『誋，誡也』，即警告。」⓴意思是特地記下這位女子和丈夫重新約誓、言歸於好的言辭爲歌詩樂章，用以誡免男子再像以前那樣反覆無常。

結合《左傳》看，《詩經》中強調誓言爲「信條」準則、爲行爲戒律的意識，是有一定歷史生活背景的。《左傳》隱公元年記：鄭莊公母親姜氏支持莊公之弟共叔段叛亂，莊公很氣，把姜氏軟禁於潁城，「誓之曰：不及黃泉，無相見也。」後深悔有母在世不能相見。但礙於誓辭，又無可奈何。潁考叔獻策挖了一條隧道，讓母子在隧道中相會，總算形式上吻合了「黃泉相見」的誓語。由是可見古人對誓語的懼畏。

守其誓言而懼違棄的心理，在以色列人中也有體現。《舊約・約書亞記》九章記載，約書亞帶著一些首領同意了基遍人的請求，讓他們做奴僕，並立下誓約，不剿滅他們。約書亞的民丁埋怨此舉，他們責備約書亞及其隨行首領。首領們只好對民眾解釋說：「我們已經指著耶和華以色列的神向他們起誓，現在我們不能害他們。我們要……容他們活著，免得有忿怒因我們所起的誓臨到我們身上。」所謂「免得有忿怒臨到身上」，即指違背誓約會惹出人神共怒的情況發生。

其次，在《詩經》中，立誓之言，好像不僅僅是約束自我；對他人來說也將相應產生不可強使之更改的法定的意義。正是在這個基點上，「誓」也能成爲女子保護自我意志的一種文化方式。

《鄘風・柏舟》說：「髧彼兩髦，實維我儀，之死矢靡他。」「髧彼兩髦，實維我特，之死矢靡慝。」衛僖侯之子共伯早死，父母要求其妻共姜改嫁，共姜起誓不願再嫁。此詩即爲共姜的自誓之辭。她的意思：那頭髮披在眉宇間的共伯，是我的好配偶；他既去了，我到死不會有再嫁之心！《毛詩序》說：「〈柏舟〉，共姜自誓也。衛世子共伯蚤死，父母欲奪而嫁之，誓而弗許，故作是詩以絕之。」孔穎達《正義》說：「共姜……所以自誓者，……其父母欲奪其意而嫁之，故與父母誓而不許更嫁，故作是〈柏舟〉之詩，以絕止父母奪己之意。此誓云己至死無他心……豫爲來事之約……」共姜之誓使我們想到了《左傳》中的施氏之婦的「誓」。成公十一年記載，郤氏欲奪施孝叔之要爲己有，婦人問孝叔當如之何？孝

⓴ 高亨：《詩經今注》（上海：上海古籍出版社，1980年），頁302。

叔怯懦，說：我不能因此事和郤氏拼死或逃亡。

郤氏奪婦得逞，並生二子。後郤氏夭亡，婦人返回，孝叔於河邊迎接婦人時，溺殺婦人與郤氏所生的兩個孩子。「婦人怒曰：『已不能庇其伉儷而亡（失）之，又不能字（養）人之孤而殺之，將何以終？』遂誓施氏。」（杜預注：「約誓不復爲之婦也。」）婦人見施孝叔懼強而凌弱，難以託終身，遂立誓：決不再爲施氏之婦，施氏見婦人立此「絕誓」，也只好作罷。

七、誓詞「神監」的觀念

人們之所以有對誓辭的戒守意識，是因爲在初民思維中，誓詞是由冥冥中的神來監視督察的，即所謂的「神監」觀念。

在《詩經》中，上帝好像有視覺。它觀看著盟誓之人的行爲和誓言能不能一致，它在監視著立誓人。〈大雅・大明〉「殷商之旅，其會如林。矢於牧野，維予侯興。『上帝臨女（汝），無貳爾心！』」（鄭玄說：「臨，視也。」孔穎達說：「上天之帝既臨視……眾，皆無敢有懷貳心……。」）孫作雲先生曾說：「（上帝臨汝，無貳爾心）二句概括武王（伐紂）誓師詞，即《尚書・牧誓》大意。」[21]結合《尚書・牧誓》看，武王在牧野與紂王決戰前，糾合了庸、蜀、羌、髳、微、盧、彭、濮八個小方國共盟立誓，「上帝臨汝，無貳爾心」當是誓詞最後盟主的強化之辭，意謂既立盟誓，決不再有猶疑之志，天帝在監視著大家是否兌現誓言！〈魯頌・閟宮〉也寫到周武王牧野之戰的誓詞：「至於文、武，纘大王之緒。致天之屆，於牧之野。『無貳無虞，上帝臨汝！』」「無貳無虞，上帝臨汝」和「上帝臨汝，無貳爾心」含義上是一個意思，只是記載措辭有了變化而已。

上天之神監察立誓人的「神監」觀念在希伯來文化中也可以看到。《舊約・列王記》第八章：耶和華神殿竣工，所羅門王向耶和華禱告說：「人若得罪鄰居，有人叫他起誓，他來到這殿在你的壇前起誓，求你在天上垂聽，判斷你的僕人，定惡人有罪，照他所行的報應在他頭上……」〈撒母耳記〉十四章也記，掃羅王爲了保證攻擊的連續有力，「叫百姓起誓說，凡不等到晚上向敵人報完了仇吃什麼的，必

[21] 孫作雲：《詩經與周代社會研究》（北京：中華書局，1966年），頁43。

受咒詛。因此這日百姓沒有吃什麼……眾民進入樹林，見有蜜在地上……卻沒有人敢用手取蜜入口，因爲他們怕那誓言。約拿單沒有聽見他父親叫百姓起誓，所以伸出手中的杖，用杖頭醮在蜂房裡，轉手送入口中……掃羅王禱告耶和華以色列的神說：『求你指示實情。』於是掣簽……就掣出約拿單來。」在天之神耶和華通過神簽點示出他所明察到的違背誓言的約拿單食蜜行爲。

爲了便於「神監」，誓辭常常鑄刻在宗廟中的青銅鼎彝之上。《周禮・司約》「凡大約劑（券書），書於宗彝。」賈公彥疏：「（書）於宗廟彝尊，故知欲神監焉，使人畏敬，不敢違之也。」㉒所以我們現在在殷周金文中還可以看到許多私人之間盟誓、約誓之辭。1975 年陝西岐山發現的青銅匜銘文說：「伯揚父乃或吏（使）牧牛誓曰：『自今余敢變小大事，乃師或以汝告，則到，乃便（鞭）千口口。』牧牛則誓……牧牛辭誓成，罰金，朕用作旅盉。」牧牛（人名）因爲五個奴隸和上司「朕」（武官）爭執，伯楊父說牧牛犯上，被鞭打五百下，罰金五百鋝，並讓牧牛起誓。牧牛誓說，今後如敢再犯，願鞭打一千下。「朕」用罰牧牛的金（銅），鑄成銅匜，並刻牧牛誓詞於器表。端方《陶齋吉金錄》卷一收有《鬲攸從鼎》銘文。文曰：「隹又二年三月初吉壬辰，王在周康宮口大室。鬲從以攸衛牧告於王曰：女爲我田牧，弗能許鬲從。王……乃使攸衛牧誓曰：『我弗具付鬲從其且射（租謝），分田邑，則殊（誅）。』攸衛牧則誓。從作朕皇祖丁公、皇考惠公尊鼎。」鬲從和其下屬攸衛牧爭訟，王傾向於鬲從，令攸衛牧發誓：今後不再分取田邑所獲的田租，否則，願爲誅殺。並且向鬲從上交一定的酬謝金。攸衛牧按此誓詞發了誓。鬲從把誓詞鑄在了鼎上。誓詞鑄在宗廟的彝器上，祖靈神靈就可以隨時隨事監察立誓人履行得如何，故而構成了誓約之人內在的愼畏懼犯心理。

從《左傳》中留下的一些盟誓之辭看，立誓人在立誓之時已明確地表白了「若背誓、願神罰」的願罰意識。《左傳》僖公二十八年，王子虎盟諸侯於王庭，約言曰：「皆獎（助）王室，無相害也！有渝（變）此盟，明神殛（誅殺）之，俾墜（敗）其師，無克胙國。及爾玄孫，無有老幼。」《左傳》襄公十一年，伐鄭諸侯同盟於亳社：「凡我同盟，毋蘊年，毋壅利，毋保奸，毋留慝，救災患，恤禍亂，

㉒ 見《周禮注疏》（北京：北京大學出版社，1999 年），頁 949。

同好惡，獎王室。或閒茲命……明神殛之，俾失其民，墜命亡氏，踣其國家。」這種願罰意識實際上正是以「（有）神監（之）」觀念爲前提或底色的。

詛誓之辭既爲神所監之，其辭必眞必實而不能虛假作僞。㉓否則，自討苦吃。《墨子・明鬼篇》記載，齊國的中里國、中里徼二人在訴訟時各自都說自己說的是實話。齊君割羊爲牲，以血灑社，對著社神讀他倆的誓辭，「讀中里國之辭既已終矣，讀中里繳之辭來半也，羊起而觸之，折其腳……殪之盟所。……諸侯傳說而語之曰：諸盟誓不以其情者（此句據俞曲園校識），鬼神之誅至若此其慘遬也。」中里繳誓語有假話，讀之未畢，神羊觸之，其人斃命。這說明起誓之言不能有假。弄虛作假，神當懲示之。在基督教文化中，也是一樣的。誰要是「起了假誓」，其罪深重。耶和華曾經告訴摩西，遇到這種以假話爲誓的人，要讓他貢獻一隻沒有殘疾的公綿羊當祭牲，請祭司帶他一起進行「贖愆祭」。不然，主不會輕饒他（〈利末記〉第六章）。

㉓ 不過，春秋時已有無中生有的虛假誓詞行爲。《左傳》襄公二十六年，宋國太子在郊野設宴接待楚國賓客，寺人伊戾一定要跟隨太子痤。宋平公就同意伊戾去了。伊戾到了宴會之所，「則坎，用牲，加書，徵之（做記號）而騁告公曰：『太子將爲亂，既與楚客盟矣。』——公使視之，則信有焉……公囚太子。」伊戾製造了盟誓的牲體，並僞造盟誓書辭放在牲體上埋於地下，然後告訴宋平公太子謀反，已與楚人達成「盟誓」之舉，宋平公囚禁了太子痤。

經 學 研 究 論 叢
第 十 二 輯　頁111～122
臺灣學生書局 2004年12月

《風》《騷》夢幻文學審美

李金坤*

眾所周知，曹雪芹的《紅樓夢》是中國夢幻文學寶庫中最傑出的代表。而其夢幻文學的光輝源頭則可上溯至二千多年前的《詩經》和《楚辭》。本文擬就《詩經》《楚辭》中夢幻描寫的文學特徵、審美價值及其對後世文學的影響諸問題，作一粗淺初探。卑之無甚高論，唯祈教於方家同仁。

一

《詩經》是我國最早的一部詩歌總集，它比較全面地反映了西周初年到春秋中後期周代社會的眞實情況，是一部公認的現實主義傑作。然而，其中也有少數作品涉及到夢幻的描寫。《詩經》三百零五篇中，「夢」字凡九見，主要散見於五篇作品中，如〈齊風・雞鳴〉「甘與之同夢」；〈小雅・斯干〉「乃占我夢」、「吉夢維何」；〈小雅・無羊〉「牧人乃夢」；〈小雅・正月〉「視天夢夢」、「訊之占夢」；〈大雅・抑〉「視爾夢夢」。其中除「視天夢夢」和「視爾夢夢」的「夢夢」作「昏亂不明」的解釋外，其餘的「夢」字，均指做夢（即睡眠時出現的一種生理現象）。可見，當時的人們對夢的概念已非常清楚了，而且社會「占夢」之風已盛行。據《周禮・春官》載，周設「卜官」，是爲卜官之長，執掌占夢、占龜、占易等，其結果可以「觀國家吉凶」，「吉則爲，否則止」。卜官之下設有專職的占夢官，如「太卜」、「占夢」、「大人」等。文學是社會生活的反映。因此，作

---

* 李金坤，鎮江師範專科學校中文系副教授。

爲人們做夢、占夢的社會現實生活的一部分內容，必然要反映到《詩經》作品中來。概而言之，《詩經》中夢幻描寫的內容主要體現在下列兩個方面：

㈠**男女戀情的夢幻描寫**。《詩經》開宗明義的第一篇〈關雎〉便是這方面的代表作。全詩五章，首章總起，寫青年小伙因河洲關雎之雌雄和鳴而觸發對「窈窕淑女」的相思之情。二、三兩章寫「求之不得」的相思之苦。「寤寐求之」、「寤寐思服」，是說無論是醒著，還是睡著都在想著她。此詩最後的四、五兩章有關彈奏琴瑟以迎娶「窈窕淑女」的熱烈歡快的喜慶場面，便是青年小伙詩意般美好夢境的生動體現。實際上，這種「夢思」與「夢圓」的情形，乃是青年小伙醒寤時大腦思維意識的一種有機而自然的延續。正如奧地利著名心理醫學家弗洛伊德《夢的解析》所說：「夢，它不是空穴來風，不是毫無意義的，不是荒謬的，也不是一部分意識昏睡，而只有少部分乍睡少醒的產物，它完全是有意義的精神現象。實際上，是一種願望的達成。它可以算是一種清醒狀態精神活動的延續，它是由高度錯綜複雜的智慧活動所產生的」。❶弗洛伊德的解析完全適合〈關雎〉中青年小伙的思維邏輯。詩的最後兩章迎親夢幻的描寫，猶如一道閃亮美艷、別具魅力、令人嚮往的風景線，將全詩的理想境界推向了極至。

如果說〈關雎〉是通過夢幻描寫來表達男主人公對女子的渴求與追慕之情的話，那麼，〈鄘風．桑中〉則是男主人公以「白日夢」的形式來體現對女子的濃烈的相思之情。全詩三章，首章云：

> 爰采唐矣，沬之鄉矣。云誰之思？美孟姜矣，期我乎桑中，要我乎上宮，送我乎淇之上矣。

此章七句，前四句說主人公在「沬之鄉」（即衛國朝歌鄉）「采唐」（女蘿）之時，興之所至，忽然想起了心上的美人兒「孟姜」。他想啊想啊，愈想愈出神，愈想愈甜美，愈想愈幸福，愈想愈激情難抑，就在這急切而豐富多彩的想像之中，於是乎就不由自主、自然而然地幻化出了這樣一個充滿柔情蜜意、令人陶醉的與

---

❶ 〔奧〕弗洛伊德：《夢的解析》（北京：作家出版社，1986 年），頁 37。

「美孟姜」幽期密約的「白日夢」：他忽然發現「美孟姜」在桑中之地正翹首跂足等待他的到來，緊接著又熱烈地相邀他幽會於「上宮」（樓名，一說「上宮」是宮牆角上的樓，又名宮陷），在這兩個人的世界裡，他們是多麼的快慰和歡樂啊！到了分手時，「美孟姜」又依依不捨地相送他於淇水口。可以說，這「美孟姜」「期」、「要」、「送」的三個情節，完全是青年男子所幻化出來的「白日夢」而已。此詩的主旨和〈關雎〉一樣，都是寫男主人公對美麗女子的追慕之情，都充分體現了他們對美好事物執著追求的可貴精神。二詩所採用的虛實結合、以虛寫實的表現手法，爲後世夢文學中的人物描寫提供了成功的創作經驗。

〈秦風・蒹葭〉也是一首描寫詩人單相思的「白日夢」之詩。「所謂伊人」，則是詩人所孜孜以求的理想的偶像。同時，「伊人」又是美好理想的象徵。這個理想的偶像，對詩人來說，卻是可遇而不可求、可望而不可及的。「宛在水中央」，「宛在」二字，表明「所謂伊人」，只是一種彷彿的存在，想像的存在，更是一種理想的存在，也可以說是詩人經歷了對意中人從希望到失望、又從失望到希望這樣屢次反覆之後所幻化出來的一種形象。這個形象是高潔的、神聖的、自然也是高不可攀的。儘管如此，詩人仍然要「溯洄從之」，「溯游從之」，克服「道阻且長」的種種困難去執著而痴迷地追求不息。這一點，後來屈原〈離騷〉中所表現出來的「路曼曼其修遠兮，吾將上下而求索」的執著頑強的精神與之是一脈相承的。

上述〈關雎〉、〈桑中〉、〈蒹葭〉三詩都是描寫男子單相思的帶有夢幻性質的愛情詩，這說明在《詩經》大量採用現實主義創作方法的同時，夢幻主義創作方法，亦爲人們所嫻熟地掌握和成功地運用了。從藝術創作的角度看，《詩經》所開創的這種夢幻主義創作方法，已成爲我國夢幻文學尤其是表現愛情生活內容的夢幻文學的重要源頭之一。這種夢幻主義創作方法不僅爲後世所繼承，而且連有些詞語亦爲後人所沿用。如〈關雎〉中「寤寐」一詞，就見於曹植〈離別詩〉「寤寐夢容光」，傅玄〈短歌行〉「寤寐念之，誰知我情」，荀昶〈擬青青河畔草〉「精爽通寤寐」等。故「寤寐」一詞，它已成爲一個表達「相思濃郁、無時不思」的別具象徵意義的專用性名詞了。還有「伊人」一詞，至今仍然活在人們的詩詞等文學創作中，它已被人們所約定俗成爲難以忘懷的心上人、意中人的代名詞了。

(二)**占夢情況的真實記錄**。《詩經》中沒有獨立完整的占夢詩，只是在部分章節中寫到占夢的內容，主要見於〈小雅．斯干〉和〈小雅．無羊〉二詩中。儘管流傳下來的占夢記錄甚少，但它們都從某個側面反映了周代的社會情況，人們的思想觀念以及《詩經》藝術的表現特徵等，具有不可忽視的思想與藝術價值。

〈斯干〉是一篇歌頌周王朝統治者建築宮室落成時的祝辭。全詩九章，前五章集中描寫宮室建築的堅固、嚴密、雄壯、華麗、寬敞、明亮等特點，並祝宮室主人兄弟和睦、世代相承、香火不斷。六、七兩章直接寫占夢情況。八、九兩章寫與占夢有關的內容。〈斯干〉一詩中占夢情況是這樣寫的：

> 下莞上簟，乃安斯寢，乃寢乃興，乃占我夢，吉夢維何？維熊維羆，維虺維蛇。（六章）
>
> 大人占之：「維熊維羆，男子之祥；維虺維蛇，女子之祥。」（七章）

詩中首先出現了「吉夢」一詞，因此，從周人的夢心理來看，是偏重於「趨吉」❷的。那麼，為何夢見熊羆則預示生男，夢見虺蛇則預示生女呢？孫作雲先生認為：

> 夢熊生子的信仰，就是從原始的周人以熊為圖騰的信仰發展而來；夢蛇生女的信仰，則是因為周人多娶姒姓女子為妻，而姒為夏人之後，原始的夏人以龍蛇為圖騰，所以才產生了這種夢蛇即生女子的迷信。❸

孫先生從民俗學及考古學的角度進行探討，頗具原始宗教色彩，亦言之成理，但未若從古代盛行的陰陽之說來分析更為切近原詩的樸素信仰的本質意義。《毛詩》鄭箋云：「熊羆在山，陽之祥也，故為生男；虺蛇穴處，陰之祥也，故為生

---

❷ 王維堤：《神游華胥》（上海：上海古籍出版社，1994年），頁44。

❸ 孫作雲：〈周先祖以熊為圖騰考〉，《詩經與周代社會研究》（北京：中華書局，1966年），頁13。

女。」❹朱熹《詩集傳》則云：「熊羆，陽物在山，強力壯毅，男子之祥也。虺蛇，陰物穴處，柔弱隱伏，女子之祥也。」❺較之鄭箋，朱熹解釋則更爲詳細明瞭。再看清人熊伯龍的解釋：「或曰：『生男陽氣威，陽威則腸熱，故夢剛物。生女陰氣盛，陰盛則腸冷，故夢柔物。』猶身冷夢水，身熱夢火也。」❻這段解釋，仍然立足於陰陽之角度，但與此詩有關生育之主旨則似更爲切近。

這裡，有一個頗爲值得注意的問題，那就是周人在祝賀宮室落成的時候，爲何要插入占夢得子的祝辭？我以爲，〈斯干〉中占夢的描寫，一是與周代的占夢風氣有關。在周代，大凡祭祀、征伐、田獵、出入、婚喪、疾病等，事無巨細，無不事先要占卜，以示吉凶。而宮室建築是件大事，落成後自然少不了要進行占卜，以示這座宮室日後的吉凶與興盛之象。二是與中國人重家、重生育的觀念有關。宮室落成，就意味著有了「新家」。而要使這個「新家」代不乏人、香火不斷，生兒育女、人丁興旺是最基本而重要的條件之一，因此，在宮室落成時插入占夢得子的祝辭，它從根本上體現了古人「重家重育」的雙重觀念，表達了人們的一種美好願望。〈斯干〉中的這種祝辭形式，到後來即演變成「上樑頌詞」。（即人們在造屋架樑時，由木工大師傅騎於正樑上吟唱「上樑頌詞」，其內容多爲人丁興旺、龍鳳呈祥、五穀豐登、生活美滿之類。隨後燃放煙花爆竹，向圍觀者拋撒具有吉祥意味的粽子、年糕、饅頭、糖果等食物。此風俗至今在江南農村盛行。）

〈無羊〉是一首描寫奴隸主貴族畜牧生產情況的詩。全詩四章，前三章寫牧人（掌畜牧之官）在放牧過程中的所見所思所想，生動逼真，描摹入神，非親歷者不得有此妙言也。末章則寫「牧人」之夢與「大人」之占的占夢情況，凸顯了祝頌牧官牛羊繁盛、人丁興旺的詩旨。末章詩云：

> 牧人乃夢，眾維魚矣，旐維旟矣。大人占之：「眾維魚矣，實爲豐年；旐維旟矣，室家溱溱。」

---

❹ 〈毛詩正義〉，《十三經注疏》（杭州：浙江古籍出版社，1998年），頁437。
❺ 朱熹：《詩集傳》（上海：上海古籍出版社，1958年），頁125。
❻ 傅正谷：《中國夢文化》（北京：中國社會科學出版社，1993年），頁59。

在這一章中，蘊含著頗爲豐富的夢文化的內涵。詩中的「眾」，高亨《詩經今注》釋爲：「眾，借爲螺，蝗蟲。」蝗蟲的大量出現，自古以來都被認爲是一種災害。中國古籍中記載甚多。而中國古代的哲學家，特別是那些陰陽五行家，則更是把蝗災這種天災與人禍結合起來，極力給它塗上政治色彩，以證明蝗災的出現，乃是上天對人間昏君暴政和一切邪惡人、事的懲罰。反之，蝗不能侵害，則說明人好政美（如君明、官廉、人賢、政平等），是上天的福佑。《藝文類聚》卷一百引《洪範五行傳》曰：「春秋之螽也，蟲災也。以刑罰暴虐，貪叨無厭，興師動眾，蟲爲害矣。雨螽于宋，是時宋公暴虐刑重，賦斂無已，故應是而雨螽。」又引《論衡》曰：「世稱南陽卓公爲緱氏令，蝗蟲不入界，蓋以賢明至誠，災蟲不入其縣。」這些正反例子，都說明蝗是害蟲，作爲夢象，夢蝗亦只能是凶象。

既然蝗蟲是凶象無疑，但牧人一旦夢見其變成了「魚」，那麼「魚」自然也就成爲吉象了，而蝗究竟怎樣化爲魚的呢？《藝文類聚》卷一百引《東觀漢記》有這樣的記載：「馬稜爲廣陵太守，郡連飛蝗蟲，穀價貴。稜奏罷鹽官。賑貧羸，薄賦稅，蝗蟲飛入海，化爲魚蝦。」這便是蝗化爲魚的由來。雖然故事本身帶有很大的虛妄性和神秘性，但起碼說明蝗蟲化魚是凶象趨吉的一種吉象，可以作爲《詩經》中〈小雅・無羊〉「眾維魚矣」的一個佐證。

魚，作爲吉象，這是不難理解的。因爲魚，在遠古時代，它一方面是人類賴以生存的主要食物之一，一方面它又有很強的繁殖能力，生命力極強，這與古人重生育之觀念是甚爲吻合的。在古人這種重生育觀念的支配下，人們視魚爲吉祥物並寄予好感，也就不足爲奇了。魚在中國古代被人們普遍認爲是一種吉祥之物，甚至可以說這種認識乃中國特有的民族審美觀的一個重要體現。在《藝文類聚》卷九十九「祥瑞部下」中，就列有魚。直到今天，魚作爲吉祥物仍然備受人們的青睞。「魚」又可諧音成「餘」，流傳不衰的年畫「年年有魚」，以及江南一帶於每年正月初一的早餐吃魚的節日生活習俗，都含有祈盼「年年生活有餘」的吉祥意味。

「眾維魚」的含意弄清之後，我們再來看「旐維旟」的文化內涵。「旐」，即畫龜蛇的旗。由〈斯干〉可知，蛇是代表陰。因地代表陰，龜、蛇均在地面活動，故龜蛇皆代表陰，表示陰氣。「旟」，即畫鷹隼的旗。因天代表陽，鷹隼又翱翔於天空，故鷹隼代表陽，表示陽氣。「旐維旟」則表明陰氣轉爲陽氣，是棄陰趨陽、興旺昌盛的吉象。

這樣一來，我們對「大人占之」的結果便瞭然於胸了。原來，蝗蟲變魚，是豐年的美兆；龜蛇旗變爲鷹隼旗，是人丁興旺的吉象，這與〈小雅·斯干〉的祝頌之辭一樣，都表達了人們美好的願望。

此外，〈齊風·雞鳴〉雖不是一首寫夢詩，但其中涉及到了「同夢」的概念，自有其不可忽視的文化與藝術審美價值。此詩三章，全用夫婦對話形式寫成。說的是妻子催夫（國君）去朝會，而丈夫卻戀床不肯起來。詩的第三章寫道：

> 蟲飛薨薨，甘與子同夢。會且歸矣，無庶予子憎。

這是妻子推心置腹地第三次對丈夫不願朝會的勸告。朱熹《詩集傳》解釋說：「此三告也。言當此時，我豈不樂與子同寢而夢哉！然群臣之會於朝者，俟君不出，將散而歸矣。無乃以我之故而並以子爲憎乎？」言下之意，妻子是「樂與子同寢而夢」的，但作爲國君、卻不能因此而不理朝政。委婉得體的勸告中蘊含著善意的批評。據考，「同夢」一詞，最早即出於此。到後來，「同夢」一詞遂成爲象徵夫妻親密無間之感情和朋友間親密友好情誼的專用名詞了。幾千年來，「同夢」一詞，一直爲後世文人所樂意採用。如賈島〈投孟郊〉詩：「生平面未交，永夕夢輒同。」曾幾〈次鎮江守曾宏甫見寄韻〉詩：「夜雨思同夢，秋風辱寄書。」至於「同床異夢」之成語的流傳，不過是〈雞鳴〉「同夢」之事象的反撥與流變而已，其文化的根鬚當深紮於「同夢」之沃土中吧！

要之，《詩經》中夢幻描寫的基本特徵主要表現在三方面：一是在形式上，它們篇幅短，數量少。二是在內容上，與生活實際緊密結合，主題多表現爲對「青年男女相親相愛夢幻場面」的描寫和對「五穀豐登、人丁興旺」的托夢敘述。三是在占夢方式上，一般由托夢與占夢兩部分組成。其文學價值主要表現在三方面：第一，《詩經》中夢幻作品雖然不多，但卻開創了我國夢幻文學的先河。同時，爲研究先秦時代夢幻文化與夢幻文學，提供了彌足珍貴的歷史資料。第二，爲後世夢幻文化與夢幻文學提供了一些至今仍充滿生機的優美詞彙。如「寤寐」、「同夢」、「伊人」，尤其是熊羆、虺蛇、眾魚、旐旟，這夢中八物，已成爲後世夢者常夢之物，並成爲夢幻文學經常描寫的對象。而「熊羆」、「虺蛇」，更是成爲具有固定象徵意義的夢幻文學的專用名詞了，直至現在，男孩子中亦多以「夢熊」、「夢羆」來起名，其含義是不言而喻的。第三，以《詩經》本身成功的創作經驗，爲後世提供了一個虛虛實實、怪怪奇奇的極富生命力的夢幻主義創作方法之範例。由《詩經》開始，中國夢幻文學便形成了一個優良傳統。

二

較之《詩經》夢幻文學的創作特徵，以屈原爲代表的《楚辭》則更多了一份浪漫主義的風采，雖然夢幻主義與浪漫主義是兩種不同的創作方法，但二者在具體的創作過程中又往往是互相補充、交替進行的，有時竟渾然一體，難辨甲乙。〈離騷〉便是這樣的一部代表作。就〈離騷〉的整個結構形式而言，它是由現實走向夢幻，再由夢幻回到現實。這種結構形式是完全符合夢幻作品在表現形式上的基本特徵的。從開頭到「豈余心之可懲」，敘述詩人在現實中的鬥爭與失敗。「此段以相對現實的直抒筆墨，穿插以香花異卉、男女婚娶的象徵比興，展開詩人在懷王時期的鬥爭生涯；熱情的召喚，遭讒的震驚，激盪著被廢的憤懣和九死不悔的呼告，將詩情推向了淒婉無告的絕境❼，正因爲詩人已處在「山窮水盡疑無路」的絕境之中，又因爲詩人個性剛直、執著頑強，絕不甘心於自己的失敗，所以詩人又竭力鼓動起思想的雙翼，彈奏起縹緲而神秘的狂想曲，飄飄欲仙升騰到超塵脫俗的另一個夢幻世界裡去了。這便是〈離騷〉第二大段從「女嬃之嬋媛兮」到「蜷局顧而不行」所展示的內容。這部分敘述詩人在夢幻世界中的鬥爭與失敗。詩人從女嬃勸告，到南濟沅湘，向舜陳詞，繼而駟虬乘鷖，飲馬咸池，總轡扶桑，伴以飛廉、雷師、鸞皇、鳳鳥，開始漫漫長路的上下求索，再到叩閶闔，登閬風，游春宮，求宓妃，見佚女，靈氛占卜，巫咸降神，最後駕飛龍象車，遠路周流，神馳邈邈，終於臨睨舊鄉，僕馬悲懷，蜷局不行。這是一個完整的「白日夢」式的幻想過程。儘管在這個過程中，屈原的幻想忽上忽下，忽東忽西，忽山忽水，忽人忽神，象夢一樣惝恍迷離，飄忽無定，變化萬千，但萬變不離其宗。他所有的幻想都是以「路漫漫

❼ 潘嘯龍：《楚辭》（合肥：黃山書社，1997年），頁7。

其修遠兮，吾將上下而求索」這根主線而產生出來的。換言之，屈原營構的夢幻世界，實即現實世界的一種特殊反映形式而已。可以說，這個夢幻世界，是屈原在主觀意識的駕馭下精心編織和營構出來的，故給人以似眞非眞、似夢非夢的直觀感覺。這正是作爲「白日夢」的〈離騷〉的體現出來的夢幻特徵。最後的「亂曰」部分，詩人又從夢幻世界回到了現實社會。此時此刻，對屈原來說，一切都已落空了，絕望了。但他又不忍離開自己心愛的祖國，他最終只能選擇這樣一條道路，即：以身殉國，以死明志。由上簡析，我們可以看出，屈原〈離騷〉所體現的「白日夢」，它既是爲現實生活所激起（夢幻之因），又是對現實生活的一種特殊反映（夢幻之境），最後又回到現實中來（夢幻之果）。因此，屈原的「白日夢」整個過程始終是與現實密切聯繫的。像〈離騷〉這樣的「白日夢」，非但不會使人逃避現實，反而能激勵人們更加勇敢地去面對現實，爲實現美好的理想而積極鬥爭。這正是〈離騷〉作爲一首「白日夢」式的作品的偉大之處。我們把〈離騷〉當「白日夢」詩看，是絲毫不會降低它固有的不朽的思想意義和美學價值的。

除了〈離騷〉以大量篇幅敘寫夢幻內容之外，屈原在其他一些作品中也有程度不同的描寫。這部分夢幻內容的表現方式主要有兩點：一是直寫夢境：二是直寫幻覺、幻想。

㈠**直寫夢境者**。如《九章》中的〈惜誦〉。從本詩的結構章法，包括展開內心衝突的方式「夢天」和占夢的幻境以及芳草異卉的比興，都與〈離騷〉極爲相似，堪稱是一篇「小〈離騷〉」，或「微型〈離騷〉」。但它和〈離騷〉描寫夢幻內容有所不同的是〈惜誦〉中已明顯表示出寫「夢」之事實。如「昔余夢登天兮，魂中道而無杭。」意思是說，他過去在作夢登天、上下求索，都中途受阻，不能到達自己理想的境界，也即實現美好的理想。在屈騷中，我們每每可見「魂」、「靈魂」、「魄」的字眼。如〈國殤〉：「身既死兮神以靈，魂魄毅兮爲鬼雄。」〈哀郢〉：「羌靈魂之欲歸兮，何須臾而忘返。」〈抽思〉：「望孟夏之短夜兮，何晦明之若歲！惟郢路之遼遠兮，魂一夕而九逝。……何靈魂之信直兮，人之心不與吾心同！」正因爲屈原有著這種濃厚的「夢魂說」觀念，所以，他的作品夢幻色彩比起《詩經》來就更具濃厚性、鮮明性和神秘性。同時也說明，屈騷那眾多的「靈魂」系列的描寫，正是其夢幻主義創作方法的鮮明標誌之一。

㈡**直寫幻覺、幻想者**。如《九歌》，這是一組祭神之歌，是屈原晚年放逐沅湘時所作。但詩題材本身就決定了它具有濃郁的神話色彩，加之屈原本人又是在極富浪漫精神的楚文化的哺育下成長起來的善於幻想而又醉心於神話世界的作家，所以，詩人在對原有《九歌》的改創過程中，當自然會自覺與不自覺地融進自己浪漫夢幻的感情成分，從而使得這一組祭神之歌成爲第一流的夢幻主義傑作。在《九歌》組詩中，寫幻覺、幻想最爲傑出者，當是〈湘夫人〉。全詩除了開頭「嫋嫋兮秋風，洞庭波兮木葉下」的秋景描寫和結尾詩人「捐余袂兮江中，遺余褋兮澧浦。搴汀洲兮杜若，將以遺兮遠者」的行爲描寫似乎尙能給人以一點「眞實」感受的話。其他如「帝子降兮北渚」，「鳥何萃兮蘋中，罾何爲兮木上？」「聞佳人兮召予，將騰駕兮偕逝。」還有「築室兮水中」用奇花異草、珍貴材料建造房屋的大段鋪陳描寫，以及「九疑繽兮并迎，靈之來兮如雲」神靈的描寫，等等，全然是幻覺、幻想的結果。全詩猶如是詩人用五光十色的夢幻之線編織起來的一座惝恍縹緲的海市蜃樓般的神話世界。還有〈河伯〉「寫河神對戀人的寤寐思懷，〈山鬼〉中那隨風飄浮不定的雲雨和那披薜荔帶女蘿、含睇宜笑、窈窕獨立於山阿而又若有若無、忽隱忽現的山中女神，無不充滿著濃郁的夢幻色彩。

再如《九章》，雖然現實主義創作特色是其主流，但《九章》中不乏幻覺、幻想的描寫。如〈涉江〉是寫在現實中理想破滅而涉江遠行的，其寫路程的部分是紀實性的，但其中也有像「駕青虬兮驂白螭，吾與重華游兮瑤之圃」之類的幻想與幻游，〈悲回風〉以低回、沉郁的筆調，抒發了詩人種種複雜多變的思想活動。所有這些，都給人以身臨其境之感。

綜上所述，屈騷夢幻主義創作的基本特徵，主要表現爲：其一，較之《詩經》，篇幅加長了，空間擴大了，手法更靈活，夢幻更自如，增強了思想情感表達的藝術張力，以及抒情言志的實際功能。其二，屈騷的夢幻之作中多有「魂」、「靈魂」、「魄」的描寫，具有較爲深厚的「夢魂說」觀念。其三，屈騷的夢幻之作多亦夢亦幻，夢幻交織；由實而虛，虛而返實，虛實結合，貼近現實。一句話，屈騷的夢幻是建立在現實基礎上的，是緊緊爲詩人的政治鬥爭服務的。其四，《詩經》的夢幻描寫多側重於個人日常生活的範疇之內，如婚戀、建築、占夢之類，而屈騷的夢幻描寫則將自己的命運與國家的前途、政治之興衰緊密結合起來，體現出憂國憂民的高尚情懷和偉大胸襟。

作爲中國夢幻文學的又一重要源頭——以屈原爲代表創作的《楚辭》，其文學價値及其對後世夢幻文學的影響比《詩經》則更大。主要表現在三個方面：第一，大量創作了夢幻藝術形象與藝術境界，極大地拓展了藝術表現的領域，爲後世夢幻文學的創作樹立了光輝的榜樣。第二，屈騷夢幻作品中保存並自行創作了大量的神仙鬼怪的故事，成爲保存神話故事最多的《山海經》之外又一個重要的神話淵藪，爲後世夢幻文學提供了豐富的創作素材。〈山鬼〉「採三秀兮於山間」，郭沫若《屈原賦今譯》說「於」即爲古代「巫」的同聲假借字，「於山」即「巫山」。那麼，山鬼即爲巫山神女。又〈山鬼〉曰：「表獨立兮山之上，雲容容兮而在下，杳冥冥兮羌晝晦，東風飄兮神靈雨。」這幾句寫出了巫山雲雨變化莫測的奇幻景色，十分優美。宋玉〈高唐賦〉描寫楚懷王所夢會者即爲巫山神女，其所寫「旦爲朝雲，暮爲行雨」的雲雨變化，正可見出與〈山鬼〉的承繼關係。第三，屈原以神奇靈秀之筆，滿腔浪漫豪情，成功地營造了一個個光怪陸離、神幻奇妙的神仙世界。如神仙之地則有：蒼梧、縣圃、崦嵫、咸池、白水、閬風、弱水、窮石、天津、赤水、不周、扶桑等；神人則有：羲和、望舒、飛廉、雷師、青帝、丰隆、宓妃、西皇、東皇太一、雲中君、湘君、湘夫人、大司命、少司命、東君、河伯、山鬼、五帝、六神、厲神、天帝等；所乘之神物則有：玉虬、鷖、鸞皇、鳳鳥、飛龍、蛟龍、八龍、螭等。所有這些，便構成了奇幻的神仙世界。尤其是〈離騷〉、〈惜誦〉和〈悲回風〉等篇章中所表現出來的那種上天入地、八方求索的遠游之描寫，已成爲後世游仙詩的最早藍本之一。

三

以上就《詩經》和《楚辭》中的夢幻描寫、文學價値及其對後世夢幻文學的影響諸問題，進行了一番粗淺的探索，由此我們可大體窺得從《詩經》到《楚辭》的夢幻文學的創作情況及演進之跡。《詩經》處在夢文學的最早源頭之一，其夢幻描寫雖簡樸單一，藝術空間、所取素材亦甚有限，但篳路藍縷、開創夢幻文學先河之功不可沒；《詩經》而後，《楚辭》踵事增華，夢幻的描寫趨於繁富細膩，所取素材豐富多彩，神仙鬼怪，任遣筆端，盡情揮灑，爲我所用。藝術表現空間闊大宏偉，場面壯觀，極有利於表達屈原那激越奔放的浪漫情懷。《詩經》的夢幻描寫多與現實生活密切相關，呈現出鮮明的功利性；《楚辭》夢幻描寫多具有超現實的神秘性特徵，其中還表現出濃厚的「夢魂說」觀念，但屈原精心營構的五花八門、光怪陸離的夢幻世界，無不鏤刻著現實社會清新的印記，具有豐贍的象徵意義。總之，《詩經》和《楚辭》共同開創了夢幻主義文學優良的創作傳統，為後來中國夢文學的發展起到了奠基作用，在中國文學史尤其是夢幻文學史上有著不可低估的歷史地位和重要價值。

經 學 研 究 論 叢
第 十 二 輯　頁123～132
臺灣學生書局 2004 年 12 月

《詩集傳》與《詩毛氏傳疏》

郭全芝*

陳奐《詩毛氏傳疏》以嚴謹門戶著稱，它專主《毛詩》說，對歷史上諸家《詩》學著述惟擷取能「申明毛氏者」。❶對於宋人《詩》說似乎尤其冷淡，無論其能否申明毛氏，都不明引明用，基本上「置於不議不論之列」。❷

但是，正如六百年的宋明理學到清代未能中斷一樣❸，宋代《詩》學在陳奐的《詩毛氏傳疏》當中也沒有絕跡。宋人的成就，陳奐無法繞開，因而難免有轉引有暗用。事實上，《詩毛氏傳疏》與宋代不少《詩》學著述有相當多的一致性。本文試圖將朱熹《詩集傳》與陳奐《詩毛氏傳疏》相比較以說明這一問題，並探討原因所在。選擇《詩集傳》，是因爲它與《詩序辨說》一起成爲宋人《詩》學懷疑派的集大成著述❹，更具有典型性。

---

* 郭全芝，淮北煤炭師範學院中文系教授。

❶ 陳奐：《詩毛氏傳疏・條例》（北京：中國書店影印漱芳齋 1851 年本）。本文引陳氏，俱出同版同書，不再一一注明。

❷ 梁啓超：《清代學術概論》（上海：上海古籍出版社，1998 年），頁 4。

❸ 參余英時：《中國思想傳統的現代詮釋・清代思想史的一個新解釋》（南京：江蘇人民出版社，1998 年）。

❹ 參朱維錚編：《周予同經學史論著選集》（上海：上海人民出版社，1996 年增訂本），頁 157，朱熹〈詩經學〉一節。

一、內容以訓詁爲主

這是《詩集傳》與《詩毛氏傳疏》共有之特色。

宋儒講心、性，把道德修養放在首位，因此給清儒留下宋學玄虛的印象。但是宋儒所論之抽象道理也以儒家經典教義爲準，這自然迫使他們考索經義。「朱子當然也是尊德性的，但是他特別強調在尊德性的下邊大有事在，不是只肯定了尊德性就一切都夠了。」❺朱熹讀經論經，並下大力氣注經，實非出於偶然。在尊德性的同時，又主張道問學，而治經尤其尊崇漢儒：「漢儒可謂善說經者：不過只說訓詁，使人以此訓詁，玩索經文，訓詁經文不相離異，只做一道看了，直是意味深長也。」（〈答張敬書〉）「漢初諸儒專治訓詁，如教人亦只言某字訓某字，自尋義理而已」。❻批評晉人「捨經而自作文」。❼因此「某（朱熹自稱）尋常解經，只要依訓詁說字」。❽「某於《春秋》不敢措一辭，正謂不敢臆度爾。」❾

《詩集傳》也以「依訓詁說字」爲主要內容，它正音讀，通訓詁，考制度，辯名物，如其卷一對於〈關雎〉首章的解釋：

> 關關雎（音疽）鳩，在河之洲。窈（音杳）窕（徒了反）淑女，君子好逑（音求）。◯興也。關關，雌雄相應之和聲也。雎鳩，水鳥，一名王雎，狀類鳧，今江淮間有之。生有定耦而不亂，耦常并遊而不相狎，故《毛傳》以爲摯而有別。《列女傳》以爲人未嘗見其乘居而匹處者，蓋其性然也。河，北方流水之通名。洲，水中可居之地也。窈窕，幽閒之意。淑，善也。女者，未嫁之稱，蓋指文王之妃大姒爲處子時而言也。君子，則指文王也。好，亦善也。逑，匹也。《毛傳》云「摯」，字與「至」通，言其情意深至也。◯興者，先言他物以引起所詠之辭也。周之文王，生有聖德，又得聖女姒氏以

❺ 同註❸，頁 204。

❻ 《朱子語類》（北京：中華書局，1986 年），卷 137，頁 3263。

❼ 同前註，卷 67，頁 1675。

❽ 同前註，卷 72，頁 1812。

❾ 同前註，卷 67，頁 1650。

爲之配。宮中之人於其始至，見其有幽閒貞靜之德，故作是詩。言彼關關然之雎鳩，則相與和鳴於河洲之上矣，此窈窕之淑女，則豈非君子之善匹乎？言其相與和樂而恭敬，亦若雎鳩之情摯而有別也。後凡言興者，其文意皆放此云。漢匡衡云：「窈窕淑女，君子好逑。言能致其貞淑，不貳其操；情欲之感，無介乎容儀；宴私之意，不形乎動靜，夫然後可以配至尊而爲宗廟主。此納紀之首，王化之端也。」可謂善說《詩》矣。

解音、解字、辨名物、釋「六義」，探究章義及詩旨，與《毛傳》《鄭箋》之別，僅在於「《毛傳》簡約，《鄭箋》多紆曲，朱《傳》解經務使文從字順」。[10]

清儒自顧炎武倡導經學即理學，學術上漸趨務實，考據之風日熾。陳奐受此薰染，治《詩》因循「漢初諸儒，專治訓詁」，「若夫作者之聖，述者之明，卓乎篇章，粲然大備。欲達治亂之原，以懷聖賢之教，其將有竢于天下後世之言《詩》者。」[11]於是，「偏詳訓詁名物，而于辭義或少推究」[12]，就成了《詩毛氏傳疏》的一大特色。如同樣是〈關雎〉首章的解說，陳氏在內容方面也不脫釋字音、解字義、辨名物、釋「六義」……的範圍，只是較《詩集傳》引證更多，說解更詳。有趣的是，陳奐也徵引《列女傳》、匡衡語以佐助釋義。

二、訓詁主從《毛詩》

清人注《詩》排斥宋儒的現象在清初已經十分明顯。陳啓源《毛詩稽古編》「訓詁一準諸《爾雅》，篇義一準諸《小序》，而詮釋經旨一準諸《毛傳》，而《鄭箋》佐之，其名物則多以陸璣《疏》爲主。題曰『毛詩』，明所宗也；曰『稽古編』，明爲唐以前專門之學也」。[13]宋人《詩》說只是他「辨正」「掊擊」的對象。「其間堅持漢學，不容一語之出入。」[14]朱鶴齡、毛奇齡也以拒宋著稱。風流

---

[10] 陳澧：《東塾讀書記》，卷6，《清經解續編》本。

[11] 陳奐：《詩毛氏傳疏・敘錄》。

[12] 黃焯：《毛詩鄭箋平議・序》（上海：上海古籍出版社，1985年）。

[13] 《四庫全書總目》（海口：海南出版社，1999年）經部・詩類，頁94。

[14] 同前註，頁95。

而下，至陳奐治《詩》，更是有過之而無不及：「今置《箋》而疏《傳》者，宗《毛詩》義也」，「墨守之譏，亦所不辭」。⓯又自云「其餘先儒舊說不悉備載，亦不復駁難。」⓰從《詩毛氏傳疏》所引文獻來看，未載之「先儒舊說」主要指宋人《詩》說。

陳奐引徵宋人著述的情況較爲少見，尤其是宋人《詩》說，表面上幾不涉及。然而宋代治《詩》大家在訓詁方面多宗《毛傳》，與清儒漢學家並無太大區別。朱熹也是如此，他說：「如訓詁，則當依古注。」⓱並在《詩集傳》中實施踐行。陳澧早就指出《詩集傳》的這一特點，云：「至於《詩》中訓詁，固多用毛鄭，而其解釋詩意，則有甚得毛義，勝於《鄭箋》者。」⓲朱熹讀《傳》非常仔細、深入，已經將它和《鄭箋》區別對待。陳澧在《東塾讀書記》中曾用不少例子說明，如：「《朱子語類》云：陳君舉說《關雎》，謂后妃自謙不敢當君子，謂如此之淑女方可爲君子之仇匹，鄭氏也如此說了（卷八十）。朱子知后妃求淑女是鄭如此說，而非毛如此說，眞善讀《毛傳》者也。」又如〈邶風・擊鼓〉「爰居爰處，爰喪其馬」《傳》：「有不還者，有亡其馬者。」《箋》：「今于何居乎？于何處乎？于何喪其馬乎？」釋「爰」爲疑問代詞，顯然與《毛傳》不同。朱熹《詩集傳》云：「于是居，于是處，于是喪其馬。」陳奐的解釋一如朱熹：「爰，于也。于，于是也。」同宗《毛傳》。再如〈邶風・柏舟〉「我心匪鑒，不可以茹」《傳》：「鑒，所以察形也。茹，度也。」《箋》：「鑒之察形，但知方圓百里，不能度其眞僞，我心非如是鑒。」陳奐辨正說：「依鄭說，則爲鑒不可度，而我心可度矣」，「但經明言鑒可度，我心不可度。」也如朱熹之釋：「我心匪鑒，而不能度物。」

朱《傳》同於《毛傳》者約略占十之八、九，包括本於《毛傳》而釋解更詳備，以及訓異而實同者。前者如〈周南・關雎〉「荇」，《毛傳》只云其異名，朱

⓯ 同註⓫。

⓰ 同註❶。

⓱ 同註❻，卷 7，頁 126。

⓲ 同註❿。

《傳》則補充出形狀。後者如〈周南・葛覃〉「莫莫」，《毛傳》釋爲「成就之貌」，朱《傳》釋爲「茂密貌」，陳奐云「茂盛」與「成就」，「訓異而實同」。

陳奐與朱熹主從《毛傳》的原因也很相似。朱熹〈學校貢舉私議〉云：「然聖賢之言則有淵奧爾雅，而不可以臆斷者，其制度名物，行事本末又非今日之見聞所能及也。故治經者，必因先儒已成之說而推之。」陳奐也認爲西漢以前《詩》說因爲直接傳自周公、孔子，所以最爲可靠。至於東漢人，如鄭玄「間雜魯《詩》，並參己意，故作《箋》之旨實不盡同毛義」。⓳崇拜先儒聖賢，重視古注，是朱、陳尊從《傳》說的根本原因。此外，就朱熹而言，還有一層原因。「朱熹之于經學，其用力最勤者，首推《四書》，其次即爲《詩經》。治《四書》，所以爲其哲學上之論據；治《詩》，或本其平素愛好文學之習性。」⓴因此《詩集傳》不像《四書集注》那樣，深受周敦頤及二程影響，以義理爲先。朱熹在一定程度上是將《詩經》看作文學作品，主張以涵詠諷誦的方式理解的，因而重視《詩經》「正文」。相對而言，《毛傳》較其他舊說更多地與「正文」意義相符，朱熹作《集傳》自然會宗主《毛傳》。就陳奐而言，他是把《詩經》當作純經學著作的，並且由於堅持古文學家立場，說《詩》時專主《毛傳》。

三、對《詩序》的態度異中有同

《詩序》作爲《毛詩》古說的重要組成部分，在相當多的清儒心目中，其地位不亞於《詩經》經文，甚至高於《詩經》經文。陳奐的好友，同以治《詩》著稱的胡承珙，在撰述《毛詩後箋》時，凡《詩》《傳》矛盾時，從《詩》，凡《序》《傳》矛盾時，從《序》，而《詩》《序》矛盾時，亦從《序》。他不僅區分「作《詩》之意與「序《詩》之意」，認爲兩者容有不同，並且在任何情況下都維護《序》說。稱得上是一個純粹的經學家。陳奐也大抵如此。他認爲讀《詩》不讀《序》，則爲「無本」之業。㉑

⓳ 同註⓫。
⓴ 同註❹，頁 156。
㉑ 同註⓫。

陳奐既堅信《序》來源甚古，尊崇其權威神聖性，又堅信《傳》本《序》而作，同樣可靠。然而《序》《傳》在客觀上又確實存在差異，這給陳奐的疏解帶來很大困難。受考據風氣影響，陳奐為《傳》作疏的主要依據是《詩經》本文，以及《爾雅》《說文》等訓詁解字古文獻。這些文獻與《傳》文本就存在較多的一致性。因此，如何調解《序》《傳》差異反倒成為難題。多數情況下，陳奐作了努力，但也有棄之不顧的時候，這時《序》就成了犧牲對象。如〈衛風・氓・序〉：「刺時也。」《傳》文的解釋了無「刺」意，陳氏於是在《序》下不置一辭，釋《傳》時也未揉進《序》意。有時，陳奐甚至明顯違逆《序》說。如〈衛風・考槃・序〉：「刺莊公也。不能繼先公之業，使賢者退而窮處。」《傳》文亦無「刺」意。陳奐於《序》下只作了文字校勘工作：「〈御覽・逸民部・一〉引『處』下有『也』字，唐石經同。」與經義無關。而於正文首章章末引王肅語以揭示章旨：「美君子執德宏信道篤。」此詩三章，重章疊句，意類同，故章旨即經旨。又如〈小雅・雨無正・序〉：「正大夫刺幽王也。雨，自上下者也。眾多如雨，而非所以為政也。」《傳》意謂賢者離居，不同於《序》。陳奐更是直截了當地稱說：「此詩為賢者離居，親屬之臣義不得去而作。國政多門，用是離居也。」陳奐對《詩序》的這一類處理，實出無奈。

對比之下，朱熹的處置就更加明顯乾脆。他首先否定《詩序》，主張「須先去了《小序》」㉒，認為「《詩序》實不足信」㉓，並在《詩序辨說》中考定「《序》乃（衛）宏作明矣」。繼而又認定〈國風〉「多出于里巷歌謠之作」㉔，本無所謂教義，孔子採之以為戒，「如聖人固不語亂，而《春秋》所記無非亂臣賊子之事」。㉕接下來更舉眾多事例證明《序》之「鑿空妄說」㉖、牽強附會。

儘管如此，朱熹對《詩序》的否定並不徹底，表現在基本認同〈大序〉、部分

㉒ 同註❻，卷80，頁2085。

㉓ 同註❻，卷80，頁2076。

㉔ 朱熹：《詩集傳・序》（上海：上海古籍出版社影印世界書局本，1987年）。

㉕ 朱熹：《詩序辯說・桑中》（《叢書集成初編》，文學類）。

㉖ 參《朱子語類》，卷80。

認同《小序》方面。《小序》之精華，朱子未嘗不稱述之也。」[27]《詩序辨說》認爲《詩》《序》相合者與不相合者各約百篇，《詩》《序》部分相合者約七十篇，拿不準的約三十篇。而拿不準的，一般認同《序》說。如其於〈邶風・綠衣〉云：「此詩下至〈終風〉四篇，《序》皆以爲莊姜之詩。今姑從之。然唯〈燕燕〉一篇，詩文略可據耳。」《詩集傳》情況大致相同。可見，朱熹對於《詩序》的認同多於否定，他基本上還是承認《詩經》的儒家經典性質。

朱熹對《詩序》的態度是否定中有認同，陳奐對《詩序》則是尊從中有否認。這樣，《詩集傳》與《詩毛氏傳疏》又多了一處相通。上舉陳奐對《詩序》不苟合諸例，陳氏對詩旨的理解與朱熹是一致的。〈衛風・考槃〉，《詩集傳》云：「詩人美賢者隱處澗谷之間，而碩大寬廣，無戚戚之意，雖獨寐而寤言，猶自誓其不忘此樂也。」〈小雅・雨無正〉，《詩集傳》云：「此時饑饉之後，群臣離散，其不去者作詩以責去者。」所以，朱、陳二人也許在主觀上一個竭力攻《序》，一個執意佑《序》，但從《詩集傳》和《詩毛氏傳疏》的實際情形來看，卻有一些近似之處。

四、陳奐對宋人《詩》說的利用

《詩毛氏傳疏》具有明顯的迴避宋人《詩》說的意向，雖然它也引述宋代文獻，但一般只是出於校勘文字或唐以前古義的需要，所以引述較多的是《太平御覽》、王應麟《詩考》、洪适《隸釋》等。宋學懷疑派書目也偶有引及，如〈邶風・擊鼓〉下引歐陽修《詩本義》，但出於同樣原因。總之，如前文所說，陳奐對宋人說《詩》著述基本採取不直引、不辯是非的態度。

然而宋人《詩》學觀點及成就，陳奐並非棄之不用，只不過採取了轉引暗用的方式。試證之如下：

轉引。〈小雅・蓼蕭〉，陳奐云：「《詩述聞》云：『《集傳》引蘇氏曰：譽、豫通。凡《詩》之譽皆樂也。』蘇氏之說是也。」《集傳》即朱熹《詩集傳》，「蘇氏」即蘇轍。陳氏贊同宋人說，但不願意直接徵引。〈周頌・豐年〉，

---

[27] 同註[10]。

陳奐云：「《後箋》云：『曹放齋《詩說》謂季秋大饗明堂，秋祭四方，冬季八蠟，天地百神無所不報。』今一以《序》及經證之，似當以曹氏之說爲近。」「曹放齋」即曹粹中。陳奐在不得不引述宋人《詩》說，往往採取這種轉引形式。有時甚至採取掐頭去尾方式，以從表面避開宋人。如〈齊風・猗嗟〉「美目揚兮」《傳》：「好目揚眉。」陳奐引《後箋》云：「然則《毛傳》正以揚眉形目美，謂好目于揚眉見之，故美目謂之揚。『揚』屬目不屬眉。」實際上，「美目謂之揚」是宋人說。《後箋》上述話是爲了證宋人之說，因其前還有「（朱熹）《集傳》以『揚』爲目之動，似不足以言美。惟嚴《緝》引錢氏曰：『揚，起也，言目俊。』范氏（處義）《補傳》引《禮記》曰：『揚其目而視之，謂其瞻視之明。』是也。」等語，而陳奐不引，顯然是有意迴避。

暗用。《詩毛氏傳疏》暗用宋人《詩》說之處比比皆是。試以〈周南〉一卷暗用朱熹《詩集傳》爲例：〈關雎〉「淑女」，朱熹云：「女者，未嫁之稱，蓋指文王之妃大姒爲處子時而言也。」陳奐：「《公羊傳》云：女在其國稱女。」同時也謂指大姒。又，同朱熹認爲「后妃求淑女」是鄭意而非毛意類似，陳奐指出：「《正義》謂后妃思得淑女以配君子，失《傳》《箋》之恉矣。」《樛木》一詩，朱熹以藟爲葛屬，不同於《正義》，陳奐亦如此。〈螽斯〉一詩，《詩序》稱云：「〈螽斯〉，后妃子孫眾多也。言若螽斯不妬忌，則子孫眾多也。」《詩集傳》批評說：「序者不達此詩之體，故遂以不妒忌者歸之螽斯，其亦誤矣。」陳奐如同朱熹，以「不妒忌」歸之后妃，但認爲《序》意也是如此，論證的方式極爲隱蔽：通過在《序》文「言若螽斯」後提示一個「句」字，改變了《序》意。〈漢廣〉「不可休息」，《正義》已經懷疑「息」字當爲「思」字之誤，但「不敢輒改」（孔穎達語），「朱《傳》始據《韓詩外傳》改作『思』。」[28]陳奐亦追隨而逕作「思」。〈麟之趾〉「公姓」，《傳》：「公同姓。」《正義》云指「五服以外」。朱熹《詩集傳》：「公姓，公孫也。」陳奐引〈唐風・杕杜・傳〉「同姓，同祖也。」而云：「孫以祖字爲姓。」實同朱熹，並云《正義》爲誤。〈桃夭〉，朱熹認爲《序》說有不合《詩》意的地方，故《集傳》不從。其《詩序辯說》云：

---

[28] 胡承珙：《毛詩後箋》（道光丁酉求是堂本），卷1。

「《序》首句非是。其所謂『男女以正，婚姻以時，國無鰥民者』得之。」陳奐於《序》文下不提首句，而直云：「《序》言『男女婚姻必以正時……』」云云，顯然也同於朱熹。可以看出，陳奐暗用宋人《詩》說的範圍較廣，涉及文字校勘、訓詁、詩旨經義等。

對宋人《詩》說，陳奐也未能完全做到不議不論，個別時候是直接議論，如於〈小雅・蓼莪〉云：「王引之《詩述聞》云：『……昊天罔極，猶言昊天不傭、昊天不惠，朱子所謂無所歸咎而歸之天也。』案：王說『罔極』是也。『昊天』當斥幽王，……非謂歸咎于天，作此泛義。」更多時候，是暗就宋人提出的話題加以辯說是正。如《朱子語類》載其學生時舉疑〈螽斯〉的「斯」字只是語辭，朱不以為然，云：「恐『螽斯』即便是名也。」㉙陳奐於此詩首先解釋「斯」字：「斯，語辭。」然後才論及「螽」字。又如〈召南・羔羊〉，《詩集傳》云《序》「德如羔羊」一句「為衍說」。陳奐則於《序》下不及其他，獨辯「德如羔羊」，結論與朱相反。〈邶風・谷風〉，朱氏謂《序》「衛人化其上」，詩中不見其意。陳奐即在《序》下引《左傳》為《序》辯護。〈小雅・節南山・序〉：「家父，刺幽王也。」《詩集傳》評說：「大抵《序》之時世皆不足信。」引《春秋・桓十五年》以說明家父其人當桓王之世，「距幽王終已七十五年」。陳奐亦忍不住為《序》申辯，云：「《春秋》周桓王時有家父，或即家父之后歟？」以「家父」為氏。〈大雅・抑〉，《詩集傳》：「《序》說為刺厲王者，誤矣。」陳奐云：「（此詩）作于平王時，而《序》云刺厲王者，本作詩之意而言。」均似有意回答朱熹提論。〈時邁〉也是如此，《詩集傳》以為周公作於武王之世，陳奐云：「事雖行于武王而詩自作于成王耳。」不一而足。對前人疑問、新說的解答辨正，能夠深化理解，推動《詩》學的發展。特別是對一些有價值的問題，尤其不宜擱置。

對宋人《詩》說的利用，並未妨礙陳奐對毛氏的「墨守」。事實上，由於採取轉引暗用的方式，陳奐已經最大限度地化宋說為清說，甚而至於為己說，何況這「諸說」又多是能「申明毛氏者」。

㉙ 同註❻，卷 81，頁 2097－2098。

五、結語

宋人《詩》說不囿先儒成見，敢於自出新解，這集中表現在對《詩序》的懷疑和批判上。然而由於對經文本身的重視，反倒使他們尊從漢人訓詁而斥責六朝義理。朱熹、歐陽修、蘇轍等人解《詩》固然從《傳》者多，呂祖謙、范處義等人更是不惟從《傳》，併連《詩序》共尊之。宋儒注意到《序》與《傳》、《傳》與《箋》的差異，說明他們的鑽研深入細緻，這對清儒治《詩》不無啓示意義。清儒攻宋，也不過「憤宋儒詆漢儒而已」，「意亦不盡於經義」。㉚

單就朱熹而言，他治經的目的本在於義理。然而他認爲《詩經》與其他儒家經典不同：「聖人有法度之言，如《春秋》《書》《禮》是也，一字皆有理。如《詩》亦要逐字將理去讀，便都礙了」。㉛這是因爲《詩經》是文學作品，用比興，抒性情，而且相當部分的篇章不出自聖賢之手。所以《詩集傳》重視《詩》文的涵泳，釋解以訓詁爲主，於經學有所偏離。清儒治經，其根本目的也在求義理。然而乾、嘉以還，不少經師走上爲學術而學術之路，專攻語言文字，偏離了經學經邦治國的初衷。陳奐也是如此，他以文字訓詁爲己任，而將經義的探討委諸「來者」。在治《詩》方面，朱熹與陳奐竟有了殊途同歸的意味。而《詩集傳》反《詩序》不徹底，訓詁主從《毛傳》，其他說解也大致有所本，㉜則爲《詩毛氏傳疏》吸納利用提供了可能性。《詩毛氏傳疏》固然尊從《毛傳》，但也間採《鄭箋》、今文《詩》說，在這一點上與《詩集傳》並無實質性區別。

㉚ 同註⑬，頁 87。

㉛ 同註⑥，卷 80，頁 2082。

㉜ 如王應麟《詩考·序》舉例：「（朱熹）言〈關雎〉則取康衡（即匡衡）；〈柏舟〉婦人之詩，則取劉向；〈笙詩〉有聲無辭，則取《儀禮》；『上天甚神』，則取《戰國策》；『何以恤我』，則取《左氏傳》；〈抑〉誡自儆，〈昊天有成命〉道成王之德，則取《國語》；『陟降庭止』，則取《漢書注》；〈賓之初筵〉飲酒悔過，則取《韓詩序》；『不可休思』，『是用不就』，『彼岨者岐』，皆從《韓詩》；『禹敷下土方』，又證諸《楚辭》……」

經 學 研 究 論 叢
第 十 二 輯　頁133～164
臺灣學生書局　2004年12月

胡承珙《毛詩後箋》解經體例與方法

邱惠芬*

一、引言

清乾嘉學者在校勘異文、研治字義訓詁與考證名物制度的卓絕成就及深鉅的影響，是無庸置疑的。雖有戴震、段玉裁等人草創體例，摘章摘句加以辨析《詩》義，但缺乏融會前人研究成果，且具全面疏釋的《詩經》專著。於是，嘉道年間，出現了胡承珙（1776－1832）《毛詩後箋》、馬瑞辰（1782－1853）《毛詩傳箋通釋》及陳奐（1786－1863）《詩毛氏傳疏》三本書。❶三人繼承前賢注經成果，進行全面的檢視整合，體例有別，各具特色，是對當代《詩經》研究成果繼承總結的代表作。陳奐依準毛《傳》，成書最晚，一般皆以體例最爲精詳，故皮錫瑞以「漢注古奧，唐疏繁複，初學先看注疏，人必畏難，當以近人經說先之。」主張《詩》

---

* 邱惠芬，長庚護理技術學院專任講師。

❶ 梁啓超：《中國近三百年學術史》（臺北：華正書局，1989年8月），頁205。又林師慶彰：〈陳奐詩毛氏傳疏的訓釋方法〉，《清代經學國際研討會論文集》（臺北：中央研究院中國文哲研究所，1994年6月，頁383－398）一文，曾言：「就乾嘉時代來說，當時比較可注意的研究成果，是戴震的《詩補傳》、《毛鄭詩補正》和段玉裁的《詩經小學》。但這幾部書，並非全面對《詩經》的詮釋，僅是摘章摘句加以辨析而已。當時學界所需要的，應該是能融會前人研究成果，且具全面疏釋的《詩經》專著。以這一標準來衡量，能符合要求的，也許僅有胡承珙的《毛詩後箋》、馬瑞辰的《毛詩傳箋通釋》和陳奐的《詩毛氏傳疏》三書而已。」

當可先看《詩毛氏傳疏》，以略通大義，確守古說❷；馬瑞辰不釋《序》義，僅就《傳》《箋》進行通釋，以三家辨異同，以全經明義例，以古音古義證其譌互，以雙聲疊韻別通借❸，屈萬里認為是清代說《詩》專著裡，最好的一部❹；胡承珙先釋《序》說，條目摘句訓釋，旁徵博引，取材宏廣，格局最大。

特別的是三人交遊與論學因緣頗深，故論詩觀點時有切合，如馬瑞辰為胡承珙《毛詩後箋》作序，所撰《毛詩傳箋通釋》，今據漆永祥《乾嘉考據學研究》統計，書中引用清人成果以段玉裁最多，胡承珙其次。❺而在陳奐與胡承珙論學往返的書信中，亦可見二人交情匪淺，淵源頗深。陳奐以胡承珙治《詩》多年，想必於毛氏經傳必有完書，為免重複，而按《爾雅》體例，編著《毛詩義類》。其後胡氏遺言囑託續補〈魯頌・泮水〉以下，方得見《毛詩後箋》是書確切體例，故陳氏所撰《詩毛氏傳疏》，書中引用清代學者說法除了老師段玉裁之外，就屬《毛詩後箋》的意見為最多。三書相較，《毛詩後箋》成書最早，體例較為駁雜，但其承繼漢學解詩路向，檢核辨析漢唐以來《詩》注，詳贍精實，確立《詩》注精義的企圖與影響，是不容忽視的。

一般而言，皆以《毛詩後箋》撰述的目的，在針對鄭玄箋注的不滿意而作，夏傳才《詩經研究史概要》書中曾言：

> 胡承珙是古文學與宋學通學的《詩經》專家，代表作是《毛詩後箋》（30卷）。他主《毛傳》，而反對《鄭箋》，認為鄭玄的《毛詩傳箋》在許多地方把《毛傳》解釋錯了，徵引大批考據資料來疏證《鄭箋》的錯誤。當時在學術界漢學與宋學已經分開，漢學占壓倒的地位，宋學很少人研求，而他卻

---

❷ 皮錫瑞：《經學歷史》（北京：中華書局，1989年9月），頁359。

❸ 馬瑞辰：《毛詩傳箋通釋・自序》（北京：中華書局，1989年3月）。

❹ 屈萬里：《詩經詮釋》（臺北：聯經出版事業公司，1983年2月），頁22。

❺ 漆永祥：〈乾嘉考據學得失（上）「傳統古文獻整理、總結與研究方面的巨大成就——以《詩經》為例」〉，《乾嘉考據學研究》（北京：中國社會科學出版社，1998年12月），頁261。不含批駁清人之誤及暗褒時賢之說的條目，謂引用段玉裁一二九次，胡承珙一一八次為最多。今據個人統計引用胡承珙計有一二七次，僅有三處駁斥胡非，一處部分存疑。

在廣徵博引中吸取兩宋學者的正確疏釋，表現了他的疏證有一定的求實精神。（頁219－220）

其以胡承珙爲兼通古文學與宋學通學的《詩經》專家，疏證《詩》義有一定的求實精神。而胡培翬亦云：

采集甚富，後儒説《詩》之是者錄之，似是而非者辨之。而其最精者，在能於《毛傳》本文前後，會出指歸，又能於西漢以前古書中，反覆尋考，貫通《詩》義，證明毛旨。❻

以胡承珙治《詩》最精者，在能於《毛傳》本文前後，會出指歸，貫通《詩》義。筆者曾於民國九十年十二月八日第二屆中國經學學術研討會上發表〈胡承珙對《毛詩正義》中箋異傳的述評〉，文中曾論及《毛詩後箋》的解經觀念與方法特色，然因論文側重於《毛詩後箋》對《毛詩正義》箋傳違異的看法批評，關於胡氏解經的體例與方法，所論不盡完善，今特從《毛詩後箋》解經的基本立場與進路，進一步尋覈胡氏解經體例與方法，以考察其解經之承啓淵源與影響，引用的若干材料不免重複，特此謹誌。

二、《毛詩後箋》解經基本立場與進路

胡承珙，字景孟，號墨莊，安徽涇縣人。生於清乾隆丙申歲三月十四日，卒於道光壬辰歲閏九月十四日（1776－1832），得年五十七歲。自幼溫馴謹慎，不煩約束。五歲就學，聰穎過人。十歲能文，十三入庠，十八食餼。三十爲進士，選翰林院庶吉士，散館授編修。曾任廣東鄉試副考官、御史、福建分巡延建邵道。自以身居言路，當周知天下利弊，故查緝弊案，制定緝補章程，而所陳奏虧空弊端，最切中時病。後因廉能調署臺灣兵備道兼學政加按察史，在臺三年，力行清莊弭盜之

❻ 胡培翬：〈福建臺灣道兼學政加按察使銜胡君別傳〉，胡承珙撰，郭全芝校點：《毛詩後箋》（合肥：黃山書社，1999年8月），〈附錄〉，頁1671－1676。

法，事無鉅細，悉心綜理，以是積勞成疾。道光甲申（四十九歲），因病乞假歸里，從此，九年不出，不預外事，偶與二三故舊賦詩飲樂，潛心治經，常至夜分，寒暑罔輟。

胡氏操行淳篤，沈靜勤儉，遇修邑城、興書院及族中平糶等事，多樂捐資助。遇有講求實學者，必殷勤造訪；治學嚴謹，不爲虛文酬應。在北京寓地安門外，與朱珔、張聰咸、錢儀吉、梁章鉅、吳嵩梁、陳用光、洪飴孫等一流文人交遊。曾從《太平廣記》發現鄭玄的生日是七月五日，遂與諸名士在京東的萬柳堂舉行祭禮。❼初精研小學，熟於《爾雅》、《說文》。著有《小爾雅義證》十三卷、《爾雅古義》二卷、《儀禮古今文疏義》十七卷、《毛詩後箋》三十卷，另有《公羊古義》、《禮記別義》等尚未完成❽，與胡匡衷、胡培翬因善治《禮》並稱「三胡」。

㈠ 解經基本立場

1.讀詩不可以文害辭，以辭害志。

胡承珙畢生精力所專注者，在於《毛詩後箋》一書。他認爲讀《詩》的原則是「不可以文害辭，以辭害志」（《後箋・楚茨》），經文的重要性遠高過於傳注，「說經當先以經文爲據。經無明文者，取之傳注，然當觀其會通，不宜執一」（《後箋・采芑》），所以「信《傳》不如信經」（《後箋・小星》），須「以經證經」（《後箋・揚之水》），方才正確。又詩雖詠歌之文，與紀事的史書不同，但必無鑿空妄語。❾

2.《毛詩》源於荀學，義訓卓絕於三家。

> 三家《詩》於開章大義無不同於毛氏，特數經傳受之後，或不免所聞異辭耳。（〈關雎〉）
>
> 此詩三家傳聞異辭，總不如毛義之正大，此毛學所以獨盛與？（〈芣苡〉）

---

❼ 黃得時：〈儀禮古今文疏義與毛詩後箋〉，《孔孟學報》第 15 期，頁 159。

❽ 同註❻。

❾ 詩雖詠歌之文，不同紀事之史，然必無鑿空妄語〈采芑〉。

> 三家以爲官名、囿名，皆緣後起之義，而以之詁詩，則皆不如毛説之精切也。（〈騶虞〉）
>
> 詩中人名地名，毛公必有所受。（〈式微〉）
>
> 諸經傳注，唯《毛詩》最古。數千年來，三家皆亡，而毛氏獨存。源流既眞，義訓尤卓。後人不善讀之，不能旁引曲證以相發明，而乃自出己意，求勝古人，實止坐鹵莽之過。（〈復陳碩甫書〉）
>
> 《禮記》、《大學》、《論語》皆孔門，引《詩》皆作『如琢如磨』，而《毛詩》與之合，可見《毛詩》源流七十子，所以勝于三家也。（〈淇奧〉）
>
> 《毛詩》出於荀卿，傳爲釋《詩》而作，故必切合詩辭。（〈破斧〉）
>
> 然今《毛詩》與《孟子》、《荀子》（見〈宥坐〉篇）同，知其源流尤確也。（〈大東〉）
>
> 毛公遭秦滅學，而獨與《孟子》合，其源流斷非三家所能及矣。（〈北山〉）

三家《詩》特數經傳受之後，或不免所聞異於《毛詩》；而諸經傳注，以《毛詩》最古，故詩中人名、地名，毛公必有所受，其源出荀卿，雖遭秦火滅學，仍獨與《孟子》切合，可見其源流七十子，義訓卓絕，實非三家所能及。

3.《序》爲聖人精義，最得作詩者之意，所言有據。

> 《序》於十五〈國風〉曰美、曰刺、曰勸、曰惡、曰思、曰閔、曰傷、曰疾、曰怨、曰責、曰止、曰懼、曰戒、曰哀、曰憂，其旨多矣！而言「誘」者，獨見於此篇。序言僖公「愿而無立志」，實與詩意吻合。歐陽《本義》云：「詩人以僖公性不恣放，可以勉進於善，而惜其懦，無自立之志，故作詩以誘進之。」首章言小國亦可以有爲，下二章「言大國不可待而得」。此説善申序意。朱子謂序《詩》者因僖公之謚而配以此詩，故改爲隱居無求者之詞。然三百篇之作，吟詠情性以風其上，若徒爲詩人自適，亦復何關政教？且作詩時世，雖不可盡知，然序所指者必皆有所據，決無以謚法強配欺

天下後世者。(〈衡門〉)

觀〈既醉〉、〈鳧鷖〉二篇序,可見其爲編詩時所作,故文義相承如此。蓋其時曉然於作詩之意,非同後此之憑臆推測也。夫〈既醉〉爲正祭後燕飲之詩,〈鳧鷖〉爲事尸日燕飲之詩,求之經文本自明白。(〈鳧鷖〉)

序每求作詩之意於言外,所以不可廢也。(〈渭陽〉)

可見序詩者與作詩之意絕不相蒙。作詩者即一事而形諸歌詠,故意盡於篇中;序詩者合眾作而備其推求,故事徵於篇外。(〈羔羊〉)

然詩中就事指陳,而序則推求原本者,往往有之。(〈宛丘〉)

三百篇《序》凡有美刺而指其人其事以實之者,當時必有依據,斷非鑿空臆造。獨於〈靜女〉、〈氓〉、〈伯兮〉、〈有狐〉、〈著〉、〈園有桃〉、〈十畝之間〉、〈杕杜〉、〈羔裘〉、〈鴇羽〉、〈東門之池〉、〈東門之楊〉、〈澤陂〉十三篇但言「刺時」者,蓋在采詩時,第得諸里巷歌謠,已不能確指其爲何人何事之作,故序《詩》者但以「刺時」一語括之,亦不敢憑虛撰造,蓋其愼也。然《詩》中大義則經師授受相承,必有所自,故《序》者得以推演其說耳。(〈靜女〉)

此序是推本作詩者言外之意,詩詞則止……鄭《箋》泥於《序》下之說,以詩詞之「弗忘」爲即爲刺君,故不能無語病。若毛《傳》,則就詩釋詩,有美無刺。(〈考槃〉)

凡詩人言外之意,不必詩中所有。而以《序》合之,則微婉之旨畢見,此《序》之所以不可廢也。(〈有女同車〉)

然《序》不過推原作詩之由耳。(〈園有桃〉)

毛公所謂仁義功德者,殆即詩意而推言之,非截然「與」、「以」二字分屬仁義、功德也。讀者宜善會之。(〈旄丘〉)

朱子作《孟子集注》仍用《序》說。考朱子《詩傳·序》成於淳熙四年,《孟子集注·序》作於淳熙十六年,則是晚年定論仍從古序。(〈柏舟〉)

胡承珙解《詩》尊毛《序》,且多引用朱熹《詩序辨說》、姜炳璋《詩序補義》、顧鎮《虞東學詩》、何楷《詩經世本古義》、戴溪《續呂氏家塾讀詩記》、許伯政《詩深》等材料以辯證《序》說。其以作詩者吟詠情性，發而為詩，意盡在篇中，故作序者則推求詩意，事徵於篇外，言必有據，所以「序詩者」與「作詩者」意旨絕不相背；且詩中大義乃經師授受相承，自有所本。又《詩序》可與史事相發明，如〈新臺〉一詩刺衛宣公不父，「《左傳》雖具其事，但曲折未明，得此詩及序，然後情事畢露」；〈柏舟〉一詩引《虞東學詩》所言「序不獨有功於經，抑且有補於史」，以《序》說證《史記》之言不可信；〈鶉之奔奔〉一詩引用許伯政《詩深》所言「《詩》如史之文與事，而《序》則聖人之所取義。《詩》亡然後《春秋》作」。胡氏並以范處義《詩補傳》中所言：「大抵序詩者主于發明詩人之意，有序所言而詩無之者，詩意未盡故也；有詩所言而序無之者，詩意自顯故也。學者要以是觀之。」（〈桑扈〉）為讀《詩序》之總論；嚴粲《詩緝》：「〈國風〉、〈小雅〉多寓意於言外，或意雖形於言而優柔紆餘，讀者不覺也。有言古不言時而意在刺時者；有言乙不言甲而意在刺甲者；有首章便見意，餘章變韻成歌者；有前數章皆含蓄而末章乃見意者；有首尾全不露本意，但中間一二冷語使人默會者；有先從輕處說起，漸漸說得重者。讀詩與他書別，唯涵泳浸漬乃得之。」（〈頍弁〉）為讀《詩序》者之通論；此外，他更斷定《詩序》的年代在毛公以前，衛宏所作的《毛詩序》當別有其文；又後儒以「笙詩」依仿篇名而作，是不正確的⑩；又朱子作《孟子集注》仍用《序》說，故晚年定論仍從古《序》。

4.《毛傳》說詩，依從《序》義；訓詁本於《爾雅》，師說相承，不可改易。

《序》與《傳》本不相背……詩如史之文與事，而《序》則聖人之所取義。

---

⑩ 〈六月〉《序》云：「〈鹿鳴〉廢，則和樂缺矣」云云，至「〈小雅〉盡廢，則四夷交侵，中國微矣」，《正義》云：「此二十二篇，〈小雅〉之正經。王者行之，所以養中國而威四夷。今盡廢事不行，則王政衰壞，中國不守，四方夷狄來侵，中夏之國微弱矣。」「故博而詳之，而因明〈小雅〉不可不崇，以示法也。」承珙案：此序甚古，自在毛公以前。即以六笙詩言之，後儒多謂笙詩序皆依仿篇名為之，試思〈南陔〉之「陔」，據束皙〈補亡詩〉，義祇作「陔隴」，即謂「陔」有「戒」義，然何以定知為「孝子相戒以養」？……此等必皆及見詩辭者所為，否必不能憑空臆撰，可知其他所推「廢缺」之言，亦無不與本序相應。其後，又引孔氏《經學卮言》：「足定《序》果出於毛公以前。衛敬仲所作毛詩《序》當別有其文，若即今小序，豈撰《後漢書》者猶知之，後漢同時人反莫之知乎？」以證成其說。

（〈鶉之奔奔〉）

至《序》云「責衛伯」者，是推本詩人之意，不必定《詩》詞所有。三百篇往往有此。《毛傳》專釋《詩》詞，故兩言大夫，但……。《序》與《傳》各明其義，仍兩不相悖耳。（〈旄丘〉）

毛公雖不注《序》，然次章……此言并與《序》相應。且《傳》語多簡，而於此篇較詳，其必有所受之矣。（〈匏有苦葉〉）

觀此諸書所引，足知毛公《傳》義多本七十子之遺言，其來古矣。（〈簡兮〉）

毛公傳《詩》時，《左傳》尚未行，安得作《序》者已盡襲左氏？必如所疑，則天下之書更無有可信者矣。（〈桑中〉）

竊謂《毛傳》善讀經文，往往得其微婉之意。《毛詩後箋・王風》：「毛時書籍尚多，必有所據。」此語可爲讀《毛傳》者之通例。（〈四月〉）

《傳》謂……與此詩所言雨徵，皆足見古人體物微妙，且必有師說相承，未可改易。」（〈漸漸之石〉）

毛公說《詩》一依《序》義，不得謂《序》爲毛所未見也。（〈韓奕〉）

《序》云：「〈蒹葭〉，刺襄公也。未能用周禮，將無以固其國焉。」案：首序但云「刺襄」，而其下乃有「用周禮」之說，自必有所受之。《毛傳》最簡，此首章傳云：「白霜凝戾爲霜，然後歲事成；國家待禮，然後興。」如此委曲發明序意，亦足見序在傳前，未可謂毛公未見詩序也。……試思作《序》者如果鑿空妄說，則必依附詩詞，若近世僞爲申公詩者謂此乃秦之君子隱於河上，秦人慕之而作，於以欺天下萬世豈不易易？必不憑虛而創一襄公「不用周禮」之說，與詩詞絕不相比附，以自納敗闕也。是可知其必遠有傳授矣。（〈蒹葭〉）

毛雖不注《序》，然此等傳文似皆爲《序》而發……（〈終南〉）

蓋毛詩序，傳至後漢時始大著明，其事蹟不概見他書者，即當以此爲據，無庸復惑於《史記》、《漢書》之互異者矣。（〈采薇〉）

《毛傳》善讀經文，訓詁本於《爾雅》，義多本七十子遺言，遠有師承，信而有徵，未可改易。又毛雖不注《序》，然說詩一依《序》義，故《序》、《傳》各明其義，並不相悖，此足見《序》在《傳》前，故不得謂毛未見《序》。

5.鄭玄以《禮》箋《詩》；注《禮》不如箋《詩》恰當。

> 鄭學深於三《禮》，往往以《禮》箋《詩》，所謂「按跡而議性情」者，以此。（〈綠衣〉）
>
> 案：《禮記·緇衣》引〈都人士〉首章鄭《注》云：『此詩毛氏有之，三家則無。』據此，是鄭爲《記》注時，並非不見《毛詩》，但其時未爲毛學，故多用三家《詩》耳。
>
> 此詩三家盛行，《毛詩》並未立學官，然詔策已用其義。蓋其授受有自，故足取信也。（〈燕燕〉）
>
> 鄭注《禮》時用韓《詩》。（〈氓〉）
>
> 鄭君注《禮》蓋出三家《詩》。（〈崧高〉）
>
> 鄭氏以《禮》箋《詩》，每不明言所出。（〈信南山〉）
>
> 鄭先注《禮》後箋《詩》，固當以詩《箋》爲定論。（〈丰〉）
>
> 《禮記·緇衣》此在箋《詩》之先，當是用三家《詩》說。（〈鹿鳴〉）
>
> 康成注《禮》似不如箋《詩》之當。（〈蜉蝣〉）
>
> 鄭氏注《禮》箋《詩》，每多異同。（〈鴟鴞〉）

鄭玄注《禮》用三家《詩》，並非不見毛《詩》，而是其時未爲毛學，故注《禮》在箋《詩》之前。而注《禮》箋《詩》，每多異同，因此，後出轉精，仍應以《詩》《箋》爲定論。此外，鄭玄精通三《禮》，往往以《禮》箋《詩》，按跡而議性情，且每不明言所出，故其注《禮》似不如箋《詩》恰當。

綜合上述，可知胡承珙解《詩》基本立場以經文、《序》、《傳》爲依準，即如自己所言，《毛詩後箋》「專主發明《毛傳》，從毛者十之八九」，也因此，一般皆把胡氏納入古文家。然而，尋繹全書，發現其不從毛者一二，誠如郭全芝所言「以三家《詩》說糾正毛《傳》，箋釋對象也不局限於毛《傳》」。更有甚者，有時還撇開毛《傳》釋義，專門論述其他說法，實際上是以他說代替毛《傳》爲《詩經》作注解。」以及「多次明確表示過『信傳不如信經』，所以，《毛詩後箋》是把毛《傳》置於被查驗的位置，因而所得結論，所作訓釋比較公允」。⓫

(1)〈小星〉

《傳》訓「小星，眾無名者。三心五噣，四時更見」，釋「寔命不同」云「命不得同於列位」。胡承珙以《傳》意蓋以小星喻賤妾，三心五噣則似喻貴妾，初未嘗以喻夫人。《傳》義實異於《箋》，《傳》以「小星」與「三五」、「參昴」爲二，於首二句文義究有不順，故信《傳》不如信經。

(2)〈泉水〉

「載脂載舝，還車言邁」之「還」，《傳》意蓋讀爲「子之還兮」之「還」，而《箋》讀爲「還反」之「還」，似較傳義爲勝。

(3)〈載馳〉

「控于大邦」之「控」，《傳》訓「控」爲「引」，胡承珙引《一切經音義》《韓詩》云：「控，赴也。」、《左傳・襄公八年》「無所控告」、《莊子・逍遙遊》「時則不至，而控于地」，《經典釋文》引司馬《注》「控，投也」，說明控告猶投告。投與赴義相近，韓訓「控」爲「赴」，似較《傳》「引」義爲勝。

(4)〈定之方中〉

「定之方中」之「定」，毛鄭皆以「定」爲室，然《傳》以視定星而正南北，而營宮室，而鄭以定星昏中，小雪之時，而營宮室。胡承珙以《考工記・匠人》「夜考之極星」、《晏子春秋・雜篇》「古之立國者，南望南斗，北戴極星」，確證古人本有視星以正方位。人君居南面，小雪之時，定昏中當正南之位，以此時爲營作，亦即可指此星以定南北之方。所以，辨方記時，義乃相通。此詩首句以記時，意義上更爲順暢，行文亦不重複，所以，《箋》勝於《傳》。

(二) 解經精神與進路

1.解經精神、目的

胡承珙仿效鄭玄箋《詩》「毛義若隱略，則更表明，如有不同，即下己意」〈六藝論〉的精神，而作《後箋》。是書專主發明毛《傳》，而從鄭者僅十之一

⓫ 參見郭全芝點校：《毛詩後箋》，頁2—3。

二。今考察《毛詩後箋》書中論及鄭《箋》的意見，檢覈《箋》訓並肯定其「申傳」、「最得傳意」、「於詩旨最合」、《傳》《箋》義蓋相足、相成者不少；而批評則大多在《傳》《箋》違異之處，如鄭玄增字爲訓：〈關雎〉「窈窕淑女」之「窈窕」，增入「深宮」二字，以爲「居處」；「左右芼之」增「佐助」之義以訓；〈小星〉增「隨」字以解詩；以及緣詩說物、不明《傳》多假借而破字、以《禮》說《詩》、誤解《傳》義、曲說《傳》義、興義取義與史實等等，都是胡承珙不從之十之八九。

按此，《箋》既失《傳》恉，之後經方家《詩》注引申發揮，多重詮釋之謬誤，遂致《詩》義茫昧，難以尋繹。唐代《毛詩正義》即是一例。因此，《毛詩後箋》表層看來似乎是不滿《箋》注而作，實際上，爬羅剔抉，蠡測漢唐以來《詩》注，才是《毛詩後箋》深層的制作目的。⓬至於書中徵引材料之廣博宏富，除了申明《傳》意，證成己說外，其確正訓釋義旨的企圖目的，亦不容忽視，而這正是胡承珙較之馬瑞辰及陳奐二人格局大的地方。値得一提的，是書中大量徵引《詩經世本古義》與《毛詩稽古編》的見解，進行驗覈的現象。今就《四庫提要》評述《詩經世本古義》來看：

> 楷學問博通，引援賅洽，凡名物訓詁，一一考證詳明，典據精確，實非宋以來諸儒所可及，譬諸蒐羅七寶，造一不中規矩之巨器，雖百無所用，而毀以取材，則火齊木難，片片皆爲珍物。百餘年來，人人嗤點其書，而究不能廢

⓬ 《毛詩後箋》引證他說，以證成己意。唐代有《毛詩正義》、《經典釋文》；宋代有朱熹《詩序辨說》、《詩集傳》、嚴粲《詩緝》、歐陽修《詩本義》、范處義《詩補傳》、呂祖謙《呂氏家塾讀詩記》、戴溪《續呂氏家塾讀詩記》、王應麟《詩考》；明代有何楷《詩經世本古義》；清代有錢澄之《田間詩學》、王夫之《詩經稗疏》、朱鶴齡《詩經通義》、姚炳《詩識名解》、馮登府《六家詩名物疏》、范家相《詩瀋》、姜炳璋《詩序補義》、臧琳《經義雜記》、顧鎮《虞東學詩》、陸奎勳《陸堂詩學》、許伯政《詩深》、戴震《毛鄭詩考正》、《詩經補注》、惠棟《毛詩古義》、段玉裁《詩經小學》、《毛詩詁訓傳》、王引之《經義述聞》、《經傳釋詞》、汪龍《毛詩異義》、李黼平《毛詩紬義》、焦循《毛經補疏》、翁方綱《詩附記》、顧炎武《詩本音》、戚學標《毛詩證讀》、孔廣森《詩聲類》及陳奐、馬瑞辰等。引證材料之宏博，幾乎涵蓋《四庫全書》「詩經類」所列書目。

其書，職是故矣。

其務求本字本義，依據《說文》、《爾雅》，對於清儒《詩經》的疏證、考據有先驅的影響。⑬而陳啓源《毛詩稽古編》一書，《四庫提要》亦云：

> 訓詁一準諸《爾雅》，篇義一準諸小序，而詮釋經旨，則一準諸毛《傳》，而鄭《箋》佐之，其名物則多以陸機《疏》爲主，題曰「毛詩」，明所宗也，曰「稽古」，明爲唐以前專門之學也。

由此可見，胡承珙撰著《毛詩後箋》的精神與何楷、陳啓源崇尚古學，實事求是的精神，十分相近的。又胡氏重視宋儒《詩》注，引用大量朱熹、歐陽修、嚴粲、呂祖謙著作，以裁斷是非，也充分展現了胡氏的宏觀格局。

2.解經進路

綜覽清儒解經，自顧炎武結合文字、音韻、訓詁、名物、考古、校勘、歷史、地理以及天文、曆算等學問考據釋經之後，乾嘉學者吳派大師惠棟博聞尊賢，以經之精義，存乎訓釋，唯有識字審音，方能知曉經義，主張古訓不可更易，經師斷不可廢；皖派大師戴震實事求是，詳核名物，推求詩義以通字詞，辨析裁斷的學術風格，樹立了清儒治學的路向。皮錫瑞言：

> 國朝經師有功於後學者有三事：一曰輯佚書，一曰精校勘（阮元《十三經校勘

⑬ 劉毓慶曾云：「大略言之，《詩經世本古義》有三個最爲突出的貢獻使其不朽。一是廣收博覽，凡涉古今《詩》說及他說之有關於《詩》者，靡不兼收並錄，復以經、傳、子、詩所引《詩》辭之不同者，句櫛字比，一一詳注於下，……對於清儒的《詩經》疏證、考據，起了先驅作用。他於詩中文字，務求詩的本字與本義，所依據的權威性典籍就是《說文》和《爾雅》。……而清儒解經，無不奉《說文》、《爾雅》爲圭臬……其二是《詩經世本古義》能擺脫舊說的干擾，從考證出發，對傳統經解存在的矛盾及缺憾，作十分有意義的探討。……第三個特點是不曲從舊說，別出新見，並能廣徵博引，證成其說。」《從經學到文學——明代詩經學史論》（北京：商務印書館，2001年6月），頁204－210。

記》爲經學之淵海，餘亦間見諸家叢書，刊誤訂，具析疑滯，有功後學者），一曰通小學。⓮

所謂「輯佚」、「校勘」與「訓詁」，乃清儒解經慣常習見的基本進路。而戴震言：

> 古故訓之書，其傳者莫先於《爾雅》，六藝之賴是以明也。所以通古今之異言，然後能諷誦乎章句，以求適於至道。（《爾雅文字考·序》）
>
> 《爾雅》，《六經》之通釋也。援《爾雅》附經而經明，證《爾雅》以經而《爾雅》明。然或義具《爾雅》而不得其經，殆《爾雅》之作，其時《六經》未殘闕歟！（《爾雅注疏箋補·序》）

肯定《爾雅》爲六經之通釋，訓詁之津梁。其弟子段玉裁「千七百年來無此作」之《說文注》，探析文字本義，兼明文字通假之理，與其後王氏父子以聲音貫通文字形體訓詁，及校讎訓釋古籍等成就，更是後世解經依據的寶典。

故此，胡承珙治經以小學爲始，其熟於《爾雅》、《說文》，以惠棟《九經古義》未及《爾雅》，遂補撰數十條。另撰有《小爾雅義證》十三卷、《爾雅古義》二卷。他認爲《爾雅》望文生訓，通釋諸經，釋《詩》僅撮舉詩詞爲訓，與毛公就《詩》立《傳》，往往不合。所以，解經雖多參酌，但不盡從。又《儀禮古今文疏義》一書，乃因鄭玄注《禮》引古今文異字，賈《疏》多略不及，故考其訓詁，明其假借，參稽旁采，以疏通證明。

三、《毛詩後箋》解經體例與方法

㈠ 解經體例

1.先求詩義

由於對《序》、《傳》的尊崇，胡氏自言治《詩》乃先求《詩》義，再求之經

⓮ 皮錫瑞：《經學歷史》，頁343－345。

文，若不得再證之以他經，不得後再泛稽周秦諸書。自言於語言文字、名物訓詁往往有前人從未道及者不下數十百條（《求是堂文集》，卷 3，〈與竹村書〉）。也就是說，《毛詩後箋》先訓釋每首詩的《序》，作爲各詩義旨的根據，然後再求之經文。

2.摘句條列

先釋詩《序》，以《序》爲《詩》義準據，其次，於看法歧異的文句，作條目式的說明，而不做逐字逐句的解釋，即陳奐所言「特條舉《傳》義，不爲統釋」。廣博徵引前人經說，以尋覈驗證，證成己說；論述己見，以「承珙案」、「承珙謂」、「案」、「又案」、「竊意」及「疑」字等標示。馮浩菲在其《毛詩訓詁研究》書中，將《後箋》詩解體式，歸爲「考辨體」中的「散考體」。⓯

再者，依準毛氏簡直的特色，前有所論，後則不復贅述。若首次訓釋，必旁引其他經文相同字義，互證說明。而《傳》、《箋》未訓釋者，亦多加說明。

㈡ **解經方法**

1.校勘

校勘乃訓詁之基礎，解經之必要。所謂「讀書而不知校勘，則書之眞僞，義之同異，文之脫誤，均無由見，故先儒必以校勘爲要」。⓰因此，乾嘉學者在版本源流的考辨上，十分重視。如：

⑴訂正經字

〈漢廣〉「不可休息」。《毛詩正義》疑經「休息」二字，作「休思」，因爲「詩之大體，韻在辭上。疑休求字爲韻，二字俱作思」，今《毛詩後箋》引〈小雅．南有嘉魚〉「烝然來思」、「嘉賓式燕又思」，「來」讀「釐」，「又」讀

⓯ 馮浩菲：《毛詩訓詁研究》（武漢：華中師範大學出版社，1988 年 8 月，頁 290－294）清代詩解體式有繼承、有發展。大致而言，有十大類：一、集傳體；二、疏證體；三、考辨體（總散結合的考辨體、散考體）；四、校定體（定本體、校勘體）；五、專門體（詩名物綜合考論體、詩名物雜事分別考論體）；六、論說體；七、雜記體；八、條例體；九、纂集體；十、輯佚體。

⓰ 莊雅洲：〈論高郵王氏父子經學著述中的因聲求義〉，《乾嘉學者的治經方法．上》（臺北：中央研究院中國文哲研究所籌備處，2000 年 10 月出版），頁 131。

「怡」爲韻；以及〈大雅・抑〉「神之格思」、「不可度思」、「矧可射思」二例，謂韻皆在辭上，與此文法正同，而斷「息」當爲「思」之訛字。

⑵《箋》語誤入《傳》語者

〈葛覃〉「歸甯父母」，《傳》：「甯，安也。父母在，則有時歸甯耳。」段玉裁以「父母在」以下九字爲後人所增，胡承珙以爲不如陳奐云「此九字是鄭《箋》語竄入毛公《傳》文」。其並引《箋》云：「言常自潔清以事君子」，釋「害澣害否」句；「父母在則有時歸甯耳」，釋「歸甯父母」句。〈泉水〉《箋》云：「國君夫人，父母在則歸甯。」相同之《箋》義佐證之。

⑶《傳》文非《箋》語

〈我行其野〉「爾不我畜，復我邦家」，《傳》：「畜，養也。」《箋》云：「宣王之末，男女失道以求外昏，棄其舊姻而相怨。」引陳奐意見。「《傳》『宣王之末』以下十九字，乃合下末章『不思舊姻，求爾新特』而總釋其義如此，此《傳》例也。今各本以此十九字攛入《箋》語者，非。〈祈父〉、〈白駒〉、〈黃鳥〉，《傳》皆云『宣王之末』，彼三詩與此詩之《序》皆謂刺宣王而作，《傳》乃總釋全詩大旨以申補《序》意也。篇義皆同，此其明證。」並以末章「不思舊姻」，《箋》云：「壻父曰姻。女不思女老父之命而棄我。」言鄭據《爾雅》專指舊姻爲壻父。而此云：「以求外昏」，即下《傳》所謂「新特，外昏」者。云「棄其舊姻」，「姻」則似統指外親，即《周禮・大司徒・注》「淵親於外親」之義。最後以上云男女失道，則「舊姻」不得專指壻父，此明顯與末章《箋》意不同，因此可知，十九字是《傳文》，非《箋》語也。

⑷轉寫訛誤

〈既醉〉「昭明有融，高朗令終。令終有俶，公尸嘉告」，《傳》：「融，長。朗，明也。始於饗燕，終於享祀。俶，始也。」胡承珙疑此《傳》文有誤。其以首章「既醉以酒，既飽以德」，《傳》云：「既者，盡其禮，終其事。」是以祭後旅酬歸俎之類爲終事，不應此傳而反以饗燕爲始、享祀爲終。若如《正義》泛言禮始於接人，終於事神，則本詩與饗燕有何關係？因而以此《傳》恐是始於享祀，終於饗燕，言成王因祭祀而行旅酬、無算爵及施惠歸俎之事，皆屬饗燕之禮。「既醉」、「既飽」應是終於饗燕。又饗燕之令終由於享祀之有始，故曰：「令終有俶，公尸嘉告」。今據《禮記・坊記》引《詩》「既醉以酒，既飽以德」，《注》言：「君子饗燕，非專爲酒肴。」可知《傳》言「饗燕」指醉酒飽德，必定不當泛言與人交接爲禮之始。蓋此《傳》「始」「終」二字久經傳寫誤倒。《正義》曲爲申說，終屬難通。《箋》既訓「俶」爲「厚」，故不從《傳》「始終」之義。

故此，胡承珙在阮元以《正義》本爲底本，特重年代較早的《唐石經》與注疏本源流之祖的《十行本》，進行校勘斐然的成績下，以及盧文弨、王氏父子《讀書雜志》、《經義述聞》、《經傳釋詞》、段玉裁與陳奐等人的校勘成果上，予以肯定並繼承。如：〈抑〉「告之話言」，《傳》：「話言，古之善言也。」胡承珙引用臧庸《經義雜記》的說法，「話言」之「話」當從「古」聲。而批評《校勘記》引段玉裁經「告之話言」當作「告之詁話」，《傳》當作「詁話，古之善言也」。認爲與前「愼爾出話」《傳》云：「話，善言也」，乃一篇之內依字分訓，而相蒙如此。胡承珙以此說未必然。襄二年《左傳》亦引《詩》「告之話言」，「話」爲「詁」誤可也，未必「言」字亦誤。況此三句以「人」「言」與「行」韻，如〈何人斯〉之「聲」與「身」、〈烈文〉之「訓」與「刑」、〈良耜〉之「人」與「盈」「甯」，乃古音眞清相通之例。若作「詁話」，則三句全無韻矣。若「詁」下「詩曰詁訓」，則文有脫誤，說見〈烝民〉篇。

2.訓詁

清儒在訓詁方面最鉅大的貢獻，主要表現在聲訓上。王氏父子運用因聲求義以校訛誤、破假借、明連語、考物名、求語源、通轉語、釋虛詞，成就顯著。⑰胡承珙在這樣的基礎下，以正字、審音、名物、制度及釋義。

(1)正字

毛義簡奧，深明通借，後漢以降，已不能通明「本字」、「借字」與「正字」之故訓。胡氏在〈答陳碩甫明經書〉中，曾言：

> 竊謂毛公詳於故訓，而其故訓爲《爾雅》諸書所無者，在於好學深思，心知其意。或於雙聲求之；或於疊韻求之；或於假借、轉注求之，旁見側出，義

⑰ 同註⑯，頁351－406。

非一概，而大約假借爲最多。（《陳奐研究論集》，頁606）

故此，《毛詩後箋》考察《說文》、《玉篇》、《廣雅》、劉向《新序》、《史記》、《經典釋文》等引三家《詩》比對、申明《毛詩》義旨。在與陳奐往返論學書信中，嘗言《爾雅》訓詁，本多假借，毛《傳》於此，多所採用，段玉裁已提挈甚多，而自己年來亦有所獲。⓲如：

〈汝墳〉「遵彼汝墳」，《傳》：「汝，水名也。墳，大防也。」胡氏引《說文》：「墳，墓也。」「濆，水厓也。」「坋，灩也，一曰大防也。」以「墳」爲假借字，又《考工記》作「坋」，亦「坋」字之借。「坋」爲本字，「墳」「濆」皆假借字。

〈鴛鴦〉「乘馬在廄，摧之秣之。」《傳》：「摧，莝也。秣，粟也。」《箋》云：「摧，今『莝』字也。古者，明王所乘之馬繫於廄，無事則委之以莝，有事乃予之穀，言愛國用也。」《正義》曰：「《傳》云『摧，莝』，轉古爲今，而其言不明，故辨之云此『摧』乃今之『莝』字也。」

胡氏並引用阮元《毛詩校勘記》、段玉裁《詩經小學》、陳奐的說法：

《校勘記》據《釋文》「摧」下云「芻也」，是其本「莝」作「芻」，與《正義》本不同。考此《傳》當本云「摧，芻也」，與下《傳》「秣，粟也」相對。故《箋》云「摧」，今「莝」字，所以申「摧」得訓爲「芻」之意，非傳文已轉古爲今，而《箋》又辨之如《正義》所云也。

段氏《詩經小學》則謂：《傳》當作「摧，挫也」。《箋》當作「挫，今『莝』字也。」「挫者，毛時『莝』字。此毛謂『摧』即『挫』之假借。鄭恐學者不解，故釋曰：『挫，今之莝字。』今本《箋》『挫』，或作『摧』，非。」

陳碩甫曰：「《正義》本毛《傳》：『摧，莝也。』《釋文》本作『摧，芻也』，引《韓詩》云：『莝，委也。』是《毛詩》作『摧』訓『芻』，謂

⓲ 同註⓫，頁608。

『摧』即『芻』之假借字。《韓詩》作『莝』訓『委』，『委』即『萎』字。《說文》：『莝，斬芻。』韓毛字異而義同。《箋》云：『摧，今莝字也。』鄭用韓說，後人依《箋》改《傳》。當依《釋文》作『摧，芻』爲正。」

最後細繹《傳》《箋》，斷以《正義》說法爲是。其謂「摧」「莝」爲古今字，《毛詩》古文作「摧」，《韓詩》今文作「莝」。毛《傳》「摧，莝」者，是以今字釋古字，明假借。鄭玄恐他人誤以爲訓詁，故申曰「摧，今『莝』字也。」《韓詩》「莝，委也」，是以「委」訓「莝」。至若《釋文》以毛本作「芻」，乃所見不同。

又如〈墻有茨〉「不可讀也」，《傳》：「讀，抽也」。胡承珙引段玉裁的說法：「抽，當作籀。《說文》：『籀，讀書也。』籀之義訓抽，毛公及《方言》皆用『抽』爲『籀』。抽、籀，漢之古今字。或假『紬』爲『籀』。」並尋覈《箋》「抽，猶出也」與服虔《左傳·注》「繇，抽也。抽出吉凶也。」判定「繇」與「籀」同，於義皆爲抽繹而出，是爲古訓。

⑵審音

戴震在其〈六書音均表序〉中，曾言：「夫《六經》字多假借，音聲失而假借之意何以得？故訓、音聲相爲表裡。故訓明，《六經》乃可明。」而王念孫在《廣雅疏證》亦自序「訓詁之旨，本于聲音」。所謂聲同義同，聲近義通、義存乎聲、聲轉義同、韻轉義同等，都是因聲求義的依據。因此，在審音上《毛詩後箋》引據的材料有《詩本音》、《說文注》、《毛詩證讀》、《詩聲類》等。

①正音讀

〈生民〉「后稷肇祀，庶無罪悔，以迄于今。」胡承珙以《詩》中本有間韻隔協之法，即如首章，末句「時維后稷」，當與上「祀」、「子」、「敏」、「止」隔協，而中以「夙」、「育」爲間韻。並引用戚學標據《字林》：「畟，所六反」謂「畟」「稷」同音，與「夙」「育」協。然如〈楚茨〉一章之「稷」、「翼」、「億」、「食」、「祀」，四章之「祀」、「食」、「福」、「式」、「稷」，〈大田〉四章之「祀」、「黑」、「稷」、「祀」皆用之部本韻，此自當從

「職」、「德」與「止」、「海」隔協爲正。末章則「今」與「歆」隔協，而中間「時」、「祀」、「悔」爲間韻的說法，與孔廣森《詩聲類》據〈既夕〉《注》之「噫興」，〈士虞〉《注》作「噫歆」，疑古韻「歆」可讀「興」，故與上「登」「升」爲韻，而「今」亦可讀「兢」，以與「升」「歆」爲韻爲確論。

②聲同字通

〈巷伯〉「驕人好好，勞人草草」，戴震《毛鄭詩考正》引《爾雅》：「『旭旭，憍也。』郭《注》云：『小人得志憍蹇之貌。』讀『旭』爲『好』。」胡承珙以〈邶風〉「旭日始旦」《釋文》引《說文》「旭」讀若「好」，《字林》呼老反，是「旭」「好」聲同字通。意《爾雅》「旭」或古本《詩》借「旭」爲「好」。

③通轉語

〈鵲巢〉「維鳩方之」，《傳》：「方，有之也。」引《爾雅》「幠，厖，有也。」郭《注》引詩「遂幠大東」，今《毛詩》作「遂荒大東」，《傳》云：「荒，有也。」而謂「幠」、「荒」聲之轉，「方」與「荒」聲有輕重，故「方」爲「荒」之假借。

〈泉水〉「聊與之謀」，《傳》解「聊」爲「願」，《箋》訓「聊」爲「且」。《後箋》則以「聊」之本字爲「僇」。引《說文》說明「僇」爲正字，「聊」爲借字。查考經傳皆假借爲「聊」。而「願」與「且」，古義有相近者。「願」與「甯」爲一聲之轉。《說文》云「甯」之爲「願」，亦聊且之意。如《左傳》引〈夏書〉「與其殺不辜，甯失不經」，《論語》「與其奢也，甯儉」之類。凡上言「與其」，下言「甯」者，多係且略之意。故訓「聊」爲「願」，猶之訓「聊」爲「且」耳。「願」與「憖」亦一聲之轉。故〈小雅・十月之交〉「不憖遺一老」，《釋文》引《小爾雅》：憖，「願也，強也，且也。」三義略同。因此，《箋》以「聊」爲「且」，是表明毛意。唐人作正義，已不能通此故訓，而誤認《傳》、《箋》文義有異。[19]

〈斯干〉「約之閣閣」，《傳》：「約，束也。閣閣，猶歷歷也。」《正義》

[19] 〈昊天有成命〉「熙」字，言疏以箋破字，毛公深明通借，後漢人已不明此故訓。

曰：「毛以爲王本作群寢之時，以繩約束之，繩在板上歷歷然均。謂繩均板直，則墻端正也。」胡承珙引《周禮·匠人·注》引《詩》作「約之格格」，《呂氏家塾讀詩記》引董氏曰崔《集注》亦作「格格」。說明格與轣轣皆著絲纏束之貌。《詩》或作「閣」，或作「格」，皆當讀如「絡」。「絡」「歷」一聲之轉。

〈雨無正〉「淪胥以鋪」，《傳》：「淪，率也。」《箋》云：「胥，相。鋪，偏也。言王使此無罪者見牽率相引，而偏得罪也。」《經義述聞》以《韓詩》作「痡」，本字。《毛詩》作「鋪」，借字。〈江漢〉「淮夷來鋪」，《傳》言「鋪，病也」，是「痡」「鋪」古字通。又「淪」「薰」聲相近，「薰」「帥」聲之轉，故《爾雅》、《毛詩》訓「淪」爲「率」，《韓詩》訓「薰」爲「帥」。薰，亦淪也。胡承珙以此說爲是。以三家「淪」作「薰」者，或謂以同韻假借，其實「淪」「薰」二字古讀雙聲，如「綸」與「淪」同「侖」聲，而讀古還反；薰，亦作「葷」作「焄」。然則「淪」之爲「薰」，猶「鰥」之爲「鯤」……皆由聲而字變者也。

〈板〉「天之方難，無然憲憲」，《傳》：「憲憲，猶欣欣也。」胡承珙以此及下《傳》「泄泄，猶沓沓」，皆以今語釋古語之例。凡古今語言相變，有從聲轉者，古言「憲憲」，後言「欣欣」，是也；有以義通者，古言「泄泄」，後言「沓沓」，是也。

④明連語

〈桑柔〉「倉兄填兮」，《傳》：「倉，喪也。兄，滋也。填，久也。」《正義》曰：「倉之爲喪，其義未聞。」胡承珙以「倉」「喪」，疊韻爲訓。《說文》：「倉，穀藏也，倉黃取而藏之。」「倉黃」亦疊韻字，其義則爲忽遽。古凡言「倉卒」、「倉黃」，皆無正字，大抵取雙聲疊韻字爲之。喪亡者，忽遽之事，故「倉」又爲「喪」。

〈鴻雁〉「謂我宣驕」，《傳》：「宣，示也。」《經義述聞》以「宣驕」與「劬勞」相對爲文，「劬」亦「勞」也，「宣」亦「驕」也。胡承珙就《釋文》引《韓詩》云「劬，數也。」證此以「劬勞」爲數勞，尤可見「劬勞」非疊字爲義。蓋病於勞、示其驕正相對爲文，不必以「宣驕」爲「驕奢」乃爲相對也。

〈北山〉「或王事鞅掌」，《傳》：「鞅掌，失容也。」《箋》云：「鞅，猶何也。掌，謂捧之也。負何捧持以趨走，言促遽也。」胡承珙以「鞅掌」疊韻字，猶之「憔悴」「棲遲」。「憔悴」爲雙聲，「棲遲」爲疊韻。此類形容詞，義多即寓於聲。毛以「鞅掌」爲失容，蓋其時相傳故言有此訓義。至鄭箋《詩》時已不行用此語，不得不逐字生解。雖「促遽」、「失容」大旨相近，然馬鞅、手掌二物絕不相蒙。且「負荷」、「捧持」未見促遽之意，又必加以「趨走」二字，殊爲迂曲。

⑤釋虛詞

〈北風〉「既亟只且」，《正義》云：「只且，語助也。」胡承珙以「只」與「且」，單言之也是語助，「只」如「仲氏任只」、「母也天只」，「且」如「乃見狂且」之類；連言之則爲「只且」，此詩「既亟只且」及〈君子陽陽〉「其樂只且」之類。而《經傳釋詞》以「只」爲「耳」，「䚻」與「只」。胡氏進一步說明「且」字，《傳》於「乃見狂且」釋「且」爲「辭」，而「狂童之狂也且」與此「只且」，《傳》則未解，蓋以爲語辭。惟〈載芟〉「匪且有且」，《傳》訓爲「此」，而鄭玄皆似解「且」爲「此」。因此，胡氏以「只且」連文而訓爲「此」，於語不順，不如以爲語辭。「只且」猶語助之「耳矣」。

⑶名物

由於尊崇《序》說《傳》義，《毛詩後箋》於《序》所言之對象及地理、史事，皆一一詳覈，細心考證，所據有《詩經世本古義》、《毛詩稽古編》、《詩地理考》等；名物訓詁方面，則本《爾雅》、《毛詩草木鳥獸蟲魚疏》、《詩識名解》、《六家詩名物疏》等。

如〈蕩〉「如蜩如螗」，《傳》：「蜩，蟬也。螗，蝘也。」汪龍《毛詩異義》：「〈釋蟲〉云『蜩』爲下諸蜩總目，即此詩之『如蜩』也。」「《疏》引《爾雅》舍人《注》，以『蜩』『蝘』爲一物，方俗異名，誤與〈豳風〉《疏》同。然彼或因《傳》訓『蜩』『螗』，未審厥旨，誤尚有由。此則經傳皆分別言之，若爲一物，則經文複矣。」胡承珙以〈豳風・七月・傳〉云：「蜩，螗也。」〈小雅・菀柳・傳〉又云：「蜩，蟬也。」此傳則分「蜩」爲「蟬」、「螗」爲「蝘」，乃訓詁家對別散通之常例。大抵蟬類形聲相似，渾言之則「蜩蟬」是其大名，析言之有「良蜩」、「螗蜩」諸名耳。

〈無羊〉「其耳溼溼」，《傳》：「呞而動，其耳溼溼然。」《箋》《疏》無說。《埤雅》以「溼溼」爲潤澤，董廣川以爲耳下垂，胡承珙以其皆望文生義。凡獸之嚼物，則頰車用力，故耳爲之動。《傳》體物可稱微妙。牛言「溼溼」，與羊言「濈濈」同。「濈濈」謂聚其角，「溼溼」謂群牛皆呞而動末，亦和聚之意。蓋「濈濈」、「溼溼」與〈螽斯〉「揖揖」、「蟄蟄」略同。彼《傳》云：「揖揖，會聚也。蟄蟄，和集也。」古「蟄」「溼」同音，此「溼溼」與「蟄蟄」同爲「和集」之意也。

〈葛覃〉「黃鳥于飛」，胡承珙採用段玉裁《說文解字・注》：「毛《傳》『黃鳥，摶黍也。』不云即倉庚，『倉庚』下亦不云即黃鳥，然則黃鳥非倉庚。」「鄭《箋》稱『黃鳥宜食粟』，又云『緜蠻，小鳥貌』。顯非倉庚，蓋今之黃雀也」，「似雀而色純黃。《戰國策》云：『俛啣白粒，仰棲茂樹』。《詩》所謂『黃鳥』也。」並進一步考證，《方言》「鸝黃，自關而東謂之倉庚，自關而西謂之鸝黃，或謂之黃鳥，或謂之楚雀。」實誤以黃鳥爲倉庚之始，而陸璣《毛詩草木鳥獸蟲魚疏》從之。

⑷制度

制度考證方面，胡承珙多據三《禮》、史書等，以尋求證據。茲舉〈公劉〉、〈湛露〉、〈采蘋〉三詩爲例，以說明「大宗」、「宗室」。

〈公劉〉「君之宗之」，《傳》：「爲之君，爲之大宗也。」《箋》云：「宗，尊也。公劉雖去邰國來遷，群臣從而君之尊之，猶在邰也。」《正義》曰：「《傳》以『君之宗之』其意爲一。〈板〉《傳》云：『王者，天下之大宗。』然則諸侯爲一國之所尊，故云爲之大宗也。」胡承珙以自來說經者皆謂天子諸侯以母弟爲別子，繼別者爲大宗。大宗一，小宗四，國君不統宗。故孫毓亦以《箋》說爲長。然〈板〉詩云「大宗維翰」，《傳》既云「王者，天下之大宗」，其下文「宗子維城」《箋》又云「宗子，謂王之適子」。王之適子爲宗子，則大宗必是王。故知天子諸侯皆得爲大宗。蓋自爲天地、宗廟、社稷、臣民之宗主，而非五宗之所得。擬《傳》意，當亦以「宗」爲「尊」，與《箋》不異。

〈湛露〉「在宗載考」，《傳》：「夜飲必於宗室。」《箋》云：「載之言則也。考，成也。夜飲之禮，在宗室同姓諸侯則成之，於庶姓其讓之則止。」胡承珙以經言「宗」者，古人謂同姓爲宗。如《左傳》「肸之宗十一族」及「宗不余辟」。在者，於也。在宗，猶言於同姓。《傳》云「夜飲必於宗室」，「宗室」即謂「同宗」。於者，於其人，非於其地。言必於同姓乃有夜飲之禮，正以明異姓則否。胡氏並進一步說明後人泥《傳》「宗室」爲夜飲之地，如陳啓源《毛詩稽古編》謂〈采蘋〉「宗室，大宗之廟」，〈湛露〉「在宗」乃天子之燕禮，則宗室直謂宗廟之寢室，其說爲非。毛乃據當時同姓有「宗室」之稱來釋經，非可以〈采蘋〉一詩並論。

〈采蘋〉「宗室牖下」，《傳》：「宗室，大宗之廟也。大夫、士祭於宗廟，奠於牖下。」胡承珙舉證《儀禮．士昏禮．記》云：「祖廟未毀，教于公宮三月；若祖廟已毀，則教于宗室。」《注》云：「祖廟，女高祖爲君者之廟也。」「宗室，大宗之家。」與〈昏禮〉《疏》因鄭玄《注》「宗室，宗子之家」，參核本詩與〈葛覃〉一詩《正義》以「宗室」爲大宗之家，《傳》「宗室，大宗之廟」的說法，斷定教在大宗之家，祭在大宗之廟，《儀禮》賈《疏》不可改易。

⑸釋義

皮錫瑞《經學通論》曾論《詩》比他經尤難有八，季旭昇《詩經古義新證》增補「古學難明」、「文字難明」、「文學技巧難明」與「興義難明」共計十二。[20]《毛傳》獨標「興」體，是其字義訓詁之外，題旨提挈勾勒的一種詮詩方式。然毛《傳》質略，所標興體多未明言取興對象與原委，故興義深微，實難究知。或毛《傳》取以反興，鄭玄不以爲然，如〈揚之水〉「揚之水，不流束薪」、〈杕杜〉「有杕之杜，其葉湑湑」、〈候人〉「維鵜在梁，不濡其翼」；或二者對興義取義的認定不同，如〈園有桃〉「園有桃，其實之殽」、〈采苓〉「采苓首陽」等，《毛詩後箋》則分從語義的連貫、句法與文義，以經證經，分別裁斷。

胡氏以爲，詩人取興，取義繁廣，或舉譬類，或稱所見，且《詩》無達詁，不可以文害辭，必須周全文義，方得掌握《詩》義。因此，興義取喻與文義往往不能斷然切割，其每每反覆尋繹眾說之細微差見，以申明毛義，契合「後箋」精神。其就「語意相承」、「疊韻爲訓」、「文例、文法、語法」等歸納，說明《詩》義，

[20] 季旭昇：《詩經古義新證》（臺北：文史哲出版社，1995年3月增訂版），頁316。

相較諸家《詩》注，無疑是較重視詩句文意脈絡與情韻的。

如〈行露〉「厭浥行露，豈不夙夜，謂行多露。」胡氏以詩首三句，初讀似與「豈不爾思，畏子不奔」文類相類，然女方被訟不從，而先云「豈不欲之」，作婉辭似不合語意。其言「玩首章『謂』字，當與下二章『誰謂』之『謂』一律。『誰謂』者，善之辭，因眾人不能察，而歸之於聽訟之明者。故云厭浥者，道中之露也，然早夜而行，始犯多露。豈不早夜，而謂多露之能濡已乎，以興本無犯禮，不畏彊暴之侵陵也」，認為經文是就反面來說，而《傳》文是正面說，像這樣結合訓詁與興義取喻及文義的訓釋，是十分難得的。

又如〈牆有茨〉一詩。《序》以衛人刺公子頑烝於君母之詩。在首句「牆有茨，不可埽也」下，《傳》云：「興也。牆，所以防非常。茨，蒺藜也。欲埽去之，反傷牆也。」《箋》云：「國君以禮防制一國，今其宮內有淫昏之行者，猶牆之生蒺藜。」《正義》曰：「言人以牆防禁一家之非常，今上有蒺藜之草，不可埽而去之，欲埽去之，反傷牆而毀家，以興國君以禮防制一國之非法。今宮中有淫昏之行，不可滅而除之，欲除而滅之，反違禮而害國。」胡承珙引《詩本義》：「牆以防非常者，為有內外之限爾。若牆上有蒺藜，則人益不可履而踰，是於牆反有助爾」、「理當埽除，然欲埽則恐傷牆，以比公子頑罪當誅戮，恐傷惠公子母之道」，尋覈歐陽修譏諷原由在於《箋》說稍泥，而孔《疏》推衍。他認為《傳》之「牆以防非常」，所謂「乃宜於堅密，乃生不可埽之茨，以興中冓宜於肅清，而乃有不可道之言。今欲埽之，則恐傷於牆之堅，猶欲道之，則恐揚其國之惡耳。興意深隱。」，詩但以「不可埽」對「不可道」，未必以茨喻人，以埽除喻去其人。而質疑歐陽說的說法非詩之本意。最後以詩中「不可道也」、「不可詳也」、「不可讀也」說明「蓋道者約言之，詳者多言之，讀者反覆言之。詩意蓋謂約言之尚不可，況多言之乎？況反覆言之乎？三章自有次第。」

像這樣特重蘊藉的興義與文義涵詠的脈絡，在清儒《詩》注或與馬瑞辰、陳奐相較，都是非常獨特的。誠如胡樸安所言：

制斷精嚴；網羅宋明以下群儒著述及當代詩說，援據後世詩文以解詩，於平

板嚴正之訓詁考據外，別見辭章家之秀逸姿態。㉑

黃得時亦云：

承珙的《毛詩後箋》，不但被國內的經學家所重視，同時也受到國外漢學家的注目。例如日本京都大學名譽教授吉川幸次郎博士，在《中華六十名家言行錄》（青木正兒博士還曆記念集，1947 年刊行）說：對於三家之書，假如作一比較，我不得不認爲馬瑞辰稍有遜色。胡承珙的《後箋》與陳奐的《傳疏》，究竟以孰爲勝呢？二書本來體裁不一。胡的《後箋》是劄記隨錄的體裁，而陳的《傳疏》是有始有終的疏體。陳書不但體裁潔淨，其所說亦堅栗，不負誇稱是段玉裁、王念孫二大師的名副其實之入室弟子。但是其潔淨與堅栗，有時不無峭刻之感。我勿寧喜愛胡氏的《後箋》，溫潤而富有解頤之妙，時揚餘波而饒於風趣。胡氏致胡培翬的書簡說，於《詩》斥鄭《箋》而宗毛《傳》，爲的是鄭學雖長於「徵實」而短於「會虛」。那麼胡氏本人之學問，一面雖尊重訓詁之確實，但是經常亦留意「會虛」之妙。這就是此書富於餘韻的理由。（原文日文）㉒

3.提挈凡例

《毛詩後箋》在提挈經文凡例上，有「詩某某○」、「詩言某某有○」、「詩凡○言某某」、「詩某某凡○見」（○表數字）、「詩所謂某某，必某某之通稱」、「凡某某皆名某」等方式。

《傳》之凡例，胡承珙自言「發《傳》之例，亦有三科」；有「先經以起義」者，有「後經以終事」者，又有「互見其義，互足其詞」者。㉓此外，又如：

㉑ 胡樸安：《詩經學》（臺北：臺灣商務印書館，1964 年 10 月），頁 103。

㉒ 同註❼，頁 159－166。

㉓ 林慶彰、楊晉龍主編，陳淑誼編輯：《陳奐研究論集》（臺北：中央研究院中國文哲研究所籌備處，2000 年初版），頁 612－613。

> 傳注之例，有云「之言」者，以彼擬此之詞，或比擬以通其訓詁，或比擬以明其意義。有云「以言」者，亦指彼擬此之詞，或指擬以明其意義。（〈無羊〉）
>
> 經言其用，傳言其體，義相成也。傳於單文者，每以疊字形容之，如「洸洸，武也」、「潰潰，怒也」之類；此則重文者，又以單字釋其實義。訓詁之精如此。（〈南有嘉魚〉）
>
> 凡傳言「某，某草也」者，固以爾雅無明文，亦或因其草爲當時人所共知，故但云「某，某草」足矣。（〈南山有臺〉）
>
> 毛傳疊經文而繼以故訓，往往爲後人刪去所疊之字，遂致不可句讀者，多矣。（〈緜〉）

考察古人著書，多有凡例，隨載於書，錢大昕《潛研堂文集》卷十一〈答問八〉以讀古人書，必須尋義例，方能辨句讀，不妄生議論。段玉裁歸納漢儒傳注術語與《說文》體例。王念孫《讀書雜志》歸納古書疑誤通例六十二條，王引之亦歸納古書讀法、訓詁和校勘等十二例。江藩言「凡一書必有本書之大例，有句例，有字例」[24]，所謂詩盡人情，乃大例；詩無達詁，則爲句例字例，甚或注家亦有例。因而歸納古書疑例八十五條。可見，提挈凡例，早已習見，且爲知經明義之先務。阮元《毛詩校勘記》曾云「經有經之例，傳有傳之例，箋有箋之例，疏有疏之例，通乎諸例而折衷于孟子『不以辭害志』，而后諸家之本可以知其分，亦可以知其不可易者。」所謂貫通經、《傳》、《箋》、《疏》諸例，不以辭害志，實治《詩》究竟之要務。

如〈正月〉「父母生我，胡俾我瘉」。胡承珙引焦循《毛詩補疏》的說法：

> 訓詁之例，不外雙聲疊韻。疊韻如「子，孳也」，「丑，紐也」。雙聲如「叔，拾也」，「且，薦也」。而假借行乎其中，有直指其事者，如此傳「瘉，病也」是也。此外有比例之詞，則加「猶」字；有指擬之詞，則加

---

[24] 江藩：〈體例不可不熟〉，《經解入門》（臺北：廣文書局，1961 年出版），頁 157。

「謂」字。「猶」之云者，如「盈猶多也」、「至猶善也」。以其非雙聲疊韻之假借，亦非直指其事，則於其相近者而指擬之也。

所謂「訓詁之例，不外雙聲疊韻」，假借就在雙聲疊韻中，有的是直指其事，有的是比例之詞，有的是指擬之詞而無關雙聲疊韻等，足證《毛詩後箋》旁採眾家凡例以解經的方法，是有所淵源的。

四、結論

總的說來，《毛詩後箋》解經的基本立場，是尊崇《序》說與《傳》義的，書中十之八九申成《傳》義，十之一二檢討毛《傳》失當之處；廣採三家《詩》異文與毛《詩》比對，尋覈鄭《箋》解詩優劣，所徵引的材料豐富宏廣，論證詳贍精實，「後箋」表面為不滿鄭《箋》而作，實以蠡測漢唐以來《詩》注，確立《詩》注為制作深層目的。

其次，解經進路始自小學，熟於《爾雅》、《說文》。體例先求詩義，再摘句條列說明。方法則以校勘訂正經文，《傳》、《箋》之誤竄，轉寫脫誤；以訓詁正字、審音、考證名物、制度與訓釋興義文義；以提挈凡例，博采眾說以解經。今人郭全芝比較胡承珙與陳奐《詩》訓異同，指出胡氏常引三家詩以為正見，無體例的限制，所以批駁毛《傳》，語甚明確。並言《毛詩後箋》解詩特點有四：喜聯繫經義說字，給人的印象是用經義來確定字義，此其一；長於辨析，採用排比諸說，進而辨析其異同得失的方法來探尋正確的釋義。釋義精微，並能於尋常處發現問題，此其二；善於查考西漢前舊籍以為釋義的根據，此其三；引文在於探尋恰當的意見，所以往往排比多種說法，羅列許多文獻材料以便比較辨析，此其四。[25]

再者，因胡氏《序》說《傳》義，故有時不免曲說，未盡精善。如：

〈匏有苦葉〉「深則厲」，胡承珙以《傳》引「以衣涉水為厲」而曰「謂由帶以上也」。是用《爾雅》證《詩》，以由膝以上為涉之正限，深於此而上於帶則為

---

[25] 郭全芝：〈胡承珙與陳奐詩訓異同〉，《經學研究論叢》第八輯（臺北：臺灣學生書局，2000 年 3 月），頁 173－192。

厲。其並引段玉裁《說文注》、邵晉涵《爾雅正義》的說法，駁戴震《毛鄭詩考正》斷言「厲」固「梁」之屬。其言：

> 以衣涉水對褰衣而言，蓋淺則褰衣可使無濡，深則濡衣至帶而猶可渡，故須度其深淺之宜。若有橋梁可依，無所庸度。且即水淺亦何妨從橋，不必云「深則」、「淺則」矣。……故知毛《傳》未可非也。

關此，岑師溢成《詩補傳與戴震解經方法》以戴震斷言「厲」固「梁」之屬論據不夠充分，然段、邵二人甚或王引之《經義述聞》的批評，卻不一定能成立。唯于省吾根據甲骨文資料提供戴震堅強的論據。㉖然此，亦對照出《毛詩後箋》專主發明《傳》，未盡周全允當之處。

又〈終風〉「終風且暴」，《傳》：「終日風爲終風」，王引之《經義述聞》：

> 家大人曰〈終風〉篇「終風且暴」，《毛詩》曰「終日風」爲「終風」，《韓詩》曰「終風，西風也」此皆緣辭生訓，非經文本義。終，猶既也，言既風且暴也。〈燕燕〉曰「終溫且惠，淑愼其身」，〈北門〉曰「終窶且貧，莫知我艱」，〈小雅‧伐木〉曰「神之聽之，終和且平」，〈甫田〉曰「禾易長畝，終善且有」〈正月〉曰「終其永懷，又窘陰雨」，「終」字皆當訓爲「既」。「既」「終」，語之轉。「既已」之「既」轉爲「終」，猶「既盡」之「既」轉爲「終」耳。解者皆失之。

胡承珙以〈王風‧葛藟〉「終遠兄弟」《傳》云：「兄弟之道已相遠矣。」說明毛公並非不知「終」有「既」之訓。至於「終風」必云「終日風」，是源自師說相承。而且三章「不日有曀」，不日者，乃謂不旋日而又曀也。此「終日」也是對下

㉖ 岑溢成：《詩補傳與戴震解經方法》（臺北：文津出版社，1992 年 3 月初版），頁 171－176。

「不日」而言。「終日風」本非風名，所以，《爾雅》沒有訓釋。而《韓詩》以「終風」爲「西風」，雖然於古無可考證，然而說他「緣辭生訓」，則「終」與「西」則不相關。因此，胡承珙試圖以意說之，疑《韓詩》「終風」，作「泰風」，所以《韓詩》依據《爾雅》訓釋爲「西風」。並引《說文》，謂「終」與「泰」，古文形近易溷。又「終」也爲「眾」。而《韓詩》自作「泰風」，是與《毛詩》的師承不同的關係。於此可見，胡氏信守迴護《傳》義的態度。以上二例，皆是過分尊崇《傳》義的缺失與弊端，而這也正是乾嘉考據學者解經方法的局限與缺失。儘管胡承珙在解經方法上，多承繼前人的成果，不盡完善，但其確正漢唐以來詩《注》，企圖與格局之大，不容忽視，對馬瑞辰及陳奐的著作有重要的影響；又其論述廣採三家《詩》文比對，對於其後三家《詩》之輯佚與集疏，必有開啓倡導之功。尤其《毛詩後箋》特重文義，涵詠詩句的特色，在精詳考據的清儒《詩》注中，既難得且值得稱許肯定。焦里堂曾言：

> 經學者，以經文爲主，以百家子史天文術算陰陽五行六書七音等爲之輔，彙而通之，析而辨之，求其訓故，核其制度，明其道義，得聖賢立言之指，以正立身經世之法。以己之性靈，合諸古聖之性靈，並貫通於千百家著書立言者之性靈。……蓋惟經學可言性靈，無性靈不可以言經學。㉗

認爲人透過讀經，旁涉百家之家，體會古人性靈，應以自己的性靈來體會經文，擺落補苴掇拾的勞心之學㉘，所謂「無性靈不可以言經學」這種精神，對於精通字義訓詁，能窮委究源名物、度數，學貫三才而窮七略的解《詩》方家，無疑是絕對且必要堅持的，如此，詩人之言志緣情，注家之興觀群怨，方能落實《詩》教之溫柔敦厚，而讀《詩》者也不致沈埋於考據之深淵藪海，茫昧枯索。

㉗ 焦循：〈與孫淵如觀察論考據著作書〉，《雕菰集》（臺北：藝文印書館，1967 年），卷 13，頁 22。

㉘ 有關「性靈」與「經學」的關係，李貴生：〈論焦循性靈說及其與經學文學之關係〉，《漢學研究》第 19 卷第 2 期（2001 年 12 月）一文論之甚詳。

引用資料

專著

毛詩後箋　胡承珙撰　郭全芝校點　合肥　黃山書社　1999年8月

經學源流考　甘鵬雲撰　臺北　維新書局　1983年1月

續修四庫全書總目提要　紀昀等編　臺北　臺灣商務印書館　1972年

清史稿　趙爾巽等撰　北京　中華書局　1977年8月

中國近三百年學術史　梁啓超撰　臺北　華正書局　1989年8月

中國近三百年學術史　錢穆撰　臺北　臺灣商務印書館　1990年10月

中國經學史　馬宗霍撰　臺北　臺灣商務印書館　1986年2月臺七版

經學歷史　皮錫瑞撰　北京　中華書局　1989年9月

經學通論　皮錫瑞撰　北京　中華書局　1989年4月

詩經學　胡樸安撰　臺北　臺灣商務印書館　1964年10月

毛詩訓詁研究　馮浩菲撰　武漢　華中師範大學出版社　1988年8月

陳奐研究論集　林慶彰、楊晉龍主編，陳淑誼編輯　臺北　中央研究院中國文哲研究所籌備處　民國2000年初版

詩補傳與戴震解經方法　岑溢成撰　臺北　文津出版社　1992年3月

乾嘉考據學研究　漆永祥撰　北京　中國社會科學出版社　1998年12月

詩經研究史概要　夏傳才撰　臺北　萬卷樓圖書公司　1994年10月初版二刷

思無邪齋詩經論稿　夏傳才撰　北京　學苑出版社　2000年9月

史記與詩經　陳桐生撰　北京　人民文學出版社　2000年2月第一版

詩經詮釋　屈萬里撰　臺北　聯經出版事業公司　1983年2月第一版

詩經芻議　陳戍國撰　長沙　岳麓書社　1997年4月第一版

詩經古義新證　季旭昇撰　臺北　文史哲出版社　1995年3月增訂版

從經學到文學——明代詩經學史論　劉毓慶撰　北京　商務印書館　2001年6月

詩經研究　黃振民撰　臺北　正中書局　1982年2月臺初版

學位及單篇論文

清儒以說文釋詩之研究：以段玉裁、陳奐、馬瑞辰之著作爲依據　陳智賢撰　政治

大學中國文學研究所博士論文　1997 年
惠棟、戴震與乾嘉學術研究　黃順益撰　國立中山大學中國文學研究所博士論文　1998 年
胡承珙與陳奐詩訓異同　郭全芝撰　經學研究論叢　第八輯　臺北　臺灣學生書局　2000 年 3 月
「清乾嘉學術研究之回顧」座談會紀要　童小鈴記錄　中國文哲研究通訊　第四卷　第一期
《儀禮古今文疏義》與《毛詩後箋》　黃得時撰　孔孟學報　第十五期

經 學 研 究 論 叢
第 十 二 輯　頁165～178
臺灣學生書局 2004年12月

《左傳》外交辭令修辭考

郭　丹*

修辭藝術，並非後人才加以注意。自春秋時代始，人們便非常注意修辭藝術，尤其是在列國之間的交往，更是如此。孔子曰：「辭達而已矣。」（《論語．衛靈公》）這只是對言辭表達的最基本要求。孔子又說：「《志》有之：言以足志，文以足言；不言，誰知其志？言之無文，行而不遠，晉爲伯，鄭入陳，非文辭不爲功，愼辭哉。」（《左傳》襄公二十五年）這不但是對列國交際中文辭的推崇，而且是對辭令提出了更高的修辭術要求。孔子甚至將晉國之稱霸、鄭國伐陳之勝利，都歸之於言辭之功效。所以，春秋時代諸侯列國交往當中，人們已非常注重文辭藝術的講究與錘煉。《左傳》一書之行人辭令描述最爲出色，且再現了行人辭令中多姿多彩的修辭藝術。本文擬對《左傳》行人辭令之修辭藝術進行全面之研究，總結其藝術特徵，以就教於大方之家。

一、《左傳》行人辭令之背景與功用

行人辭令即外交辭令。春秋時期，「行人」又稱「行李」、「行理」、「行旅」，就是往來於周王朝和諸侯列國之間的外交使節。春秋時間，諸侯國之間鬥爭非常尖銳激烈，時而戰爭，時而會盟，外交上的往來非常頻繁。行人往來，使臣聘問，外交辭令顯得特別重要。大國要「奉辭伐罪」，小國要應付大國的侵侮，使臣成爲周旋於各國之間的重要人物，行人辭令，常成爲鬥爭的工具和攻伐的口實。所

*　郭丹，福建師範大學文學院教授。

以，「大夫行人，尤重詞命」（《史通・言語》）。行人辭令不當而引發戰爭是常有之事。反之，因行人辭令之妙而化干戈爲玉帛的也不乏其例。辭令好不好，得體與否，不但關係到個人的榮辱，而且關係到國家的興亡。孔子告誡說：「愼辭哉！」的確是有感於多少歷史經驗而發自肺腑的忠告。

出色的行人辭令，在外交上可以產生巨大的作用。它可以消弭兵燹之災，使敵國退師，令國家轉危爲安。如僖公三十年，秦晉兩國聯合圍鄭，大兵壓鄭，兵臨城下。鄭大夫燭之武挺身而出，僅憑著三寸不爛之舌，便使秦穆公宣佈退兵，拆散了秦晉聯盟，使鄭國轉危爲安，免除了一場兵燹之災。這就是一個典型的例子，即行人辭令中的名篇〈燭之武退秦師〉。燭之武的成功，在於充份運用了修辭藝術，採用了以退爲進，折之以理，懼之以勢，誘之以利等等手法，使他的說辭產生了巨大的說服力，終於取得成功。類似的例子還有如僖公四年的「屈完如齊師」、僖公二十六年的「展喜犒師」、宣公三年的「王孫滿對楚王問」等。

春秋時期的列國大夫，大多善於應對之辭，如燭之武、屈完、展喜、趙衰、王孫滿、陰飴孫、呂相、魏絳、子產等人。其中最爲出色的，又推子產。子產執政鄭國，在與列國交往尤其是與晉楚兩霸交往的時候，表現出極高的才辯，顯示出高超的修辭藝術。子產辭令的重要特點是善於運用對比的手法，針鋒相對，使對方無可辯駁。同時，子產之言義正而不阿，詞強而不激，外柔內剛，寓嚴厲於婉轉之中，都表現出嫺熟的修辭藝術技巧。子產自己是非常重視修辭藝術的。襄公三十一年記載：「子產之從政也，擇能而使之。馮簡子能斷大事，子大叔美秀而文，公孫揮能知四國之爲，而辨於其大夫之族姓、班位、貴賤、能否，而又善爲辭令。裨諶能謀，謀於野則獲，謀於邑則否。鄭國將有諸侯之事，子產乃問四國之爲於子羽，且使多爲辭令；與裨諶乘以適野，使謀可否；而告馮簡子使斷之。事成，乃授子大叔使行之，以應對賓客，是以鮮有敗事。」在鄭國的這幾位大臣之中（子產、子大叔、公孫揮），大多都是善於辭令的，而且在這一番的政令運作過程中，修飾辭令是非常重要的環節。「動作有文，言語有章」（襄公三十一年語），蓋爲當時所遵循的準則。可見辭令在君國大事外交往來中的重要性。難怪叔向要說：「辭之不可以已也如是夫！子產有辭，諸侯賴之，若之何其釋辭也？《詩》曰：『辭之輯矣，民之協矣；辭之繹矣，民之莫矣。』其知之矣。」

二、《左傳》行人辭令之修辭藝術考析

劉知幾《史通・申左》：曰：「尋《左氏》載諸大夫詞令，行人應答，其文典而美，其語博而奧。述遠古則委曲如存，征近代則爲迴圈可覆。必料其功用厚薄，指意深淺，諒非經營草創，出自一時，琢磨潤色，獨成一手。」《左傳》行人辭令之美，實得力於修辭藝術之運用。徵之原文，其修辭藝術可歸納如下。

㈠ 委婉含蓄

《左傳》行人辭令之修辭藝術最爲常見的特徵，是委婉含蓄，溫潤曲折。《史通・言語》謂之「語微婉而多切，言流靡而不淫」。此類例子甚多，俯拾即是：

> 鄭穆公使視客館，則束載、厲兵、秣馬矣。使皇武子辭焉，曰：「吾子淹久於敝邑，唯是脯資餼牽竭矣，爲吾子之將行也，鄭之有原圃，猶秦之有具囿也，吾子取其麋鹿，以閒敝邑，若何？」（僖公三十三年）

崤之戰前，秦人欲偷襲鄭國，鄭人已發覺，派皇武子辭杞子、逢孫三人。話極委婉，然已暗示鄭國已窺破秦人的陰謀。杞子三人於是出逃鄭國。

> 韓厥執縶馬前，再拜稽首，奉觴加璧以進，曰：「寡君使群臣爲魯、衛請，曰：『無令輿師陷入君地。』下臣不幸，屬當戎行，無所逃隱。且懼奔辟，而忝兩君。臣辱戎士，敢告不敏，攝官承乏。」（成公二年）

這是齊晉鞌之戰中，晉韓厥追上齊頃公就要活捉齊頃公的一段話，「無令輿師」句，實指早日同齊軍決戰；「無所逃隱」，指無法迴避擒拿齊君；「忝兩君」、「攝官承乏」等，亦皆委婉之外交辭令。

> 王曰：「子歸，何以報我？」……對曰：「以君之靈，纍臣得歸骨於晉，寡君之以爲戮，死且不朽。若從君之惠而免之，以賜君之外臣首，首其請於寡君，而以戮於宗，亦死且不朽。」（成公三年）

邲之戰後，楚人要放回晉俘知罃，臨行前楚成王一定要知罃表示報答。知罃之言，語極委婉且又分明帶著怨恨，曲折地表示了要與楚軍對抗的決心。

除上舉三例之外，還有如弦高犒師（僖公三十三年）、展喜犒齊師（僖公二十六年）、齊侯使晏嬰請繼室（昭公三年）、屈完如齊師（僖公四年）等，皆含蓄蘊藉、曲折達意、委婉多姿。

㈡ 借言達意

借言達意，實可歸爲委婉之一種，然在手法上似乎更爲巧妙。如：

> 晉陰飴甥會秦伯，盟于王城。秦伯曰：「晉國和乎？」對曰：「不和。小人恥失其君而悼喪其親，不憚征繕以立圉也。……君子愛其君而知其罪，不憚征繕以待秦命。……」秦伯曰：「國謂君何？」對曰：「小人慼，謂之不免；君子恕，以爲必歸。……」（僖公十五年）

韓之戰，晉國兵敗，惠公被俘。陰飴甥作爲晉之使者入秦會盟，在回答秦穆公之問時虛構了君子與小人的爭論，含蓄曲折地表達秦釋晉侯，晉必報德；不釋晉侯，晉必報仇之意。借人之言以達己意。

㈢ 文緩旨遠

文緩旨遠，含意深刻，主要還不在於修辭的技巧，而在於說理的深刻雋永，意在言外。如：

> （楚子）觀兵于周疆，定王使王孫滿勞楚子。楚子問鼎之大小、輕重焉。對曰：「在德不在鼎。昔夏之方有德也，遠方圖物，貢金九牧，鑄鼎象物，百物而爲之備，使民知神姦。……桀有昏德，鼎遷于商，載祀六百。商紂暴虐，鼎遷於周。……成王定鼎於郟鄏，卜世三十，卜年七百，天所命也。周德雖衰，天命未改。鼎之輕重，未可問也。」（宣公三年）

楚莊王問鼎，暴露其覬覦王權的野心。「在德不在鼎」一句，是王孫滿辭令的核心，並由此生發開去，援古論今，歷數夏方有德，國泰民安，鼎祚久存。桀紂昏德，鼎遷商周。由此說明有德必得鼎，有鼎則有國的道理。王孫滿的辭令，從容徐迂，寓意深刻。

㈣ **針鋒相對**

行人應對，亦不唯一味的委婉含蓄。針鋒相對，毫不相讓，也是取勝之法。如：

> 楚子使屈完如師。……齊侯曰：「以此眾戰，誰能禦之？以此攻城，何城不克？」對曰：「君若以德綏諸侯，誰敢不服？君若以力，楚國方城以爲城，漢水以爲池，雖眾，無所用之。」（僖公四年）

齊侯之言，乃以武力相威脅，有咄咄逼人之勢。屈完之答，針鋒相對，毫無退讓之意，終使齊侯結盟。

> 鄭子產獻捷于晉。……晉人曰：「何故侵小？」對曰：「先王之命，唯罪所在，各致其辟。且昔天子之地一圻，列國一同，自是以衰。今大國多數圻矣，若無侵小，何以至焉？」晉人曰：「何故戎服？」對曰：「我先君武、莊爲平、桓卿士。城濮之役，文公布命，曰：『各復舊職。』命我文公戎服輔王，以授楚捷——不敢廢王命故也。」（襄公二十五年）

「若無侵小，大國何以數圻」和「不敢廢王命」，是子產針對晉人兩次責難的反駁，話似委婉，實則針鋒相對，柔中有剛。

㈤ **折之以理，服之以巧**

孔子曰：「情欲信，辭欲巧。」（《禮記・表記》）從修辭上說，即是折之以理，服之以巧。前舉〈燭之武退秦師〉便是典型之例。燭之武說秦伯，曉之以利害，理出兩端。先從亡鄭說起：亡鄭無益於秦。原因有三：一是「越國以鄙遠」，難以實現；二是「亡鄭陪（倍）鄰」，得利者乃爲晉國；三是「鄰之厚，君之薄」，結果於秦更不利。然後從不亡鄭剖析，不亡，鄭既無害於秦，秦反可坐享其利。兩者比較，利害自見。這一番辭令，燭之武說理透徹，修辭上精心結構，層層深入，絲絲入扣，堪稱典範。再如：

> 晉人徵朝于鄭。鄭人使少正公孫僑（子產）對曰：「……楚人猶競，而申禮於敝邑。敝邑欲從執事，而懼為大尤，曰：『晉其謂我不共有禮。』是以不敢攜貳于楚。……」（襄公二十二年）

晉人責難鄭國何以親附楚國，子產杜撰了一句「晉其謂我不共有禮」，意為楚對鄭有禮，鄭若棄楚，晉將指責鄭國不敬有禮。子產此著，極巧妙地將責任反推到晉人身上，讓晉人有口難言。

> 吳子使其弟蹶由犒師，楚人執之，將以釁鼓，王使問焉，曰：「女卜來吉乎？」對曰：「吉。寡君聞君將治兵於敝邑，卜之以守龜，曰：『余亟使人犒師，請行以觀王怒之疾徐，而為之備，尚克知之！』龜兆告吉，曰：『克可知也。』君若驩焉，好逆使臣，滋敝邑休怠，而忘其死，亡無日矣。今君奮焉，震電馮怒，虐執使臣，將以釁鼓，則吳知所備矣。……」（昭公五年）

蹶由之巧，在於利用殺與不殺做文章，「好逆使者」，吳人則懈怠；殺了蹶由，吳人必高度戒備。蹶由可謂善辯，免除了自己的釁鼓之災。

㈥ 棉裡藏針

棉裡藏針，柔中有剛，在鄭子產的辭令中極為常見，如襄公二十二年晉人徵朝於鄭，責備鄭國。面對晉人的無理責難，子產先是據理反駁，以理服人，用事實證明鄭國「豈敢忘職」。臨到最後，子產說：

> 大國若安定之，其朝夕在庭，何辱命焉？若不恤其患，而以為口實，其無乃不堪任命，而翦為仇讎。敝邑是懼，其敢忘君命？委諸執事，執事實重圖之。（襄公二十二年）

子產由此表明鄭國的態度：晉國如讓鄭國安定，則鄭國將自動朝晉；若不體恤鄭國，鄭國只好以晉爲敵了。何去何從，任晉國選擇。子產強硬的態度，使晉人收斂其淫威。再如成公二年齊使賓媚人使晉，在極盡委曲求全中以「子又不許，請收合餘燼，背城借一。敝邑之幸，亦云從也」斥責晉人之無理取鬧，也是棉裡藏針之辭令。又如前舉成公三年楚人歸知罃，知罃表示謝意之後說：

> 若不獲命，而使嗣宗職，次及於事，而帥偏師，以修封疆，雖遇執事，其弗敢違，其竭力致死，無有二心，以盡臣禮，所以報也。（成公三年）

知罃的話裡，透露著不屈和拼死的決心。讀此辭令，不由得令人記起晉公子重耳流亡過楚時對楚成王的回答：

> 若以君之靈，得反晉國，晉、楚治兵，遇于中原，其辟君三舍。若不獲命，其左執鞭弭，右屬櫜鞬，以與君周旋。（僖公二十三年）

二者有異曲同工之妙。

㈦ 以屈求伸

以屈求伸，可以爲後面的說辭張本，亦可以爲後面的陳辭蓄勢。如僖公三十年燭之武退秦師，燭之武見秦伯的第一句話即爲：

> 秦、晉圍鄭，鄭既知亡矣！若亡鄭而有益於君，敢以煩執事。

燭之武見秦伯，意在說服秦伯退兵，然而第一句話卻承認鄭國將亡。這樣說，一來表示謙恭，二來使秦伯放鬆了心理戒備，爲後面的亡鄭與不亡鄭的利害關係蓄勢。修辭構思實爲巧妙。

㈧ 抑己揚人

抑己揚人，目的是爲了討好對方。此例可見昭公三年：

> 齊侯使晏嬰請繼室於晉，曰：「寡君使嬰曰：『寡人願事君，朝夕不倦，……君若不忘先君之好，惠顧齊國，辱收寡人，徼福於大公、丁公，照臨敝邑，鎮撫其社稷，則猶有先君之適及遺姑姊妹若而人。……』」

齊國將少姜許配晉平公，不意少姜不久死去。齊侯又自動提出再送齊女，而且把晉國答應再娶齊女，說成是「惠顧齊國，辱收寡人」，是「照臨敝邑，鎮撫其社稷」。因為此時晉國仍強於齊國，齊國為了討好晉國，不惜極力貶低自己，抬高別人。話雖委婉，實為了討好對方。

(九) 正話反說，意在刺譏

僖公二十六年，齊人伐魯，展喜犒齊師，展喜先虛構了「小人」「君子」之意以表示不卑不亢之態度。齊侯再問：「室如縣（懸）罄，野無青草，何恃而不恐？」展喜對曰：

> 「恃先王之命。昔周公、大公股肱周室，夾輔成王，成王勞之，而賜之盟曰：『世世子孫無相害也！』載在盟府，大師職之。……及君即位，諸侯之望曰：『其率桓之功！』我敝邑用不敢保聚，曰：『豈其嗣世九年，而棄命廢職？其若先君何？君必不然。』恃此以不恐。」

齊人伐魯，本已違背「先王之命」。「諸侯之望」云云，已用反語刺譏對方。「豈其嗣世九年，而棄命廢職？其若先君何？」二句，一刺齊侯背棄祖命之速，二刺齊侯愧對先君。「君必不然」，更是正話反說。齊侯已違祖命，何謂「不然」？刺譏之意，顯見於言外。

(十) 對比反駁

對比以見優劣，增加反駁之力量，亦辭令之妙用。如襄公三十一年，子產相鄭伯以如晉，晉人不納，子產使盡壞其館之垣而入。面對晉人之責讓，子產以晉文公之行事與晉平公對比（見前第二部分所引子產之辭），令晉平公之無禮暴露無遺。昭公三十年鄭游吉弔晉頃公之喪，面對晉人之責難，亦以晉、鄭兩國在執行「禮」方面的對比，揭示眞正無禮者是晉而非鄭。再如成公二年，賓媚人致賂晉人，為駁斥晉人之無理要求，巧用了對比之法：

> 四王之王也，樹德而濟同欲焉；五伯之霸也，勤而撫之，以役王命。今吾子求合諸侯，以逞無疆之欲。（成公二年）

四王、五伯是「濟同欲」而撫諸侯，今晉侯爲逞私欲而要齊「盡東其畝」，兩相對照，晉「何以爲盟主」呢？

(十一) 誇張虛構

誇大其辭，甚至不惜虛構事實，此乃完全爲修辭之需要。此例可見成公十三年之「呂相絕秦」。其中：

> 鄭人怒君之疆埸，我文公帥諸侯及秦圍鄭。……寡我襄公，迭我崤地；……成王隕命，穆公是以不克逞志于我。……康公，我之自出，又欲闕翦我公室，傾覆我社稷，帥我蝥賊，以來蕩搖我邊疆。

這幾條，並非史實所有，或與事實有很大出入，作者乃信口開河，誇大其辭，只求聳人聽聞，強辭奪理以取勝罷了。

(十二) 巧用比喻

比喻之用，在行人辭令中極爲常見。如：

> 楚子使與師言曰：「君處北海，寡人處南海，唯是風馬牛不相及也，不虞君之涉吾地也！」（僖公四年）

以「風馬牛不相及」喻齊楚兩國相距遙遠，互不關涉。

> （子產與范宣子書）曰：「……象有齒以焚其身，賄也。」（襄公二十四年）

象齒貴重，卻因此害了自身，以喻重幣，將自焚其身。最爲生動精彩的巧用比喻，亦見於子產的辭令：

> （子產論尹何爲邑）子產曰：「……今吾子愛人則以政，猶未能操刀而使割也，其傷實多。子之愛人，傷之而已，其誰敢求愛於子？子於鄭國，棟也。棟折榱崩，僑將厭焉，敢不盡言？子有美錦，不使人學製焉。大官、大邑，身之所庇也，而使學製焉，其爲美錦不亦多乎？……譬如田獵，射御貫，則能獲禽。若未嘗登車射御，則敗績厭覆是懼，何暇思獲？」……子產曰：「人心之不同如其面焉，吾豈敢謂子面如吾面乎？」（襄公三十一年）

此中「操刀使割」、「棟折榱崩」、「田獵射御」、「人心如面」，皆是比喻，可謂巧用比喻之妙品。比喻之用，使辭令形象生動，搖曳多姿。

㈢ 排比對偶

排比對偶，在「呂相絕秦」篇使用最繁，且看：

> 文公即世，穆爲不弔，蔑死我君，寡我襄公，迭我崤地，奸絕我好，伐我保城，殄滅我費滑，散離我兄弟，撓亂我同盟，傾覆我國家。……又欲闕翦我公室，傾覆我社稷，帥我蝥賊，以來蕩搖我邊疆，……康猶不悛，入我河曲，伐我涑川，俘我王官，翦我羈馬，……入我河縣，焚我箕郜，芟我農功，虔劉我邊垂，……（成公十三年）

這一連串的排比對偶，增加了辭令的氣勢，造成一種無可辯駁的力量，產生了理直氣壯的效果。

㈣ 敷張揚厲

敷陳渲染，排比誇張，以造成奪人之聲勢，這是敷張揚厲。成公十三的「呂相絕秦」篇，是一篇完整的外交檄文，呈現出與《左傳》其它行人辭令完全不同的修辭風格。成公十一年，秦、晉兩國在令狐會盟。會盟之後不久，秦馬上策動狄、楚攻晉。晉人一怒之下，派呂相使秦，與秦絕交。呂相歷數秦國對晉的不義行徑，又直斥秦桓公的背信棄義，最後說明晉國與秦絕交是忍無可忍，勢在必然。這篇辭令一開始便致力渲染氣氛，甚至虛構事實，誇大罪狀，以製造對秦的怨恨，為了增強氣勢和無可辯駁的邏輯力量，又用了大量的排比句式，且遣詞用字頗有變化，參差錯落，波瀾起伏，有很強的感染力。《左繡》謂之「蓋一紙書賢于十萬師」，言雖誇張，亦說明辭令的力量不可忽視。

㈤ 擬人為物

將人擬為物，或將物擬為人，可稱比擬。行人辭令中亦不乏其例。如：

> 呂相絕秦：帥我蝥賊，以來蕩搖我邊疆。

「蝥賊」本為吃禾苗的害蟲，此指晉公子雍。此為擬人為物。

> 申包胥如秦乞師，曰：「吳為封豕長蛇，以荐食上國，虐始於楚。」（定公四年）

將吳國比擬為封豕長蛇，亦為擬人為物。以上兩例都有比喻之意。

㈥ 引經據典

行人辭令中引經據典之法最常見，或明引，或暗用，極其靈活。最常用的首先是引用《書》、《詩》。如成公二年賓媚人使晉，三引《詩》句以駁晉人，增強其反駁的力量。不過在行人引《詩》之時，賦詩斷章之法最為習見。常是借《詩》之章句，斷章取義，以為我所用。所謂「賦詩斷章，余取所求」是也。還有的是暗引經典，如：

> 上介芋尹蓋對曰：「……且臣聞之，曰：『事死如事生，禮也。』」（哀公十五年）

「事死」句語出《禮記·祭義》和《中庸》，芋尹蓋不言書名，是為暗用。

再一種是引用王命或先王之制，如：

（賓媚人）對曰：「蕭同叔子非他，寡君之母也。若以匹敵，則亦晉君之母也。吾子布大命於諸侯，而曰必質其母以爲信，其若王命何？且是以不孝令也。……」（成公二年）

這是暗引王命：以不孝令諸侯，違背「王命」。又如：

晉人曰：「何故侵小？」對曰：「先王之命，唯罪所在，各致其辟。……」（襄公二十五年）

這是子產引「王命」駁晉人「何以侵小」之責。又如：

鄭游吉弔，且送葬，……對曰：「……先王之制：諸侯之喪，士弔，大夫送葬；唯嘉好、聘享、三軍之事，於是乎使卿。……」（昭公三十年）

這是鄭游吉以「先王之制」反駁晉國「弔喪無貳」的責難。引經典爲訓，持之有故，信而可徵，嚴謹鄭重，又使辭令典雅華美，常產生意外的效果。

㈦ **曲指代稱**

此亦委婉之修辭藝術。行人應對，不敢指斥君王，故曲指以代稱，表示尊敬。如：

⑴公使展喜犒師，……曰：「寡君聞君親舉玉趾，將辱於敝邑，使下臣犒執事。」（僖公二十六年）

⑵（魏絳論和諸戎）曰：「昔周辛甲之爲大史也，命百官，官箴王闕，於〈虞人之箴〉曰：『……獸臣司原，敢告僕夫。』……」（襄公四年）

⑶晉韓宣子聘于周，王使請事。對曰：「晉士起將歸時事於宰旅，無他事矣。」（襄公二十六年）

⑷鄭伯使游吉如楚。……子大叔曰：「……寡君是故使吉奉其皮幣，以歲之不易，聘於下執事。」（襄公二十八年）

⑴例中之「執事」，謂君王手下的辦事者，此代稱齊侯。⑵例中「僕夫」，指代君王；⑶例中之「宰旅」，本指冢宰之下士，指代周天子；⑷例中之「下執事」，指代楚君。此幾例，皆表謙敬的曲指，⑷例在「執事」中又加「下」字，可謂謙之又謙。這一類曲指，在委婉之中又顯出幾分儒雅。

㈥ 巧用隱語

隱語即暗語，亦即謎語。《左傳》行人辭令中的兩則隱語均用得非常巧妙。且看：

> 楚子伐蕭。……還無社與司馬卯言，號申叔展。叔展曰：「有麥麴乎？」曰：「無。」「有山鞠窮乎？」曰：「無。」「河魚腹疾奈何？」曰：「目於眢井而拯之。」「若爲茅絰，哭井則已。」（宣公十二年）

蕭大夫還無社向楚大夫申叔展求救，按計劃叔展問以「麥麴」、「山鞠窮」，二者皆所以禦濕，暗示還無社逃於泥中以躲避。然還無社不解其意，故答曰無。「河魚腹疾」喻水濕而得風濕病，暗示還無社逃到低下處。還無社終於領悟，遂回答藏於枯井（眢井）之中，終於得救。

> 吳申叔儀乞糧於公孫有山氏，曰：「佩玉縈兮，余無所繫之。旨酒一盛兮，余與褐之父睨之。」對曰：「粱則無矣，麤則有之。若登首山以呼曰：『庚癸乎！』則諾。」（哀公十三年）

吳軍中缺糧，乃向魯人求救。不好明說，只得用暗語。「粱」指細糧，「粗」指粗糧，「庚癸」喻下等貨，暗指粗糧。以上二例之隱語，譎譬以指事，雖辭淺會俗，亦憑添了不少情趣。

三、《左傳》行人辭令修辭藝術之影響

綜上所述，《左傳》行人辭令之修辭藝術，實經過精心錘煉的結果。其中雖不免《左傳》作者之潤筆，然亦得之於行人辭令原有之本色。故縱觀《左傳》行人辭

令之神品妙品，其修辭藝術之搖曳生姿、豐富多彩，說明時人之修辭技巧，已臻相當純熟之境。

《左傳》行人辭令，開啓了戰國時代之縱橫之學，章學誠《文史通義・詩教上》云：「縱橫之學，本於古者行人之官。觀春秋之辭命，列國大夫，聘問諸侯，出使專對，蓋欲文其言以達旨而已。至戰國而抵掌揣摩，騰說以取富貴，其辭敷張而揚厲，變本而加恢奇焉，不可謂非行人辭令之極也。」章氏所言，極中肯綮。《左傳》行人辭令之變化極巧，閎麗鉅衍，如修辭藝術中之委婉蘊藉，折之以理，懼之以勢，服之以巧，針鋒相對，棉裡藏針，乃至排比對偶，虛構誇張，鋪張揚厲，至戰國皆爲縱橫之士所襲用，且有更大的發展。如蘇秦、張儀之遊說之辭。蘇秦遊說六國合縱之辭，極盡誇張、渲染之能事，用了許多形象生動的比喻，誇說六國之強，併用一系列的排比句式，沉而快，雄而雋，氣勢充沛，形成江河直下之勢，完全是一種鋪張揚厲之風。張儀遊說六國，則極力誇說秦國之強，並從六國破亡之後的慘狀來威脅對方，侈陳利害，完全是危言聳聽，懼之以勢。蘇、張辭令的風格，在《左傳》行人辭令之「呂相絕秦」篇中已開其端。「呂相絕秦」，排比誇張，踵事增華，變本加厲，甚至虛構事實，以求一逞，正是戰國縱橫之士鋪張揚厲縱橫辯難之風的先導。

《左傳》行人辭令由於眾多修辭手法的運用，形成了鮮明的藝術特徵，具體形象，豐富的想像，富有說服力，又富於情韻，因此爲後世之敘事文學所借鑒和繼承，包括史家之敘事寫人，小說家之塑造人物。限於篇幅，本文則不再贅述了。

經學研究論叢
第十二輯　頁179～210
臺灣學生書局　2004年12月

《春秋公羊傳》及《春秋公羊傳解詁》「三世異辭」發微
——由三世異辭正、變諸例的關係蠡測其統攝諸例的理論效力

曾志偉*

一、前言

「三世異辭」爲春秋三傳中《公羊傳》一家所獨具的學說理論。其存在，自西漢公羊口說初著於竹帛，中間經過董仲舒（西元前 143－115）的闡發，到東漢何休（西元 129－182）的理論總結，由草創而漸趨嚴密，最後成爲《公羊》學說系統中最重要的部分之一。該辭由「三世」和「異辭」這兩個概念複合而組成，其中「三世」是《公羊》學者對《春秋》所記載歷史的分期概念；「異辭」則是在不同的歷史分期下，《春秋》記載史事而有詳略不同的書寫方法。因此，一者是時間上歷史分期的問題，另一者則是經書書寫方法的問題。儘管這兩個概念分別屬於兩種不同面向的問題，但是在漢代《公羊》學說體系下，此二者關系密切，不可相離而言之。也就是說，在漢代公羊學著作中，凡述及「三世」的歷史分期，皆是用來闡

* 曾志偉，國立東華大學中國語文學系碩士生。

釋《春秋》詳略不同的書寫筆法；反之，凡述及「異辭」二字，必包含有「所見」、「所聞」、「所傳聞」三世歷史分期之概念。合而言之，《春秋》在二百四十二年的歷史中，於「所見」、「所聞」、「所傳聞」三個歷史分期下，各具有其不同的書寫方法，這種不同的書寫方法即所謂的「三世異辭」。

這種書寫方法的不同，漢代《公羊》學者相信，乃是因爲孔子在《春秋》中寓有三世歷史進化的理想。❶這種理想與三世異辭如何結合相應？此爲本文欲探討的第一個重點。

其次，三世異辭發展到東漢何休，已成爲其理論系統內三科九旨中的二科三旨，既然稱之爲「科」，對於其所統攝的諸例必寓有若干程度的理論指導效力，其效力如何？其理論上的序位是否能稱「科」而當之無愧？本文經由其統攝的諸例，各借其中正、變相反的實例，來分析三世異辭和其他義例之間的相應關係，用以明其理論之序位與效力，此爲本文所欲探究的第二個重點。

二、「三世異辭」釋義

「三世異辭」爲漢代《公羊》學家解釋《春秋》筆法的義例之一，在今傳最早的《公羊》學著作，西漢公羊壽❷（生卒年不詳）的《春秋公羊傳》中便已見「三

❶ 案：「三世」之說從漢代發展到晚清康有爲（1858－1927）手中，將《公羊傳》中的「所見」、「所聞」、「所傳聞」變爲「據亂世」、「升平世」、「太平世」，並參考《禮記．禮運》的「小康大同說」，提出人類社會由亂世而進至小康、由小康進而進至世界大同的理想，這種歷史進化論在東漢何休《春秋公羊傳解詁》雖已見發端，然而在何休《解詁》三世說的論述裡，這種歷史進化論的提出，其基本目的還是用來解經，用以解釋《春秋》在二百四十二年中詳略、隱顯不同的記事筆法，並非如康氏一般具有強烈變法改制的企圖。因此，何休的三世說在時間上僅限於《春秋》所記載的二百四十二年裡，其歷史進化觀點的提出，目的不外是用以解經，因此，若將何休視爲整個漢代《公羊》學說的總結代表，「三世」的概念在漢代是用來爲《春秋》「異辭」的筆法而服務的；相反地，康氏所提出的「三世說」目的並不是用來解經，而是爲了改制變法，因此《春秋》「異辭」自然而然就被排除在其學說重點之外，僅止強調「據亂」、「升平」、「太平」的歷史進化觀。就三世異辭運用目的上的差異，我們可以看出漢代《公羊》學和晚清《公羊》學旨趣的最大不同。

❷ 案：《春秋公羊傳》徐彥《疏》引戴宏序曰：「子夏傳與公羊高，高傳與子平，平傳與其子地，地傳與其子敢，敢傳與其子壽。至漢景帝時，壽乃與齊人胡毋子都著於竹帛。」《公羊

世異辭」概念初萌。

隱公元年，《春秋》：「公子益師卒。」《公羊傳》解釋云：「何以不日？遠也。所見異辭，所聞異辭，所傳聞異辭。」❸這是三世異辭之說首度出現在《公羊》學的著作裡。在此，由於《春秋》並未注明公子益師的卒日，《公羊傳》為《春秋》這種省略的筆法提出了一個新的解釋，說：「遠也。」意即魯隱公的年代距離著《春秋》的孔子太遠，所以才不錄公子益師的卒日。《公羊傳》繼而發揮了一種新的說法：「所見異辭，所聞異辭，所傳聞異辭。」其中，「所見」、「所聞」、「所傳聞」是將《春秋》孔子所記載二百四十二年史事區分為三個不同時期：「所見」是孔子出生後，親眼所能目睹的時代和史事；「所聞」是孔子出生前，史事無法親睹，只能透過耳聞的時代；「所傳聞」的史事則距孔子所聞更遠，經好幾代父子口聞相傳，才達於孔子之耳。

因此，我們可知「所見」、「所聞」、「所傳聞」是時間上依《春秋》所載二百四十二年史事所區分的三個不同歷史分期，但《公羊傳》云：「所見異辭，所聞異辭，所傳聞異辭。」「異辭」又是什麼？《公羊傳》將異辭重複地繫於「所見」、「所聞」、「所傳聞」底下並非沒有其特殊用意。「異」，許慎《說文》云：「分也。」段《注》云：「分之則有彼此之異。」❹「異辭」所指就是孔子記載史事時，在「所見」、「所聞」、「所傳聞」三世中分別有其不同的記載言辭。也就是說，所見世有所見世的記載筆法，所聞世有所聞世的記載筆法，所傳聞世有所傳聞世的記載筆法。《公羊傳》解釋經文時，經常用《春秋》記載文字上呈現的某種規律和現象來窺測孔子筆削褒貶之義，雖沒有明言「例」字，然而實已可說是後人言《春秋》義例之濫觴。「三世異辭」之說，即是自《公羊傳》以來，漢代《公羊》學家不斷發展演進的一種對《春秋》書寫筆法所歸納出的條例。

傳》舊題作者為公羊高，而高時口說尚未著於竹帛，故在此當正為公羊壽。引文見〔清〕阮元等：《十三經注疏・公羊傳》（臺北：藝文印書館，重刊宋本《公羊注疏附校勘記》）〈春秋公羊注疏序〉，頁 3。

❸ 引文同上註，頁 17。由於引文過多，本文以下徵引之《春秋》、《春秋公羊傳》、《春秋公羊解詁》中的原文均依此本，不另注版本、頁數。

❹ 見段玉裁：《段氏說文解字注》（臺北：百齡出版社，1976 年），頁 108。

「所見異辭，所聞異辭，所傳聞異辭」，這段話在《傳》文中一共出現過三次：

第一次，即上例隱公元年，公子益師卒之《傳》文。

第二次，在桓公二年，《春秋》：「三月，公會齊侯、陳侯、鄭伯于稷，以成宋亂。」《傳》解釋云：「內大惡諱，此其目之何？遠也。所見異辭，所聞異辭，所傳聞異辭。隱亦遠矣。曷爲隱諱？隱賢而桓賤也。」

第三次，在哀公十四年，《春秋》：「十有四年，春，西狩獲麟。」《傳》云：「春秋何以始乎隱？祖之所逮聞也。所見異辭，所聞異辭，所傳聞異辭。何以終乎哀十四年？曰：備矣！」

由該段話所出現的三次例子可發現，「三世異辭」的理論在《公羊傳》初出現時僅是用簡單的歷史分期來分析《春秋》筆法，或者可以反過來說，是《公羊傳》從《春秋》二百四十二年中，因前後不同的筆法所歸納出的三個歷史分期。無論如何，這種草創規模，最主要還是由於公羊口說初著於竹帛，故無法一一詳備。由於《春秋》的歷史歷經魯國十二位國君，若欲更詳細地解釋《春秋》筆法，僅粗略地將二百四十二年歷史分爲「所見」、「所聞」、「所傳聞」實有不足，因此更加細密的三世分期就得留待《公羊傳》以後的學者來建立。

西漢董仲舒首度將「所見」、「所聞」、「所傳聞」三世精細劃分：

> 春秋分十二世以爲三等，有見、有聞、有傳聞。有見三世，有聞四世，有傳聞五世。故哀、定、昭，君子之所見也；襄、成、文、宣君子之所聞也；僖、閔、莊、桓、隱，君子之所傳聞也。所見六十一年、所聞八十五年、所傳聞九十六年。於所見微其辭，於所聞痛其禍，於傳聞殺其恩，與情俱也。❺

董仲舒在《公羊傳》三世說的基礎上，將魯國隱、桓、莊、閔、僖五位國君劃分於「所傳聞」世，合計九十六年之史事；將文、宣、成、襄四位國君劃分於「所

❺ 賴炎元註譯：《春秋繁露今註今譯》（臺北：臺灣商務印書館，1992 年 11 月），〈楚莊王第一〉，頁 8。

聞」世，合計八十五年之史事；將昭、定、哀三位國君劃分於「所見」世，合計六十一年史事，東漢何休對於三世十二公的時間分期亦完全與此相同。將《春秋》所歷之十二位國君，依時間各劃歸於「所見」、「所聞」、「所傳聞」三世裡，《春秋繁露》首爲此說，這可以說是董仲舒對公羊學「三世異辭」說的一大貢獻。這種時間上的精細劃分原本不足爲奇，重要的是，董仲舒認爲《春秋》記載史事不僅寓有褒貶之筆，更摻入孔子個人對於君父的情感在內，故說：「於所見微其辭，於所聞痛其禍，於傳聞殺其恩，與情俱也。」這種看法與其說是董仲舒個人的意見，毋寧說是自《公羊》口說著於竹帛時即有的意見。

如何說這是自《公羊傳》以來即有的意見？以上引桓二年《傳》文爲例，《公羊傳》云：「內大惡諱，此其目之何？遠也。所見異辭，所聞異辭，所傳聞異辭。隱亦遠矣。曷爲隱諱？隱賢而桓賤也。」《傳》文在這裡揭示了三個重點：

1. 《春秋》有爲魯國國君隱諱大惡的通例。
2. 《春秋》所記魯國國君之事，時代愈遠者，記載就越直接而不加隱諱。
3. 當第一點和第二點相衝突時，諱與不諱的書法就訴諸於道德上的價值判斷來決定。

上述一、二點容易理解，在此不多作說明，但對於第三點卻有詳細說明的必要。據《公羊傳》的解釋，桓二年，《春秋》不爲桓公諱惡的理由是因爲時代「遠也」，若依此來反推，則時代距離孔子近的魯國國君，《春秋》就應該爲其諱惡了。如《春秋》載昭公四年：「九月，取鄫。」❻又如哀公七年：「秋，公伐邾婁，八月，己酉，入邾，以邾婁子益來。」❼皆是其例。爲何《春秋》爲時代近的國君諱惡？不爲時代遠的國君諱惡？《公羊傳》說：「《春秋》爲尊者諱，爲親者諱，爲賢者諱。」❽何者爲尊？《公羊傳》緣魯以言王義❾，故魯君爲尊，所以

---

❻ 《公羊傳》釋云：「其言取之何？滅之也。則其言取之何？內大惡諱也。」

❼ 《公羊傳》釋云：「入不言伐，此其言伐何？內辭也。若使他人然。邾婁子益何以名？絕，曷爲絕之？獲也。曷爲不言其獲？內大惡諱也。」

❽ 見《春秋》閔公元年，「冬，齊仲孫來。」條下《傳》文。

❾ 隱元年，《公羊傳》云：「元年者何？君之始年也。春者何？歲之始也。王者孰謂？謂文王也。曷爲先言王而後言正月？王正月也。何言乎王正月？大一統也。」，此處文王並非眞的

《傳》有「內大惡諱」的通例；何者爲親？以內（魯國）爲親，所以《傳》有「錄內略外」之例。❿因此桓二年《傳》文所說「內大惡諱」不僅是爲尊者諱，同時亦是爲親者諱。

「爲尊者諱」沒有疑義，可以不再討論。「爲親者諱」卻仍有討論之空間，從魯國與諸夏空間上的內外相對關係上來講，自然是以內爲親，以外爲疏，所以《公羊傳》才有「外大惡書，內大惡諱」之例。但是從時間上的角度來看，「親者」亦是指與孔子身處於同時代的魯國君父而言。在「三世異辭」的理論之下，若以時間之遠近來區別何者爲親，則親者自然不是十幾代前的遠祖，而是與自己（指孔子）同處於當代的君父了。這就是董仲舒所說的：「殺隱桓以爲遠祖，宗定哀以爲考妣」，所以「於所見微其辭，於所聞痛其禍，於傳聞殺其恩，與情俱也。」《春秋》的這種筆法與一般人情上的表現是一致的。何休《解詁》更進一步將這種時間上的親親等差關係用《禮》來比喻：「所以三世者，《禮》爲父母三年，爲祖父母期，爲曾祖父母齊衰三月，立愛自親始。」⓫意思就是人與自己的父母最親，故要爲父母服斬衰三年的喪服；祖父母次親，服斬衰一年的喪就好；至於曾祖父母就更疏遠了，只要服齊衰三月就好。同樣地，《春秋》既以人情而「爲親者諱」，勢必要先區分出魯國十二君孰親孰疏，因此從西漢的董仲舒到東漢何休的三世說理論，將《春秋》二百四十二年歷史作更加細密的時間分期就成爲必然之勢。

這種親親之等差關係，若不寓於《春秋》褒貶之筆中，在上引桓二年例裡，《公羊傳》就不會在所傳聞世將「內大惡諱」的通例扭轉爲「遠也。所見異辭，所聞異辭，所傳聞異辭」的三世異辭例，正因爲《公羊傳》認爲孔子在褒貶中寓有人情，所以才會有「內大惡諱」、「所見異辭，所聞異辭，所傳聞異辭」、「爲尊者諱，爲親者諱，爲賢者諱」的這些義例產生，若無這些義例存在，孔子所著《春

指周文王，而是以《春秋》稱魯爲「王」，故以文王受命之義相擬。故董仲舒於《春秋繁露．奉本》曰：「春秋緣魯以言王義，殺隱桓以爲遠祖，宗定哀以爲考妣，至尊且高，至顯且明。」

❿ 隱公十年，《傳》云：「《春秋》錄內而略外，於外大惡書，小惡不書，於內大惡諱，小惡書。」

⓫ 見隱公元年《春秋公羊解詁》（以下簡稱《解詁》）注云。

秋》亦將僅是「斷濫朝報」，毫無微言大義可言了。

可是這樣卻產生了新的問題。

在上例桓二年，《傳》云：「隱亦遠矣。曷爲隱諱？隱賢而桓賤也。」桓公和隱公同樣都身處所傳聞世，《春秋》爲何獨爲隱公諱惡⓬，不爲桓公諱惡？《公羊傳》所作的解釋是「隱賢而桓賤」。所謂「賢」是指隱公有讓位於桓公之心⓭，故《傳》稱其賢。而桓公爲何「賤」？這裡所說的「賤」並非指身份上的低賤⓮，乃是在道德上的一種貶辭，爲何是道德上的貶辭？因爲桓公弒隱公而立。⓯由於《春秋》有「爲賢者諱」的通例，所以《公羊傳》在所傳聞世中，只爲隱公諱惡，不爲桓公諱惡。

在此，新的問題又接著產生，這些問題至關重要，實爲本文所以撰寫之最大動機，這些問題如下：

1. 當《春秋》中的義例與義例之間相衝突時，《公羊》學家如何處理義例與義例之間的關係？以上述桓二年爲例，桓公之大惡不諱，隱公之大惡諱，明顯就是一種二重衝突：「內大惡諱」例與「三世異辭」例衝突；而「三世異辭」例又與「爲賢者諱」例衝突。
2. 當「三世異辭」與《春秋》其他通例之間相衝突時，《公羊傳》及何休《詁解》在解釋時均只能取相對兩者之間的一例，若能掌握《傳》、《注》中所分布的這種取捨現象，我們是否能爲「三世異辭」在《公羊》學說中找到義例上取捨的主從序位？

以上這兩個問題，將留待下節繼續討論，在此無法一一詳述。本節的任務是要釐清三世異辭之內容與性質。

⓬ 案，這裡所指的爲隱公諱惡，事見隱公二年：「無駭帥師入極。」《傳》云：「此滅也，其言入何？內大惡諱也。」

⓭ 見隱元年，《傳》云：「公何以不言即位？成公意也。何成乎公之意？公將平國而反之桓。」

⓮ 見隱元年，《傳》云：「曷爲反之桓？桓幼而貴，隱長而卑。」桓公之身分貴於隱公，故這裡所說的「賤」並非指其身分。

⓯ 事見隱公四年《傳》文。

「三世說」發展至東漢，何休在董仲舒「三世說」的基礎上，又略依胡毋生（生卒年不詳）之條例⓰，指所傳聞世爲亂世，所聞世爲升平世，所見世爲太平世。如隱公元年，《解詁》云：

> 於所傳聞之世，見治起於衰亂之中，用心尚粗觕，故內其國而外諸夏，先詳內而後治外，錄大略小，內小惡書，外小惡不書，大國有大夫，小國略稱人，內離會書，外離會不書，是也；於所聞之世，見治升平，內諸夏而外夷狄，書外離會，小國有大夫，宣十一年秋，晉侯會狄於攢函，襄二十三年，邾婁鼻我來奔是也；至所見之世，著治大平，夷狄進至於爵，天下遠近，小大若一，用心尤深而詳，故崇仁義，譏二名，晉魏曼多，仲孫何忌是也。

何休比《公羊傳》和《春秋繁露》更進一步將三世說發展爲一種歷史進化之觀念，言孔子將其撥亂反正的理想，寄託在《春秋》三世裡，故而「所見」、「所聞」、「所傳聞」三世才會出現種種「異辭」的筆法。這種「異辭」當然不符於客觀的歷史事實，而僅僅是一種理想上的寄託。例如，何休於上例隱公元年說所傳聞世「大國有大夫，小國略稱人。」，又於襄公二十三年云：「所聞之世，內諸夏，治小如大廩，廩近升平，故小國有大夫治之，漸也。」⓱這裡，所謂「漸」，浸潤也⓲，事物之端也⓳，在此當訓做「開始」之意。小國大夫不可能要到所聞世才開始有，所傳聞世之小國當然也有大夫，如，《經》隱公二年：「九月，紀履緰來逆女。」即其例。何休爲何故意作這種違背歷史事實的敘述呢？這是爲了要寄託三世歷史進化的理想。這種三世歷史進化之理想是誰所寄託？漢代《公羊》學者認爲這是自孔子著《春秋》以來即有的理想寄託。

⓰ 同註❷，頁 4。何休〈春秋公羊傳序〉云：「往者略依胡毋生條例，多得其正，故遂隱括使就繩墨焉。」

⓱ 見《解詁》襄公二十三年：「夏，邾婁鼻我來奔。」條下云。

⓲ 見阮元等：《經籍纂詁》（臺北：西林出版社，1971 年 2 月）引《漢書．董仲舒傳》顏師古《注》云，頁 422。

⓳ 隱元年《解詁》云：「漸者，物事之端，先見之辭。」

案，何休所撰之《春秋公羊傳・序》云：「傳春秋者非一，本據亂而作，其中多非常異義可怪之說。」從實證的角度來看，所謂的「非常異義可怪之說」，事實上是難以從《春秋》簡略而逐條編年的記載中被發現。如《春秋》莊公四年：「紀侯大去其國。」《公羊傳》僅依「大去」二字，推而衍之，最後竟然得到「九世猶可以復讎乎？雖百世可也。」⑳的結論，這種「大復讎」的說法當然不會是孔子的想法，因爲通觀《春秋》，我們實在找不到孔子有「大復讎」想法的直接證據，在《論語》中，孔子亦只說：「何以報德？以直報德，以德報德。」㉑即使對於身仕讎敵的管仲，孔子亦盛稱其仁。㉒因此，類似這種《經》無《傳》有、且違反常理之說，即被經古文學者視爲「非常異義可怪」。然而，對《公羊》學者自己而言，「非常異義可怪」卻完全沒帶有絲毫價值上的貶意，因爲在《公羊》學家的信仰中，《春秋》本爲據亂而作，「由亂世之史，故有非常異義可怪之事也」㉓，所以非常異義可怪之說在《春秋》中，不但是微言大義㉔，而且還是孔子用以寄託理想的聖人之旨。

「三世說」的歷史進化觀，即屬於這種非常異義可怪之論。而且自《公羊傳》以來，早已堅稱這是聖人之所說之旨。如《春秋》哀公十四年：「春，西狩獲麟。」《傳》云：

> 何以書？記異也。何異爾？非中國之獸也。然則孰狩之？薪采者也。薪采者則微者也，曷爲以狩言之？大之也。曷爲大之？爲獲麟大之也。曷爲獲麟大之？麟者仁獸也。有王者則至，無王者則不至。有以告者曰：「有麕而角

---

⑳ 見莊公四年。

㉑ 《論語・憲問》。引自〔清〕阮元等：《十三經注疏・論語》（臺北：藝文印書館，重刊宋本《論語注疏附校勘記》），頁16。

㉒ 同上註，子路曰：「桓公殺公子糾，召忽死之，管仲不死，曰：未仁乎？」子曰：「桓公九合諸侯，不以兵車，管仲之力也，如其仁！如其仁！」

㉓ 見〔唐〕徐彥《春秋公羊傳疏》文。同註❷，頁4。

㉔ 裴普賢說：「大義指孔子《春秋》對當時所主張的政策；而微言則是口授弟子的隱微之言。」引自《經學概述》（臺北：開明書局，1974 年 5 月），第六章〈春秋與三傳〉，頁121。

者。」孔子曰：「孰爲來哉！孰爲來哉！」反袂拭面，涕沾袍。顏淵死，子曰：「噫！天喪予。」子路死，子曰：「噫！天祝予。」西狩獲麟，孔子曰：「吾道窮矣！」春秋何以始乎隱？祖之所逮聞也。所見異辭，所聞異辭，所傳聞異辭。何以終乎哀十四年？曰：「備矣！」君子曷爲爲春秋？撥亂世，反諸正，莫近諸春秋。則未知其爲是與？其諸君子樂道堯舜之道與？末不亦樂乎堯舜之知君子也？制春秋之義，以俟後聖，以君子之爲，亦有樂乎此也。

在這段約三百字的文字裡，《傳》文描述孔子聽到獲麟之後的反應，先說：「孰爲來哉！孰爲來哉！」然後竟然涕淚沾袍。孔子爲何會有這樣的反應？因爲麟的出現代表有新的王者將興，新的王者將興意味中國將由亂世進至太平盛世。而孔子作《春秋》的目的是爲了「撥亂世，反諸正」，如果中國有如堯、舜般的王者興起，因而進入新的太平盛世，則《春秋》撥亂反正的任務到此就宣告終結了，所以孔子才會說：「吾道窮矣！」因此據《公羊傳》的說法，孔子「制春秋之義」是爲了要「以俟後聖」來取法。如果歷史沒有進化的趨向，反而不斷衰亂，甚至走向退化，孔子是不會制《春秋》來期待於後聖的。

《公羊傳》的歷史進化觀雖然極爲隱微，但是還是可以查覺出來。何休繼承《公羊傳》隱微的三世進化觀點，將其發揚爲「三科九旨」說。

唐・徐彥《疏》引何休《諡例》云：「三科九旨者，新周、故宋、以春秋當新王，此一科三旨也；所見異辭，所聞異辭，所傳聞異辭，二科六旨也；內其國而外諸夏，內諸夏而外四夷，是三科九旨也。」[25]因此，「三世異辭」即何休三科九旨中的二科三旨。「科」者，徐彥《疏》云：「段也。」[26]意思並非字面上文章「段落」之意，而是指各自獨立的基本「條目」[27]；「旨」者，徐彥《疏》云：「意

---

[25] 同註[2]，隱公，卷一，頁7。

[26] 徐彥《疏》云:「《春秋》設三科九旨，其義如何？答曰:『何氏之意以爲三科九旨正是一物。若總言之，謂之三科。科者，段也。析言之，謂之九旨。旨者，意也。』」（引文同前註）

[27] 許愼《說文》云：「科，程也。」段《注》云：「《廣韻》曰：『程也，條也，本也，品也，又科斷也。按，實一義之引申耳。』」（同註[4]，頁340。）

也。」因此《公羊傳》所說的「所見異辭」、「所聞異辭」、「所傳聞異辭」就是何休三科中的第二個基本條目其中的三個意旨。

第一科的三旨：「新周、故宋、以春秋當新王。」和第二科的「三世說」在《公羊》義例上雖沒有直接關係，但是卻與其進化的歷史觀呈有機性的間接聯結。案，何休的一科三旨早在西漢董仲舒時便已提出，《春秋繁露・三代改制質文》云：「《春秋》作新王之事，絀夏，親周，故宋。」㉘因此三統說的內容即是新周、故宋、絀夏，以春秋為新王。

所謂「統」者，始也㉙，意思就是王者在始受命時，要「改正朔，易服色，制禮樂，一統於天下。」㉚由於朝代改易之際第一件事就是要先改正朔，所以「統」亦是正朔之意；「三」者，即夏、商、周三代。當春秋之際，杞國為夏後，宋國為殷後，故董子說「絀夏」、「故宋」，如《春秋》莊公二十七年：「杞伯來朝。」何休《解詁》注云：「杞，夏后。不稱公者，《春秋》黜杞、新周、故宋。」㉛又如，《春秋》隱三年：「庚辰，宋公和卒。」何休《解詁》注云：「宋稱公者，殷后後。王者封二王后地方百里，爵稱公，客待之而不臣也。」皆是其例。為何杞國和宋國同為王者之後，《春秋》卻僅允許宋國稱「公」？而夏僅能稱「伯」？這是因為「逆數三而復，絀三之前。」㉜，董仲舒以「三」為循環之數，由夏至商，由商至周，由周到《春秋》當新王，於是夏就被排除在「三」的循環數之外，是故僅「存二王之後以大國」㉝，夏即被「絀王謂之帝，封其後以小國，使奉祀之。」

這種非常異義可怪之論㉞，事實上是「為了要解決新王改制中新統與舊統的關

㉘ 同註❺，〈三代改制質文第二十三〉，頁 177。

㉙ 何休曰：「統者，始也。」見隱公元年《解詁》注云。

㉚ 同註❺，〈三代改制質文第二十三〉，頁 174。

㉛ 見莊公二十七年，《解詁》注云。

㉜ 同註❺，〈三代改制質文第二十三〉，頁 175。

㉝ 董仲舒云：「《春秋》曰：『杞伯來朝。』王者之後稱公，杞何以稱伯？春秋上絀夏，下存周，以春秋當新王。春秋當新王者柰何？曰：王者之法必正號，絀王謂之帝，封其後以小國，使奉祀之：下存二王之後以大國使服其服，行其禮樂，稱客而朝。」（同註❺，頁 176－177。）董仲舒所說二王之後即殷、周，而《春秋》為新王。

㉞ 康有為云：「王魯新周故宋、黜夏，此非常可怪之論，董子屢發之，與何休同其說，蓋由口

係問題。」㉟這其中所蘊含更深層的含意即：「後王天命雖改，其舊統在特定的時空中仍有其存在的理由。」㊱案，何休云：「《春秋》變周之文，從殷之質。」㊲董仲舒亦說：「王者以制，一商一夏，一質一文。」㊳《春秋》雖有三世進化的歷史觀，但是歷史之進化並非將舊有的制度及文化全盤捨去，子曰：「殷因于夏禮，所損益，可知也；周因于殷禮，所損益可知也。其或繼周者，雖百世可知也。」㊴即使是孔子，亦同樣認爲：新王興起改制，仍然要於前代之文制擇其善者而從之；再從另一個角度來看，這也意味孔子亦認爲歷史是呈不斷進化的發展。孔子本人既有這樣的看法，何休三科中的一科三旨和二科六旨，在理解上似乎就不那麼「異義可怪」了。

至於第三科的「內其國而外諸夏，內諸夏而外四夷」，由於與第二科的「三世異辭」在義例上有直接關係，故將與本節引而未發的問題一併在下節中繼續討論。

三、「三世異辭」例發微

「三世異辭」從西漢公羊壽發展到東漢何休，不僅成一種歷史進化觀，同時亦成爲《春秋》義例中的一個重要指導原則。這個原則，在《公羊傳》的義例裡，原本僅有三個主要內容可言：

1. 即上節所反覆說明的「所見」、「所聞」、「所傳聞」三個歷史分期。
2. 《春秋》時代越遠，記事越簡略。如隱元年：「公子益師卒。」《傳》云：「何以不日？遠也。」
3. 《春秋》時代愈遠，對於君父的恩情就越淡薄。如桓二年：「三月，公會

口相傳之故。」見〔清〕康有爲：《春秋董氏學》（臺北：商務印書館，1969 年 1 月）〈卷四·春秋口說〉，頁 10。

㉟ 引自蔣慶：《公羊學引論》（瀋陽：遼寧教育出版社，1995 年 6 月），第五章，第十一節，第二條之第二點標題，頁 307。

㊱ 同上註，頁 295－296。

㊲ 見《春秋》隱公七年：「齊侯使其弟年來聘。」《解詁》之注云。

㊳ 同註❺，〈三代改制質文第二十三〉，頁 178。

㊴ 《論語·爲政》，同註㉑，頁 7。

齊侯、陳侯、鄭伯于稷，以成宋亂。」《傳》云：「內大惡諱，此其目之何？遠也。」

何休將《公羊傳》三世異辭的這三個內容擴充，發展爲一套解說《春秋》筆法的義例系統，這個系統的構成，是以三世說的歷史概念爲綱領，而統御其他在序位上或層次上較低的義例。[40]這些以「三世異辭」爲原則的義例有哪些？何休《解詁》在《春秋》隱公元年之注有如下重要的一段話：

> 異辭者，見恩有厚薄，義有深淺，時恩衰義缺，將以理人倫，序人類，因制治亂之法，故於所見之世，恩己與父之臣尤深，大夫卒、有罪無罪，皆日錄之，丙申季孫隱如卒是也；於所聞之世，王父之臣，恩少殺，大夫卒，無罪者日錄，有罪者不日，略之，叔孫得臣卒是也；於所傳聞之世，高祖曾祖之臣，恩淺，大夫卒，有罪無罪皆不日，略之也，公子益師、無駭卒是也。於所傳聞之世，見治起於衰亂之中，用心尚粗觕，故內其國而外諸夏，先詳內而後治外，錄大略小，內小惡書，外小惡不書，大國有大夫，小國略稱人，內離會書，外離會不書，是也；於所聞之世，見治升平，內諸夏而外夷狄，書外離會，小國有大夫，宣十一年秋，晉侯會狄於攢函，襄二十三年，邾婁鼻我來奔是也；至所見之世，著治大平，夷狄進至於爵，天下遠近，小大若一，用心尤深而詳，故崇仁義，譏二名，晉魏曼多，仲孫何忌是也。所以三世者，禮爲父母三年，爲祖父母期，爲曾祖父母齊衰三月，立愛自親始，故春秋據哀錄隱，上治祖禰，所以二百四十二年者，取法十二公，天數備足，著治法式，又因周道始壞，絕於惠隱之際，王所以卒大夫者，明君當隱痛之也。

由上文可以我們可以將這些與「三世異辭」發生關係的義例先析離出來，茲條例如下：

1.大夫卒日例。

[40] 然而同樣與其發生義例上關係的「內其國而外諸夏，內諸夏而外夷狄」，與「三世異辭」同爲三科九旨中的其中一科，故獨爲例外，不應列於序位或層次較低之列。

2.異內外例。

3.內外小惡書例。

4.大小國大夫例。

5.內外離會書例。

6.譏二名例。

除上述六例之外，從《解詁》的另外一段注文中，又可以得到與「三世異辭」相關的一個義例。

《春秋》桓公二年：「三月，公會齊侯、陳侯、鄭伯于稷，以成宋亂。」何休《解詁》注云：「所見之世，臣子恩其君父尤厚，故多微辭是也；所聞之世，恩王父少殺，故立煬宮不日，武宮日是也；所傳聞之世，恩高祖、曾祖又少殺，故子赤卒不日，子般卒日是也。」

何休《解詁》中的這段話，目的是用來解釋《春秋》在所傳聞世書桓公大惡的緣故，因此內大惡諱例亦在三世異辭的理論架構下，故亦應計入在內：

7.內大惡諱例。

上述七例，依筆者個人之見，在一般的正常情況之下，若依從「三世異辭」的原則，稱之為「正例」；在偶發的例外的情況之下，不依從「三世異辭」的原則，如此則稱為「變例」。筆者上節中曾經提到，《公羊》學家解釋《春秋》筆法的系統中，「三世異辭」為何休「三科九旨」中的第二科。「科」者，本身雖為一個基本條目或綱領，但本身仍然屬於一個義例，只不過其序位或層次高於一般之常例，故可以統攝上述七例。而「義例」究竟是什麼？戴君仁說：

> 三《傳》都講例，古代的漢晉儒者，近代的清儒都是如此。他們認為《春秋》是聖人示褒貶之書，而《經》中褒貶進退，都靠書法表達。書法是有例的，例有正例、變例，於變例見義，可以看出聖人褒貶進退之意。可以說，聖人因褒貶而生凡例，後人由凡例以見褒貶。單詞言之叫做例，複詞言之便叫做義例。[41]

---

[41] 見戴君仁：《春秋辨例》（臺北：中華叢書編審委員會，1964年10月），頁9。

「例有正例、變例，於變例見義，可以看出聖人褒貶進退之意」，但是例與例之間，在運用解釋時，筆者個人認爲又會產生如下各種情況：有變例成爲正例者、有正例成爲變例者、有變例序位反優於正例之上者、有互爲正例而抵消其一者、有一例而同時具正變雙重身份者。

以下先解釋上述七點的正例，再一一例舉其變例，以明正、變義例兩者之間的關係：

㈠ 大夫卒日例

隱元年，《春秋》：「公子益師卒。」

《公羊傳》云：「何以不日？遠也。所見異辭，所聞異辭，所傳聞異辭。」

何休《解詁》注云：「於所見之世，恩己與父之臣尤深，大夫卒、有罪無罪，皆日錄之，丙申季孫隱如卒是也；於所聞之世，王父之臣，恩少殺，大夫卒，無罪者日錄，有罪者不日，略之，叔孫得臣卒是也；於所傳聞之世，高祖曾祖之臣，恩淺，大夫卒，有罪無罪皆不日，略之也，公子益師、無駭卒是也。」

由上引資料可以將大夫卒日之三世異辭的正例歸納如下：

所見世：大夫卒，有罪無罪，皆日錄之。

所聞世：大夫卒，無罪者日錄，有罪者不日，略之。

所傳聞世：大夫卒，有罪無罪皆不日，略之也。

這裡所謂的「正例」，皆是一般情況下《春秋》書法的普遍原則。然而，在特殊情況下，亦即「變例」出現時，正例的效力會被變例所抵消，這也就是說，變例義旨的序位會反出於正例義旨之上。

如，《春秋》隱五年：「冬十有二月，辛巳，公子彄卒。」《解詁》注云：「日者，隱公賢君，宜有恩禮於大夫，益師始見法，無駭有罪，据俠又未命也，故獨得於此日。」

在所傳聞世，大夫卒，不管有罪無罪，《春秋》皆不書日，此爲其正例。如隱元年的益師、隱八年的無駭、隱九年的俠，《春秋》不書卒日者皆是。這些例子在《春秋》書法中爲普遍狀況下的常例，故稱之爲「正例」。

變例之出現，是指在《春秋》中異於普遍常態書法的特殊記載，這種特殊記載，一定在數量比例上遠小於「正例」，甚至是獨一的，且其存在不是書法中的常態，才可被稱之爲「變例」。以上所引隱五年之例來說，《春秋》在所傳聞世注明世大夫之卒日者，僅有隱五年公子彄一例而已，如此即爲變例。

當《春秋》這種變例出現時，《傳》和《解詁》通常都借以發揮某個特殊義旨，這個特殊義旨一出現，普遍義旨的效力就會爲其所取消。如隱五年公子彄卒，《春秋》注明其卒日，《解詁》用這個特例來強調「隱公之賢」[42]，如此，在這個特例中，「三世異辭」——「所傳聞之世，恩高祖、曾祖又少殺」[43]的這個普遍義旨的效力就會被「隱有讓桓之賢」的這個特殊義旨所取消，是故所傳聞世大夫不書卒日的正例就變爲「隱公賢君，宜有恩禮於大夫……，故獨得於此日」之特殊義。

然而，普遍義旨的效力被取消並不是說「正例」皆因此而宣告消失或消滅，這些正例在《春秋》中依然爲事實上的存在，而其既爲事實上的存在，即意味普遍義旨依然還是存在。更清楚地說，當「變例」在《春秋》中出現時，《傳》文所解釋的特殊義旨亦隨之出現，其出現，僅能在變例這個「特殊情況下」取代正例的普遍義旨，此時其序位高於普遍義旨；反之，當《春秋》正例出現，自有其正例的普遍義旨，單獨或少數存在的變例義旨不能反過來僭越。

以上這種正例、變例的對應關係在《公羊傳》及《解詁》中最爲常見。

㈡ 異內外例

隱元年，《解詁》云：「於所傳聞之世，見治起於衰亂之中，用心尚粗觕，故內其國而外諸夏，先詳內而後治外，錄大略小，內小惡書，外小惡不書，大國有大夫，小國略稱人，內離會書，外離會不書，是也；於所聞之世，見治升平，內諸夏而外夷狄，書外離會，小國有大夫，宣十一年秋，晉侯會狄於攢函，襄二十三年，邾婁鼻我來奔是也；至所見之世，著治大平，夷狄進至於爵，天下遠近，小大若一，用心尤深而詳，故崇仁義，譏二名，晉魏曼多，仲孫何忌是也。」

將異內外之條目析離出來，可將其正例歸納如下：

所見：著治大平，夷狄進至於爵，天下遠近，小大若一。

所聞：內諸夏而外夷狄。

---

[42] 指隱公有讓桓之心。

[43] 見桓二年《解詁》注。

所傳聞：內其國而外諸夏。

以上三條正例屬於何休「三科九旨」中第三科的三旨。這三旨是將天下視爲一個由三圓所組成的同心圓概念。如下圖所示：

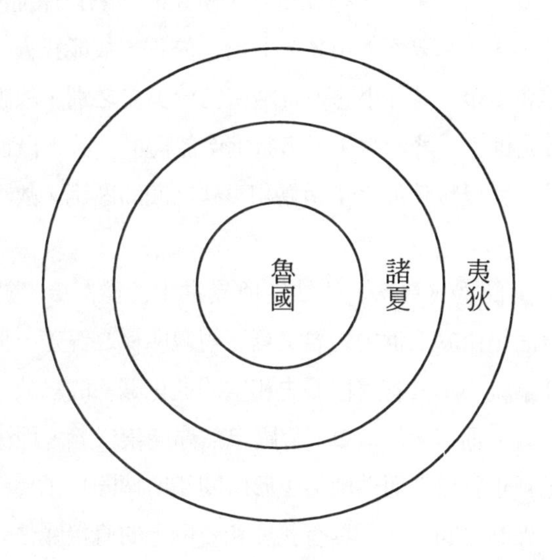

案，成公十五年，《公羊傳》云：「春秋內其國而外諸夏，內諸夏而外夷狄。王者欲一乎天下，曷爲以外內之辭言之？言自近者始也。」所謂「內其國」者，何休云：「假魯國以爲京師也。」㊹所謂「諸夏」者，何休云：「外土諸侯也。」㊺至於「夷狄」，則是諸夏之外，未受開化的野蠻民族之統稱。㊻因此《傳》所謂的「外內之辭」就是針對這種同心圓組成的空間概念而言。爲何在這個空間概念下，《公羊傳》要說「自近者始也」呢？何休解釋云：「明當先正京師，乃正諸夏，諸

㊹ 見《公羊傳》成公十五年，同條下《解詁》注。

㊺ 同上註。

㊻ 《史記・五帝本紀》云：「流共工于幽陵以變北狄，放驩兜于崇山以變南蠻，遷三苗于三危以變西戎，殛鯀于羽山以變東夷。」（北京：中華書局，1997 年，頁 8。）故夷居於東，狄居於北，但《公羊傳》在此將夷狄合稱，主要是指春秋時代諸夏南方的吳國和楚國而言。

夏正，乃正夷狄。」㊼在此，異內外的空間概念和九旨中第二科「三世異辭」的時間概念相結合在一起，而成為《公羊》學家大同世界的理想藍圖。於所傳聞世：「見治起於衰亂之中，用心尚粗觕」，因此只能先正己，才能正諸夏，所以《春秋》「內小惡書，外小惡不書」，這就是孔子所說的「躬自厚而薄責於人」㊽；於所聞世：「見治升平，內諸夏而外夷狄。」己已先正，故能正人，因此「內諸夏而詳錄之，乃書外離會」㊾，書外小惡，且嚴密區分夷夏之別，故說「不與夷狄之獲中國也」㊿；於所見世：「著治大平，夷狄進至於爵」，天下既已太平，夷狄亦進化為諸夏的一份子，所以也就泯除了諸夏和夷狄之間的區別，故說「天下遠近，小大若一」。

何休的《解詁》認為《春秋》筆法在所見世中多微辭51，對君父不敢直顯其惡，其原因，一方面是由於三世中的君父具有親親關係之等差，另一方面亦即在於其《解詁》的解釋系統中，具有這種歷史和空間進化關係的緣故，故當太平世時，夷狄既然能「崇仁義」而進至於爵52，魯國自然亦能崇仁義，而少過失，因此《春秋》對君父負面記載也就自然而然地遠少於所聞和所傳聞世了。

異內外和三世異辭之間，除了具有義理和義例上的直接關係外，另外又與《公羊傳》中的「稱謂七等」例為一體。

何謂「稱謂七等」？案，《春秋》莊十年：「秋九月，荊敗蔡于莘，以蔡侯獻舞歸。」《公羊傳》云：「荊者何？州名也。州不若國，國不若氏，氏不若人，人不若名，名不若字，字不若子。」以上《傳》所說的子、字、名、人、氏、國、州即所謂的「稱謂七等」。

㊼ 見宣公十一年《解詁》注。

㊽ 隱二年，《解詁》注云：「凡書會者，惡其虛內務，恃外好也。古者，諸侯非朝時不得踰竟，所傳聞之世，外離會不書，書內離會者，春秋王魯，明當先自詳正，躬自厚而薄責於人，故略外也。」

㊾ 見《春秋》桓五年：「夏齊侯、鄭伯如紀。」《解詁》注。

㊿ 見莊十年，秋九月，荊敗蔡于莘，以蔡侯獻舞歸。《公羊傳》注云。

51 桓公二年，《解詁》注云：「所見之世，臣子恩其君父尤厚，故多微辭是也。」

52 定公四年，《春秋》：「冬，十有一月，庚午，蔡侯以吳子及楚人戰于伯莒，楚師敗績。」《傳》云：「吳何以稱子？夷狄而能憂中國也。」

以《春秋》莊十年的這段引文爲例，由於尙處於所傳聞世，諸夏尙外於其國，何況夷狄？但是楚國由於初次出現在《春秋》的記載之中，既然要在書法上防範他、貶斥他，又不能不先給予一個稱呼，所以才在七個不同價値等級的稱謂中，給予最低階的稱號，即荊的「州」名。

這七個稱等級的稱謂，在《春秋》的書法中，皆有其褒貶的用意，而且依其褒貶，還同時具有變動之用法。

如，《春秋》桓十五年：「邾婁人、牟人、葛人來朝。」《公羊傳》云：「皆何以稱人？夷狄之也。」何休《解詁》注云：「桓公行惡而三人俱朝事之，三人爲眾，眾足責，故夷狄之。」

案，「春秋改周之文，從殷之質，合伯子男爲一，一辭無所貶」[53]，《春秋》七等稱謂中，以稱其爵位爲最尊。而稱其爵位的慣例，其實只有公、侯、伯三個等級，而「伯」爵之稱，實際上和「子」、「男」之爵爲一體，不管稱伯、稱子、稱男皆是同樣的意思，並沒有價値上的貶意，所以邾婁、牟、葛同爲諸夏中的小國，在慣例上應該稱其爲「伯」或「子」或「男」[54]，但是在桓十五年例中，《春秋》將這三小國家的國君稱作「人」，異於一般常態上應有的慣例[55]，在七等稱謂之中倒退了三個等級，《公羊傳》認爲這是貶意，故說：「夷狄之也。」何休進一步解釋《春秋》貶斥這三個小國的理由，說：「桓公行惡而三人俱朝事之，三人爲眾，眾足責，故夷狄之。」[56]由於《春秋》有「隱賢而桓賤」（爲賢者諱）的筆法，隱公有讓桓之心，而桓公弒隱而立，爲強調隱公之賢、桓公之惡，故凡隱公之惡多隱之，桓公之惡多顯揚之，由於這個緣故，所以將朝事桓公的三個小國貶退。

在此我們可以看出異內外例其實就一種《春秋》彈性運用的褒貶筆法，邾婁、牟、葛三國原本爲諸夏中的小國，但是卻因朝事桓公，被《春秋》降低其稱謂的等級，而從諸夏變爲夷狄；反過來說，夷狄若能崇仁義、行王道，亦有可能進位爲諸

[53] 桓公十一年，《解詁》云。

[54] 見隱公五年，《公羊傳》云：「諸公者何？諸侯者何？天子三公稱公，王者之後稱公，其餘大國稱侯，小國稱伯、子、男。」

[55] 如莊公十六年《春秋》：「邾婁子克卒。」稱「子」即常例。

[56] 見桓十五《解詁》云。

夏，如定公四年：「冬，十有一月，庚午，蔡侯以吳子及楚人戰于伯莒，楚師敗績。」由於，楚昭王拘禁蔡昭侯三年不返，深爲無道，伍子胥以憂中國爲名而討伐之，故《春秋》在所見世將原被視爲夷狄的吳國進至於子爵，使其與諸夏取得同等之地位。57

然而在此我們又遇到一個例與例之間衝突的困難。

案，何休之三科九旨中的一科三旨謂：「新周、故宋、以春秋當新王。」所謂以春秋當新王，意即《春秋》託王於魯，故於隱公元年稱：「元年，春，王正月。」不稱「元年，春，公正月。」以此託隱公爲王受命之始。此即《公羊》義例中有名的「王魯說」。如前文所述，何休將二科中第一旨的「內其國」解釋爲「假魯國以爲京師也」，京師爲王者所在之都，因此我們可說，異內外例和王魯說不僅在理論上具直接的關聯，甚至可以說，這兩個義例彼此是互相發揮的。

既然原爲彼此互相發揮，衝突又由何產生？

隱公元年，《春秋》：「三月，公及邾婁儀父盟于眛。」

《傳》云：「儀父者何？邾婁之君也。何以名？字也。曷爲稱字？褒之也。曷爲褒之？爲其與公盟也。與公盟者眾矣！曷爲獨褒乎此？因其可褒而褒之。」

何休《解詁》云：「春秋王魯，託隱公以爲始受命王，因儀父先與隱公盟，可假以見褒賞之法，故云爾。」

就隱元年邾婁盟魯之例來看，因春秋王魯，故凡與魯國會盟的小國，均被視爲來朝於王，因此《春秋》才會「因其可褒而褒之」，將其進於僅次於爵位下「字」的稱謂。

可是，在桓十五年，同樣亦是邾婁來朝，《公羊傳》卻將其貶退爲夷狄，理由是因爲桓公行惡，而邾婁朝事之。

同於所傳聞世，同樣的一種行爲，卻有兩種完全相反的評價。

前文已述，正例出現，自有其正例的普遍義旨，「王魯說」和「異內外」即屬於這種普遍義；變例只能在「特殊情況下」取代正例的普遍義旨，而這個「特殊情況」即《春秋》將邾婁之國君稱「人」的書法，故其普遍義旨變動爲「隱賢而桓

57 事見同年《公羊傳》注云：「吳何以稱子？夷狄也而憂中國。」

賤」的特殊義旨。這種道德上的褒貶評價，在《春秋》書法中通常需要依靠變例殊於一般常態的記載方可見其意。

可是困難的是，異內外例在所傳聞世中，具有「先正京師，乃正諸夏」的義旨，這種「恭自厚而薄責於人」的義涵在此即和「王魯說」相衝突。也就是說，先責桓公之惡，在異內外的義例上（指正例）是可被允許的，在三世異辭說的所傳聞世義例上也是可被允許的，可是在邾婁國來朝的例子中，責桓公之惡而貶小國卻會將「王魯說」的普遍義旨抵消掉，因此，這種情況就屬於兩者同為正例而抵消其一之例。然而也由於這個例子的衝突使我們發現：當正例和正例的義旨相衝突時，被消滅或取消的那一者，其理論序位小於存在的那一者。也就是說，「王魯說」和「異內外和三世異辭」二者，雖然皆具正例之普遍性，但就理論序位而言，「異內外和三世異辭」的序位優於「王魯說」。

相同的例子在桓公三年亦可見，《春秋》：「三年，春正月，公會齊侯于嬴。」《解詁》注曰：「無王者，以是桓公無王而行也。」在此所說的「王」，就不是慣例上《春秋》當新王之託魯為王，而是指周王。因為桓公「弒賢君，篡慈兄，專易朝之邑，無王而行，無仁義之心」[58]，所以在此將「王正月」之「王」去掉，以示其目無周王之心，故通觀桓公在位之十八年間，只有其中四年稱「王正月」。「王魯說」之義，在此就被桓公為惡（躬自厚、內其國）的貶筆給取消了。

(三) 內外小惡書例

隱元年，《解詁》云：「於所傳聞之世，見治起於衰亂之中，用心尚粗觕，故內其國而外諸夏，先詳內而後治外，錄大略小，內小惡書，外小惡不書，大國有大夫，小國略稱人，內離會書，外離會不書，是也；於所聞之世，見治升平，內諸夏而外夷狄，書外離會，小國有大夫，宣十一年秋，晉侯會狄於攢函，襄二十三年，邾婁鼻我來奔是也；至所見之世，著治大平，夷狄進至於爵，天下遠近，小大若一，用心尤深而詳，故崇仁義，譏二名，晉魏曼多，仲孫何忌是也。」

由上之引文，我們僅可確定「內小惡書，外小惡不書」為所傳聞世的正例。

又，莊六年，《解詁》云：「入所見世，責小國詳，始錄內行也。諸侯內行小

---

[58] 見桓元年，三月，《解詁》注云。

失不可勝書，故于終略責之見其義。」

所見世責小國詳，故錄內行，而所聞世之是否書外小惡，則無法直接從《傳》及《解詁》中的文字徵知。然而據莊六年《解詁》之注云，到所見世，《春秋》責小國詳，才開始錄諸侯內行之小失。由此理來推，在所見世以前，並不收錄諸侯內行之小失，由此可知所聞世不錄諸侯內行之小失，不書外小惡。

因此，由上引二條資料，我們可以將三世異辭中的內外小惡書例的正例條列如下：

所見：外小惡書。

所聞：外小惡不書。

所傳聞：內小惡書，外小惡不書。

既然所見世書外小惡，所傳聞世和所聞世皆不書外小惡，所以外小惡不應書而書的變例書法不會出現在所見世，只會出現在所傳聞世和所聞世。這是因爲《春秋》以所見世書外小惡爲常例，若其刻意不書，我們亦無法由文獻得知，也就是說，既然不載諸於文字，我們即永遠無法得知是否有其變例；反之，若不應書而書，變例就立刻見於文字，此即變例只見於所傳聞和所聞世的原因。

以下爲所傳聞世《春秋》書外小惡之變例：

隱四年，《春秋》：「四年，春王二月，莒人伐杞，取牟婁。」

《公羊傳》云：「外取邑不書，此何以書？疾始取邑也。」

《解詁》云：「外小惡不書，以外見疾，始著取邑以自廣大，比於貪利差爲重。故先治之也。內取邑常書，外但疾始，不常書者，義與上逆女同。」

隱公四年，莒人伐杞取邑爲小惡，又本非魯國之事，而春秋書之，此爲所傳聞世書外小惡的變例。在這變例中，《公羊傳》和《解詁》都說《春秋》記載這件事的原因是由於「疾始」。所謂「疾始」，疾，病也，在此應作譴責之意；始，漸也，意思就是開始發生。「疾始」就是譴責不好事物的開始發生。

前文已述，變例只能在「特殊情況下」取代正例的普遍義旨，此例的這個特殊情況就是：所傳聞世外取邑不書，但《春秋》在此書之，而其變例之特殊義旨爲「疾始」。

就上引隱四年例而言，書法上不應書而書，此視爲「所傳聞世外小惡不書」的變例決無疑義，可是何休在此例中注云：「內取邑常書，外但疾始。」「疾始」雖在此例中雖僅具特殊義，然而在整部《春秋》中卻是一個普遍義。

案，《公羊傳》云：「君子之惡惡也疾始，善善也樂終。」59「疾始」的例子在《春秋》中，一共出現過七次，茲例如下：

隱二年：無駭帥師入極。《傳》云：「疾始滅也。」

隱四年：四年，春王二月，莒人伐杞，取牟婁。《傳》云：「疾始取邑也。」

隱五年：初獻六羽。《傳》云：「譏始僭諸公也。」

隱八年：冬，十有二月，無駭卒。《傳》云：「何以不氏？疾始滅也。」

桓七年：春二月，己亥，焚咸丘。《傳》云：「疾始以火攻也。」

莊二十二年：春，王正月，肆大省。《傳》云：「譏始忌省也。」

閔二年：夏，五月，乙酉，吉禘于莊公。《傳》云：「譏始不三年也。」

就數量而言，「疾始」的數量已足構成一個普遍的例子；就其義理而言，「君子惡惡也疾始」在《春秋公羊傳》中亦是一個固定而普遍的概念。故「疾始」雖爲隱四年的變例，但在通部《春秋》中卻具普遍的適用性，故應獨立而自成一個正例。

此爲由變例而反成爲正例者。

(四) **小國無大夫例**

隱元年，《解詁》云：「於所傳聞之世，見治起於衰亂之中，用心尚粗觕，故內其國而外諸夏，先詳內而後治外，錄大略小，內小惡書，外小惡不書，大國有大夫，小國略稱人，內離會書，外離會不書，是也；於所聞之世，見治升平，內諸夏而外夷狄，書外離會，小國有大夫，宣十一年秋，晉侯會狄於攢函，襄二十三年，邾婁鼻我來奔是也；至所見之世，著治大平，夷狄進至於爵，天下遠近，小大若一，用心尤深而詳，故崇仁義，譏二名，晉魏曼多，仲孫何忌是也。」

由該文可知，在所傳聞世小國無大夫，僅略稱人，到所聞世小國才有大夫。又，襄公二十三年，《解詁》云：「所聞之世，內諸夏，治小如大廩，廩近升平，故小國有大夫治之，漸也。」所謂「漸」者，始也。既然所聞世小國「開始」有大

59 見僖十七年，《公羊傳》注。

夫，故所見世小國當然也有大夫。其正例如下：

所見：小國有大夫。

所聞：小國有大夫。

所傳聞：小國無大夫。

在此須強調一點，所謂的有大夫、無大夫並不是指事實上的有無，而是指《春秋》在三世異辭中錄不錄小國大夫名字的筆法。因此，當小國無大夫的所傳聞世時，《春秋》中若出現小國大夫的名字即爲變例，如隱二年，《春秋》：「九月，紀履緰來逆女。」其大夫名字不應書而書即其例。

前文筆者曾說，有由變例而成爲正例者。在此，我們亦能夠看見由正例而反成爲變例者。

如成公二年，《春秋》：「六月，癸酉，季孫行父、臧孫許、叔孫僑如、公孫嬰齊，帥師會晉郤克。衛孫良夫，曹公子手，及齊侯戰于鞌，齊師敗績。」

《公羊傳》云：「曹無大夫，公子手何以書？憂內也。」

案，成公二年在三世歷史分期中屬所聞世。在所聞世中，小國有大夫爲正例。因此，《春秋》在這裡錄曹國大夫公子手之名者，爲應書而書，故爲正例無疑。可是據《傳》文，卻故意將這個正例解爲變例。[60]其變例的特殊意涵即：曹國的公子手爲小國大夫，小國大夫而能從魯國征伐，從魯國征伐，符於《春秋》託王於魯之義，故褒而錄之。[61]如此，在這個例子中，明明是《春秋》的正例卻被解爲變例，「王魯說」的理論序位在這個特殊狀況下即高於三世異辭。《公羊傳》及《解詁》的說法無視正例的存在，而硬將其解爲變例，這當然是有邏輯上的問題，可是我們卻不得不承認，這個例子是正例反成爲變例者。

---

[60] 案，文公九年，《春秋》：「冬，楚子使椒來聘。」《傳》云：「椒者何？楚大夫也。楚無大夫，此何以書？始有大夫也。」文公九年爲所聞世，據《公羊傳》之意，夷狄之楚國本無大夫，至此始有大夫，此即從正例上來解。既然如此，則同爲所聞世的曹國就不應該說「無大夫」，否則即是將正例硬解爲變例。

[61] 何休《解詁》注云：「春秋託王于魯，因假以見王法，明諸侯有能從王者征伐不義，克勝有功，當褒之。」

㈤ 內外離會書例

桓五年，《解詁》云：「春秋始錄內小惡，書內離會，略外小惡，不書外離會，至所聞之世，著治升平，內諸夏而詳錄之，乃書外離會，嫌外離會常書，故變文見意，以別嫌明疑。」

《春秋》於所傳聞世書內離會，不書外離會，到了所聞世以後才書外離會。「離會」是什麼？所謂「離」者，二國相會之稱也。62所謂「會」者，三國以上言會。63

又隱元年，《解詁》云：「凡書會者，惡其虛內務，恃外好也。古者，諸侯非朝時不得踰竟，所傳聞之世，外離會不書，書內離會者，春秋王魯，明當先自詳正，躬自厚而薄責於人，故略外也。」

在此，何休將「會」視爲《春秋》對諸侯「虛內務，恃外好」的負面評價，因此，雖然三人議能從二人決事、定是非、立善惡，但仍然屬於貶的筆法。在所傳聞世，《春秋》只書內離會，不書外離會，這是因爲和內外小惡書例一樣，在所傳聞世時「內其國而外諸夏，先詳內而後治外」，應當躬自厚而薄責於人，所以只書內而不書外。到所聞世以後，己已先正，乃能正人，故書外離會。

以下將正例條列如下：

所見：外離會書。

所聞：外離會書。

所傳聞：內離會書，外離會不書。

至於其變例亦僅出現在所傳聞世，若外離會不應書而《春秋》書之，即其變例。其變例僅出現在所傳聞世的理由，和內外小惡書例一樣，在此不再贅述。

《春秋》中所傳聞世書外離會的變例僅下引三條：

莊十四年，《春秋》：「冬，單伯會齊侯、宋公、衛侯、鄭伯于鄄。」

---

62 案，桓二年《解詁》注云：「二國會曰離，二人議各是其所是，非其所非，所道不同，不能決事，定是非，立善惡，不足采取，故謂之離會。」

63 案，桓二年，《解詁》注云：「自三國以上言會者，重其少從多也，能決事，定是非，立善惡，《尚書》曰：『三人議則從二人之言』，蓋取此。」

莊十五年，《春秋》：「十有五年春，齊侯、宋公、陳侯、衛侯、鄭伯會于鄄。」

莊十四年，《春秋》：「夏，單伯會伐宋。」《傳》云：「其言會伐宋何？後會也。」《解詁》云：「本期而後，故但舉會。書者，刺其不信，因以分別，功惡有深淺也。」

以上三條皆為所傳聞世中《春秋》不應書而書的外離會變例，前兩則確定為變例而《傳》及《解詁》均無注解，這是明為變例而無由解釋者，故筆者不作析論；至於第三條例子所以書會者，乃是由於單伯「期而後」，故《春秋》不應書「會」而書之，以刺其不信。

莊十四年「單伯不信」這個變例的特殊義旨僅能在這個例子中適用，而且只有一例，故不能反過來侵奪其它具普遍義旨的正例。此亦為正、變諸例中最常見的一種關係。

㈥ 譏二名例

定六年，《春秋》：「季孫斯、仲孫忌帥師圍運。」《公羊傳》云：「此仲孫何忌也。曷為謂之仲孫忌？譏二名。二名非禮也。」

相同的例子又出現在哀十三年，《春秋》：「晉魏多帥師侵衛。」《公羊傳》云：「此晉魏曼多也。曷為謂之晉魏多？譏二名，二名非禮也。」

何謂「二名」？「二名」者，即指某人名字為雙名，如曹公子射姑、魯公子益師等皆是。譏二名例在《春秋》不僅只出現在所見世，而且只有二例。為何會這樣呢？案，定六年，《解詁》注云：「春秋定哀之間，文致太平，欲見王者治定，無所復為譏，唯有二名，故譏之，此春秋之制也。」據何休的說法，春秋定公、哀公為所見世，而所見世在三世進化的歷史觀下為太平世，既為太平世，則代表王者已治定天下，所以《春秋》已沒有什麼事情可以再譏刺褒貶了，獨獨只有「二名」可譏，所以才譏之。

除此之外尚有一說，昭元年，《春秋》：「叔孫豹會晉趙武、楚公子圍、齊國酌、宋向戌、衛石惡、陳公子招、蔡公孫歸、鄭軒虎、許人、曹人于漷。」其中宋向戌和衛石惡的名字皆和其主君相同[64]，何休《解詁》注曰：「戌、惡皆與君同名，不正之者，正之，當貶。貶之，嫌觸大惡，方譏二名爲諱。」因此，孔子譏二名的動機，是由於有人的名字和其國君相同，但是由於不願在所見世文致太平之時揭發這種大惡，所以才譏二名來諱惡。

這兩個說法雖然牽強，但既然和三世相關，故我們仍然不能不將其視爲三世異辭系統中的一例。其正例如下：

所見：譏二名。

所聞：無。

所傳聞：無。

譏二名既只僅存於所見世，所聞、所傳聞世固不足以論。前文已述，正例的存在應具有其普遍性義旨，故所見世譏二名的正例，應當是「應譏而譏」，一遇到二名時就譏之，此爲其正例；而其變例之以爲變例者，應當是名字爲二名時「應譏而不譏」，方見其特殊之褒貶義旨。

可是，此處的正例和變例卻都不是如此，而是以正例爲變例，以變例爲正例。

如，仲孫何忌在所見世中共出現十二次，以雙名出現者，共計十一次[65]，以單名出現者僅一次。因此雙名出現爲常態，單名出現爲變態，可是《春秋》譏二名的書法卻不在仲孫何忌雙名所出現的十一次中每次都譏貶，而是在仲孫何忌所出現的十二次中，故意將其中的一次筆削爲單名，以見其褒貶。如此，正例的義旨必須於書法的變例中方能得見，反過來說，由變例筆削後的書法中，亦才能見到正例的義旨。

此所以筆者稱「譏二名」例是以正例爲變例，以變例爲正例。

㈦ 內大惡諱例

《春秋》桓公二年：「三月，公會齊侯、陳侯、鄭伯于稷，以成宋亂。」

---

[64] 案，昭公七年《春秋》：「秋，八月，戊辰，衛侯惡卒。」又昭公十年：「十有二月，甲子，宋公戌卒。」是知衛惡和向戌皆和其國君同名。

[65] 案，《春秋》中，其雙名出現的十一次分別在昭公三十二年、定公三年、定公六年、定公八年、定公十年、定公十二年、哀公元年、哀公二年、哀公三年、哀公六年。

《公羊傳》云：「內大惡諱，此其目之何？遠也。所見異辭，所聞異辭，所傳聞異辭。隱亦遠矣。曷爲隱諱？隱賢而桓賤也。」

何休《解詁》注云：「所見之世，臣子恩其君父尤厚，故多微辭是也；所聞之世，恩王父少殺，故立煬宮不日，武宮日是也；所傳聞之世，恩高祖、曾祖又少殺，故子赤卒不日，子般卒日是也。」

由《傳》及《解詁》的注文可知，「內大惡諱」本來爲《春秋》書法之通例，可是由於三世異辭親親等差關係的緣故，在所傳聞世因爲時代「遠也」，所以不爲內諱大惡；而於所見世，「恩其君父尤厚，故多微辭」，所以爲內諱大惡。至於所聞世則爲一模糊地帶，何休於所聞世所舉之例：成公六年所立之武宮，《公羊傳》僅云：「立武宮，非禮也。」只是非禮（小惡），並非大惡，所以煬宮、武宮之書例不適用於內大惡諱例。

又據董仲舒云：「於所見，微其辭；於所聞，痛其禍；於傳聞，殺其恩，與情俱也。」既然所聞世痛其禍，以理推之，於內大惡應該爲諱才是。再從證據上來看，所聞世時《公羊傳》及《解詁》於內大惡皆云諱[66]，故所聞世內大惡爲諱。

因此，內大惡諱的三世異辭正例如下：

所見：內大惡諱。

所聞：內大惡諱。

所傳聞：內大惡不諱。

本文於上節曾提到，《春秋》有「爲尊者諱，爲親者諱，爲賢者諱」之例。《春秋》託王於魯，故魯君爲尊，所以自然要爲內諱其大惡，因此「爲尊者諱」與「內大惡諱」實爲一辭之異名。

另外，本文亦於上節提到，三世異辭在歷史分期上，對於魯國之君父具有親親關係之等差，故所見、所聞二世爲內諱大惡，而於所傳聞不爲內諱大惡，因此「爲親者諱」實亦爲三世異辭的具體表現。

至於「爲賢者諱」則獨立於三世異辭說和王魯說之外而自成一例。

上述三點表面上皆各自成理，不僅皆有其正例，而且皆具有其正例上普遍性的

---

[66] 所聞世爲內諱大惡者，在文十六年、宣元年、成二年，共三例。

義旨。可是，若再進一步深思，會發現「為尊者諱」、「為親者諱」、「為賢者諱」三例之間的關係其實問題重重。以上節未討論完的桓二年例為例：

《春秋》桓公二年：「三月，公會齊侯、陳侯、鄭伯于稷，以成宋亂。」

在三世異辭中，所傳聞世不為桓公諱大惡原為正例。可是《春秋》為尊者諱，桓公在王魯說的意義下為尊者，《春秋》為何不為桓公諱惡？《公羊傳》解釋說：「遠也。所見異辭，所聞異辭，所傳聞異辭。」如此，為尊者諱的理論效力就被三世異辭消滅，其理論效力的序位低於三世異辭，這也就是說，內大惡諱本來是具有普遍意義的正例，三世異辭亦是，二者在衝突之後僅能取其中之一義，結果被取消普遍意旨的那一方理論效力恒低於被存留採用的那一方，筆者稱這種關係為：互為正例而抵消其一者。

再以上述桓二年為例，桓公和隱公同處於所傳聞世，《春秋》為何獨為隱公諱惡，不為桓公諱惡？《公羊傳》解釋云：「隱賢而桓賤也。」故《春秋》只為隱公諱，不為桓公諱，這就是《春秋》「為賢者諱」例。

「為賢者諱」究竟是正例還是變例？若以整部《春秋》而言，為賢者諱的書例出現在所傳聞世[67]，亦出現在所見世[68]，所以為普遍性的義旨；若僅就三世異辭中的所傳聞世而言，內大惡不諱為正例；反之若諱，則為「不應諱而諱之」，如此即為變例，這樣，「為賢者諱」在所傳聞世中為「不應諱而諱之」，當為變例無疑。筆者稱這樣的例子為：一例而同時具正、變雙重身份者。

再以隱二年，「無駭帥師入極」的例子來看，《春秋》為隱公諱大惡，因為隱公有讓桓之賢，如此，「為賢者諱」的義旨消滅了「三世異辭」遠者不諱的義旨，其理論效力優於三世異辭；可是就整部《春秋》而言，找不到以「三世異辭」為變例而抵消「為賢者諱」之理論效力者，所以可以由此斷言，「為賢者諱」的理論效力恒高於「三世異辭」。

---

[67] 案，所傳聞世出現為賢者諱例者，各在隱元年、隱五年、莊四年、莊九年、僖十七年、僖二十八年。

[68] 案，昭公二十年，《春秋》：「夏，曹公孫會自夢出奔宋。」《傳》注云：「奔未有言自者，此其言自何？畔也。畔則曷為不言其畔，為公子喜時之後諱也。春秋為賢者諱，何賢乎公子喜時？讓國也。」

四、結論

何休三科九旨中第二科的「三世異辭」，在性質上為《春秋》義例中的一個基礎條目，其理論之效力在一般情況下高於其所統攝的諸例，這個論點，正也就是何休將其立為「三科」之一的用意與目的。

筆者上節分析的正、變諸例的關係，目的是為了明瞭這些正、變義例，在三世異辭的統攝範圍下與三世異辭之間關係，藉以明「三世異辭」在三科九旨中實際的理論效力。這些正、變諸例彼之間的關係有如下幾種：

1.有變例成為正例者，如：譏二名例。

2.有正例成為變例者，如：譏二名例、小國無大夫例。

3.有變例序位恒優於正例之上者，如：內大惡諱例、內外小惡書例。

4.有互為正例而抵消其一者，如：內大惡諱例、異內外例。

5.有變例僅在特殊狀況下序位優於正例者，如：內外離會書例、小國大夫卒例。

6.有一例而同時具正、變雙重身份者，如：內大惡諱例。

此外，筆者同時發現，在這些受三世異辭統攝的正、變諸例中，正例皆以三世異辭為指導原則，恒受其統攝，這一點一旦確立，只要再將變例和三世異辭在理論序位上的關係條理清楚，三世異辭的實際理論效力即呼之欲出。

在上節所討論三世異辭所統攝的諸例裡，變例與三世異辭之間的關係大致有如下三種情況：

1.理論序位小於三世異辭，僅能在特殊情況下優於三世異辭。如：大夫卒例中的變例「隱為賢君」、內外離會書例中的變例「單伯期而後」、小國無大夫的變例「王魯說」、異內外例的變例「王魯說」。

2.理論序位小於三世異辭，而恒受其統攝指導。如，譏二名例不管正例、變例皆受三世異辭統攝。

3.理論序位恒大於三世異辭，而永不受統攝。如，內大惡諱中的變例「為賢者諱」例、內外小惡書例的變例「疾始」例。

將上述三點變例與三世異辭的關係再稍作整理，第一點和第二點中的變例，其理論上的序位小於三世異辭；而第三點中的變例，其理論序位恒大於三世異辭。

如此，筆者可在此作一扼要的總結。

就量化的數據來看，在三世異辭所統攝的正、變諸例中，正例恒受三世異辭統攝；變例中，亦三分之二以上理論效力低於三世異辭。以這個數字來評判三世異辭，其號稱爲三科九旨中的第二科實在當之無愧，就這一點而論，何休爲《公羊》義例的整理，並非隨意自作新解，而是有其嚴謹的一套理論系統。

三世異辭中的若干重要義理影響晚清中國至鉅，而這些理論，正是依存在那些曾被視爲「深刻苛碎」的種種義例裡。對於漢代《公羊》學家而言，《春秋》爲撥亂反正之書，處處充滿了微言大義，正由處處充滿了微言大義，所以在書例上自然亦處處皆寓有孔子褒貶義旨的正例和變例。雖然，孔子在著書的當時，並不是先有書例才著作《春秋》的，書例中所謂的正例和變例都是由後人在研讀《春秋》後所歸納得出，而這些歸納工作儘管不能完全盡善盡美，但是對於前人爲古籍所作整理的努力，我們仍要給予應有的尊重，畢竟在漢代《公羊》學家如董仲舒、何休等人的信仰中，他們認爲自己才是孔子思想的眞正繼承人，因這種信仰而產生力量，所以才創造出這些義例之學，基於這點，我們又何忍以深刻苛碎來責之？

引用書目

《史記》　〔漢〕司馬遷撰　北京　中華書局　1997 年

《段氏說文解字注》　〔清〕段玉裁撰　臺北　百齡出版社　1976 年

《公羊傳注疏》　題〔唐〕徐彥編　臺北　藝文印書館　1969 年

《論語注疏》　〔清〕阮元等編　臺北　藝文印書館　1969 年

《經籍纂詁》　〔清〕阮元等編　臺北　西林出版社　1971 年 2 月再版

《春秋董氏學》　〔清〕康有爲撰　臺北　臺灣商務印書館　1969 年 1 月

《經學概述》　裴普賢撰　臺北　開明書局　1974 年 5 月

《春秋繁露今註今譯》　賴炎元註譯　臺北　臺灣商務印書館　1992 年 11 月

《公羊學引論》　蔣慶撰　瀋陽　遼寧教育出版社　1995 年 6 月

《春秋辨例》　戴君仁撰　臺北　中華叢書編審委員會　1964 年 10 月

經 學 研 究 論 叢
第 十 二 輯　頁211～226
臺灣學生書局 2004年12月

試論孔子與《穀梁傳》的正名思想及其傳承關係

吳智雄*

一、前言

春秋是個失序的時代，用傳統的話來說就是「禮崩樂壞」。孔子面對這個時代諸多的脫序現象時，認爲產生這些問題的關鍵在於社會各階層都喪失了其應守的規範，也就是喪失了「本分」，人人皆失其位，出現名不正、實不符的情況。此種失序狀態來自於人心的陷溺，所以根本解決之道在人心的導正。要導正人心，必須先喚醒人心的自覺意識，所以孔子主張由道德層面著手，由此形成以仁爲中心的思想。但孔子這種道德重建的努力，卻始終無法在現實世界中落實，在無可奈何之下，只好將其理想寄託在《春秋》史事的修作，希望藉由這種具有褒貶意義的史書功能，傳達其淑世理想於來者。於是孔子在修《春秋》時使用「正名」的方法，使聞者知所鑒戒而安於本位，進而重新建立起社會政治應有的秩序軌道。既是如此，爲解《春秋》而作的《穀梁傳》是否也傳承了孔子的正名思想呢？經由拙文對《穀梁傳》全文的爬梳後，發現《穀梁傳》在詮釋《春秋》經文時，確實傳承了孔子的正名思想，對所評論的史事進行褒貶不一的道德評斷。於是我們不禁要問，《穀梁傳》以何種方式傳承孔子的正名思想？《穀梁傳》的正名思想爲何？正名思想的眞

* 吳智雄，國立海洋大學通識中心助理教授。

正涵義爲何？以及正名的方法爲何？這些都是以下試圖要探討的課題。

二、孔子正名思想概說

正名思想，是孔子在面對春秋禮崩樂壞的脫序社會時所思索出來的解決之道。孔子的正名思想，因根據評論事件的不同，指涉的面向與涵義也隨之不同。見於《論語》的記載有：

> 季康子問政於孔子。孔子對曰：「政者，正也。子帥以正，孰敢不正？」（〈顏淵〉）
>
> 其身正，不令而行；其身不正，雖令不從。（〈子路〉）
>
> 苟正其身矣，於從政乎何有？不能正其身，如正人何？（〈子路〉）
>
> 君子恥其言而過其行。（〈憲問〉）

上述皆是就執政者的德行而言，可從道德修養的面向來看。孔子認爲所謂的「政治」，其實就是「正治」，所謂「政者，正也。子帥以正，孰敢不正」（《論語．顏淵》）。爲政的起點是爲政者的德行，如果爲政者本身的德行修養是正的話，則政治自然清明，社會自然有序；如同流水一樣，源頭如果不清澈，末流必定會產生渾濁的現象。孔子由此衍伸出「爲政以德」的政治思想，即所謂的：「爲政以德，譬如北辰，居其所，而眾星共之。」（《論語．爲政》）此外，《論語》又說：

> 不在其位，不謀其政。（〈泰伯〉）

這是論爲政者的名位與施政的問題，可從政治學的面向來看。就政治學而言，爲政首重其位，擔任什麼樣的職位，就有什麼樣的職責，這樣的職責代表著權利與義務，不在該位，就不能享有該位的權利與義務；同樣的，也無須負擔該職位的職責。孔子此種主張，具有現今政治學「科層制」（bureaucracy）❶理論的精神。孔

---

❶ 所謂的「科層制」（bureaucracy），指的是一種類似金字塔形狀的組織類型，這類機構的許

子認爲，政治上不同官位的人有不同的職責，在政治結構（political structure）中的每個成員，只要盡到該階級應盡到的職務就可以了。這是著重政治上分層分工的功用與限制。

另外，孔子的正名思想，有其建立社會規範的內在要求，《論語》說：

> 齊景公問政於孔子。孔子對曰：「君君，臣臣，父父，子子。」公曰：「善哉！信如君不君，臣不臣，父不父，子不子，雖有粟，吾得而食諸？」（〈顏淵〉）
>
> 子路曰：「衛君待子而爲政，子將奚先？」子曰：「必也正名乎！」子路曰：「有是哉？子之迂也。奚其正？」子曰：「野哉，由也！君子於其所不知，蓋闕如也。名不正，則言不順；言不順，則事不成；事不成，則禮樂不興；禮樂不興，則刑罰不中；刑罰不中，則民無所措手足。故君子名之必可言也，言之必可行也。君子於其言，無所苟而已矣！」（〈子路〉）

一般對孔子的正名思想都是從這個面向立論，事實上這也是孔子正名思想的核心意義。在上述的記載裏，孔子不但明白提出正名的主張，也對正名的功用與內容加以解說。孔子從社會規範的角度論述正名的涵義，可以說將正名擴大爲普遍性的意義。孔子認爲正名的功用，可以創造一個「君君，臣臣，父父，子子」的有序社會。所謂的「君君，臣臣，父父，子子」，指的就是作君主的守君主的本分，作臣子的守臣子的本分，作父親的守父親的本分，作兒女的守兒女的本分。而所謂的「本分」，指的就是該階層必須遵守的規範、準則；換句話說，孔子認爲社會各階層的人，只要遵守該階層應守的規範，就是一個和諧而有序的社會。

孔子希望藉由正名的方法，達到建立「君君，臣臣，父父，子子」的有序社會，則正名所代表的眞正涵義到底爲何？孔子用什麼方法來落實他的正名思想？是

多部份，均依其功能與權威的劃分，安排成高低不同的層級。詳見賴特（Donald Light, Jr.）、凱勒（Suzanne Keller）合著，林義男譯：《社會學》（《Sociology》）（臺北：巨流圖書公司，1992年4月），頁313。

接下來必須要探討的。

三、「正名」的涵義與方法

探討正名的涵義，我們可從邏輯學的角度，分別從兩個層面來看：一是從「名」「實」相對的意義上來講，此時的「名」是與「實」相對的；一是從「名實合一」的意義上來講，此時的「名」是包含「名」與「實」而言。

㈠「正名」的第一層涵義

談正名的涵義，首先會碰到「名」與「實」的問題。就「名」與「實」的相對意義來講，「名」與「實」本來並無必然的關係，「名」與「實」之所以會發生關係，是由人命定的。《荀子・正名》說：

> 名無固宜，約之以命，約定俗成謂之宜，異於約則謂之不宜。名無固實，約之以命實，約定俗成，謂之實名。名有固善，徑易而不拂，謂之善名。

荀子認爲「名」與「實」本來不必然發生關係，而是經由人類社會命定後才發生關係。至於什麼樣的「名」應該加上什麼樣的「實」，什麼樣的「實」應該命以什麼樣的「名」，並沒有什麼限制，只要人們約定習慣後就好，也就是所謂的「約定俗成謂之宜」。

在此我們可以孔子所論的「君君，臣臣，父父，子子」爲例。爲了敘述上的方便及概念上的分析，在此將「君君，臣臣，父父，子子」分別加上代號，而成爲「君（A）君（A'），臣（B）臣（B'），父（C）父（C'），子（D）子（D'）」。第一個「君」，即 A，代表國君之位，也就是「名」；第二個「君」，即 A'，代表國君之位所須遵守的規範，也就是「實」，其餘皆同。原本君之名（A）與君之實（A'）之間，並不產生必然的關係，在由人命定「名」與「實」之間的關係時，A 不必然加之於 A' 之上，A 可以加之於 B'、C' 或 D' 之上，而成爲「AB'、AC'、AD'」，也就是成爲「君臣、君父、君子」；反過來說，A' 也不必然以 A 名之，A' 可以 B、C 或 D 名之，而成爲「BA'、CA'、DA'」，也就是「臣君、父君、子君」。此時的 AB'（君臣）或 BA'（臣君）並不表示「名」不符

「實」，而是以 A 代表 B' 之名，以 B' 代表 A 之實，如果這樣的名實觀念爲後世所沿用，則此時如以 A' 代表 A 之實時，反而會變成名實不符的情形。所以，回過頭來說，在原本命定「名」與「實」之間的關係時，就是以 A 表 A' 之名，以 A' 表 A 之實，才會產生所謂的「AA'、BB'、CC'、DD'」，也就是「君君，臣臣，父父，子子」；此時若以 B、C、D 加之於 A' 之上，或以 B'、C'、D' 加之於 A 之下，就會產生名實不符的情形了。

如果我們以這一層的意義來檢視孔子的正名思想時，會發現一個問題，那就是當 A 與 A' 相配時，固然是「正名」；但是如果是 A 與 B'、C' 或 D' 相配時，就會出現「名」與「實」不相符的情形；也就是說，「名」（A）實際上已經正了，只是「實」（A'）不正而已。如果孔子的正名思想是就這層意義著眼的話，根本無法解決當時的問題，因爲當時「君不君，臣不臣，父不父，子不子」的名實不符的脫序情形，正是孔子所要解決的問題，但是這層意義上的「正名」卻無法解決這樣的問題。所以我們可以說，孔子正名思想中所要「正」的「名」，並不是「名」「實」相對意義下的「名」，而是「名實合一」意義下的「名」，也就是下述的第二層涵義。

㈡ 「正名」的第二層涵義

如上所言，當人類社會在命定「名」與「實」之間的關係時，一旦將某物之「名」與某物之「實」相結合，爲後世所沿用而成爲定名定實，即如 A（「君」之名）與 A'（「君」之實）相結合而成爲定名定實後，便會產生一種情形，那就是見該物之名即見該物之實，見該物之實即知該物之名，見 A 即見 A'，見 A' 即知 A，此時的「名」與「實」的意義其實已經是合一的了。孔子的正名思想正是就這一層意義著眼，此時孔子所欲「正」之「名」，已經不是「名」「實」相對意義下的「名」，而是「名實相合」意義下的「名」了，「名」即「實」，「實」即「名」。

在這層意義下的孔子正名思想有什麼功用呢？簡單的說，就是使人可以「循名以責實」、「顧名以思義」。梁啓超說：「儒家欲使各人將最切近之同類意識由麻木而覺醒，有一方法焉。曰『正名』。此方法即以應用於政治。」❷又說：「由是循名以責實，則有同異離合是非順逆貴賤之可言。……正名何故可以爲政治之本耶？其作用在使人『顧名思義』，則麻木之意識可以覺醒焉。」❸此時的「名」實際上已與「實」相結合，所以循名可以責實，顧名可以思義。❹如就社會秩序而言，則所要責的「名」（即實），就是該階層所要守的規範。如就政治秩序而言，則所要責的「名」，其實就是該職位所要守的權分，「正名」就是正權分。蕭公權說：「孔子政治思想之出發點爲從周，其實行之具體主張則爲『正名』。以今語釋之，正名者按盛周封建天下之制度，而調整君臣上下之權利與義務之謂。」❺這也就是孔子爲何要強調「不在其位，不謀其政」（《論語・泰伯》）的原因了。

君臣之間的權利與義務既已正明，必能建立良好的政治秩序，而且必能進而建立穩定且和諧的社會秩序。勞思光說：「爲政以『正名』爲本，即是說以劃定『權分』爲本，蓋一切秩序制度，基本上皆以決定權利義務爲目的。在一社群中，權分之分劃既明，即可建立一生活秩序，如專就政治秩序說，一切政治制度之主要作用亦只是權分之劃定。進而言之，所謂『權分』之劃定，目的又在於使社群中每一分子各自完成其任務。」❻又說：「孔子既強調『權分』，自亟欲糾正當時權分混亂之現象。而欲正名以定權分，又非寄希望於一『統一秩序』不可；蓋權分之劃定，必在一統一秩序中始成爲可能，否則，無統一秩序即無統一規範，權利義務皆將隨事實條件而變易，即一切訴於實力，無是非可說。就此觀之，可知孔子必主張建立統一秩序。孔子念念不忘周文，亦即此意。」❼孔子強調正名，乃因當時名（實）不正的緣故。名（實）不正就是一個脫序社會，孔子的正名，正是對有序社

❷ 梁啓超：《中國近三百年學術史》（臺北：臺灣中華書局，1987年2月），頁88。

❸ 同前註。

❹ 薩孟武也說到：「何謂正名？其含義有二，一是名實一致，即循名求實，有君之名，須有君之實質；有臣之名，須有臣之實質。父子亦然。二是名分相符，即依名守分，有君之名，須守君之本分，有臣之名，須守臣之本分。父子亦然。」（《儒家政論衍義》，臺北：三民書局，1982年6月，頁38。）

❺ 蕭公權：《中國政治思想史》（臺北：中國文化大學出版部，1985年7月），頁57。

❻ 勞思光：《新編中國哲學史》（臺北：三民書局，1986年12月），頁123。

❼ 同前註，頁124－125。

會的嚮往；有序社會爲一統的社會，❽在孔子心中，一統的社會指西周禮文合序淳美的社會，所以孔子說：「吾從周。」

㈢「正名」的方法

從以上所述可知，孔子的正名思想是「名實合一」意義下的「名」，正「名」的同時即是正「實」，但孔子終其一生卻無法在現實政治上實現其理想，只好將此抱負寄寓在《春秋》史法中的筆削大義上，也就是後人所謂的《春秋》「義例」。

《春秋》到底有沒有「義例」？歷來一直是個爭議的問題。由於文獻的諸多限制，至今仍無法有明確的定論，不過若從《穀梁傳》的角度來看，《春秋》確實是含有微言大義的，這種微言大義是透過所謂的「例」來表達，所以《穀梁傳》發展出特有的「義例」體例，其中又以「時月日例」爲重。❾《穀梁傳》認爲《春秋》對時月日的書與不書、應書而不書、不應書而書的情形，其背後都有特別的用意，也就是寓含了褒貶善惡的正名思想，而其中又有正例與變例的分別。綜合這些正例與變例的書法來看，都有一個共同點，那就是企圖透過「正名字」的手段，來達到「正名分」的目的。

前面曾經說過，「正名」的涵義可分二層，一是「名」「實」相對意義下的「名」，一是「名實合一」意義下的「名」。這裏所說的「正名字」，屬於第一層的涵義；而「正名分」則是屬於第二層的涵義。就第二層意義來講，「正名」即是「正實」，所以透過第一層意義下的「正名字」，即可以達到第二層意義下的「正名分」，換句話說，「正名字」是形式上的手段，「正名分」則是實質上的目的。

---

❽ 關於「一統」、「統一」、「分裂」、「僭越」等詞所指的概念不同。王師金凌說：「一統不是分裂的相反，而是僭越的相反。分裂的相反是統一。……統一和分裂是就政權數目而言，前者指僅有一個政權，後者指有兩個以上的政權。一統和僭越則指一個政權之內政治秩序穩定與否。統一和分裂不涉及政權的秩序或混亂，一統和僭越才涉及政權的秩序或混亂。」（〈公羊傳的居正與行權〉，《輔仁國文學報》第六集，頁211。）

❾ 關於《穀梁傳》的時月日例，可參〔清〕許桂林：《春秋穀梁傳時月日書法釋例》（臺北：藝文印書館，1986年9月，收於《續經解春秋類彙編》中）；李紹陽：《春秋穀梁傳時月日例研究》（臺北：臺灣師範大學國文研究所碩士論文，1995年12月）二書所述。

所以高明說：「孔子論爲政，以『正名』爲先。所謂『正名』，有人解爲『正名字』（如馬融、鄭玄），有人解爲『正名分』（如朱熹、劉寶楠）；『正名字』是『屬辭比事』方面的事，『正名分』是倫理道德方面的事；『正名字』在辨同異，『正名分』在辨上下；其實，『正名』是應該包涵這兩層意思的，『正名字』是『正名分』的手段，『正名分』是『正名字』的目的，以『正名字』來『正名分』，這正是孔子作《春秋》的用意。」❿既已正了形式上的名字，此時實質上的行爲如踰越了該「名字」（名）所涵蓋的「名分」（實），就是名實不相符，名實不相符時，就可以看出《春秋》的褒貶，褒貶可以顯出善惡，也就是可以知道《春秋》的大義了。所以高明又說：「孔子所謂『正名』，除了『正名字』、『正名分』外，實在還含有『辯是非』、『寓褒貶』的意思在內，而他最終的目的，則在闡明一個『義』字。」⓫

經由「正名字」的手段（方法），可以達到「正名分」的目的。「正名分」在政治上爲劃正君臣之間的權分，即權利與義務，如此可以建立良好的政治秩序。在倫理上爲分辨親屬之間的本分，如父慈子孝、兄友弟恭，可以因此建立和諧的倫理秩序。在社會上訂定各個階層及階層與階層之間應守的規範，各個階層的成員都遵守這些規範而不踰越，就可以因此建立穩定的社會秩序。如此一來，廣義的社會秩序便因此建立起來。可見「正名分」爲維持與建立社秩序的憑藉與保證，名分正則封建階層各有所歸，階層內部及階層與階層之間皆有序，如此則社會自然爲一有序的社會了。

由於孔子將正名思想寄託於《春秋》屬辭比事之中，所以《春秋》著成而亂臣賊子懼，原因即在於《春秋》一書首重名分。《莊子・天下》說：「《春秋》以道名分。」董仲舒說：「《春秋》辨物之理以正其名，名物如其眞，不失秋豪之末。」（《春秋繁露・深察名號》）梁啓超則說：「孔子正名之業在作《春

---

❿ 高明：〈孔子的春秋教〉，《春秋三傳研究論集》（臺北：黎明文化事業公司，1989 年 2 月），頁 22。

⓫ 同前註。

秋》。」⓬「正名」既是《春秋》筆削大義的核心觀念，《穀梁傳》又是解《春秋》經的三傳之一，則由「正名」的角度來探討二書是否具有思想上的承繼關係，應是一個適當的途徑。

四、《穀梁傳》對孔子正名思想的繼承

從《穀梁傳》對《春秋》經文的詮釋中，有兩種途徑可以得知《穀梁傳》的正名思想：一是《穀梁傳》在評論史事時，常用「正」、「不正」、「禮」、「非禮」等斷語來表達正名的思想，例如：「讓桓正乎？曰：不正」（〈隱公元年〉）、「繼弒君不言即位，正也」（〈莊公元年〉）、「繼正即位，正也」（〈文公元年〉）、「送女踰竟，非禮也」（〈桓公三年〉）、「天子告朔于諸侯，諸侯受乎禰廟，禮也」（〈文公十六年〉）等；二是《穀梁傳》在〈僖公十九年〉的傳文中，明確舉出「正名」二字來表明其正名思想。關於這二種途徑，前者牽涉的範圍較廣，有繼承者合法性方面的問題，有是否合於禮制方面的問題，筆者在相關文章中已有說明，⓭此處僅對〈僖公十九年〉的傳文加以說明。

《穀梁傳・僖公十九年》經文記載：「梁亡。」傳文對這條經文的解釋是：

> 自亡也。湎於酒，淫於色，心昏耳目塞。上無正長之治，大臣背叛，民爲寇盜。梁亡，自亡也。如加力役焉，湎不足道也。梁亡，鄭棄其師，我無加損焉，「正名」而已矣。梁亡，出惡正也。鄭棄其師，惡其長也。

《穀梁傳》認爲梁國的滅亡是國內自身的衰微所導致的。其自取滅亡的原因有六：一因「湎於酒」，鍾文烝說：「飲酒齊色曰湎。」（《穀梁補注・僖公十九年》）；二因「淫於色」，鍾文烝說：「荒放於妻妾。」（同上）；三因「心昏耳目塞」，鍾文烝說：「言君以湎淫致昏塞。」（同上）；四因「上無正長之治」，鍾文烝說：「正長通言卿大夫。正亦長也，謂官之長也。《周禮》曰：『建其長，

⓬ 同註❷，頁90。

⓭ 詳參拙著《穀梁傳思想析論》（臺北：文津出版社，2000年6月），第二、四章的說明。

立其兩；建其正，立其貳。』對文析言之耳。疊這以圓文則不別，此言長官不事其事。」（同上）；五因「大臣背叛」，鍾文烝說：「言無忠臣。」（同上）；六因「民爲寇盜」，鍾文烝說：「言有亂民也。」（同上）依照《穀梁傳》的說法，可知梁國的滅亡乃導因於於國內秩序的混亂，從國君的荒淫到人民的寇亂，社會各階層都沒有遵守該階層應守的規範，所以梁國的滅亡是自取滅亡，非外力所致，鍾文烝說：「兼此數者，必亡之道。」（同上）因此我們可以從《穀梁傳》的解釋中，感受到《穀梁傳》對梁國的滅亡並不感到意外與憐憫。

至此，我們也可以比照《公羊傳》的看法與《穀梁傳》有何異同之處。《公羊傳》說：

> 此未有伐者，其言梁亡何？自亡也。其自亡奈何？魚爛而亡也。（〈僖公十九年〉）

《公羊傳》也認爲梁國的滅亡是自取滅亡，並沒有外力的伐取，而是像魚爛而自亡般。《公羊傳》與《穀梁傳》的說法其實是一樣的，只是前者使用比喻的說法，後者則具體說明梁亡的原因。二傳的說法既然都相同，則實際上的史事又是如何呢？《左傳》記載到：

> 梁亡，不書其主，自取之也。初，梁伯好土功，亟城而弗處。民罷而弗堪，則曰：「某寇將至。」乃溝公宮，曰：「秦將襲我。」民懼而潰，秦遂取梁。（〈僖公十九年〉）

《左傳》說梁伯喜好大興土木之功，使用許多民力構築宮城卻不居住，人民不堪其勞，於是相與訛言說有敵人即將來襲，於是梁伯又聚民力挖宮室外的壕溝，說秦國將會來襲，梁國上下就在這種風聲鶴唳、人心潰散的心理壓力下，被秦國因勢利導的攻滅了，這與《荀子·富國》所說的：「是以臣或弑其君，下或殺其上，粥其城，背其節而不死其事者，無他故焉，人主自取之也。」的意義相通。依照《左傳》的記載，可知《左傳》也贊成梁國自亡的說法，秦國的攻取，只不過是因其自敗而取之而已，誠如鍾文烝所說：「所謂家必自毀而後人毀之，國必自伐而後人伐之。」（《穀梁補注・僖公十九年》）由上述可知，三傳都同意梁國自亡的說法，因此楊疏說：「《左氏》以爲秦滅，梁惡其自取滅亡之，故不以秦滅爲文。《公羊》以爲魚爛而亡，謂梁君隆刑峻法，百姓逃叛而事等魚爛，從中而去也。此傳亦云大臣背叛，民爲寇盜，則同《公羊》：梁國亦自亡也。又如加力役焉，湎不足道也，則梁之土地，必爲人所取，蓋同《左氏》：秦得之，但據自滅。爲文少異耳。」（〈僖公十九年〉）鍾文烝也說：「實是秦滅而以亡爲文，明其自亡也。《疏》據下力役之文，謂梁之土地必爲人所取，似同《公羊》魚爛而亡，亦同《左氏》秦得之也。」（《穀梁補注・僖公十九年》）

既然三傳都採取梁國自亡的說法，爲了彰顯梁國自亡的因素，《春秋》在記載時就沒有將「秦取梁」的史實記載進去，因爲一旦記載進去，就無法彰顯「梁自亡」的這個重點，同時也無法彰顯梁國國君荒淫、人民爲寇的上下皆失其位的亂象，正如《穀梁傳》所說的：「如加力役焉，湎不足道也。」如果記載了秦國的伐役，就無法彰顯國君「湎於酒，淫於色」的惡行了。范注說：「如使伐之而滅亡，則淫湎不足記也，使其自亡，然後其惡明。」（〈僖公十九年〉）而鍾文烝更將此事與〈莊公四年〉的「紀侯大去其國」作比較，他說：

> 言湎該淫色以下五句，此二句承上自亡反言之，春秋亡國多矣，而此與紀侯大去，皆不加力役。紀賢而滅，天也。所謂君如彼何哉？彊爲善而已，故書曰：「紀侯大去其國」，閔之而全之也。梁湎而亡人也，所謂家必自毀而後人毀之，國必自伐而後人伐之，故書曰：「梁亡」，罪之而著之也。舉此二義，則餘皆可推，《春秋》其至矣乎！傳其備矣乎！張洽曰：「《春秋》變法以書諸侯自取滅亡者有二：晉人執虞公，猶言兵已加頸而不自知也；梁亡，言國自亡而不之覺也。此胡氏所謂如化工之賦形，異於畫筆之肖像。」張略本蘇轍說。」（《穀梁補注・僖公十九年》）

鍾文烝認爲〈莊公四年〉的「紀侯大去其國」與此處的「梁亡」，《春秋》都沒有明白寫出攻滅者，書法相同，但褒貶卻不同。前者不書滅者（齊國），是褒紀侯之賢，《穀梁傳・莊公四年》說：「紀侯賢而齊侯滅之，不言滅而曰大去其國者，不使小人加乎君子。」後者不書滅者（秦國），是貶梁國之自亡，著梁君之惡。

這種史書筆法，《穀梁傳》認爲就是孔子修《春秋》時所使用的「正名」手法，《穀梁傳》說：「我無加損焉，正名而已矣。」這種正名的方法可分爲兩種：一是改舊文以彰顯褒貶之義，一是因循舊文以明善惡之義；也就是說，在改與不改之間，背後都寓有褒貶的意義，所謂的「筆則筆，削則削，子夏之徒不能贊一辭」（《史記・孔子世家》）。楊疏說：「仲尼脩《春秋》，亦有改舊義以見褒貶者，亦有因史成文以示善惡者。其變之也，不葬有三，爲齊桓諱滅項之類，是改舊也；其梁以自滅爲文，鄭棄其師之徒，是因史之文也，故傳云：『我無加損焉，正名而已矣。』」（〈僖公十九年〉）孔子既因史之舊文以見其正名的思想，其名既正，則《穀梁傳》自然沒有再加以損益的理由。如鍾文烝說：

> 此下皆夫子自述之言也，不言子曰者，傳省文。《疏》曰不葬有三，爲齊桓諱滅項之類，是改舊也；梁亡，鄭棄其師之屬，是因史之文也。文烝案：加損者，猶《史記》云筆削也；正名者，即《論語》答子路，爲政必先正名，名不正則言不順，言不順則事不成。朱子或問，用馬融說以爲：使事物之名，各得其正而不紊是也。君子於魯史之文有所加損，以其名不正，故加損以正之。孟子引夫子之言曰，其義則某竊取之；而莊子以爲《春秋》道名分，即此謂也。其或在史舊文已足見義，其名既正，不須加損，則此梁亡，鄭棄其師之屬是也。劉知幾引《汲冢瑣語》：晉春秋獻公十七年，鄭棄其師，其文正同，足與魯史相證，故知穀梁子無虛語也。二事所以爲正名者，具如下文所論。（《穀梁補注・僖公十九年》）

鍾文烝認爲孔子對於魯史之舊文有所加損，乃因其名不正，所以加以筆削損益以正其名。其名既正，則後人無須再加以損益，《穀梁傳》的解釋正是這種思想的展現。

《穀梁傳》既然對「梁亡」加以正名，不加損益，不書秦伐之役，以彰顯梁國國君施政之惡，則爲何什麼又要提出「鄭棄其師」一事呢？此舉是爲了要強調正名的思想，所以特別提出此事來加強佐證。對這二件史事所表現出的正名思想，《穀梁傳》說：「梁亡，出惡正也。鄭棄其師，惡其長也。」記載「梁亡」，主要是因爲梁國行惡政所致；記載「鄭棄其師」，主要是因爲鄭伯惡高克所致。就「梁亡」而言，正「梁亡」的方法是不書秦滅之文，而其所正之事則是梁國政事之惡，導致上下皆失而產生紊亂。鍾文烝說：

> 正即政字。《呂氏春秋》曰：班馬正。以正爲政，荀子書尤多。出猶發也、行也。惡依今音讀入聲，與下異。劉蕡對策引用此傳曰：上出惡政。胡安國傳亦曰：心昏而出惡政。皆是也。始於耽酒色，中於失官守，終於釀群盜，皆緣君之無道，積漸使然，故總言出惡政，爲君人者之明監大誡。《左傳》言梁伯亟城罷民，《公羊》家言梁君隆刑峻法，亦足兼之矣，以出惡政而亡，故正其名，直云梁，不言秦滅之。（《穀梁補注・僖公十九年》）

鍾文烝認爲梁國的敗亡，剛開始是由於國君耽於酒色之中，接著是大臣怠忽職忽，最後造成人民爲盜。這一切事件的產生，主要都是由於梁國君主的無道，日積月累所導致的，所以《穀梁傳》總言一句：「出惡正也。」正者，政也。范注說：「正謂政教。」（〈僖公十九年〉）皆就梁國國政而言。

就「鄭棄其師」一事而言，三傳各有記載與解說。《穀梁傳》說：

> 惡其長也，兼不反其眾，則是棄其師也。（〈閔公二年〉）

《公羊傳》說：

> 鄭棄其師者何？惡其將也。鄭伯惡高克，使之將逐而不納，棄師之道也。（〈閔公二年〉）

《左傳》說：

> 鄭人惡高克，使帥師次于河上，久而弗召，師潰而歸，高克奔陳。鄭人為之賦〈清人〉。（〈閔公二年〉）

鄭者即鄭伯，則《左傳》所記載的鄭人，其實就是指鄭文公及公子素。[14]依照三傳的說法，可知高克對鄭伯無禮，鄭伯因為將高克無禮的私人怨恨，報之於國家安全之上，遂造成整個軍隊的潰散敗亡，因此《春秋》記載「鄭棄其師」以彰顯鄭伯之惡。范注說：

> 長謂高克也。高克好利，不顧其君，文公惡而遠之，不能使高克將兵，禦狄于竟。陳其師旅，翱翔河上，久而不召，眾將離散。高克進之不以禮，文公退之不以道，危國亡師之本。（〈閔公二年〉）

楊疏則說：

> 解經稱棄師之意，為惡高克不顧其君；又責鄭人不反其眾，故經書「鄭棄其師」也。（〈閔公二年〉）

范甯與楊士勛都認為《穀梁傳》的說法，一方面是責備高克的不禮君，另一方面在彰顯鄭伯的棄師之惡。但就《春秋》的書法來看，僅書「鄭棄其師」而不書高克，可見主要在惡鄭伯。因為高克不禮鄭伯，屬於私人之惡；鄭伯的不反其眾，則是報私人之惡於國事之上，公私不明，使得軍隊潰亡，所以直書鄭，不云高克，以著鄭伯之惡。鍾文烝引劉向《說苑》說：

> 夫天之生人也，蓋非以為君也。天之立君也，蓋非以為位也。夫為人君，行其私欲而不顧其人，是不承天意，忘其位之所以宜事也。如此者，《春秋》不予能君而夷狄之。鄭伯惡一人而兼棄其師，故有夷狄不君之辭。（《穀梁

[14] 楊伯峻：《春秋左傳注》（高雄：復文圖書出版社，1991年9月），頁268。

補注・閔公二年》）

劉向從立君乃是爲民的角度而說。鄭伯以一人之惡而棄其師，乃是因一人之惡而棄其民，所以視之爲夷狄之君也。此外，《公羊傳》何休注云：

> 鄭伯素惡高克，欲去之無由，使將師救衛，隨後逐之，因將師而去其本。雖逐高克，實棄師之道，故不書逐高克，舉棄師爲重。猶趙盾加殺也，不解國者重眾，從國體錄可知。（〈閔公二年〉）

何休則是從《春秋》書史舉重的角度立論。鄭伯惡高克一人爲輕，棄師爲重，所以書「鄭棄其師」，就如同趙盾非弒君之賊，但《春秋》仍書趙盾弒君的意思是一樣的。所以鍾文烝《穀梁補注》說：

> 鄭伯以惡其長而棄師，故正其名，直云鄭，不罪主將高克。此二事適合聖意，故無可加損也。加損正名者，脩《春秋》之大宗，指《左氏》、《公羊》皆言脩，《穀梁》言加損。言脩言加損，皆在文辭之間，而一經之事跡，皆史氏之本書從可見焉，故曰：蓋有不知而作之者，我無是也。多聞擇其善者而從之，多見而識之，知之次也。又曰：吾猶及史之闕文也，故《春秋》作也，猶述也。（〈僖公十九年〉）

鍾文烝認爲從「鄭棄其師」與「梁亡」兩件事的書法來看，正可以看出孔子修《春秋》的正名思想，一字的筆削之中、因循舊文與改易舊文之間，都寓有褒貶善惡之義。《穀梁傳》知曉孔子正名思想的深義，以因循舊文、不加增損的方式見褒貶之義，所以說：「我無加損焉，正名而已矣！」明白揭示其正名思想是承繼孔子修《春秋》的深切用心而來。

五、結語

《穀梁傳》解經時所呈現的正名思想，表達在對史事記載方式的評論之中，即史事的記與不記之間，以及記載時該用什麼字詞，都承繼並發揮了孔子的正名思想。這種解經的觀念，繼承了《春秋》藉史事的微言以明深切大義的傳統，也就是透過「正名字」的方法或手段，達到「正名分」的終極目的。名分正，則名實相符；名實相符，則人人皆得其位而不失，皆守其位的規範而不踰越，如此即可達成事事皆合其序的社會，孔子正名思想的終極目的在此，《穀梁傳》藉評論《春秋》書法所欲達成的目的也在此。

經學研究論叢
第十二輯　頁227～256
臺灣學生書局　2004年12月

早期儒家服喪措施的文化意義*
——以《郭店簡》的服喪紀錄爲討論中心

林素英**

一、前言

影響我國社會長達二、三千年的喪服制度，順應四時之變化，變而從宜；依循人情之所需，而展現恩、理、節、權的特質；更以仁、義、禮、智之德貫串其中，而成就仁道之具。這種以禮爲節的喪服制度，大力伸張親親之情，積極開拓尊尊之義，嚴加區分長幼人倫，明定君臣相交以義的社會倫理；對於凝聚族群的團結向心力，建立人倫的普遍秩序，鞏固社會政治的穩定狀態，都具有關鍵性的價值。

如此規劃周密、用意深遠的喪服制度，由於現存文獻資料主要以《儀禮・喪服》的記載最具規模，其餘有關之資料，則僅能依靠分散在《禮記》相關篇章的雜鈔獲得補充說明，然而因爲歷來的學者對於〈喪服〉以及《禮記》所代表的年代爭議頗大，不僅多數學者以《禮記》乃漢代之作，且以〈喪服〉之體例與內容迥然異於《儀禮》其他各篇，而舊說所謂周公作〈喪服・經〉、子夏傳〈喪服・傳〉之事更不可信，因此也認爲今之〈喪服〉亦應是漢人所加，導致在史料之運用價值上，

* 本文爲國科會專題研究計劃 NSC 90-2411-H-026-001「從郭店楚簡的服喪紀錄探究早期儒家的倫常觀念」中的部分研究成果。

** 林素英，臺灣師範大學國文系教授。

一向不以先秦典籍視之，而降低其應有的學術地位。

《禮記》所處的年代之疑，在《郭店楚墓竹簡》問世後，有非常重要之突破性發展。亦即由於考古學界已經公認郭店一號墓之年代不晚於 300B.C.，而該批出土竹簡所載之資料又理當早於墓葬之年代，因此推斷該批資料至遲可爲戰國中期或稍晚之作。由於竹簡中與禮有關之材料相當多，且與《禮記》所載之內容多有相近之處，因而可以輔助說明《禮記》中有相當多篇章應爲戰國時之作品，而且還因爲《郭店簡》中有一段可貴的服喪紀錄，若將其取與現存文獻〈喪服〉相互對照，則對於早期儒家之服喪措施，❶可以有更可靠之說明，並藉此可以更清楚當初訂定喪服制度之意義。

有鑑於此，於是本文以《郭店簡》之服喪紀錄爲討論中心，先從簡文與現存文獻的相互對照，確定二者的密切相關；其次，則藉由《郭店簡》之服喪紀錄爲主軸，參照禮書所載之服喪措施，分別記載爲人臣子併遭君、父之二喪，爲人夫者併遭昆弟、妻之二喪，一般世人併遭宗族、朋友之二喪時，當如何權衡服喪之情形。繼此之後，則推衍出早期儒家之服喪措施在文化上之意義，並分別從封建宗法、區分內外親屬、宗族本位等方面說明之。最後，則以仁內義外之喪服文化特質作結。

二、《郭店簡》服喪紀錄及相關文獻記載的關係

由於《郭店簡》中的服喪紀錄篇幅不長，爲求敘述與察考之方便，謹先將簡文中出現的服喪紀錄及其前後文記載如下：

> 仁，內也；宜（義），外也；禮、樂，共也。內立父、子、夫也，外立君、臣、婦也。疏斬布實（絰）丈（杖），爲父也，爲君亦然。疏衰齊戊（牡）麻實（絰），爲昆弟也，爲妻亦然。袒字（免），爲宗族也，爲朋友亦然。爲

---

❶ 本文之所以以「早期儒家」爲稱，在於《郭店簡》中屬於儒家之部份，已可證明爲孔子至孟子之間子思學派的學術資料，其中有關服喪之紀錄，又大抵可與《儀禮・喪服》相呼應，由於〈喪服〉所包含經文、傳文與記文之年代前後不一，而本文並不一一作資料斷代之考證，因此特別以「早期儒家」爲稱。

父絕君，不爲君絕父。爲昆弟絕妻，不爲妻絕昆弟。爲宗族丌丌（殺、麗、離）朋友，不爲朋友丌丌（殺、麗、離）宗族。人又（有）六德，參（三）新（親）不斷。門內之治恩弇宜（義），門外之治宜（義）斬恩。❷

從這段簡短的資料，至少可以顯示下列各項訊息：其一，發揚仁義精神爲儒家思想之根本內容；其二，重要之人倫關係，有內外親之區分；其三，制定喪服以居於內位之親屬爲根本考量，至於相對外位之人倫關係，雖然採取參酌辦理的方式服喪，不過在併遭內外二喪時，則另有權衡機制；其四，三組六位的內外人倫關係，又分別以主於恩或主於義之不同差異而存在；其五，「三親不斷」成爲後世「五倫」之張本（將另闢專文討論）。

簡文的服喪紀錄雖然無法在現有文獻中找到完全相同的記載，但是有些僅與《儀禮》〈喪服〉所載有詳略之差異，有些則與《禮記》所載幾無二致：如〈喪服〉記載較詳，爲父與君皆在斬衰三年之行列，所服爲斬衰裳，苴絰、杖、絞帶，冠繩纓，菅屨之裝束；爲妻則齊衰杖期，所服爲疏衰裳，齊，牡麻絰，冠布纓，削

❷ 荊門市博物館編，裘錫圭審訂：《郭店楚墓竹簡》（北京：文物出版社，1998 年 5 月），〈六德〉，頁 188。有關本段文字的隸定以及涵義，其詳參見李學勤：〈郭店楚簡〈六德〉的文獻學意義〉，收入武漢大學中國文化研究院編：《郭店楚簡國際學術研討會論文集》（武漢：湖北人民出版社，2000 年 5 月），頁 18－20。「爲宗族丌丌（殺、麗、離）朋友，不爲朋友丌丌（殺、麗、離）宗族。」中，「兀」一字，裘錫圭以爲疑當獨爲「殺」；顏世鉉則以《汗簡》、《古文四聲韻》所引「麗」字與簡文形近，當爲「麗」字古文之形，由於「麗」讀作「離」，訓「絕」，正與上文「絕」字相合。顏氏所舉嚴格而言雖屬旁證，不過，根據《儀禮．士喪禮》，見於〔漢〕鄭玄注，〔唐〕賈公彥疏：《儀禮注疏》，收入《十三經注疏》（臺北：藝文印書館，1985 年 12 月），頁 422，載有「設決，麗于掔。」鄭《注》：「麗，施也。古文『麗』亦爲『連』。」可知「麗」有「連而不斷」之義。王關仕師更舉出《儀禮》祭禮所用中之「離肺」，均屬「割而不斷」之狀況，因此可以有力的說明兼服二喪時亦應有「割而不斷」相似之權衡機制。除此之外，從《禮記．少儀》，見於〔漢〕鄭玄注，〔唐〕孔穎達等正義：《禮記正義》，收入《十三經注疏》（臺北：藝文印書館，1985 年 12 月），頁 636，「牛羊之肺，離而不提心。」之記載，而鄭《注》：「提，猶『絕』也。」，更可以說明「雖割然而不斷」之關係。經由相關禮書之記載，則顏氏以「丌丌」爲「麗」之古文，有「離」之義的說法，應屬可從。

杖，布帶，疏屨；為昆弟齊衰不杖期，所服與齊衰杖期大致相同，僅由杖改為不杖、疏屨改為麻屨而已；至於朋友，則相為弔服外加麻絰、帶而已；❸簡文與〈喪服〉所載雖有佩戴詳略之別，不過內容大體不差。另外，〈大傳〉有「五世袒免，殺同姓也。」之記載，〈喪服四制〉也有「門內之治恩揜義，門外之治義斷恩」❹之紀錄，則與簡文之內容更為接近。

從對比簡文之服喪紀錄與禮書之相關記載，可以發現兩者大抵相合，可見二者所代表的年代可能相去不遠。追溯現存《儀禮・喪服》先〈經〉後〈傳〉，並且〈傳〉中有〈傳〉，篇末還附有〈記〉之特殊合編體例，雖然應以馬融（79－166）、鄭玄（127－200）居首功，不過早在西漢成帝（32－6B.C.在位）以前，《喪服經》與《喪服傳》不但已經分別流行，同時還各有抄本，❺可見成帝以前社會上的服喪情形已經相當普遍，才有必要發行不同的版本。

至於今人沈文倬，則根據喪禮進行的特性，而認為〈喪服〉、〈士喪禮〉、〈既夕禮〉以及〈士虞禮〉四篇的關係密切；因為喪禮節目的安排，不但必須配合〈喪服・經〉之規定進行，而且典禮進行時穿戴特殊之服裝亦是理所當然之事，因而認為此四篇應是同時撰作的。沈氏更進而推斷此四篇寫成之時期，應在魯哀公末年到悼公初年之間，亦即周元王、定王之際，約當西元前五世紀中期。至於〈服傳〉為解經之作，又受到《禮記》論禮諸篇相當大的影響，因此撰作的年代應在《禮記》論禮諸篇成書之後，亦即約當周愼靚王以後（315B.C.）至秦始皇三四年（213B.C.）焚書以前。❻由於《郭店簡》的材料應存在於 300B.C.以前，因此《郭店簡》的服喪紀錄與《禮記》論禮諸篇以及《喪服傳》的形成時期相去不遠，以致

---

❸ 斬衰、齊衰部分，其詳參見《儀禮・喪服》，頁 352－355；「朋友，麻。」則見於〈喪服・記〉，頁 397。

❹ 分別見於《禮記・大傳》，頁 619；〈喪服四制〉，頁 1032。

❺ 其詳參見拙作：《喪服制度的文化意義——以《儀禮・喪服》為討論中心》（臺北：文津出版社，2000 年 10 月），第三章，頁 66－107。

❻ 有關〈喪服〉等四篇撰作之時期，其詳參見沈文倬：〈略論禮典的實行和《儀禮》書本的撰作〉，《宗周禮樂文明考論》（杭州：杭州大學出版社，1999 年 12 月），頁 23－54。該文原載《文史》1982 年第 15、16 輯；另外，有關〈服傳〉之部分，則參見同書頁 163－182，〈漢簡《服傳》考〉，此文原載《文史》1985 年第 25、26 輯。

其所載文字彼此雖然稍有出入，不過就整體內容而言，並無太大的差異。

經由出土資料與現存文獻之對勘，更可以相對證明戰國時期的喪服制度已經具備相當規模，因而若欲深入理解簡文中服喪思想之眞正涵義，確實還應透過更完整的喪服制度方可以窺其全貌；至於要理解早期儒家服喪措施之規劃眞義，亦必須透過簡文之記載，從相互檢驗、相互參照中，獲得較周全之看法。

三、《郭店簡》服喪紀錄等相關服喪措施所凸顯的問題

由於喪服制度的規劃，本爲凝聚親族之間血濃於水的感情而設，在親屬眾多、親族網路又十分綿密的情況下，加上死生有命，所以不免有人會遭遇前喪未除，而後喪又起之人生大遺憾與悲哀，因此〈雜記〉與〈間傳〉中即載有許多則遭遇輕重不等之親喪應如何「兼服」之狀況。❼而概括上述「兼服」輕重親喪之類型，即可以發現「輕者包，重者特」、「以服重者更易服輕者」爲「兼服」二喪時的根本原則，亦即當前喪應舉行練、祥之祭與除服之時，皆按時舉行，代表前喪之有時而盡，事畢，則再行重返後喪應服之服。

簡文中直接關係服喪情形者，除卻說明爲父、君、昆弟、妻、宗族以及朋友服喪時的穿戴狀況外，主要在於說明世人倘若併遭此並立的三組人之喪事時，應採取何種權衡之道。由於簡文過於簡單，倘若不參照相關文獻之記載，非僅無法正確理解其中眞義，甚且還因爲望文生義之緣故，而徒然滋生許多無謂之困擾❽，因而以

---

❼ 其詳參見《禮記》〈雜記下〉，頁 735：有父之喪，如未沒喪而母死，其除父之喪也，服其除服。卒事，反喪服。唯諸父、昆弟之喪，如當父母之喪，其除諸父、昆弟之喪也，皆服其除喪之服，卒事，反喪服。如三年之喪，則既穎，其練、祥皆行。王父死，未練、祥，而孫又死，猶是附於王父也。〈間傳〉，頁 956：斬衰之喪，既虞，卒哭，遭齊衰之喪，輕者包，重者特。既練，遭大功之喪，麻、葛重。〈間傳〉，頁 958：齊衰之喪，既虞，卒哭，遭大功之喪，麻、葛兼服之。斬衰之葛與齊衰之麻同，齊衰之葛與大功之麻同（自「斬衰之葛」以下，亦見於〈喪服小記〉，頁 601）；大功之葛與小功之麻同，小功之葛與緦之麻同；麻同，則兼服之。兼服之服重者，則易輕者也。

❽ 大陸學者近兩年多以來，因爲不熟悉喪服制度，所以紛紛就「爲父絕君，不爲君絕父」，提出有關君權、父權輕重之熱烈論辯。筆者曾於 2001 年 8 月在長沙舉行的「長沙吳簡暨簡帛研

下即按照簡文所載之三大組服喪條例，對照文獻之相關資料而作整體之說明：

㈠ 併遭父與君二喪時的權衡

簡文首列「疏斬布實（絰）丈（杖），爲父也，爲君亦然。」以說明爲父與君服喪時之穿戴情形。若將簡文對比〈喪服四制〉「資於事父以事君，而敬同；貴貴、尊尊，義之大者也；故爲君亦斬衰三年，以義制者也。」❾之記載，則可以清楚發現斬衰之服本爲親父至尊而設，至於爲君（包含天子、諸侯、卿大夫之有地者），❿則爲外推對於親父之尊與敬，而至於「貴」社會之貴（卿大夫）、「尊」邦國天下之尊（諸侯與天子）的結果。由於父與君分別代表家與國，因而此二者之身分地位最爲尊貴重要，所以禮書對於爲人臣子者併遭此二喪時的各種差異情況，分別有詳細之分殊。

同時由於封建、宗法制的關係，因而君與父之間，經歷「君父合一」、「君父相擬」以及「君父相離」之不同階段（此三階段，請詳後面「封建、宗法與喪服制

究百週年國際學術研討會」中，以〈郭簡「爲父絕君」的服喪意義〉，從服制規劃的整體設想，說明「爲父絕君」深刻之內涵意義。該文節本則收入研討會論文集，而該論文集正由北京中國社會科學院排印中，預計 2002 年 5 月出版。另外，筆者則將全文〈郭店簡「爲父絕君」在服制中的文化意義〉，投交臺灣師大國文研究所，《中國學術年刊》第 23 期發表。

❾ 《禮記》〈喪服四制〉，頁 1032。

❿ 《儀禮》〈喪服・斬衰〉，頁 349，「公士、大夫之眾臣爲其君，布帶繩屨。」條下，〈傳〉曰：「君，謂有地者也。」此處對於「君」之定義，採取鄭玄於頁 346，〈傳〉曰：「君，至尊也。」下之說法，認爲天子、諸侯、卿大夫有地者皆曰君。雖然〔清〕盛世佐：《儀禮集編》（臺北：商務印書館，1983 年影印清乾隆年間寫《文淵閣四庫全書》，第 111 冊），頁 54－55，載元・敖繼公曰：「諸侯及公卿大夫士有臣者皆曰君。此爲之服者，諸侯則其大夫、士也。公卿大夫，則其貴臣也。」然而由於〈喪服・斬衰・傳〉明白指謂「有地者爲君」，而非「有臣者皆爲君」，故知敖氏之說實與〈傳〉之原義有所出入。因此盛氏收集各家對此條經文的說法後，云：「案《特牲禮》，士亦有私臣，但分卑不足以君之，故其臣不爲斬也。」另外，〔清〕褚寅亮：《儀禮管見》，收入《續經解三禮類彙編》（臺北：藝文印書館，1986 年 9 月），頁 1181，載：「傳文明以有地者爲君，故注本以釋經。蓋有地則當世守，義與有國者等，與暫時蒞官而爲其臣屬者不同，服斬宜矣。士既無地，雖爲其臣，安得服斬？如皁臣輿，輿臣隸，名亦臣也，而豈遽爲之服斬乎？〈傳〉意言公士、大夫之無地者，雖有臣，不爲服斬也。公士、大夫且然，況於士乎？」盛氏、褚氏之說最爲有理，因而此處之「君」，不採取「士之有臣者亦爲君」之說在內。

度關係密切」之討論），可知當君與父的關係相離，亦即君而非父、君父不相合一的狀況時，則自然以父處於親近之內位，而以君居於相對較疏遠的外位，所以在人際關係講求由內而外、由親而疏的原則下，親親重於尊尊、父喪重於君喪的道理已可無疑義。若以此說對照《孝經》所載「資於事父以事母而愛同，資於事父以事君而敬同；故母取其愛，而君取其敬，兼之者父也。故以孝事君則忠，以敬事長則順。」⓫則可見父由於兼有至親與至尊之身分，因而能享有愛與敬雙極之地位，且推此孝敬之道以事君長，即可以成就忠順之美；然而當父喪與君喪二者發生衝突時，則須注意此二者相互之間應當如何協調以求其妥。

以下即透過〈曾子問〉的兩段文獻記載，可以發現禮有「權而得其宜」的變通之道，更可據此而知親親與尊尊之間必須講求複雜而微妙的平衡關係：

> 曾子問曰：「君薨，既殯，而臣有父母之喪，則如之何？」孔子曰：「歸，居于家，有殷事，則之君所，朝夕否。」曰：「君既啓，而臣有父母之喪，則如之何？」孔子曰：「歸哭，而反送君。」曰：「君未殯，而臣有父母之喪，則如之何？」孔子曰：「歸殯，反于君所，有殷事則歸，朝夕否。大夫，室老行事；士，則子孫行事。大夫內子有殷事，亦之君所，朝夕否。」⓬
> 曾子問曰：「君之喪，既引，聞父母之喪，如之何？」孔子曰：「遂，既封而歸，不俟子。」曾子問曰：「父母之喪，既引，及塗，聞君薨，如之何？」孔子曰：「遂，既封，改服而往。」⓭

透過上述曾子與孔子一問一答的文獻紀錄，從「大夫，室老行事；士，則子孫行事。大夫內子有殷事，亦之君所。」之記載，首先可以確定此處所謂之「君」，當指諸侯以上之「君」，因此其所屬之臣，即可包括大夫、士；所以此處之臣爲

⓫ 《孝經》〈士章〉，見於〔唐〕玄宗御注，〔宋〕邢昺疏：《孝經注疏》，收入《十三經注疏》（臺北：藝文印書館，1985年12月），頁24。
⓬ 《禮記》〈曾子問〉，頁377。
⓭ 《禮記》〈曾子問〉，頁379。

「君」服喪，均屬於斬衰中之正斬，與為父所服之喪服毫無差別。至於為大夫之「君」服喪，則由於大夫之地位較低，因而大夫之家臣為大夫雖然仍服斬，不過僅為「義斬」，而非正斬（有關「正斬」、「義斬」之詳情，參見後面「封建、宗法與喪服制度關係密切」部分之說明）。另外，綜合此兩段文獻，又可以歸納出孔子分別從未殯、既殯、啓殯、發引等四個進行喪禮的重要時刻，分別考慮君喪與父喪應如何平衡之問題，從中還可以觀察儒者所進行的權衡之道：

1. 君未殯，而臣有父母之喪

雖然從始死至於停殯之前，死者都要歷經招魂的復禮、沐浴、飯含、襲冒、小斂與大斂等儀式節目，然而因為彼此所處的社會階級不同，以致為死者安排的各項儀式節目內容，在複雜與繁瑣的程度上也相對有別，因此有「天子七日而殯，七月而葬。諸侯五日而殯，五月而葬。大夫、士、庶人三日而殯，三月而葬。」⓮的區分。由於大夫以下皆為三日而殯，而諸侯以上則或者五日、或者七日而殯，因此面臨君薨未殯又逢父母之喪的時候，自然應詳加衡量事情之輕重緩急，先歸於自家，在三日之內處理父母停殯前之一切事宜，然後再趕赴君之處所，協助處理相關事宜。大夫之妻由於身為命婦，與大夫共享一體之尊，雖然不必參與國君之朝夕奠，不過遭逢為國君舉行朔月奠、月半奠以及薦新奠之時，還必須與大夫同赴國君之處所共同致敬盡哀。在這段協辦國君喪事之期間，為父母每天所舉行之朝夕奠只好採取權變方式，由室老或子孫代為主持；不過，這段期間內假若遭逢為父母舉辦的朔月、月半以及薦新之奠，仍然必須趕回家中致敬盡哀。

從國君縱使尚未停殯，人臣倘若遇有父母之喪，也必須先歸於家中處理親喪看來，已可顯現父母親喪之隆重與刻不容緩；且必待父母停殯之後，方可再至國君之處所協辦喪事，足見人子居父母之喪與君喪相較，的確具有優先性。同時，如此交互安排為父、為君服喪誌哀，又可以說明當一個人面對父與君雙重正斬之喪時，即必須謹慎權衡輕重緩急，不可缺席任何較重要之喪禮儀節，方可以盡人子或人臣之哀，且使親親與尊尊之間能獲得較妥善的協調。孫希旦即根據本段文獻記載，認為文中所述之狀況，旨在說明當一個人併遭君親之喪時，則必須權乎已殯、未殯之差

⓮ 《禮記》〈王制〉，頁239。

異情形，以爲緩急輕重之節，務必使恩與義得以交相盡而無憾，此即表示禮之深入人心之處。⓯

2.君既殯，而臣有父母之喪

倘若國君已經進入停殯之階段，人臣始有父母之喪，則一來因爲國君以上停殯之期間長達五月或七月之久，而治喪事宜至此又已經暫時告一段落，再者因爲父母之喪乃天下之達喪，所以縱然貴爲一國之尊君，亦無壓制人臣而奪人喪情的道理，因此人臣自應即刻返回家中爲父母治喪盡哀，準備在三個月之內安葬父母。不過，人臣在歸家處理喪事期間，倘若遭逢國君舉行朔月、月半以及薦新等較大之奠禮，亦須前往國君之處所行禮誌哀，至於爲君每日例行之朝夕奠，則由於父母親喪重於君喪，因而爲人臣者亦必須有所割捨。如此盡心盡意交互爲國君與父母致敬盡哀，足以顯現人子在盡心服喪誌哀以盡親親之情之餘，尙且必須注意何時應該克盡人道尊尊之大義，亦即人道雖然以親親爲重，不過卻又必須與尊尊取得一定程度之妥協。

3.君啓殯，而臣有父母之喪

喪禮進行至啓殯之儀節，代表緊接在朝祖之後即將進行安葬之大典。⓰人臣於此時而突然遭遇父母之喪，則縱使國君即將大葬，人臣亦須即刻回歸家中哭喪以盡人子之禮；行哭禮之後，再趕赴爲國君送葬之行列以盡人臣之禮。在送葬儀式即將舉行之前，人子尙須先行返家盡哀，足見父子親情對於人道而言，比起君臣之義，是更爲根本、自然而無法取代的。

4.君既引，而臣聞父母之喪

啓殯朝祖之後，再歷經大遣奠與讀賵、讀遣之儀節，即將靈柩移上柩車，然後執引而行。執引之人數隨死者所屬階級之不同而各有定數，⓱其他送葬之行列則隨

⓯ 其詳參見〔清〕孫希旦撰，沈嘯寰、王星賢點校：《禮記集解》（臺北：文史哲出版社，1990年8月），頁533－534，〈曾子問〉。

⓰ 《禮記》〈檀弓下〉，頁 172：喪之朝也，順死者之孝心也，其哀離其室也，故至於祖考之廟而后行。殷，朝而殯於祖；周，朝而遂葬。

⓱ 《禮記》〈雜記下〉，頁 749：「諸侯執紼五百人，……大夫之喪，執引者三百人。」《周禮・地官・遂人》，見於〔漢〕鄭玄注，〔唐〕賈公彥疏：《周禮注疏》，收入《十三經注

行於後，因而當喪禮進行至執引之儀式，則表示國君出殯之行列已正式出發，且即將進入安葬入窆之最重要儀式，以致身爲人子者，此時就必須暫時按捺住心中對父母之哀情，繼續參與爲國君送葬之典禮，以盡人臣之禮，並避免擾亂浩浩蕩蕩的出殯隊伍。然而在國君之靈柩入窆以後，遭遇親喪之人臣即先行返歸家中哭喪以盡人子之哀，而不再等待封墓之後始歸。

此處雖然不見人子即刻返家奔喪之安排，然而由於國君之靈柩既已執引，則已進入喪禮之最重要階段，且已接近尾聲，因此衡情論理，人子爲父母盡哀雖然意義深重，不過畢竟尚有一段較長的時間可以誌哀盡孝，但是爲國君服喪盡義，此時則爲最重要之時刻，自然不宜臨時退卻，所以爲人子者亦應忍一時之哀情而先申爲君尊尊之大義；一旦靈柩入窆，有父母之喪者則即刻奔喪返家以盡親親之人情，而不再等待嗣君封墓之後始反歸。由此仍然隱約可見國君有不奪人臣哀情之處，只是在時間相當緊迫時，仍須考慮通權達變之需要，以展現人道亦有不以親親害尊尊之細微設想。

5.父母之喪既引，聞君薨

與上述情況相對反，則爲父母發喪到達執引出殯，而聽聞君薨之消息時，應該如何服喪之情形。由於此時出殯之行列既然已在途中，而且入壙安葬之事又最爲重大，因此仍然繼續爲父母進行安葬之禮，待父母之靈柩入窆，始更改出殯所著之斬衰服飾，而以括髮、徒跣，布深衣，扱上衽之裝束，至國君之處所哭喪。鄭玄即稱此改服哭喪爲「不以私喪包至尊」，[18]且亦應是文獻所載「有君喪服於身，不敢私服」[19]之義，代表人子在盡親親之情之餘，仍須盡人臣尊尊之大義，使親親與尊尊之間取得一定程度之平衡。

文獻對於君喪與父喪衝突時的權變平衡之道既已如上所述，對照簡文「爲父絕

疏》，頁 234，記載遂人之職云：及葬，帥而屬六綍，及窆，陳役。由於爲天子執引之人數不在禮書之正文記載中，因而此處鄭玄注云：「用綍，旁六。執之者，天子其千人與？」另外，〈檀弓下〉，頁 165，〔唐〕孔穎達於《正義》引何東山言執引之人數：「天子千人，諸侯五百人，大夫三百人，士五十人」。

[18] 其詳參見《禮記》〈曾子問〉，頁 379 之鄭注。

[19] 《禮記》〈曾子問〉，頁 376。

君，不爲君絕父」所載，亦在說明人臣併遭君、父二喪時的處理之道。劉樂賢教授以爲所謂「絕」（以及稍下的「殺」均同），乃是喪服用詞，是「減殺」之意，亦即「當服父喪與服君喪衝突時，可以將君服做減省，而不是爲服君喪而減省父喪」。[20]然而彭林教授卻認爲典籍中之「絕」，均無「減殺」或「減省」之義，以爲「爲父喪減省君喪」在禮書中得不到證明。[21]若從文字的形義而言，「絕」字之義及其在一般典籍中的用法，的確應如彭氏所質疑者，均無「減殺」或「減省」之義，且應作「斷」字解，意指「斷而無服」之義，此固然可自成一說，然而卻應與喪服中因爲「絕族無施（移）服」、天子與諸侯「絕旁期」的「絕服」有別。魏啓鵬教授則主張以「繼」代「絕」，認爲「絕」因爲無「減殺」或「減省」之義，所以無法與喪服制度中的「減殺」措施連結，然而倘若更換以具有次於上、居于后，而包含減降義涵之「繼」，即可以消除此困難。[22]

至於簡文中究竟爲「絕」或「繼」的問題，則由於郭店簡該段文字中四處「絕」或「繼」的刻法本身並不一致，因此彭氏早有「我們有理由認爲，前三字是『絕』字誤寫或省寫；或者說，楚簡中『絕』與『繼』不甚分別。」之說；復以『繼』與『絕』具有相反爲訓，絕則繼之，繼必由絕的特殊緣故，因此古時流行之文本中，此二字之字形亦不甚區別。[23]既然「絕」與「繼」具有此反相爲訓的微妙關係，則置於喪服制度中探尋其服喪意義之時，自然不能忽略此一層特殊關係；尤其再與上述〈曾子問〉的文獻兩相對照，從爲人子、爲人臣者併遭父喪、君喪之雙重喪服時，則必須權衡輕重緩急，採取情義兼顧、交互服喪以盡哀的措施，亦即先服父喪至於停殯（或者安葬），然後趕赴國君處所協辦治喪以盡哀；此亦與簡文「爲父絕君」之意相當。倘若究其實，如此交互爲父、爲君服喪，亦可說是暫時斷

[20] 其詳參見劉樂賢：〈郭店楚簡〈六德〉初探〉，見於《郭店楚簡國際學術研討會論文集》，頁 386。

[21] 其詳參見彭林：〈再論郭店簡〈六德〉「爲父絕君」及相關問題〉，見於《簡帛研究網站》www.bamboosilk.org〈網上首發〉。

[22] 其詳參見魏啓鵬：〈釋〈六德〉「爲父繼君」〉，見於《中國哲學史》2001 年第 2 期，頁 103－106。

[23] 其詳參見彭林：〈再論郭店簡〈六德〉「爲父絕君」及相關問題〉。

絕爲父所服之喪，而改服當時爲君應服之服；而當其參與國君之「殷事」再重返爲父服喪時，亦是暫時斷絕爲君所服之喪，如此交相更替（先君喪後父喪之時，亦採取相對的措施），至於除服爲止，則「絕」與「繼」乃是交相而爲之。至於簡文「不爲君絕父」，則意指先遭君喪時，由於國君或者五日而殯五月而葬，或者七日而殯七月而葬，均較大夫以下三日而殯三月而葬之期間長久，因而爲人子者不能等待君喪處理完畢始返家哭喪，而須暫時中斷爲君所服之喪，先行返家哭喪以盡人子之哀；此又與〈曾子問〉之記載相互吻合。

雖然劉氏、彭氏與魏氏對於簡文的解讀不盡相同，不過彼此皆同意此句簡文必須放在整體喪服制度中討論，始能透徹明瞭其原義。雖然「絕」或「殺」或「繼」彼此仍然有別，不過的確也有「類同」之實，又皆可以歸屬於服喪條例「變例」中的「降服」條例部分討論㉔，但是此句簡文與其說是在討論併遭二喪時如何降殺之問題，不如說更在凸顯「兼服」君父二喪時，服喪者該如何權而平衡之問題，且從其權而平衡之道，又可以說明「服術」的六大原則終究以「親親」爲首，卻又必須設法兼顧「尊尊大義」的道理。

㈡ 併遭昆弟與妻二喪時的權衡

從服喪的根本要義，解決「爲父絕君，不爲君絕父」在於凸顯親親重於尊尊的主題之後，其次，則要面臨如何解決「手足昆弟」重於「牉合之妻」的情況。因此簡文繼爲父與君服喪之後，再作「疏衰齊戊（牡）麻實（絰），爲昆弟也，爲妻亦然。」之喪服佩戴說明，然後再紀錄爲人兄弟與爲人夫者併遭此二者之喪時，應該採取「爲昆弟絕妻，不爲妻絕昆弟。」之權衡措施。從簡文所載而言，顯而易見的是齊衰喪服之制訂，以平輩的「手足之親」兄弟爲基準，然後推而及於因爲婚姻關係而成立的夫妻關係，因而當一人併遭此二喪時，應採取何者爲優先的服喪對象亦是相當清楚的。若將此爲昆弟與妻之服喪規定，驗諸〈喪服〉之服喪條例，則爲昆弟服齊衰不杖期，爲妻則服齊衰杖期，似乎有爲妻服喪重於爲昆弟所服之嫌；然而若能深入其造成「杖」與「不杖」之差別原因，則知夫爲妻之服並不相對重於爲昆弟之服。

㉔ 其詳參見拙著：《喪服制度的文化意義——以《儀禮．喪服》爲討論中心》，頁 146－156。

從「至親以期斷」[25]之記載，可知齊衰期之喪服乃是爲一般至親之基準服。然而齊衰期之喪服又有齊衰杖期與齊衰不杖期兩種，要判定何者方爲一般至親之基準服，則主要可從「杖」之作用加以判別，其次，則參考〈喪服〉之相關記載。由於「杖」具有象徵爵位、喪主之作用，亦有用以輔病之實際功能，而參與喪禮者，未必人人擁有爵位，而喪主亦僅有一人，且並非每一服喪者皆有哀痛適恆、痛不欲生之錐心痛感，因此以杖輔病亦非人人所需，所以均不宜以「杖期」做爲期服之基準服。另外，〈喪服・記〉之中，還特別提及齊衰不杖期之女子服飾，由此可知齊衰不杖期服制之重要性，所以必須再以「記」的方式作補充說明。經由上述兩項理由，可以說明「齊衰不杖期」應爲期喪之標準服。

既然齊衰不杖期爲期喪之標準服，而〈喪服〉所載爲昆弟服齊衰不杖期，即是按照爲一般至親之基準服服喪，至於爲妻雖然列入齊衰杖期之列，然而此之所謂「杖期」也非爲妻服喪之定制。因爲倘若夫爲長子，則妻爲嫡婦，假若嫡婦死時而舅仍健在，則舅應爲嫡婦主喪，則此時夫之心中雖然哀痛，然而亦不杖於喪位，此即〈喪服・經〉所謂「大夫之適子爲妻」齊衰不杖期，也是〈喪服・傳〉所謂「父在，則爲妻不杖。」之道理；[26]亦即夫之爲妻有「杖」與「不杖」之區別，端視妻沒之時，父是否仍然健在以爲嫡婦主喪而異，並無夫爲妻服喪重於爲昆弟之意。因爲昆弟與妻對於自己而言，皆屬於同一輩的至親人倫關係，服喪亦是等量齊觀的。至於爲昆弟服喪，則僅有齊衰不杖期一種情況，因爲倘若昆弟沒之時而父仍然健在，則父爲喪主；倘若父已先昆弟而卒，則昆弟之喪理當由昆弟之子主喪；因此無論父在或父已卒，爲昆弟均爲齊衰不杖期。

上述所論，乃就〈喪服〉之服喪條例而討論爲昆弟與妻服喪之差異狀況，以下則再就簡文所載而論述之：

〈六德〉歸納出人類社會有夫、婦、父、子、君、臣三組六位最根本的人際關係，且此「六位」之成員必須各秉其智、信、聖、仁、義、忠之「德」，以各盡率人、從人、教者、學者、使人、事人之「職」，而成就夫夫、婦婦、父父、子子、

---

[25] 《禮記》〈三年問〉，頁 962。

[26] 《儀禮》〈喪服〉，頁 356。

君君、臣臣之人倫關係。㉗

在此「六位」、「六德」、「六職」的相互關係中，「六德」乃是人類天賦不可勉強的德性，「六位」則爲人世間具有主體操作能力之樞紐，因而最需要認清各人所處之「名位」，然後方可以責求其應盡之「職」，此即孔子特別注重「正名」，認爲應該做到「君君、臣臣、父父、子子」㉘之本義，也如《呂氏春秋》所載「凡爲治必先定分。君、臣、父、子、夫、婦六者當位，則下不踰節而上不苟爲矣，少不悍辟而長不簡慢矣。」㉙之道理。由於循其「名」而處其「位」實居於是否能盡職成倫之關鍵地位，所以有必要再行細密區分以求明確，因而將此六大「名位」再分爲內、外位，於是以父、子、夫爲內位，而以君、臣、婦爲外位，自此可以配合由內而外、親親而尊尊的順序，以便更妥當地發展人倫。㉚

將「六位」區分內、外以後，可以清楚發現「婦」劃歸「外位」之部分；既然屬於「外位」，則在優先性與重要性上就略遜於「內位」。由於「婦」在宗族中的

㉗ 其詳參見《郭店楚墓竹簡》，頁 187〈六德〉之釋文，以及頁 189 裘錫圭之按語。其中「有『教』者，有『受』者」之關鍵字「教」與「受」，裘先生闕而未定，李零之：〈郭店楚簡校讀記〉，頁 517，則直接以「教」與「受」二字實之；張光裕主編，袁國華合編：《郭店楚簡研究——第一卷文字篇》（臺北：藝文印書館，1999 年 1 月），頁 105、600，亦釋爲此二字；而龐樸也於《竹帛〈五行〉篇校注及研究》〈〈六德〉篇簡注〉，頁 184，根據圖版與文意而隸定此二字爲「教」與「受」，分指父子之職。另外，「以『卒』六德」，「卒」字裘先生未釋，李氏釋爲「卒」，龐先生亦從李氏之說。至於陳偉，則於〈郭店楚簡別釋〉，《江漢考古》1998 年第 4 期，頁 70，從文獻資料所載而補此二字爲「教」與「學」；而顏世鉉，則於〈郭店楚簡〈六德〉箋釋〉，《中研院史語所集刊》第七十二本第二分（2001 年 6 月），頁 451，認爲「學」與「受」之上半無甚差別，然而該簡文之下半，就圖版而言，應爲從「子」而非從「又」，因此應以釋爲「學」較爲合適。筆者認爲圖版雖然有些模糊，不過卻與從「又」者稍別，若合併現存文獻資料推測，釋爲「學」應較爲合適。

㉘ 《論語》〈子路〉，見於〔魏〕何晏等注，〔宋〕邢昺疏：《論語注疏》，收入《十三經注疏》頁 115，記載孔子以「必也正名乎！」回答子路「爲政奚先？」之問。〈顏淵〉，頁 108，孔子以「君君、臣臣、父父、子子」答齊景公問政。

㉙ 《呂氏春秋．處分》，見於陳奇猷校釋：《呂氏春秋校釋》（上海：學林出版社，1984 年 4 月），頁 1669。

㉚ 有關「六位」、「六職」與「六德」的相互關係，另有〈從《郭店簡》之「六位」到後世之「三綱」——儒家人倫關係新論〉專文討論。

意義與地位更高於「妻」，㉛因而「婦」既然已經歸屬「外位」，則「妻」當然更屬於「外位」而無疑。至於「昆弟」，雖然不見於此「六位」之中，不過從此內、外分位的特性推論，「昆弟」的屬性應該歸於父、子、夫的「內位」部分。

將同屬於「一體之親」的「手足昆弟」與「牉合之親」內、外歸位之後，當面臨同服齊衰期的昆弟與妻必須再行區分服喪的輕重、先後之時，倘若依照服喪者與服喪對象發生親屬關係的先後而論，則「妻」的名分終究是由於後起的婚姻關係，而始與夫建立「牉合之親」的「私親」至親關係，妻與夫雖有至親之實，然而無法改變其終究僅屬於夫「一體之私親」，總不及「昆弟」之間，從出生開始即具有手足「一體」關係之先在性；倘若論及血緣之關係，則妻又遠遠不及昆弟之間擁有先天血緣之親，因而當昆弟喪與妻喪衝突時，則以服內位之昆弟喪爲先，先爲昆弟盡哭喪之禮，以盡血緣親親之情，然後再返回妻停殯之所以盡夫妻之私情。大陸學者郭齊勇、羅新慧以及徐少華等都主張簡文乃以血緣關係區分內外。㉜

另外，從《左傳》雍姬之母謂雍姬「人盡夫也，父一而已，胡可比也！」㉝之記載，可以說明爲父、爲夫雖然都同服斬衰，然而由於父子具有先天血緣，夫妻則爲後設人倫，彼此仍有差異。同時，從「人盡夫也」相對而言，則「人盡可妻」的非決定性，亦應爲當時世人之共識。亦即由於昆弟之間具有先天血緣的不可變性，而夫妻之間則僅爲後起的道義牉合關係，並無絕對不可變性，所以能確立「爲昆弟絕妻，不爲妻絕昆弟」的服喪原則，此足以顯示當時注重先天的手足親情甚於後天的夫妻私情之文化現象應已成形。

㉛ 親迎當天可以完成「成妻」之禮，然而倘若未經過「成婦」之禮而新娘猝死，則必須歸葬於娘家，而不得入於夫家之族墓安葬，由此可見「成婦」之意義遠重於「成妻」之意義。

㉜ 其詳參見郭齊勇：〈郭店儒家簡與孟子心性論〉，《武漢大學學報》（哲學社會科學版）1999 年第 5 期，頁 24－28，1999 年 9 月；羅新慧：〈郭店楚簡與儒家的仁義之辨〉，《齊魯學刊》，1999 年第 5 期，頁 27－31，1999 年 9 月。另外，徐少華：〈郭店楚簡〈六德〉篇思想源流探析〉，則收入武漢大學中國文化研究院編：《郭店楚簡國際學術研討會論文集》，頁 380－381。

㉝ 其詳參見《左傳》〈桓公十五年〉，見於〔晉〕杜預注，〔唐〕孔穎達疏：《春秋左傳正義》，收入《十三經注疏》（臺北：藝文印書館，1985 年 12 月），頁 127。

(三) 併遭宗族與朋友二喪時的權衡

繼兼服斬衰、齊衰時應如何權衡服喪之後，郭店簡更提出第三類遭遇無服之親喪與朋友之喪時，該如何處理此衝突現象的方法。根據「四世而緦，五世袒免」的服喪原則，五世之親雖然已經不在「五服」的範圍內，但畢竟還算是宗族之親，只是由於同姓的關係已相當疏遠，因此僅以袒露左臂而著免的方式誌哀。

至於朋友，雖然並非親屬，但是同道為朋，同志為友，㉞《論語》即有「君子以文會友，以友輔仁」㉟、「四海之內皆兄弟也」㊱之記載，《禮記》也有「獨學而無友，則孤陋而寡聞」㊲之說，可見朋友有切磋琢磨、相交為善之義，實具有同道之情誼，對於一己德業之成長，均具有極大的助益。因此朋友雖然不在五服之內，但是仍有為之服弔服而加緦之絰帶的禮數；㊳倘若彼此均身在他邦，尚且有為朋友加隆哀情而行袒免之禮。㊴為朋友而袒免，則與為五世之宗族相同。

為朋友雖然可以因為在他邦之緣故，而加至袒免之禮，不過論其本，則實無任何親屬關係；而為五世之宗族雖然因為親情已疏遠而無服，但是彼此仍然不失為宗親，亦即六世以下雖然不再為之特別訂定親屬之專有名稱，然而由於彼此仍然擁有「百世不遷」之共同大宗在，並且具有「繫之以姓而弗別，綴之以食而弗殊，雖百世而婚姻不通」㊵之事實，因而若就親屬關係而言，袒免之宗族仍然親於朋友。

由於服喪者與死者有無親屬關係，是決定喪服之有無與輕重的最重要依據；因而倘若同時遭遇宗族喪與朋友喪，在服喪以親為本的情況下，當然應該區分有親與無親之根本關鍵，而採取「為宗族丌丌（殺、麗、離）朋友，不為朋友丌丌（殺、

㉞ 〔漢〕許愼撰，〔清〕段玉裁注：《說文解字注》（臺北：蘭臺書局，1972 年 9 月），第四篇上，頁 150：「朋，古文鳳，象形。鳳飛，群鳥從以萬數，故以為『朋黨』字。」第三篇下，頁 117：「同志為友，從二又相交」。

㉟ 《論語》〈顏淵〉，頁 111。

㊱ 《論語》〈顏淵〉，頁 106。

㊲ 《禮記》〈學記〉，頁 653。

㊳ 《儀禮》〈喪服・記〉，頁 397，鄭玄於「朋友，麻」注曰：「朋友雖無親，有同道之恩，相為服緦之絰帶。」

㊴ 同上註，載：朋友，皆在他邦，袒免，歸則已。

㊵ 《禮記》〈大傳〉，頁 619。

麗、離）宗族」之措施。

四、早期儒家服喪措施在文化上的意義

綜合上述以《郭店簡》的服喪紀錄爲主，並結合禮書相關記載所作之討論，可以概括出早期儒家服喪措施在文化上的意義：

㈠ 封建、宗法與喪服制度關係密切

周朝立國前後綿延八百多年，非僅因爲周人懂得「殷鑒不遠」的歷史教訓，知道奮發圖強，卒能達到「殷憂啓聖」之效果，其尤爲要者，乃在於周初之主政者能以高瞻遠矚的寬廣視野，訂定與施行各項足以達到國家長治久安之制度。王國維（1877－1927）即認爲欲觀察周朝所以定天下之道，當自其所立之制度開始。而周代制度之大異於殷商者，首先當屬立子立嫡之制，由此而衍生宗法及喪服之制，並由此而有封建子弟之制、君天子臣諸侯之制。㊶這種集封建、宗法、喪服三者合一之制度，是維繫周朝命脈的根本制度與人倫彝法，不但關係政治版圖與政治勢力之擴張與分配，同時也關係家族的世代繼承與宗族向外發展的可能，更透過嚴密精細的喪服制度，開發人類潛藏的眞摯情感，藉由「有服」與「無服」區分內外，且以喪服的輕重精粗劃分情感厚薄，使彼此親疏遠近之情得以自然流露，更進而可以將原有的親情聯繫昇華至人道之關懷，且能具有知恩圖報的高尙情操。藉由喪服制度之聯繫，於是封建與宗法成爲有機之結合，遂使君天子與臣諸侯之間，無論或以亦君亦父之人倫親情，或以君父相擬，乃至純爲君臣以道義交之不同情愫互相配對結合，皆由各種不同的角度綰結成堅固的綱維系統，支撐周朝國運長達八百多年。

從爲父服斬而能外推以至於爲君亦服斬，其最主要的原因乃在於周代推行封建、宗法制的關係，再加上周代極力推行「嫡長制」的繼統法，因此天子與諸侯對於太子與世子而言，就是標準的「人君亦人父」；相對的，太子與世子對於天子與諸侯，則是標準的「人臣亦人子」；此即「君之於世子也，親則父也，尊則君也。

㊶ 其詳參見王國維：《殷周制度論》，見於《王觀堂先生全集》（臺北：文華書局，1961年），頁435。

有父之親，有君之尊，然後兼天下而有之。」[42]之情況。在這種亦君亦父、亦臣亦子的情形下，君臣與父子之間不但具有濃厚的人倫親情，臣子對於君父同時還應實踐社會所推崇的尊尊之義，因此世子與太子對於君王，不但應當克盡人子孝親之情，也必須履行人臣忠君、敬君之義，所以君父享有兒臣爲己服斬衰三年之重喪，自然是順理成章之事。

至於天子對於同姓諸侯，除卻上述具有父子關係者外，另外還有君臣間具有伯叔子侄等「諸父猶父」、「兄弟之子猶子」[43]之關係者，此類爲人臣之子侄亦可比照爲親父之禮而爲天子伯叔服斬衰；第三類，則爲君臣間具有兄弟「一體之親」的親近關係者，此即〈喪服小記〉所明載的「與諸侯爲兄弟者服斬」。[44]

至於天子所分封之異姓諸侯，或者爲功臣，與王室具有親密之政治軍事聯繫，或者與王室具有婚姻關係，因此天子亦時常以伯舅、叔舅稱之，所以彼此同樣具有人倫親情之基礎。甚且追溯昔日「舅權」極盛之時期，還存有「舅亦如父」之民俗，[45]因而臣爲君亦可比照人子爲父服斬之最重喪等處理。

天子與諸侯第一層封建、宗法關係下的君父關係以及爲君服斬之理由，既已如上所述，至於諸侯對於大夫第二層次之分封，由於類同於上，因此其君父相擬之狀況，亦可從而得見。至於第三層次的封建領主大夫，在爵位世襲的情況下，繼承者

---

[42] 《禮記》〈文王世子〉，頁398。

[43] 《禮記》〈檀弓上〉，頁 143：「喪服，兄弟之子猶子也，蓋引而進之也。」既然「兄弟之子猶子」，可知「諸父亦當猶父」。另外，李宗侗：《中國古代社會史（一）》（臺北：中華文化出版事業委員會，1954），頁 59 記載：卜辭及商句稱父輩皆曰父，不分叔、伯。周初始見叔父之稱，不論稱爲伯父、叔父，終未離父，伯、叔不過長幼的分別，不論稱爲兄子、弟子，終未離子。

[44] 《禮記》〈喪服小記〉，頁 607，鄭《注》：謂卿大夫以下也，與尊者爲親，不敢以輕服服之。《正義》曰：熊氏以爲謂諸侯死，凡與諸侯有五屬之親者，皆服斬也。以諸侯體尊，不可以本親輕服服之也。

[45] 李宗侗：《中國古代社會史（一）》，頁 74－79，舉以下三例說明周初之時「舅權」之遺痕未泯：《詩・大雅・大明》：牧野洋洋，檀車煌煌，駟騵彭彭，維師尚父（武王后邑姜之父），時維鷹揚。《左傳》僖公二十六年：昔周公、大公股肱周室，夾輔成王。《尚書・顧命》：太保命仲桓、南宮毛俾爰齊侯呂伋（大公之子，成王母邑姜的兄弟），以二干戈，虎賁百人，逆子釗於南門之外。

對於位居大夫之親父而言，也是「亦君亦父」、「亦臣亦子」之關係，因此君父之關係亦同於上。然而大夫與其他家臣之間，則由於家臣雖然可以擁有祿田，不過卻無法取得該土地之所有權，因此家臣必須更賣力爲大夫工作，促使自己所效命之大夫可以在政治、經濟上獲得更好的發展；而家臣即藉由大夫之獲益，間接提高自己之利益，所以二者之間其實更具有禍福與共、休戚相倚的關係。由於這類家臣對於大夫而言，除卻政治上的從屬關係以外，還有更實際的經濟仰賴關係，所以彼此縱然並無宗族血緣關係，但是家臣對於大夫，卻更易於克盡宛如人子的「死忠死孝」之道，有此特殊因緣，所以家臣爲此類大夫之君，亦可比照子之爲父服斬衰之方式辦理。

各級封君與直接隸屬之封臣間，由於君父相擬的關係，臣之爲君明顯由親親而擴大至於尊尊之層次，因此從爲父斬衰而類推之，則有「爲君亦然」之服喪文化。由於爲父服斬乃發源自人類更本然而具的親親哀情，所以親親的服術原則不但在制定喪服時更具有優先性，而且其重要程度亦相對更高。

基於人情之本然與封建、宗法制在當時社會的推行，因此〈喪服．斬衰〉該章，於首列人子爲父服斬之後，緊接其下，則以「諸侯爲天子」爲第二條經文，然後再以「君」排列第三，層次井然，絲毫不紊，因而所服均爲「正斬」，代表「君父同尊」之義，並且服喪者爲此不同對象所穿著之喪服並無差異。至於排列在章末的「公士、大夫之眾臣，爲其君布帶繩屨。」，則由於以「公士、大夫」而爲「君」者，其地位本來就遠低於天子、諸侯之「君」，因而此處雖然同樣列入爲君應服斬衰之範圍，不過卻是歸屬「義斬」，而與「正斬」之衰三升稍有差別，改以三升半之布爲斬衰用布。[46]從「正斬」與「義斬」之些微差異，可以再度證明「親

[46] 《儀禮》〈喪服．記〉，頁 402，載：「衰，三升，三升有半。」由於記文所載斬衰服所用之布有三升、三升半兩種，而〈間傳〉卻無此斬衰用布之相關說明，因此賈公彥在此《疏》之中，以「或曰：『三升半者義服也。』」的方式，「引『或人』所解爲證」，以疏解經文與注文之義。更引「其〈斬〉章有《正義》『子爲父、父爲長子、妻爲夫之等是正斬。』云『諸侯爲天子、臣爲君之等是義斬。』」以說明此三升半實是義服。同時賈氏尚且已於〈喪服〉頁 346，〈斬衰〉章首爲「君」之條下，以「爲至尊，但義故，還著義服也。」爲《疏》，說明「義服」之內涵，而分別斬衰有如上所分的「正斬」、「義斬」兩類。而

親」高於「尊尊」之義。

除卻上述之引證外，《說苑》與《韓詩外傳》也同時記載齊宣王詢問田過有關君喪、父喪孰重之事例（雖然文字稍有不同，但是並不影響內容之差異），可以作爲當時一般儒者認爲喪父重於喪君想法之佐證：齊宣王以「儒者喪親三年、喪君三年，君與父孰重？」之問題詢問田過，而田過則以「不如父重」對答。雖然如此一問一答引發宣王之忿怒與進一步質問，然而田過以「非君之土地，無以處吾親；非君之祿，無以養吾親；非君之爵位，無以尊顯吾親。受之君，致之親。凡事君，所以爲親也。」之說法再度回覆宣王之問，已經明顯可見田過是透過「父親於君」的人倫事實，以說明「父喪重於君喪」的道理。由於田過的說辭盡情盡理，終於使宣王悒悒然而無以回應。[47]然而仔細玩味田過「非君之土地，無以處吾親；非君之祿，無以養吾親；非君之爵位，無以尊顯吾親」之說辭，則亦可相對說明君道之重要與可貴，因爲若無人君之運籌帷幄，指揮社會大眾共同奮鬥以達目標，並且提供臣民發展個人才華之機會，則無法展現群體努力之最佳成果。

基於君道對於國計民生發展之重要，因此縱然「父親於君」乃是不可違拗之人倫事實，不過，人既然生於器世間，則「父子之親」與「君臣之義」均是無可脫逃之人倫塵網，因此凡爲知理明道之君子者，皆無法獨張「親親」之旗幟，而無視於

〔清〕胡培翬撰，段熙仲點校：《儀禮正義》（南京：江蘇古籍出版社，1993 年 7 月），頁 1618，〈喪服〉，「附考五服衰冠升數及降正義服」中的〈衰冠升數圖說〉記載：「以三升半爲義服，出鄭氏《注》，諸家悉仍之。」胡氏更於頁 1625，〈降正義服圖說〉中記載：「黃《例》楊《圖》，皆以諸侯爲天子，君，公士、大夫之眾臣爲其君，三條入義服。……及此〈記〉『衰三升』《疏》云『諸侯爲天子、臣爲君』之等，是義斬之文也。盛氏、江氏仍之。今案：戴氏震、金氏榜，皆以三升半之衰，爲專指公士、大夫之臣爲其君言，其說甚確。蓋《喪服經》文，列二者於父爲長子之前，明君父同尊，衰冠不得有異也。」胡氏所論極有道理。至於彭林教授則於〈再論郭店簡〈六德〉「爲父絕君」及相關問題〉中，亦主張「諸侯爲天子、臣爲君屬義斬」之說，則與筆者所見相異。

[47] 該事件見於〔漢〕劉向：《說苑》〈修文〉，收入《四部叢刊正編》（臺北：臺灣商務印書館，1979 年），第 17 冊，頁 201。同時又見於〔漢〕韓嬰：《韓詩外傳》，第 7 卷，收入《四部叢刊正編》，第 3 冊，頁 58。

「尊尊」之大纛；此從〈禮器〉特別並列父子之道、君臣之義為「倫」，㊽孔子也特別感嘆「君臣之義，如之何其廢之？」㊾可以得到充分的說明。至於郭店楚簡中，〈成之聞之〉有「天降大常，以理人倫，制為君臣之義，著為父子之親，分為夫婦之辨」㊿之記載，即從「治理」人倫的角度，將「君臣之義」列為第一；而〈六德〉的「子弟大材藝者大官，小材藝者小官，因而施祿安焉，使之足以生，足以死，謂之君」51，則從安百姓、利民生的立場，以說明人君之重要；〈語叢三〉也從「父亡惡，君猶父也，其弗惡也，猶三軍之旌也，正也」52，說明人君之重要。無論從現有文獻以及簡文所載，在在可見君道對於萬民之教化與發展，都具有決定性的影響，以致《莊子》還要藉孔子之口，而說明「命」與「義」二者相併為天下之大戒，認為「臣之事君，義也，無適而非君也，無所逃於天地之間」53。正由於人君對於延續社會群體之發展具有關鍵性的影響，因此喪服制度中，特別將為君之服比照為父之服斬，一方面希望臣民百姓能以事父之心以尊崇君主；另一方面，則隨時提醒為人君者必須以養民、愛民、教民、化民為不可推託之天賦責任。

㈡ 嚴格區分內外的宗法倫理特色

從簡文「內立父、子、夫，外立君、臣、婦。」的記載，已明文顯示人倫關係的內外區分，再從其說明服喪時，採取「為父也，為君亦然」、「為昆弟也，為妻亦然」、「為宗族也，為朋友亦然」，由內而推於外的服喪方式，以及紀錄併遭各組二喪時，採取「為父絕君，不為君絕父。」、「為昆弟絕妻，不為妻絕昆弟。」、「為宗族丌丌（殺、麗、離）朋友，不為朋友丌丌（殺、麗、離）宗族。」，先服宗族血親而暫時擱置其餘者之情形來看，人倫關係嚴格區分內外是相當明顯的，且以宗族組織法為主要根據。

㊽ 《禮記》〈禮器〉，頁450。

㊾ 《論語》〈微子〉，頁166。

㊿ 《郭店楚墓竹簡》〈成之聞之〉，頁168。

51 《郭店楚墓竹簡》〈六德〉，頁187。

52 《郭店楚墓竹簡》〈語叢三〉，頁209。

53 《莊子・人間世》，見〔清〕郭慶藩：《莊子集釋》（臺北：貫雅文化事業有限公司，1991年9月），頁155。

從簡文整段紀錄，可以歸納出簡文以兩項原則區分內外位，一爲「君統」與「宗統」雖然有密切相關，然而卻又有同中稍異的微妙關係，而將「君」與「臣」這一組相對的人倫關係列入「外位」；另外，則以「婦」雖然來歸而屬於夫家之同宗親屬，然而因爲「婦」與夫家既有的成員，彼此並無任何血緣關係，於是也將「婦」推而至於「外位」；而概括此兩項標準，其實均與當時封建社會下的宗族組織法有關。

「君」與「臣」雖然在封建、宗法制度下，原本可以具有最爲親密的父子關係，然而由於諸侯封君在其封國內擁有實質的統治權，所擔任掌管全國事務之職責與一般宗族事務不同，並且有以嫡長子繼承君位的「君統」制度，因此必須將「君統」與「宗統」適度區隔以符合各自之需要，此即所謂「君有合族之道，族人不得以其戚戚君位也。」(54)一事之根據。而針對此說，王國維有極爲深入的闡述，認爲：「由尊之統言，則天子、諸侯絕宗，王子、公子無宗可也；由親之統言，則天子、諸侯之子，身爲別子，而其後世爲大宗者，無不奉天子、諸侯以爲最大之大宗，特以尊卑既殊，不敢加以宗名，而其實則仍在也。」(55)說明天子與諸侯雖然有「絕宗」之現象，卻仍然有「合族之道」，亦即君統與宗統乃是彼此交攝，大宗與小宗亦是相互對待彼此聯繫的。既然原本具有人倫之間最親密的父子關係者，一旦具有君與臣之相對關係以後，由於其所擔負的職責關乎全國大事，因而族人尚且還「不得以其戚戚君位」，亦即必須視之爲「外位」，而特別以「尊尊之大義」對待之；至於一般無父子之親者，對於君主或大臣視之爲「外位」，不但更無疑義，而且還更應該待之以尊尊之義。

至於「婦」，雖然原來與「夫」爲不相關的路人，不過一旦嫁入男方之家，則與其夫成爲「牉合之親」。又因爲「婦」是外族人來歸，而且由於「夫妻一體」，所以「婦」在夫家的宗族內，均以其夫在宗族內的地位爲比照基準，而無其獨立的身分與地位，尤其在父系宗法社會中，婦女更無法定的繼承權，因此「婦」亦列入「外位」之範圍。由於「婦」在宗法上屬於「外位」，所以即使「夫婦」這一倫乃

(54) 《禮記・大傳》，頁 620。

(55) 王國維：《殷周制度論》，頁 442－443。

是人倫之首，[56]一旦爲人夫者併遭昆弟與妻之二喪，則自當優先爲手足「一體」之昆弟哭喪誌哀，然後再爲妻服喪誌哀。由於「君」與「臣」在人倫歸屬上均是「外位」，因此一旦爲人臣子者併遭君、父之喪，亦是採取先主父喪、再赴君喪之大原則處理，因爲服術之原則雖然有六，[57]不過在六大原則中，卻以「親親」爲首，而以「尊尊」爲次。從此處看來，簡文與文獻的服喪原理原則是一致的。

㈢ 以宗族為本位的社會結構特色

從簡文「袒字（免），爲宗族也，爲朋友亦然。」、「爲宗族𠬤（殺、麗、離）朋友，不爲朋友𠬤（殺、麗、離）宗族。」之記載，可知簡文對於服喪之紀錄雖然簡約，不過卻已包括喪服中最重的斬衰喪、至親的齊衰期喪以及雖然無服但是有袒免的五世宗族誌哀法。簡文所載當然絕非完備當時已有之服制，不過亦已頗具代表性。由於簡文之服喪紀錄與文獻資料大體相合，因此二者對勘之後，從有關宗族服喪的紀錄中，主要可以發現兩項重要的道理：一爲五世袒免之親爲同宗之間論及親屬關係之臨界點，過此之外，彼此雖有百世不遷之相同大宗，亦不再訂定彼此專屬之親名；二爲簡文中雖然不見「五服」之名，然而從斬衰、齊衰、袒免之親均與禮書所載無大出入，且「五服」之制乃是喪服中的核心而論，則當時以「五世而遷之小宗」爲「宗族」生活本位的社會結構應已確立。同時，爲配合「宗族」生活本位之特色，因而在「夫婦、父子、君臣」最基本也是最重要的「三親」人倫關係外，再提出「兄弟」、「朋友」的兩種倫常關係，於是隱然已有社會中最重要的「五倫」雛形，並且從其提示各種倫常之間的輕重緩急關係看來，可以顯現早期儒家的倫常觀念正在積極建構中。

簡文與文獻互勘後，雖然大致相去不遠，不過，二者對於內、外位的區分，則有較大的差異，亦即〈喪服〉中不以「父、子、夫」、「君、臣、婦」分別歸屬

---

[56] 《易》〈序卦傳〉，見於〔魏〕王弼、韓康伯注，〔唐〕孔穎達等疏：《周易正義》，收入《十三經注疏》（臺北：藝文印書館，1985年12月），頁187：有天地，然後有萬物；有萬物，然後有男女；有男女，然後有夫婦；有夫婦，然後有父子；有父子，然後有君臣；有君臣，然後有上下。

[57] 《禮記・大傳》，頁619：服術有六：一曰親親，二曰尊尊，三曰名，四曰出入，五曰長幼，六曰從服。

「內位」與「外位」，而是以同宗族者爲「內親」，而以「妻黨」、「母黨」以及「女黨」爲「外親」。

追溯周代之社會環境，由於早已進入父系社會時期，因而社會組織自然以男性爲中心，且又配合封建、宗法等繼承制度，所以明定以男系爲法定的繼承系統，故而以男性親屬方爲同姓已族，而將妻黨、母黨、女黨等親族視爲異姓外親。當時爲求達到凝聚本宗親族的力量、培養血濃於水的親族感情，以致必須採取崇揚已族、抑制外親的措施，簡而言之，即是以宗族爲本位的社會結構方式，企圖創造群體努力的最高價值。將這種崇揚已族、抑制外親的思想貫徹於喪服制度時，就明顯可見所謂「親親以三爲五，以五爲九，上殺、下殺、旁殺，而親畢矣！」58的親屬組織，其實專以父系親屬爲主，且以父、子、孫三代的人倫關係視爲核心倫理。至於妻黨、母黨、女黨之親屬，有服之親其實並不多，且均以服緦麻之輕服爲原則，即使是血緣關係相當親近者，充其量也只能因爲特殊條件（外祖父、母因尊，從母則因爲有「母之名」）而加服至小功之服。由此可見當時的喪服制度中，配合宗族組織的內、外位關係而嚴格區分內、外親，是一道非常重要且不可逾越的根本分際。

簡文與文獻雖然在人倫內、外位的區分上有較大的差異，不過彼此並無根本之矛盾與衝突。因爲簡文此段極其簡約之文字，已能概括出「君統」與「宗統」似離若即的微妙關係，又能顯出君與臣同時列入外位的事實，可謂相當不易；至於將「婦」列入外位，其實乃是總括〈喪服〉條例中妻黨、母黨、女黨之親屬皆爲「外親」之親屬規劃系統而作的扼要概括，因而簡文與文獻之間，彼此本無根本差異。

綜合簡文與文獻所載，如此以宗族爲本位的社會結構方式雖然看似有些本位主義色彩，然而事有本末先後，物有終始次第，倘若本之不固，則無以成就枝葉花果之茂盛豐碩。以宗族爲本位的社會結構方式，乃是本於〈大學〉所載「古之欲明明德於天下者，先治其國；欲治其國者，先齊其家。」59之根本道理。可見「齊家」只是達到國治、天下平的必經要道，而非終極目的，因此「齊家」的觀念是極具延

58 《禮記・喪服小記》，頁 591。

59 《禮記・大學》，頁 983。

展性而非狹隘的封閉性思想。一旦家之能齊，則「三族和」；[60]「三族和」而後「五服親」；「五服親」，則九族和睦強固；宗族之間強固，於是國之能治；國治，而後天下可平。因此結合簡文以及文獻所載，可以發現二者其實相互輝映，雖然從中明顯可見以宗族爲本的社會結構思想，然而藉由「袒字（免）爲宗族也，爲朋友亦然。」之向外類推，又可以與儒家「四海之內皆兄弟也」的弘遠胸襟相接楯，因而是堂廡開闊、視野遠大的，並且由此充擴發展，而將最基本的「三親」人倫關係，開展成爲促使社會高度發展最需要的「五倫」關係。

五、結論——仁內義外的喪服文化特質

〈六德〉中整段的服喪紀錄，不但以「門內之治恩弇義，門外之治義斬恩。」點出喪服文化注重恩義的總綱領，更以「仁，內也；義，外也；禮、樂，共也。人有六德，三親不斷」，凸顯喪服文化的特質。亦即以「其恩厚者其服重，故爲父斬衰三年，以恩制者也」，是訂定喪服制度最根本、最重要的體制。不過恩情雖然重要，但是在複雜的人世間，人情終需擴大以方便世人進入廣大的社會組織，於是如何「以理節之」使歸於義，就顯得相當重要，因爲「資於事父以事君，而敬同，貴貴、尊尊，義之大者也，故爲君亦斬衰三年，以義制者也」，因而倘若能善用恩、理、節、權的方法，並隨之確立「門內之治恩揜義，門外之治義斷恩」的原則以區分內外，[61]始可以適應複雜的社會生活之需要。

〈雜記〉所載「其國有君喪，不敢受弔」，孔穎達即於《正義》中清楚地指出：「此謂國有君喪，而臣又有親喪，則不敢受他國賓來弔也。以義斷恩，哀痛主

[60] 《儀禮・士昏禮》，頁 63，記載請期之時，媒人對女方家長曰：「吾子有賜命，某既申受命矣，惟是三族之不虞，使某也請吉日。」《禮記・仲尼燕居》，頁 853，記載子曰：「明乎郊社之義、嘗禘之禮，治國其如指諸掌而已乎！是故以之居處有禮，故長幼辨也；以之閨門之內有禮，故三族和也；以之……」《周禮・春官・小宗伯》，頁 291，記載小宗伯之職，有「掌三族之別以辨親疏」一項。從「三禮」皆有「三族」之說，可知其在古代宗族中地位之重要。而所謂「三族」之成員，除卻父、子、孫之外，並且兼含有此三輩之嫡庶昆弟關係者在內，亦即包含父、子、孫三代，同時也包含父之昆弟、己之昆弟以及子之昆弟在內之族人。

[61] 其詳參見《禮記・喪服四制》，頁 1032。

於君，不私於親也。」[62]亦即喪親之臣雖然身遭君喪與親喪之雙重喪變，仍然可以自盡其哀痛親人之情以服親喪，僅在「以義斷恩」的考量下，謝絕他國外賓之弔喪，因此國君對於臣子並無「奪喪」之嫌，亦可以合乎弔喪者應該「哀痛主於君」以國為重的設想。另外，「大夫、士將與祭於公，既視濯而父母死，則猶是與祭也。次於異宮。既祭，釋服，出公門外，哭而歸；其它如奔喪之禮。如未視濯，則使人告。告者反，而后哭。如諸父、昆弟、姑、姊妹之喪，則既宿則與祭。卒事，出公門，釋服而后歸；其它如奔喪之禮」[63]，都是對於「門外之治義斷恩」最好的註腳，說明親親雖然重於尊尊，但是為人臣者倘若已經參與公家祭祀大事，而後始聽聞父母以下諸親人之喪，此時則必須以義為斷，視當時公事進行的程度，以是否已經視察洗滌之祭器為決定是否繼續參與祭祀之基準，因為祭祀之事始於「視濯」，既已「視濯」，則不可以中輟；倘若尚未「視濯」，則使人告於國君，而後即行舉哀奔喪。

喪服制度之規劃，乃是取法天地運行、四時變化之自然，且順應人情的需要與陰陽動靜的原理而訂定者，其中尤以人情的需要為最重要且最根本的考量。〈六德〉服喪紀錄前文「仁，內也；義，外也」之記載，即明顯指出服制之設計乃是以仁為經為本、以義為緯為權的做法，此正合乎〈禮運〉「仁者，義之本也」[64]、〈中庸〉「仁者，人也，親親為大；義者，宜也，尊賢為大」[65]之說法，同時也與〈語叢〉「仁生於人，義生於道。或生於內，或生於外」[66]的記載互相呼應。這種以仁為本、以義為輔的服制設計，正是本於「仁，人心也；義，人路也」[67]的根本特性而發揮，正可以說明儒家學說以「仁」為核心的一貫主張。

---

[62] 《禮記・雜記上》，頁 729。

[63] 《禮記・雜記下》，頁 736。

[64] 《禮記・禮運》，頁 439。

[65] 《禮記・中庸》，頁 887。

[66] 《郭店楚墓竹簡》〈語叢一〉，頁 194。

[67] 《孟子・告子上》，見於〔漢〕趙岐注，〔宋〕孫奭疏：《孟子注疏》，收入《十三經注疏》，頁 193。

由於「君子不奪人之喪，亦不可奪喪」[68]，因而聖賢制禮，務必使喪禮盡哀、服喪盡情的「親親」思想，乃是天地之經，更是人情之自然，是貫串整體服制思想的根本核心，與君權勢力的高低無涉；〈語叢〉所載「禮因人之情而爲之」，又說「情生於性，禮生於情」[69]即爲此義。甚且，如此親親之仁，當其擴而大之，則發而爲尊尊之大義，成爲世人所可遵循，更是所應遵循之大道。因此〈性自命出〉即載有「性自命出，命自天降。道始於情，情生於性。始者近情，終者近義」[70]之說，所以「直情逕行」的作風，儒者向來以爲「戎狄之道也」，[71]而必須要求以「禮」節之，且〈坊記〉又有「禮者，因人之情而爲之節文」[72]之載，故知以「禮」而「節」之之道，即是以「義」爲度的節制標準，所以「發乎情而終於義」，正是儒家「仁內義外」思想之充量發揮。簡文的服喪紀錄，正凸顯喪服制度本於人情而制禮的事實，不過在人情之外，尙且還必須懂得權衡輕重緩急以兼顧「尊尊大義」，方足以彰顯人性以仁內而義外的文化特質。

參考文獻

《周易正義》 〔魏〕王弼 韓康伯注 〔唐〕孔穎達等正義 《十三經注疏》 臺北 藝文印書館 1985年12月

《周禮注疏》 〔漢〕鄭玄注 〔唐〕賈公彥疏 《十三經注疏》 臺北 藝文印書館 1985年

《儀禮注疏》 〔漢〕鄭玄注 〔唐〕賈公彥疏 《十三經注疏》 臺北 藝文印書館 1985年

《禮記正義》 〔漢〕鄭玄注 〔唐〕孔穎達等疏 《十三經注疏》 臺北 藝文印書館 1985年

《春秋左傳正義》 〔晉〕杜預注 〔唐〕孔穎達疏 臺北 藝文印書館 1985

[68] 《禮記》〈雜記下〉，頁737。

[69] 前者見於《郭店楚墓竹簡》〈語叢一〉，頁194；後者見於〈語叢二〉，頁203。

[70] 《郭店楚墓竹簡》〈性自命出〉，頁179。

[71] 其詳參見《禮記》〈檀弓下〉，頁175。

[72] 《禮記》〈坊記〉，頁863。

年 12 月
《論語注疏》〔魏〕何晏注〔宋〕邢昺疏《十三經注疏》臺北 藝文印書館 1985 年
《孝經注疏》〔唐〕玄宗御注〔宋〕邢昺疏《十三經注疏》臺北 藝文印書館 1985 年
《孟子注疏》〔漢〕趙岐注〔宋〕孫奭疏《十三經注疏》臺北 藝文印書館 1985 年
《韓詩外傳》〔漢〕韓嬰《四部叢刊正編》臺北 臺灣商務印書館 1979 年
《儀禮集編》〔清〕盛世佐《文淵閣四庫全書》臺北 臺灣商務印書館 1983 年
《儀禮管見》〔清〕褚寅亮《續經解三禮類彙編》臺北 藝文印書館 1986 年
《儀禮正義》〔清〕胡培翬撰 段熙仲點校 南京 江蘇古籍出版社 1993 年
《禮記集解》〔清〕孫希旦撰 沈嘯寰、王星賢點校 臺北 文史哲出版社 1990 年
《宗周禮樂文明考論》沈文倬 杭州 杭州大學出版社 1999 年
《喪服制度的文化意義——以《儀禮・喪服》爲討論中心》林素英 臺北 文津出版社 2000 年
《說文解字注》〔漢〕許慎撰〔清〕段玉裁注 臺北 蘭臺書局 1972 年
《郭店楚墓竹簡》荊門市博物館 裘錫圭審定 北京 文物出版社 1961 年
《郭店楚簡研究——第一卷文字篇》張光裕主編 袁國華合編 臺北 藝文印書館 1999 年 1 月
《中國古代社會史（一）》李宗侗 臺北 中華文化出版事業委員會 1954 年
《說苑》〔漢〕劉向《四部叢刊正編》臺北 商務印書館 1979 年
《莊子集釋》〔清〕郭慶藩 臺北 貫雅文化事業有限公司 1991 年
《呂氏春秋校釋》陳奇猷 上海 學林出版社 1984 年
《竹帛〈五行〉篇校注及研究》龐樸 臺北 萬卷樓圖書公司 2000 年

《王觀堂先生全集》　王國維　臺北　文華書局　1988 年

《郭店楚簡國際學術討論會論文集》　武漢大學中國文化研究院編　武漢　湖北人民出版社　2000 年

〈郭店楚簡別釋〉　陳偉　《江漢考古》　1988 年 4 期　1998 年 11 月

〈郭店儒家簡與孟子心性論〉　郭齊勇　《武漢大學學報》（哲學社會科學版）1999 年 5 月　第 27 期

〈郭店楚簡與儒家的仁義之辨〉　羅新慧　《齊魯學刊》　1999 年 5 月　第 29 期

〈再論郭店簡《六德》「爲父絕君」及相關問題〉　彭林　《簡帛研究》網站〈網上首發〉資料　www.bamboosilk.org　2000 年 12 月

〈釋〈六德〉「爲父繼君」〉　魏啓鵬　《中國哲學史》　2001 年 2 月

〈論君臣服喪所凸顯的君臣倫理——以《儀禮・喪服》爲中心〉　林素英　《中國學術年刊》　第 21 期　2000 年 3 月

〈郭店楚簡〈六德〉箋釋〉　顏世鉉　《中央研究院歷史語言研究所集刊》第七十二本第二分 2001 年 6 月

經學研究論叢
第十二輯　頁257～286
臺灣學生書局　2004年12月

再論漢代禮學的興起

史應勇*

一部經學史，我甚至以爲基本可以用「禮學」和「理學」來概括。

禮制問題本來就是儒家經典關注的基本問題。孔子之所以在晚年傳經，就是因爲痛惜當年禮制的墮壞。所謂周公作之，孔子述之，指的就是以周禮爲主要內容的一整套制度和文化。周公「作」了什麼？這在過去一直是筆糊塗帳，最近王暉先生作了較好的探索。❶

儒家對禮制問題的關注，原本主要是一種對外在社會秩序的追求，似乎缺少了一點「形而上」的思考❷，宋代以後，本體論的內涵才滲入了對儒家經義的探索中，理學即由此而興。而理學家仍然不能忽視禮制的落實，如朱熹就說：只講理而不講禮，不免懸空，無形無影之理必落實於有規有矩之禮，才可憑據，「故謂之天理之節文」。❸因此朱熹早年曾編訂《家禮》、《古今家祭禮》，晚歲則傾全力編著《儀禮經傳通解》。

*　史應勇，四川大學文學與新聞學院博士後研究。

❶ 見王暉：〈周公改制考〉，《中國史研究》2000年第2期。

❷ 儒家經典中只有《易經》似乎不主要講禮制，而它到底是否傳自孔子，尚有疑問。孔子的那句關於《易經》的話，據說在古本《論語》中作「假我數年，五十以學，亦可以無大過矣。」這確是一個值得注意的問題。對此，業師朱維錚先生曾在課堂上多次提及。而自漢以來，《易經》一直被列爲儒家五經之一。

❸ 〔宋〕黎靖德編，王星賢點校：《朱子語類》（北京：中華書局，1994年3月），卷42，頁1079。

「禮」自先秦以來就成為儒家所關注的中心問題，但禮學成為全社會學術文化的重心，那是在漢代以後出現的現象。關於漢伐禮學的興起和演進問題，洪業和沈文倬等先生對禮學文獻本身作過非常深入的研究❹，但從禮學與漢代的意識形態、政權建設以及社會狀況的變化的相關度來看，筆者以為漢代禮學的興起仍有繼續討論的必要。本文擬就此作一點嘗試，就教於方家。

一

「禮」本是中國古代貴族生活的基本內容，它是地位和特權的象徵，其中又有諸多政治、權力、宗教和文化知識的意識。隨著「郁郁乎文哉」的周禮的推布和綿延，禮制成為一種特有的貴族典章，誰懂得並能實踐這些典章，誰就獲得了統治人的基本條件。作為一個貴族子弟，必須要學習這些典章。出身於沒落貴族的孔子擅長此事，因此受到當時的貴族們特別重視。比如當時魯國的大夫孟僖子，臨終前還特別告誡他的兒子孟懿子：

> 「孔丘，聖人之後……及正考父佐戴、武、宣公……吾聞聖人之後，雖不當世，必有達者。今孔丘年少好禮，其達者歟？事即沒，若必師之。」及僖子卒，懿子與魯人南宮敬叔往學禮焉。❺

孟僖子死時孔子只有十七歲。

孔子一生為禮而奮鬥，這包括他教貴族子弟學禮，勸說貴族們守禮不要僭越，

---

❹ 見洪業：〈儀禮引得序〉、〈禮記引得序〉，載《儀禮、禮記引得》（上海：上海古籍出版社，1983 年），卷前；沈文倬：〈略論禮典的實行和儀禮書本的撰作〉，載《文史》第十五、十六輯（北京：中華書局，1982 年）；〈漢簡服傳考〉，載《文史》第二十四、二十五輯（北京：中華書局，1989 年）；〈從漢初今文經的形成說到兩漢今文禮的傳授〉，載尹達、張政烺主編：《紀念顧頡剛先生九十誕辰學術論文集》（成都：巴蜀書社，1990 年）。另有楊天宇：〈儀禮的來源、編纂及其在漢代的流傳〉，載《史學月刊》1998 年第 6 期，亦可參。

❺ 《史記．孔子世家》。

周遊列國宣傳自己維護周禮的主張，爲統治者提供禮制方面的諮詢服務，晚年通過編訂禮典寄託自己的情懷等等。但孔子多年的努力收效甚微，禮崩樂壞依然日甚一日。因此他晚年特別傷感，慨嘆：「泰山壞乎，梁柱摧乎，哲人萎乎！」當然，這更多地是惋惜統治者不能重用他。孔子死後，社會的狀況與孔子的理想更有距離。孔子的學說則從他晚年開始，就在他的弟子中發生了分歧。孔子死後，儒分爲八。

不過孔子這桿大旗始終沒有倒，諸多後學都說自己的是眞孔學。究竟誰的才是眞孔學，這已成爲學術史上說不清的課題。而孔子所開創的儒家始終抓住人倫關係與政治統治相結合這條基本原則，這是非常「符合中國國情」的一個關節點。因爲長期以來中國的社會儘管不斷地發生變化，但基本的社會組織一直以血緣關係爲紐帶。也正因爲如此，儒家文化才得以長盛不衰。孔子死後二百年左右，儘管社會已發生了相當大的變化，但荀子最終又以「禮」爲核心重振儒家學說。當然荀子的禮樂觀念已與祖師爺有很大的不同，這一點筆者在〈由文化的到政治的——略論孔荀禮樂觀念的變化〉一文中作過探討，此不贅述。❻

二

以禮爲核心的荀學與整個漢代的儒學、經學有著直接的關係。這一方面表現在漢代的儒學思想於各方面映現出了荀子的痕跡❼，另一方面表現在武帝以後樹立起來的幾部儒家經典，大多都傳自荀子，或其解說與《荀子》合轍。《毛詩》據說是由荀卿傳予大毛公的。《魯詩》在漢初始傳於申公，而申公少時嘗與魯穆生、白生同受《詩》於浮丘伯，浮丘伯，正是荀卿的門人。❽《韓詩》在漢初出於燕人韓嬰，後僅存其《外傳》而已，「其引《荀卿子》以說《詩》者四十有四。由是言之，《韓詩》，《荀卿子》之別子也。」《左氏傳》由趙人虞卿傳給荀卿，由荀卿傳予張蒼，張蒼又傳賈誼。《公羊春秋》、《穀梁春秋》在西漢景、武之際才著於

---

❻ 見《齊魯學刊》2001 年第 3 期。

❼ 詳見徐平章：《荀子與兩漢儒學》（臺北：文津出版社，1988 年）。

❽ 《漢書・楚元王傳》。

竹帛❾，而《荀子・大略篇》「《春秋》賢穆公」、「善胥命」，則爲《公羊春秋》之學❿；「〈禮論〉、〈大略〉二篇，《穀梁》義具在」。《穀梁春秋》在漢初的師法創立者就是荀卿的再傳弟子申公。《公羊》家董仲舒也曾「作書美荀卿」，「劉向又稱荀卿善爲《易》」。後來輯集成書的《禮記》更與荀子有很大的相關度。「《大戴禮・曾子立事篇》載〈修身〉、〈大略〉篇文，《小戴・樂記》、〈三年問〉、〈鄉飲酒義〉篇載〈禮論〉、〈樂論〉篇文」。「〈聘義〉子貢問貴玉賤珉亦與〈法行篇〉大同。大戴所傳〈禮三本篇〉亦出於〈禮論篇〉，〈勸學篇〉即〈荀子〉首篇，而以〈宥坐篇〉末『見大水』一則附之，〈哀公問五義〉出〈哀公篇〉之首。」⓫據近人考證，《小戴禮記》四十九篇中至少有三十二篇與《荀子》有關。⓬當然，《荀子》與《禮記》篇章究竟誰抄誰的問題還値得討論⓭，而兩者之間的相關度則是肯定。

漢代的禮經十七篇（即《儀禮》）是高堂生「在惠帝解除挾書律後，爲了講授《禮經》，從民間取得七篇士禮、兩篇鄉禮和一篇〈喪服〉的漢隸書本，又創立了推士禮以致天子之法，默誦記錄了〈燕〉、〈大射〉、〈覲〉、〈聘〉、〈公食〉、〈少牢〉、〈有司〉七篇天子諸侯大夫禮」，從而彙輯、寫定的。⓮我們現在還沒能找到高堂生和荀子之間的直接師承關係，但第一次使禮經立於學官的后蒼，即受學於東海蘭陵人孟卿。關於孟卿的學源，可以稱得上是荀學傳人的劉向曾作過說明：

---

❾ 沈文倬：〈從漢初今文經的形成說到兩漢今文禮的傳授〉。

❿ 「《春秋》賢穆公」之說見《公羊傳》文公十二年，「善胥命」之說見《公羊傳》桓公三年。

⓫ 以上關於荀子與漢代儒學經典來源的相關度的陳述，參見謝墉：〈荀子箋釋序〉、汪中《荀卿子通論》。此轉引自新編諸子集成本《荀子集解》（北京：中華書局，1988 年），卷前，《考證上》。

⓬ 詳見閻隆庭：《大小戴禮與荀子關係之探索》（臺北：政治大學中文研究所碩士論文，1976年，韋日春指導）。

⓭ 沈文倬：〈略論禮典的實行和儀禮書本的撰作〉。

⓮ 沈文倬：〈從漢初今文經的形成說到兩漢今文禮的傳授〉。

蘭陵多善爲學，蓋以荀卿也。長老至今稱之曰：「蘭陵人喜字爲卿，蓋以法荀卿。」⓯

總之，所謂「漢世《六經》家法，泰半荀卿之傳」，這已有不少學者說過。梁啓超曾說：「自漢以來，名雖爲昌明孔學，實則所傳者僅荀卿一支派而已」，「漢代之禮，莫不一以盤旋於荀子肘下」。⓰

由於荀子的影響，漢儒多有對荀子禮學的引述與發揮。比如漢代倡導興禮制的先驅賈誼，在給文帝的上疏中大談「夫禮者禁於將然之前，而法者禁於已然之後」，這實際就是《荀子・天論》中批評慎到「有見於後，無見於先」的意見的發揮。董仲舒是《春秋》學家，這與荀子以禮爲基點的學說是有所不同的，但《春秋繁露・立元神》中討論「奉天本」、「奉地本」、「奉人本」，實際就是《荀子・禮論》中「禮三本」說的覆述。司馬遷《禮書》基本就是《荀子・禮論》、〈議兵〉等篇的抄錄。與荀學有著相當親緣關係的大小戴《禮記》更是廣泛地被兩漢的儒生所引用。

重新構建了隆禮學說的荀學的傳播，爲漢代禮學的興起奠定了基礎，埋下了伏筆。漢代的第一位「儒宗」叔孫通，首先爲漢高祖提供的服務就是「禮」，因而受到重用。惠帝以後的宗廟儀法，多由叔孫通草創。漢初文禁剛開，魯國儒生便在「修其經學」的同時，「講習大射、鄉飲之禮」。⓱賈誼在文帝初年針對「諸侯僭儗，地過古制……或戴黃屋」，甚至「有布衣昆弟之心」，天下「侈靡相竟」的形勢，特別向文帝建議：應當重興禮樂，改正朔，易服色；對於治國，禮制較法制更有益，要想使天下有一個良好的尊卑貴賤等級秩序，只能選擇以禮治國。賈誼《新書》之〈保傅〉、〈傅職〉、〈容經〉、〈胎教〉等都是專論古禮的篇章。董仲舒在上天人三策中又指出，爲了「統紀可一」、「法度可明」、「民知所從」，「諸

⓯ 同前引汪中：《荀卿子通論》。

⓰ 梁啓超：《中國學術思想變遷之大勢》，《飲冰室專集》，冊 9（臺北：臺灣中華書局，1972 年 3 月），頁 46。

⓱ 《漢書・儒林傳》。

不在六藝之科、孔子之術者，皆絕其道，勿使並進，邪僻之說滅息」；指出興禮樂教化是安寧之術。劉向臨終前還在為興禮樂的問題苦口婆心。針對元帝以後外家日重、皇權跌落、天災人禍不斷的現實，他作為皇室宗親，深為此擔憂。聽說犍為郡在水濱得古磬十六枚，議者以為祥，他便上疏建議：應借此機會「興辟雍，設庠序，陳禮樂，隆雅頌之聲，盛揖讓之容，以風化天下。如上而不治者，未之有也。」⓲

儒術獨尊、經學興起以後，「禮」成為整個王朝政治及社會生活中的一個基本問題。漢武帝決定罷黜百家、表彰六藝、設立《五經》博士並招授弟子以後所發佈的詔文曰：

> 蓋聞導民以禮，風之以樂。今禮壞樂崩，朕甚閔焉。故詳延天下方聞之士，咸薦諸朝。其令禮官勸學，講議洽聞，舉遺興禮，以為天下先。太常其議予博士弟子，崇鄉黨教化，以厲賢材焉。⓳

後來王莽之所以廣泛增立經學博士，一個重要原因就是他要「制禮作樂」。東漢初年漢光武帝為扭轉王莽、更始以來禮樂分崩、典文殘闕的局面，「未及下車而先訪儒雅，采求闕文，補綴遺逸」，在按照西漢舊格局恢復設立經學十四博士的同時，「稽式古典，籩豆干戚之容，備之於列……中元元年初建三雍。明帝即位，親行其禮。天子始冠通天，衣日月，備法物之駕，盛清道之儀，坐明堂而朝群後，登靈臺以望雲物，袒割辟雍之上，尊養三老五更……」⓴漢代的五經博士常被稱作禮官。經學家本人不僅要論禮㉑，也要修禮。比如《春秋公羊》學家董仲舒「進退容止，非禮不行」；《詩》學名家王式「摳衣登堂，頌禮甚嚴」。

⓲ 劉汝霖：《漢晉學術編年》（北京：中華書局，1987年影印本），卷3，頁91。

⓳ 《漢書．武帝紀》。

⓴ 〔清〕王先謙：《後漢書集解》（北京：中華書局，1984年影印本），頁890。

㉑ 〔漢〕司馬遷撰：《史記》，第121卷，儒林列傳第61（北京：中華書局，1982年11月），頁3126，司馬遷論及漢初經學初興時的情形曰：「諸學者多言禮」。

三

但是漢代禮學的興起有一個過程。起初的禮學，除了援引和發揮一些荀學中的基本理論外，就「學」的層面而言，只有高堂生彙輯、寫定的《士禮》十七篇（即後來的《儀禮》），這已是「興於殘闕」之後。當初孔子是要祖述堯舜，憲章文武，可周昭王南征之後，即開始「彝倫漸壞。彗星東出之際，憲章遂泯」。㉒孔子生活的時代已是「禮崩樂壞」了數百年。孔子作爲「由原始禮儀巫術活動的組織者領導者（所謂巫、尹、史）演化而來的禮儀的專職監督保存者」㉓，尙可爲貴族統治者提供一些禮典的諮詢服務，但在當時的條件下，系統記錄這些繁瑣的禮典，還實屬不易。據考證，竹木簡的廣泛使用是在戰國時代才出現的。孔子親自整理、傳授過的所謂經典，主要還是幾部便於口耳相傳的文獻，如《詩》、《書》；「樂」本來就沒有文本，要通過與《詩》相配的演奏來傳授。《春秋》字數也很少。《易》與孔子的關係本來就値得懷疑。而《禮》本身，據沈文倬的考證，孔子只來得及將〈士喪禮〉傳授給孺悲，由孺悲將其記錄成文（包括後來《儀禮》中的〈士喪禮〉、〈既夕禮〉、〈士虞禮〉、〈喪服〉四篇），《儀禮》的其餘十三篇是在公元前五世紀中葉至四世紀中葉，由孔子弟子、後學陸續撰作的。這一百年間孔子弟子及其後學所撰作的禮典篇章不只是這十三篇，還有一些沒能流傳到漢初。㉔

漢初的禮經十七篇乃興於殘闕之餘，這是當時諸多儒者都承認的。就是這十七篇，其傳授也並不廣泛。這從《史記・儒林列傳》的記述中可以看出。㉕面對這種現實，許多儒生都慨嘆禮文殘闕。叔孫通在漢初制禮儀，倉促之下，只能「採古禮與秦儀雜就之」。但是，隨著西漢政權的穩固和完善，制度的建設越來越要求應與被打倒的前朝有所不同，按照當時影響很深的五德終始說的理論，按照革除秦朝弊

㉒ 見〔唐〕孔穎達：《禮記正義・序》（上海：上海古籍出版社，1990 年影印本）。

㉓ 李澤厚：《中國思想史論》（上）（合肥：安徽文藝出版社，1999 年），頁 15。

㉔ 參前揭沈文倬：〈略論禮典的實行和儀禮書本的撰作〉。

㉕ 《史記・儒林列傳》在述及漢初經學漸興的形勢時說：「諸學者多言禮，而魯高堂生最本。《禮》固自孔子時而其經不具，及至秦焚書，書散亡益多，於今獨有《士禮》，高堂生能言之。而魯徐生善爲容……傳子至孫徐延、徐襄……不能通禮經；延頗能，未善也。襄以容爲漢禮官大夫……是後能言禮爲容者，由徐氏焉。」

政的要求，都應如此。當然，還有一個不容忽視的原因，那就是：由於漢初統治者奉行了無爲而治的理念，放鬆了對地方的控制，因而地方勢力迅速增長，從而構成了地方諸侯王對皇權的威脅。賈誼建議漢文帝及時地改正朔、易服色、正制度、興禮樂，正是這個現實的原因所使。但當時在朝的舊勢力還很強大，賈誼的意見沒有得到實施，本人被發配長沙。後來矛盾終於激化，發生了吳楚七國之亂，這在客觀上迫使統治者對統治術作出必要的調整。這時儒生在朝廷中的影響也日漸擴大。武帝登基後，也迫切需要擺脫深愛黃老術的竇太后的控制。背後的外戚集團也以統治學說之間的矛盾爲外衣展開了權力之爭。經過兩次火拼，隨著竇太后的駕崩，推重儒術的一派，即漢武帝生母王氏的弟弟田蚡一派，最終獲得了勝利，受到朝廷的重用，於是「黜黃老刑名百家之言，延文學儒者數百人」㉖，所謂「獨尊儒術」的格局由此尊定。㉗董仲舒與公孫弘則進一步促使了儒術與西漢王朝政治統治的緊密結合，特別是公孫弘將經學教育與文官選拔掛起鉤來，形成制度。從此治經成爲文人出仕的敲門磚。

四

孔子傳經的宗旨就在禮制問題上，而對於西漢以來的一幫儒門後學來說，最缺乏的恰恰是先聖先王奉行過的那些禮制原典。殘缺之餘的《儀禮》十七篇，內容大多是士禮和部分的諸侯禮，缺少天子大禮。漢武帝要行封禪禮，苦於不知其儀法度數，諮詢在朝的儒生，「優游數年」卻沒有結果，最後只好自作主張，胡亂搞了一通。漢武帝要興明堂，求助於魯國受過高祖接見的一位高齡老儒申公，結果未得要領而罷。不得已，「推士禮致於天子」的發明在后蒼時代成爲一家之說，並直接服務於朝廷。㉘劉向臨終前勸諫「今上」興禮樂，而「不能具禮」仍然是當時一個難

㉖ 《史記·儒林列傳》。

㉗ 關於儒術獨尊的歷史轉折過程，詳見朱維錚：〈經學史：儒術獨尊的轉折過程〉，載《上海圖書館建館三十周年紀念論文集（1952－1982）》（上海：上海圖書館，1983年編印）。

㉘ 《文選·齊竟陵文宣王行狀》注引劉歆《七略》曰：「宣皇帝行射禮，博士后蒼爲之辭，至今記之，曰《曲臺記》。」《漢書·儒林傳》曰：「蒼說禮數萬言，號曰《后氏曲臺記》。」《漢志》有《曲臺后蒼》九篇。參見前揭洪業：〈儀禮引得序〉。

題。劉向建議「筆則筆，削則削」，不應因「小不備」而耽誤了興禮樂的時機。[29]這似乎與叔孫通的態度有點相似。

在這種情況下，搜集和發現已散失的先秦古文舊禮典，顯得既有學術意義，又有現實意義。於是魯恭王劉余壞孔子宅，得「逸禮」三十九篇，逸古文《尚書》十六篇；河間獻王「修學好古……得書多……皆古文先秦舊書，《周官》、《尚書》、《禮》、《禮記》、《孟子》、《老子》之屬」；這樣的故事就特別在《漢書》中被提及。

在孔子舊宅中發現的古文逸禮二十九篇，大概可以肯定是與《儀禮》十七篇成書時代相同的舊禮典，它當然可以彌補《儀禮》十七篇的不足。這二十九篇在武帝時曾被孔子的後人孔安國獻入朝廷，本打算正式立於學官，但由於遇到宮廷內亂，未能實施，而被藏入秘府。後來劉歆接替父親的職務整理宮廷藏書，發現了這部分古文逸禮，再一次予以特別的重視並予以推薦，才使得古文逸禮在西漢末年立在學官。王莽時，古文逸禮在博士官中仍有一席之地。但東漢以後，朝廷取消了古文逸禮在博士官中的一席之地。從此這部分古文逸禮在歷史上銷聲匿跡。清代學者錢大昕認爲當亡於永嘉之亂。[30]

我們知道，漢代的經學是按照家法傳授的。朝廷取消了官學中的這一家之學，就直接影響了它在社會上的流傳程度以及受重視的程度，何況這一家之學本來興起就很晚，存在又很短暫。鄭玄後來在注禮時引有古文逸禮，說明他曾誦讀過或擁有這部分逸禮的文本，但由於他顯然不是古文逸禮這一家之學的正式傳人，所以他沒有對這一部分逸禮進行整理和注釋，而只是在注釋《儀禮》時引之加以補證。

而河間獻王搜集到的七十子後學所記述的《禮記》則在漢代越來越受到重視，其主要原因是這部分《禮記》篇章曾經大、小戴整理過，用以補證「禮經」即《儀禮》十七篇之未備，而大、小戴禮學一直是漢代朝廷認可並置立過的一家之學。

河間獻王搜集到的七十子後學所作《禮記》篇章如何流傳到大、小戴手中，現

---

[29] 詳見前揭劉汝霖：《漢晉學術編年》，卷 3，頁 92。文繁不錄。

[30] 參〔清〕江藩：《漢學師承記》（上海：商務印書館，1937 年，《叢書集成初編》本），頁 44。

在還是一個謎。但我以爲，晉代、隋唐以來學者屢屢述及的所謂「戴德刪古禮二百四篇爲八十五篇謂之《大戴禮》，戴聖刪《大戴禮》爲四十九篇是爲《小戴禮》」，不會是無中生有的亂說。現在還沒有理由和證據否定這種說法，清代以來學者的意見根本不足以否定這種說法。[31]

五

因爲漢代以來興於殘闕之餘的禮典資料，不足以爲新王朝的文化建設和制度建設提供充分的依據，因此才有了推士禮而致於天子的一家之說。這可以說是一種沒有辦法的辦法。到后蒼的弟子二戴的時代，這種矛盾依然存在，因此才有了二戴逐漸搜集、整理、引徵《禮記》的事實。就目前所知的文獻記載看，最早引徵《禮記》中的文字以證「禮」者，就是后蒼的弟子戴聖和聞人通漢。這要感謝唐代杜佑所編訂的《通典》爲我們保留下來這方面的證據，這就是在漢宣帝甘露三年的石渠閣會議上，戴聖與聞人通漢討論禮制問題的對話錄，即清代數位學者都曾輯佚過的《石渠禮議》殘篇。我們略引其中幾條：

1. 經云：「宗子孤爲殤」，言孤何也？聞人通漢曰：「孤者，師傅曰『因殤而見孤也』，男二十冠而不爲殤，亦不爲孤，故因殤而見之。」戴聖曰：「凡爲宗子者，無父乃得爲宗子。然爲人後者，父雖在，得爲宗子，故稱孤。」聖又問通漢曰：「因殤而見孤，冠則不爲孤者，〈曲禮〉曰：『孤子當室，冠衣不純采』，此孤而言冠，何也？」對曰：「孝子未曾忘親，有父母無父母衣服輒異。〈記〉曰：『父母存，冠衣不純素；父母歿，冠衣不純采。』故言孤。言孤者，別衣冠也。」[32]
2. 「諸侯之大夫爲天子，大夫之臣爲國君，服何？」戴聖對曰：「諸侯之大夫爲天子當繐縗，既葬除之，以時接見於天子，故既葬除之。大夫之臣無

[31] 詳見拙作：〈兩部儒家禮典的不同命運——論大、小戴《禮記》的關係及《大戴禮記》的被冷落〉，載《學術月刊》2000 年第 4 期。

[32] 《通典》（北京：中華書局，1983 年影印本），卷 73，頁 399。

接見之義，不當爲國君也。」聞人通漢對曰：「大夫之臣，陪臣也，未聞其爲國君也。」又問：「庶人尚有服，大夫臣食祿，反無服，何也？」聞人通漢對曰：「〈記〉云：『仕於家，出鄉不與士齒。』是庶人在官也，當從庶人之爲國君三月服。」制曰：「從庶人服是也。」又問曰：「諸侯大夫以時接見天子，故服；今諸侯大夫臣，亦有時接見於諸侯不？」聖對曰：「諸侯大夫臣，無接見諸侯義，諸侯有時使臣奉賀，乃非常也，不得爲接見。至於大夫有年，獻於君，君不見，亦非接見也。」侍郎臣臨、待詔聞人通漢等皆以爲有接見義。[33]

3. 聞人通漢問云：「〈記〉曰：『君赴於他國之君曰不祿，夫人曰寡小君不祿，大夫士或言卒、死。』皆不能明。」戴聖對曰：「君死未葬曰不祿，既葬曰薨。」又問：「尸服卒者之上服。士曰不祿，言卒，何也？」聖又曰：「夫尸者，所以象神也。其言卒而不言不祿者，通貴賤尸之義也。」通漢對曰：「尸，象神也，故服其服；士曰不祿者，諱辭也，孝子諱死曰卒。」[34]

第一段「經云」五字見於今本《儀禮．喪服》之「記」。〈曲禮〉一句見於今本《禮記．曲禮上》。通漢所引〈記〉一句中「父母存，冠衣不純素」八字亦見於今本《禮記．曲禮上》，並與前戴聖所引〈曲禮〉一句前後連文。洪業曰：「所謂〈記〉云云者，殆演繹〈曲禮〉之文耳。」當屬檢索欠詳。[35]

第二段聞人通漢所引〈記〉一句見於今本《禮記．王制》，今本「家」字後多一「者」字。第三段聞人通漢所引〈記〉一句見於今本《禮記．雜記上》而文字略有不同。今本〈雜記上〉曰：

君訃於他國之君，曰：「寡君不祿，敢告於執事。」夫人，曰：「寡小君不

[33] 《通典》，卷 81，頁 439。

[34] 《通典》，卷 83，頁 447。

[35] 洪業：〈禮記引得序〉。

> 祿。」……大夫訃於同國：適者，曰「某不祿」；訃於士，亦曰「某不祿」，訃於他國之君，曰「君之外臣寡大夫某死」，訃於適者，曰：「吾子之外私寡大夫某不祿，使某實。」訃於士，亦曰：「吾子之外私寡大夫某不祿，使某實。」士訃於同國之大夫，曰「某死」，訃於士，亦曰「某死」，訃於他國之君，曰「君之外臣某死」，訃於大夫，曰「吾子之外私某死」，訃於士，亦曰「吾子之外私某死」。

且今本《雜記》中無大夫、士稱卒之說。蓋聞人通漢復述而非照錄原文，或經過二百多年的輾轉傳抄，又經過鄭玄的整理，《禮記》的文本已與小戴、聞人通漢當年所見有所不同，這不足為怪。但我們從中可以看出，后蒼的弟子已非常重視「七十子後學」留下來的這部分殘篇斷記，至於當時他們已經佔有多少這種古〈記〉文，今已不可得而知。

元帝以後，《禮記》篇章的流傳更加廣泛，這從當時人的徵引文字中可以看出。比如元帝永光五年（公元前 39 年）韋玄成等四十四人奏議祖廟應親盡而迭毀，不應遍地立廟，也不應每祖立廟，否則朝廷的財政壓力太大，也不合經制，其中就引道：

> 〈祭義〉曰：「王者禘其祖出，以其祖配之而立四廟。」言始受命而王，祭天以其祖配而不為立廟，親盡也……[36]

所引十六字見於今本《禮記．喪服小記》，〈大傳〉亦有曰「王者禘共祖自出，以其祖配之」而無後四字，唯不見於〈祭義〉。

再比如元帝時匡衡曾奏議孔子後人當封侯承祀，其中引曰：

> 《禮記》：「孔子曰：丘，殷人也。」[37]

---

[36] 《漢書．韋玄成傳》。

[37] 《漢書．梅福傳》、《漢書．成帝紀》。

此語見今《禮記・檀弓上》。

再比如成帝建始元年（公元前 32 年）右將軍王商、博士師丹、議郎翟方進等五十人議奏郊祭制度，認爲過去的太一甘泉、后土汾陰，一方面使皇帝長途跋涉，歷盡艱辛，另一方面也不符合經制，應當於南郊祭天，北郊祭地，其中引曰：

> 《禮記》曰：「燔柴於太壇，祭天也；瘞埋於太折，祭地也。」兆於南郊，所以定位也；祭地於太折，在北郊，就陰位也……㊳

所引《禮記》文字見於今《禮記・祭法》。

成帝綏和二年（公元前 7 年）四月，成帝崩，哀帝即位，光祿勛彭宣、詹事滿昌、博士左咸等五十二人奏議宗廟制度，認爲應當嚴格執行五廟而迭毀的制度。他們說：

> 繼祖宗以下，五廟而迭毀，雖後有賢君，猶不得與祖宗並列，子孫雖欲褒大顯揚而立之，鬼神不享也；孝武皇帝雖有功烈，親盡宜毀。

劉歆（時爲中壘校尉）與太僕王舜則不同意此說，認爲：

> 孝武皇帝功至著也，爲武世宗，此孝宣帝所以發德音也。《禮記・王制》及《春秋穀梁傳》：天子七廟，諸侯五……天子七日而殯，七月而葬……與廟數相應。其文曰：「天子三昭三穆，與太祖之廟而七；諸侯二昭二穆，與太祖之廟而五」。故德厚者流光，德卑者流卑……《禮記・祀典》曰：「夫聖王之制祀也，功施於民則祀之，以勞定國則祀之，能救大災則祀之。」竊觀孝武皇帝功德皆而有焉，及在於異性，猶將特祀之，況於先祖！或說天子五廟，無見文……臣愚以爲孝武皇帝功烈如彼，孝宣皇帝崇之如此，不宜毀。

㊳ 《漢書・郊祀志》。

（上從歆議）❸❾

前一句引文見於今本《禮記・王制》，後一句《禮記・祀典》文字，見於今《禮記・祭法》而略有不同。❹⓿

《禮記》篇章之所以流傳如此廣泛，就是因爲儒生們都苦於興於殘闕之餘的「禮經」十七篇不能爲朝廷現實的政治和文化建設提供足夠的依據。經生們都在重視和傳習這些篇章，而大、小戴無疑是其主要的傳習和輯錄者。

關於大、小戴的個人生平，史書中留下的文字很少。我們只知道大戴作過信都王太傅，小戴參加過石渠閣會議，後來還作過九江太守，作過朝廷的博士官。❹❶大戴作信都王太傅在何時，史書中也沒有明確的記載。據《漢書・諸侯王表》：

> 綏和元年十一月壬子，王景以孝王❹❷孫立爲定陶王，奉恭王后。三年，建平二年，徙信都，十三年，王莽簒位，貶爲公，明年廢。

那麼大戴作信都王太傅當在西漢末年。這與小戴作九江太守，「後爲博士」的時間相去不遠。

東漢以後，《禮記》的流傳更加廣泛，而且出現了專門的《禮記》研讀本，如景鸞作《月令章句》（卷數佚）；曹褒「傳《禮記》四十九篇，教授諸生千餘人」；小戴弟子橋仁的七世孫橋玄著有《禮記章句》四十九篇，號曰橋君學❹❸；馬融、盧植都曾注《禮記》；蔡邕曾作《月令章句》（《隋志》記十二卷）；高誘又

---

❸❾ 《漢書・韋玄成傳》。

❹⓿ 今〈祭法〉曰：「夫聖王之制祭祀也，法施於民則祀之，以死勤事則祀之，以勞定國則祀之，能禦大災則祀之，能捍大患則祀之。」

❹❶ 詳見前揭拙作：〈兩部儒家禮典的不同命運——論大、小戴《禮記》的關係及《大戴禮記》的被冷落〉。

❹❷ 孝王指楚孝王囂，宣帝子，甘露二年十月乙亥立爲定陶王，四年徙楚，二十八年薨。師古曰：「囂音敖。」

❹❸ 見《後漢書・橋玄傳》。

曾師承盧植而注《禮記》。[44]鄭眾作《周官解詁》，其中大量引徵了《禮記》的文字以爲依據。許慎《五經異義》列舉的所謂「今禮戴說」，主要是《禮記》的內容。而且《禮記》在東漢以後已成爲王朝制禮的重要依據，比如明帝初年的冕服制度改革就把《禮記》作爲主要依據之一。[45]相反，除了〈喪服〉一篇在漢代政治生活中屢有涉及而被經常討論外[46]，「禮經」十七篇卻在東漢以後很少有人作專門的注述。專注〈喪服〉一篇，據目前的文獻資料看，馬融是第一人；通注《儀禮》十七篇，鄭玄是第一人。《禮記》在東漢以後顯然更進一步受到經生們的重視。正因爲如此，鄭玄才在從東郡張恭祖研習《禮記》的基礎上，最終把《禮記》提升到與《儀禮》、《周禮》同等重要的位置，構成所謂「三禮」。

六

禮制問題的被關注和禮經的殘闕不全，所帶來的另一個結果是《周禮》被抬到了核心位置，因爲無論《儀禮》還是《禮記》，都沒能爲漢王朝提供一套比較系統的帝王禮儀法典，《禮記》雖能彌補《儀禮》之不足，但不是出於一家之手，實際是一鍋大雜燴。當然，我們更不能忽視《周禮》的出土與王莽時代具體的政治原因之間的關係。

《周禮》一書在文獻中留下的最早蹤跡在公元前二世紀的後半葉，當時由漢景帝的兒子、漢武帝的異母兄河間獻王劉德從一位姓李的人手中購到，是一個殘本，本應六篇而缺《冬官》一篇，懸重金求購而未能得全本，最後將《考工記》一篇補

---

[44] 關於東漢以來《禮記》的注述情況，詳見姚振宗：《後漢藝文志》、曾樸：《補後漢藝文志並考》，載《二十五史補編》（北京：中華書局據開明書店版重印，1955年2月），頁2319－2477。

[45] 參見楊志剛：《中國禮儀制度研究》（上海：華東師範大學出版社，2001年5月），頁146。

[46] 喪禮自文帝實行儉喪以後，有關制度屢屢引起爭議。如石渠閣會議就對喪服問題多有討論，王莽時又有多位儒生參與議喪服。大戴作爲禮經十七篇的傳人，特作《喪服變除》，說明這一問題的重要性。漢代〈喪服〉一篇常單傳。安帝時因三年喪制問題再一次出現爭議。桓帝時荀爽又重申三年喪制的重要性。

入以代替闕文。[47]這篇《考工記》也是先秦古文舊籍，其內容與冬官司空之職相符，南蕭齊時還曾在一座楚墓中出土過它的古文本。[48]

《周官》被補足六篇，後來被河間獻王獻入秘府，但一直沒有受到重視，塵封百年，民間也未見有人傳習。漢成帝河平以後劉向、歆父子先後主持校理秘府藏書，見有《周官經》六篇，《周官傳》四篇，但當時並未特別予以重視。《周官》在西漢爲什麼長期未受重視，這是一個需要研究的課題。根據東漢馬融的說法，是因爲藏於秘府，「五家之儒莫得見焉」[49]，這顯然不足爲據，因爲司馬遷的《史記》已經引有《周官》，劉歆在校理秘府藏書後請立古文經也沒有將《周官》列在其中。皮錫瑞在他的《經學歷史》中說：「至劉歆始增置《古文尚書》、《毛詩》、《周官》、《左氏春秋》。」[50]陳述未免失之籠統。事實上，《周官》的推

---

[47] 《經典釋文・敘錄》：「或曰：河間獻王開獻書之路，時有李氏上《周官》五篇，失〈事官〉一篇，乃購千金不得，取《考工記》以補之。」（上海：上海古籍出版社，1984 年影印宋刻本）〈事官〉一篇即今《周禮・冬官考工記》。鄭《目錄》云：「象冬所立之官也。是官名司空者，冬閉藏萬物，天子立司空使掌邦事，亦所以富立家使，民無空者也。司空之篇亡，漢興，購千金不得。此前世識其事者記錄以備大數，古《周禮》六篇畢矣。」《考工記》言百工之事。故又名之〈事官〉。《禮記・禮器》孔穎達《正義》曰：「《周官》……經秦焚燒之後，至漢孝文帝時求得此書，不見〈冬官〉一篇，乃使博士作《考工記》補之。」不足信也。《禮記正義》成於眾手，疏漏難免。《禮記正義》序文則與陸德明說同。洪業《禮記引得序》曰：「《禮記正義》撰自一人而兼採二說，自相矛盾，殊可異也。」則又大謬也。鄭《目錄》說引自《周禮注疏》（北京：中華書局聚珍倣宋版），頁 1405。馬融又曰《考工記》爲劉歆所補，亦爲誤說。詳下。

[48] 《南齊書・文惠太子傳》：「齊文惠太子鎮雍州。有盜發楚王冢，獲竹簡書，青絲編簡，廣數分，長二尺。有得十餘簡以示王僧虔，僧虔曰：是科斗書《考工記》，《周官》所闕文也。」

[49] 馬融《傳》云：「秦自孝公已下用商君之法，其政酷烈，與《周官》相反，故始皇禁挾書特疾惡，欲絕滅之，搜求焚燒之獨悉。是以隱藏百年，孝武帝始除挾書之律，開獻書之路，既出於山岩屋壁，復入於秘府，五家之儒莫得見焉。至孝成皇帝，達才通人劉向、子歆校理秘書，始得列序，著於錄略，然亡其《冬官》一篇，以《考工記》足之。時眾儒併出，共排以爲非是，唯歆獨識。其年尚幼，務在廣覽博觀，又多銳精於《春秋》，末年乃知其周公致太平之跡，跡具在斯。」——賈公彥《序周禮廢興》引。見前揭《周禮注疏》頁 0012。

[50] 見〔清〕皮錫瑞撰，周予同注：《經學歷史・經學昌明時代》（上海：上海書店《民國叢書》第五編影印商務印書館 1934 年版）。

出與其他幾部古文經並不同時。東漢末年鄭玄的同里後進林孝存（臨碩）的說法最值得重視，他說漢武帝曾認爲這是一部「末世瀆亂不驗之書」[51]。如果漢武帝眞的作過這樣的認定，他的子孫當然不敢輕意翻案，傳習者自然也就難覓。

劉歆在哀帝初年竭力請求立在學官的四部古文經是：《左氏春秋》、《毛詩》、《逸禮》、《古文尚書》，沒有提到《周官》。《周官》一書的出臺與王莽的登位、篡漢、改制有著直接的關係。

公元前一年夏六月，漢哀帝駕崩，九月，擅權的太皇太后、王莽的姑母王政君迎立九歲的中山王劉衎即帝位，是爲平帝。在漢平帝被接到京城之前，太皇太后已經處置了漢哀帝的生前心腹大司馬董咸，讓王莽接替了此職位。這是總攬朝廷全部政務的要職。王莽幾十年的「折節力行」沒有白費。在他的威逼利誘之下，不少人承其旨意，稱頌其功德與伊尹、周公相匹。元始元年（公元元年）春天，王莽被封爲「安漢公」，益封兩萬餘戶。後又被加封九命之錫。後又效仿周公居攝而行天子事，又稱「假皇帝」，直至徹底取代幼主而建立「新」朝。這一段歷史不必詳述。

皇主幼弱而專政者以周公自比，這在漢代並非由王莽始作俑，昭帝時霍光已開其先河，王莽只不過踵修其舊事而已。所不同的是王莽不只在權力上作文章，他想眞的如周公一般在制度上開萬代之先河。他曾「制禮作樂，卒定庶官」，漢朝原有的諸多職官名稱都被王莽更改，以致於後人在閱讀這段歷史時常常因官名而困惑。他曾興明堂，建辟雍，立靈臺，增加博士員額，廣泛徵召經、傳、百家學者詣公車，爲學者「築舍萬區」，祫祭明堂，列侯助祭，西漢兩百年來的制度在這二十年間曾被作過大幅度的更革。居攝三年（公元 8 年）王莽奏請依周制改革分封制度，所謂爵五等，地四等。「新」朝建立後，王莽宣布恢復井田制，還曾改革幣制以及山林、賦稅制度。始建國四年（公元 12 年），王莽效法周公在明堂「授諸侯茅土」。周公時營建洛邑而有成周、宗周之分，王莽亦營建洛陽作爲「新」室之東都，長安爲西都。

王莽的一系列政治活動當然需要從五經六藝中尋找依據。以經術緣飾政治在西

---

[51] 「故林孝存以爲武帝知《周官》末世瀆亂不驗之書，故作十論七難以排棄之。」同見賈公彥《序周禮廢興》引。

漢已有一百多年的歷史，已成爲一種「文化傳統」。正如西方漢學家羅伯特·P·克雷默所描述的：

> 王莽如此沈溺於經典學識，以致採取每一措施時，他都要促成這種或那種神聖的經書得到認可。[52]

元始五年（公元 5 年）太皇太后下詔加封王莽九命之錫，在論功行賞的詔文中重要的一條便是：自王莽當政後，「朝臣論議，靡不據經」。王莽一方面要「繼承和發展」西漢已有的經學，另一方面還要有自己的創新，這便是業師朱維錚先生指出的經學發展史上的慣例：學隨術變。王莽時代在經學上的推陳出新除了開始在經學中摻入符命讖緯之說，就是隆重推出了當初還不太爲劉歆所重視的《周禮》。劉歆後來說：

> 攝皇帝遂開秘府，會群儒，制禮作樂，卒定庶官，茂成天功，聖心周悉。卓爾獨見，發得《周禮》，以明因監，則天稽古，而損益焉，猶仲尼之聞《韶》，日月之不可階。非聖哲之至，孰能若茲？綱紀成張，成在一匱，此其所以保佑聖漢，安靖元元之效也。[53]

王莽發現《周禮》，如同當年孔子適齊聞《韶》，三月不知肉味。《周禮》的政治意義被說得再明白不過了。王莽如何重視經學於此亦可見一斑。天鳳年間，王莽常常與公卿「講合六經」，「旦入暮出」，以致對獄訟之急務也無暇顧及。早在平帝元始四年（公元 4 年），王莽就奏徵天下通《周官》者。元始五年（公元 5 年）王莽奏請恢復建始年間的南北郊祭制度，不應再祭甘泉泰一、汾陰后土，主要根據就

---

[52] 見〔英〕崔瑞德、魯惟一主編，楊品泉、張書生等譯：《劍橋中國秦漢史》（北京：中國社會科學出版社，1994 年），頁 817－818。

[53] 《漢書·王莽傳》。

是《周禮》所謂「兆五帝於四郊」。❺❹他革新天地郊祀之祭樂，也是依據《周禮》。劉歆作爲王莽的少年舊友，頗得王莽推重，後來被任命爲少阿、羲和。他是王莽政治中的核心人物，負責「典文章」之事。他在爲王莽的政治活動鼓與呼的同時，潛心研讀《周禮》，並開始授業生徒。東漢以後的《周禮》學便傳自劉歆。劉歆、《周禮》、王莽篡漢三者密切相關，這不容否認，但後來有人把這段歷史誇大了，特別是晚清以康有爲爲代表的今文家。這問題已不必再討論。

劉歆認定《周禮》乃周公致太平之跡，因此《周禮》在歆、莽時代被尊奉爲法典。自元始年間至新朝立國，二十年間《周禮》一直發揮著法典的作用。元始五年（公元 5 年）張純等人就依《周官》、《禮記》之說爲王莽請加九命之錫。以後王莽所進行的諸多「制禮作樂」活動也多以《周禮》爲據。居攝三年（公元 8 年）王莽的母親功顯君死去，劉歆與博士諸儒七十八人共同討論喪服問題，也曾引《周禮》爲證：

> 今功顯君死，《禮》：庶子爲后，爲其母緦。傳曰：與尊者爲體，不敢服其私也。攝皇帝以聖德承皇天之命，受太后之詔居攝踐祚……不得顧其私親……明攝皇帝與尊者爲體，承宗廟之祭，奉共養太皇太后，不得服其私親也。《周禮》曰：「王爲諸侯緦縗」，「弁而加環絰」。同姓則麻，異姓則葛。攝皇帝當爲功顯君緦縗，弁而加麻環絰，如天子弔諸侯服，以應聖制。❺❺

前引《禮》說見《儀禮・喪服》緦麻三月章：「庶子爲父后者其母。傳曰：何以緦也？傳曰：與尊者爲一體，不敢服其私親也。」後引《周禮》兩句見《周禮・春官司服》：「王爲三公六卿錫縗，爲諸侯緦衰，爲大夫疑衰，其首皆弁絰。」❺❻

天鳳元年（公元 14 年）四月「莽以《周官》、〈王制〉之文置卒正、連率、大君，職如太守。」莽下書曰：「常安西都曰六鄉，眾縣曰六尉。義陽東都曰六

---

❺❹ 《周禮注疏》（阮刻《十三經注疏》本），頁 766。

❺❺ 《漢書・王莽傳》。

❺❻ 《周禮注疏》（阮刻《十三經注疏》本），頁 782。

州，眾縣曰六隊。」[57]卒正、連率見於《王制》。而《周禮・地官・小司徒》文曰：「乃會萬民之卒伍而用之。五人爲伍，五伍爲兩，四兩爲卒，五卒爲旅……」六鄉、六隧之制顯然取自《周禮》，井田之制更不用說。[58]直至新莽即將覆滅之時，大司空崔發仍然引《周禮》以勸救王莽：

> 「《周禮》及《春秋左氏》：國有大災，則哭以厭之。故《易》稱：先號咷而後哭。宜呼嗟告天以救。」莽自知敗，乃率群臣至南郊，陳其符命本末，仰天曰：「皇天既命授臣命莽，何不殄滅眾賊？即令臣莽非是，願下雷霆誅臣莽！」因搏心大哭……[59]

這就是《周禮》出臺的原委。

歆、莽時代二十年左右的經學建設，對東漢一代影響頗深。劉歆雖然隨著王莽政權的覆滅而自殺身亡，但他的後學則在東漢初年不僅「爲學者所宗」，在政治上也均得到重用。光武帝雖然自稱要繼西漢之正統而討伐王莽之篡逆，但對劉歆這位王莽同夥的後學們則沒有拒絕重用。經學的門派本身不重要，關鍵是能否很好地緣飾政治。宣帝時作過太子太傅的今文《尚書》家夏侯勝早就說過，一旦明了經術，「取青紫」便如「俯拾芥耳」。以劉歆後學賈逵爲代表的以通見長的古文家很快得到統治者的重視。儘管古文經最終未能被正式立博士官，但古文經學在東漢的興盛卻是事實。明帝永平初年，劉歆的弟子杜子春，「年且九十，家於南山，能通其讀，頗識其說，鄭眾、賈逵往受業焉。」[60]袁宏《後漢紀》載：「章帝建初八年，

---

[57] 王先謙補注曰：劉奉世曰州當爲郊。錢大昕曰：《地理志》「洛陽，莽曰宜陽」，即此義陽也。見《四部精要》5（上海：上海古籍出版社），頁874。

[58] 〈王制〉曰：「千里之外設方伯。五國以爲屬，屬有長；十國以爲連，連有帥；三十國以爲卒，卒有正；二百一十國以爲州，州有伯……」《周禮・地官・大司徒》：「大喪，帥六鄉眾庶，屬其六引，而治其政令。」《周禮・地官・遂人》：「大喪，帥六遂之役而致之，掌其政令。」《禮記注疏》（阮刻《十三經注疏》本），頁708、741。

[59] 見《漢書・王莽傳》。《周禮・春官・女巫職》曰：「凡邦有大災，歌哭而請。」

[60] 同見上引馬融《周官傳》。鄭眾、賈逵是否曾從杜子春受業，還有疑義，但他們與衛宏、馬融等都曾爲《周禮》作注則可確知。參洪業：〈禮記引得序〉。

《周官》與《古文尚書》、《毛詩》同置弟子，厥後傳授漸盛。」㉑說明《周官》雖未正式立博士，但已實際擠入了官學的殿堂。東漢前期的鄭興、鄭眾父子，衛宏，賈徽、賈逵父子，東漢中葉的馬融等人都曾傳習《周官》並爲之作注。東漢晚期鄭玄又曾從東郡張恭祖學習《周官》。由於傳世文獻的限制，我們現在不能知道東漢二百年《周官》一書傳承的詳情，但《周禮》被許多古文經學家傳習則不容否認，而且《周禮》的影響深入到了東漢的政治生活中。王莽在元始中以《周禮》爲據奏請重行南北郊祭制度，光武登基後沿襲了此禮，而且明確說「採用元始中郊祭故事」。㉒《通典》卷有曰：「建武二年，立太社稷於洛陽，在宗廟之右。《周禮》曰：社稷在右，宗廟在左。」㉓顯然以《周禮》爲據。

明帝時明確「依《周官》、《禮記》，冠冕、衣裳、珮玉、乘輿擬古式矣。」㉔《白虎通》雖然以今文經學爲主，但也滲透了古文經學的內容，論禮雖以今禮十七篇爲主，但也兼及二戴《記》與《周禮》，還專設「《周禮》卜筮及龜義」一章。㉕在許慎的《五經異義》中，《周禮》是古文經說的重要一家。㉖

鄭玄把《周禮》抬到「三禮」的核心位置，並爲之作注，正是因爲劉歆認定了《周禮》是「周公致太平之跡」。漢代自董仲舒以後，確立了「孔子之術」的地位，而孔子不是要述周公之志嗎？既然如此，「周公致太平之跡」就是更爲原初的經典，這與先帝予以肯定的經術不僅不矛盾，而且能彌補孔子以來就令人頗爲無奈的「其經不具」。這至少在東漢的古文經學家中已成爲共識。而東漢以後古文經學的興盛已不用贅說。鄭玄正是漢代數百年來傳統經說的繼承者和整合者。

㉑ 見前揭〔清〕孫詒讓：《周禮正義》，頁6。

㉒ 「建武元年，光武即位於鄗，爲壇營於鄗之陽，祭告天地採用元始中郊祭故事。六宗群神皆從」見前揭王先謙《後漢書集解．祭祀志》，頁1121。

㉓ 〔唐〕杜佑：《通典》，卷45，頁261。

㉔ 〔晉〕袁宏：《後漢書．明帝紀》。見周天游：《後漢紀校注》（天津：天津古籍出版社，1987年12月），頁243。參見前揭楊志剛《中國禮儀制度研究》。

㉕ 參〔清〕陳直：《白虎通疏證》（北京：中華書局，1997年，《新編諸子集成》本）。中收有清莊述祖《白虎通義考》。

㉖ 參〔清〕皮錫瑞：《駁五經異義疏證》（上海：上海古籍出版社，《續修四庫全書》經部第171冊，影印民國二十四年河間李氏重刊本）。

七

禮制問題是儒家經典的基本問題。荀子重新整合儒學，進一步突出了這一點。深受荀學影響的漢代經學，最終落腳於禮制問題，這是很容易理解的。漢代的第一次經學研討會，雖然沒有留下完整的會議記錄，但從殘存的《石渠禮論》可以看出禮制無疑是被關注的主要問題。到第二次經學研討會，經學家及統治者的認識水平明顯提高，出臺了一部被譽爲中世紀「神學法典」的《白虎通義》，但落腳點仍然是禮制問題，由爵、號、謚、五祀、社稷、禮樂……直至紼冕、喪服、崩薨，共四十三個條目，系統地囊括了當時人們能想到的全部社會秩序問題。統治者希望通過這樣一部欽定的禮制法典，讓社會走向長治久安。

但是，禮制問題之所以在漢代越來越受到經學家們的關注，特別是在東漢以後，經學家討論經學問題越來越著眼於具體的禮儀典章，而不再像西漢儒宗董仲舒那樣主要從宏觀上爲漢武帝加強中央集權和強化制度建設鼓與呼，倡導「大一統」並撰成《春秋決獄》，其中還有一個重要原因就是以宗法禮制關係爲基本紐帶凝聚而成的士族大姓在漢代的日益崛起。

禮制是建立在以血緣關係爲基本紐帶的社會組織基礎之上的。「禮」的生命力之所以長久不衰，儒家以禮治國的理想一直具有廣泛的影響力，正是由於宗法社會的基礎。東漢以來的經學之所以明顯落腳於具體的禮制問題，最後由鄭玄總其大成，也有不容忽視的社會需求作背景，這個背景就是士族大姓的興起。清代學者沈垚曾說六朝人的禮學極精，關鍵就在於士大夫重門閥。近人王仲犖先生進一步重申門閥士族制度對於六朝禮學興盛的決定作用。[67]其實這對於認識東漢以後禮學的興起及其因應對象同樣有意義。

長期以來，中國的基本社會組織始終以血緣關係爲紐帶。雖然舊的貴族不斷被打倒，新的貴族又不斷興起，但宗法關係始終是維繫人與人之間的關係的基礎。戰國秦漢間經濟、政治制度的大變革導致了一批新的富商大賈的產生，傳統的教科書常稱之爲新興地主階級。這批富商大賈由於統治者一直採取重農抑商的政策，不可

---

[67] 王仲犖：《魏晉南北朝史》（上海：上海人民出版社，1994年）。

避免地要在富裕之後仍然投資於土地，成為地主，他們的勢力日益取代了舊的貴族。

秦至西漢前期，為了加強中央集權，強幹弱枝，統治者曾對六國舊貴族以及新興貴族都採取了分化瓦解、打擊壓制的政策，甚至不惜「夷滅」。秦朝統一六國後，徙豪富之家十二萬戶於咸陽，又徙趙、魏之豪富於房陵、臨邛、南陽。[68]「漢興，立都長安，徙齊諸田，楚昭、屈、景及諸功臣家於長陵。後世徙二千石、高訾富人及豪傑並兼之家於諸陵。蓋亦以強幹弱枝，非獨為奉山園也。」[69]漢武帝時有強宗大姓不得族居的禁律。如《後漢書・鄭弘傳》注引謝承《後漢書》曰：

> 鄭弘曾祖父本齊國臨淄人，官至蜀郡屬國都尉。武帝時徙強宗大姓不得族居，將三子移居山陰，因遂家焉。（又見《北堂書鈔》40、78引）[70]

但昭、宣以後，由於政府無力，強幹弱枝政策日漸鬆弛，於是地方強宗大姓又漸趨形成。至遲在西漢晚期，士族大姓已經在社會中占據了主導地位。這方面的詳細論說，已見於多部常見的秦漢史著作中，無須在此贅舉例證。西漢晚期哀帝想限制士族的發展，但無能為力。王莽曾試圖壓制這些士族大姓的勢力，復井田，禁奴婢，但最終沒有成功，且受到士族大姓的普遍反對。更始之際起兵反王莽者除了綠林、赤眉等饑民烏合之眾，就是各地的士族大姓。王莽的失敗與其推行的政策受到士族大姓的普遍反抗有直接的關係。這一點余英時在《士與中國文化》中已作過詳細分析。

東漢政權本來就建立在士族大姓的基礎之上。東漢初年的起事者，其主要軍事力量就是宗族賓客，這與綠林、赤眉之類饑民烏合之眾不同，而被史書上稱為「豪傑」。這些「豪傑」最終勝過了「盜賊亡命」而成為建立東漢政權的主要力量。明帝永平年間追念的雲臺二十八將基本都是士族大姓。因此東漢政權建立以後，朝廷

---

[68] 參見林劍鳴：《秦史稿》（上海：上海人民出版社，1982年12月），頁382。

[69] 《漢書・地理志下》。

[70] 〔宋〕范曄撰，〔唐〕李賢等注：《後漢書・鄭弘傳》（北京：中華書局，1995年3月），頁1154。

對士族大姓基本採取了遷就甚至縱容的態度及政策，即使有時有所限制，但最終還是「半推半就」。於是東漢以後的士族大姓在原有的基礎上得到了進一步的發展。士族大姓力量的興盛，是皇權跌落和以後的進一步分裂割據的重要原因。東漢以後的皇權頗難維持，只有開國的兩三代君主尚能掌握大權，以後便被外戚、宦官奪去。這與士族大姓力量對皇權的牽制是有直接關係的。

東漢以來，士族大姓在擁有雄厚的經濟實力的同時，還有特別的政治地位。從中央到地方，權力基本爲士族大姓所把持，一類是憑藉中央勢力得權的宗室、外戚、宦官，另一類是地方上逐漸發展起來的豪族。他們世代爲官，久而久之，便成爲「衣冠望族」。如鄧氏家族「自中興以後，累世寵貴，凡侯者二十九人，公二人，大將軍以下十三人，中二千石十四人，列校二十二人，州牧、郡守四十八人，其餘侍中、將、大夫、郎、謁者不可勝數，東京莫與爲比。」[71]耿氏家族與東漢興亡相始終，前後出「大將軍二人，將軍九人，卿十三人，尚公主三人，列侯十九人，中郎將護羌校尉及刺史、二千石數十百人。」[72]楊震乃西漢赤泉侯楊喜、丞相楊敞的後裔，自楊震官至太尉後，楊氏家族得以復興，楊震之子楊秉、孫楊賜、曾孫楊彪相繼爲三公。袁氏家族從袁安起，四世相繼有五人爲三公。楊氏、袁氏即爲東漢有名的世家望族。有的士族大姓在東漢滅亡以後仍在繼續發展，如陸氏家族，自陸閎建武時任尚書令發跡，到三國時成爲名震江東的吳國四大家族之一。

士族大姓的政治地位除了表現爲自身累世做官，還體現在他們基本把持了東漢的官吏選拔權，無論是選舉、辟除還是任子。士人爲了求官，不能不設法請託名門望族，充當門生，形成隸屬關係，希圖任用。門生本來是指學界未能親受業，或私淑而習其學，或受業於其弟子者，後來士人請託依附於名門者，皆稱門生。東漢以後高級官吏可以自行辟除掾屬，一但辟除，被辟除者以後便稱爲辟除者的「故吏」，其依附關係長期不斷。士族大姓也往往通過門生、故吏擴大自己的政治勢力。有勢力的「豪人」（仲長統稱士族大姓爲「豪人」）察舉官吏時多取年少者，希望被選者將來顯貴後向他報恩，增強自己的影響力。

---

[71] 《後漢書・鄧禹傳》。

[72] 《後漢書・耿弇傳》。

最重要的是，得到充分發展並廣泛存在於東漢社會的士族大姓，都是聚族而居，其內部組織以血緣關係爲主導。西方漢學家在論及東漢的社會史時也發現：「以血緣爲基礎的地方集團（豪門大族）」的力量非常強大。[73]

士族大姓是以同姓同宗的大家族爲中心，包括其他異姓的家庭、家族或個人的依附者。這種依附同樣既包括政治上的，也包括經濟上的，門生、屬吏、故吏、奴婢等都屬於依附者。這種集團的內部組織及其秩序要靠禮制來維護，也由此來增強凝聚力。比如光武之舅樊宏「爲鄉里著姓。父重……性溫厚有法度，三世共財，子孫朝夕禮敬，常若公家。其營理產業，物無所棄，課役童隸，各得其宜，故能上下戮力，財利歲倍，至乃開廣田土三百餘頃。其所起廬舍，皆有重堂高閣，陂渠灌注……而賑贍宗族，恩加鄉閭。」[74]「李通……世以貨財著姓。父守……爲人嚴毅」，「居家與子孫尤謹，閨門之內如宮廷也。」[75]張湛「矜嚴好禮，動止有則，居處幽室，必自修整，雖遇妻子若嚴君焉。及在鄉黨，詳言正色，三輔以爲儀表。」[76]

初起的士族大姓還主要表現爲家族內部的以禮相整飭。再後來士族大姓的政治、經濟實力進一步增強，其禮制的要求也由族內延伸到各種依附者。如陳留圉縣的「高氏、蔡氏並皆富植」，郡人便紛紛「畏而事之」。[77]「童恢，字漢宗，琅邪姑幕人也。父仲玉，遭世凶荒，傾家賑卹九族，鄉里賴全者以百數。」[78]除了經濟上的依附關係，東漢後期各種門生、屬吏、故吏對於那些有權有勢的士族大姓在政治上的依附關係也更加緊密，門生、屬吏、故吏對於其恩主、官長，弟子對於師長等，都要盡君臣之誼，父子之禮，比如故吏、弟子對於其恩主、師長要行喪禮，多至三年，如同父子。《漢書》八十七《揚雄傳》：「鉅鹿侯芭常從雄居，受其《太玄》、《法言》焉。雄天鳳五年卒，侯芭爲起墳。」《漢書》八十九《朱邑傳》：

---

[73] 《劍橋中國秦漢史》，頁669。
[74] 《後漢書‧樊宏傳》。
[75] 《後漢書‧李通傳》及《續漢書》。此引自前揭余英時：《士與中國文化》，頁258。
[76] 《後漢書‧張湛傳》。
[77] 前揭王先謙：《後漢書集解》，頁774。
[78] 同前註，頁869。

邑死，其民「爲邑起冢立祠，歲時祠祭。」《後漢書》三十七《桓榮傳》：「榮事博士九江朱普。普卒，榮奔喪九江，負土成墳。」《華陽國志》卷十中：「張鉗，字子安，廣漢人也。師事犍爲謝裒。裒死，負土成墳。」李恂曾爲穎川太守李鴻手下之功曹，「會鴻卒，恂不應州命而送鴻喪還鄉里。既葬，留起冢墳，持喪三年。」《後漢書》八十一《獨行・膠肜傳》：「太守隴西梁湛，召肜爲決曹史。安帝初，湛病，卒官，肜送喪還隴西。始葬，會西羌反叛，湛妻子悉避亂他郡，肜獨留不去，爲起墳冢。」[79]漢末荀爽曾爲其舉主袁逢「制服三年」。[80]弟子對於其師長、故吏對於其長吏、故僕對於其舊主，還要在其死後經常上墳祭祀。[81]等等。東漢晚期連宦官都「養其疏屬，或立嗣異姓，或買蒼頭爲子，並以傳國襲封，兄弟姻戚，皆宰州臨郡。」[82]

在東漢末年的戰亂中，士族大姓的凝聚力非但沒有減弱，反而進一步增強、壯大，各路豪傑就是利用宗族賓客的勢力，或擁兵自保，或出而征戰。以後就有了門閥士族制度的基礎。據社會史的研究，東漢以來家族同居之風也明顯較西漢爲盛。[83]這種社會變化與東漢以後具體的禮儀典章日益成爲經學家們關注的課題的現象當有重要的關係。因爲這樣一種社會關係的變化，促使禮制進一步成爲一種普遍的社會要求。

士族大姓要通過禮制來增強自己集團的凝聚力，因而特別關注「對於人類精神所支配的種種生活來說，無論在內在的道德層面還是在外在的實際應用層面，都是廣泛普遍的依據。」[84]的經典中的禮制問題。比如三年喪制問題，這本是經典中眾

---

[79] 參見楊樹達：《漢代婚喪禮俗語考》（上海：上海古籍出版社，2000 年 12 月，《蓬萊閣叢書》），頁 103－104。

[80] 見王先謙：《後漢書集解》，頁 719。

[81] 詳見前揭楊樹達：《漢代婚喪禮俗考》，頁 185。

[82] 關於東漢以來士族大姓的興起，參見楊聯陞：〈東漢的豪族〉，《清華學報》第 11 卷第 4 期（1936 年 10 月）。

[83] 參見《歷史研究》1999 年第 1 期安作璋評介馬新《兩漢鄉村社會史》（齊魯書社，1997 年）一文。

[84] 此爲日本學者加賀榮治：《中國古典解釋史・魏晉篇》之說。茲轉引自葛兆光：《中國思想史》第一卷（上海：復旦大學出版社，1998 年），頁 408。

口一詞的典章，但產生於奉行黃老術時代的文帝短喪制在漢代朝廷中一直發生著深刻的影響，於是在經學家、士族越來越要求奉行經典所要求的禮制的形勢下，爭執發生了。安帝時朝廷中就發生過關於官員是否要奉行三年喪制的激烈爭論。[85]桓帝延熹九年（公元 166），荀子的後人荀爽在詔拜郎中後，重提此事，請求應遵守諒闇三年之制，認爲文帝時實行短喪制，是當時的權宜之計，不能長期不改，而且當時也並非所有人都實行短喪，「喪祭之禮闕，則人臣之恩薄，背死忘生者眾矣」；公卿群寮尤其不能違背此禮，「古者大喪三年不呼其門，所以崇國厚俗篤化之道也」。他還提出，夫婦男女之禮一定要嚴格遵守，「有夫婦然後有父子，有父子然後有君臣，有君臣然後有上下，有上下然後有禮義。禮義備，則人知所厝矣。夫婦人倫之始，王化之端。」而漢朝長期以來有「尚主」的傳統，「以妻制決，以卑臨尊，違乾坤之道，失陽唱之義。」夫婦之禮應當首先加以正定。他說禮經以冠、婚之禮爲首正是這個道理，應當改革漢代傳統的「尚主」制度，這樣才能與乾坤之性、陰陽之道相合。[86]還說現在天子的後宮也太多，這既不符合禮制，也不符合陰陽之道，而且還耗費大量錢財，因此必須省後宮，「天子娶十二」即可[87]，這是「天數」，不可逾制。

在白虎觀會議後大約三十年，號稱「五經無雙」的汝南郡召陵縣（今漯河市附近）人許慎再一次以個人名義對各家經說進行比勘是正[88]，作《五經異義》十卷（《隋志》著錄）。以殘存的《五經異義》輯佚本看來，許慎所看到的各家經義的不同，不在於《公羊》與《左氏》的詮釋方法之差異，不在於《詩》學與《尚書》學在著眼點方面的差異，而在於各家在陳說自己經義時所引以爲據的具體禮義和禮制的不同。比如關於四時與天號的解釋，今《尚書》說與古《尚書》說就有不同；關於九族的解釋，今《禮》戴說、今《尚書》歐陽說就與古《尚書》說有不同；關

[85] 參見《劍橋中國秦漢史》，頁 319。

[86] 要求改革「尚主」制度的意見，西漢時經學家王吉就曾提出過。參見前揭《漢代婚喪禮俗語考》王子今導讀文。

[87] 「天子娶十二爲《白虎通義》所規定，理由是：歲有十二月，百物畢生。荀爽所論詳見王先謙：《後漢書集解》，頁 719。

[88] 參張震澤：《許慎年譜》（瀋陽：遼寧大學出版社，1986 年）。

於類祭到底怎麼回事，今《尚書》與古《尚書》說有不同；關於宗廟迭毀之制，《詩》魯說與古《尚書》有不同；關於天子以下之公卿制度，今《尚書》說與古《周禮》說不同；等等。[89]

到東漢末年，號稱「學海」的何休與號稱「經神」的鄭玄又發生了一次關於《春秋》學的大爭論，何休作《左氏膏肓》、《穀梁廢疾》、《公羊墨守》，努力維護《公羊》學的特殊地位，抵制東漢以來《左氏》與《穀梁》對《公羊》學地位的衝擊，鄭玄則起而駁之，分別作《發墨守》、《針膏肓》、《起廢疾》，認爲何休所論完全不足以批倒《左氏》與《穀梁》，《公羊》學也並非一無可商處。何休讀到鄭玄的論著後，慨嘆「康成入吾室，操吾矛，以伐我乎！」從中我們可以看出，鄭、何關於《春秋》學的爭論，都是從具體的禮義、禮制問題入手的。如：

> 何休曰：古制諸侯幼弱，天子命賢大夫輔相爲政，無攝代之義。昔周公居攝，恐不記崩。今隱公生稱侯，死稱薨，何因得爲攝者？箴曰：周公歸政就臣位乃死，何得記崩？隱公見死於君位，不稱薨云何？且《公羊》宋穆公云：吾立乎此，攝也。以此言之，何得非《左氏》？
>
> 何休曰：《左氏》以宰渠伯糾父在，故名。仍叔之子何以不名？又，仍叔之子以爲父在稱子，伯糾父在何以不稱子？箴曰：仍叔之子者，譏其幼弱，故略言子，不名之，至於伯糾，能堪聘事，私睹又不失子道，故名且字也。
>
> 何休《廢疾》曰：傳例：大夫不日卒，惡也。牙與慶父共淫哀姜，謀殺子般，而日卒，何也？鄭玄《起廢疾》曰：牙，莊公母弟。不言弟。其惡已見，不等去日矣。[90]

---

[89] 詳見〔清〕皮錫瑞：《駁五經異義疏證》。

[90] 此處所列三例之事，分別參見《左氏》隱元年、桓四年《穀梁》莊三十二年。何休三書與鄭玄所駁在隋唐時已合編爲一書，至宋代此合編本已殘闕不全，以後又繼續有所散失。此處所引三段文字出自《十三經注疏．春秋左傳正義》（北京：北京大學出版社，1999 年 12 月），頁 48，162。《十三經注疏．春秋穀梁傳注疏》（北京：北京大學出版社，1999 年 12 月），頁 100。

《兩漢經學史》的作者章權才先生說，自白虎觀會議以後，整個經學日益向禮學流去。[91]爲什麼？東漢的班固說：「《六經》之道同歸而禮樂之用爲急」，可在西漢時董仲舒還說：

> 君子知在位者之不能以惡服人也。是故簡六藝以贍養之。《詩》、《書》序其志，禮、樂純其美，《易》、《春秋》明其知。六學皆大，而各有所長：《詩》道志，故長於質；禮制節，故長於文；樂詠德，故長於風；《書》著功，故長於事；《易》本天地，故長於數；《春秋》正是非，故長於治人。能兼得其所長而不能遍舉其詳也。[92]

他說《六經》能從不同的角度對人加以贍養，在政治上各有各的用途。

司馬遷說：

> 禮以節人，樂以發和，《書》以道事，《詩》以達意，《易》以道化，《春秋》以道義。[93]

爲什麼東漢以後的經學家們很少再從這樣的角度看待不同的經說，而紛紛通過具體的禮義禮制問題平衡異說？爲什麼禮制問題進一步成爲人們關注的焦點？我以爲絕不能忽視東漢以後通過禮制凝結起來的士族大姓在社會上日益崛起這一背景。這當是漢代禮學興起的一個重要原因。

結　語

總體來說，漢代禮學的興起，不僅與重樹「禮」的旗幟的荀子的傳經有關，還與武帝以後的罷黜百家、表彰六藝有關；不僅與漢代切實的政治需要有關，還與士

[91] 章權才：《兩漢經學史》（廣州：廣東人民出版社，1990年），頁216－217。

[92] 《春秋繁露・玉杯》（上海：上海古籍出版社，1989年影印本），頁13。

[93] 《史記・太史公自序》。

族大姓興起的社會背景有關。因爲經學家人人都慨嘆禮經殘闕不全，所以《禮記》逐漸受到特別的重視；因爲王莽時代政治形勢的促使，《周禮》最終成爲「三禮」的核心；而如果沒有士族大姓普遍對禮制形成一種社會要求，我以爲就不能理解東漢以後，爲什麼具體的禮義禮制問題，成爲所有經學家平衡異說的一個切入點。

經　學　研　究　論　叢
第 十 二 輯　頁287～310
臺灣學生書局　2004 年 12 月

試析朱熹與郭嵩燾對《大學》「絜矩之道」詮解之異同

劉怡伶*

一、前言

《大學》原爲《小戴禮記》中之一篇，至宋時將之獨立單行，宋代朱熹承程顥、程頤之後，推尊《大學》，且作《大學章句》。距朱熹七個世紀之後，清代郭嵩燾❶，沉潛《大學》與朱書多年，撰成《大學章句質疑》一書，該書用意在於一則回歸《大學》古本經文，二則爲研究朱書之心得。茲檢視朱、郭之說解，發現兩

* 劉怡伶，彰化師範大學國文研究所博士生、暨南國際大學中國語文學系兼任講師。

❶ 郭嵩燾，生於清嘉慶二十三年而卒於光緒十七年（1818－1891），字伯琛，號筠仙，晚號玉池老人，又稱養知先生（因其善獎掖後學寒士，故稱），清湖南湘陰人。道光二十七年（1847）考中進士，爲翰林院庶吉士，與清代大臣曾國藩、李鴻章、左宗棠等均有交誼，曾參與追剿太平軍、籌辦鹽務與海防、掌城南書院、建王船山祠等。其於光緒年間，官至兵部侍郎，並充任總理各國事務大臣，出使英、法，爲晚清首任駐英公使，對西方文明有深刻之認識。其著作多訓詁考證之類，範圍涵蓋了經、史、子、地理等方面，在經學上，主要有：《禮記質疑》、《中庸章句質疑》、《大學章句質疑》、《校訂朱子家禮》等。此外，另著《史記札記》、《玉池老人自敘》、《郭嵩燾奏稿》、《養知書屋文集》、《養知書屋詩集》（今收入《郭嵩燾詩文集》）、《使西紀程》、《倫敦與巴黎日記》等，另修《湘陰縣圖志》。以上參見郭廷以編定、尹仲容創稿、陸寶千補輯：《郭嵩燾先生年譜》（臺北：中央研究院近代史研究所，1971 年 12 月），上、下冊。

人詮解《大學》互有異同之處❷，本文即就其中的「絜矩之道」詮解異同，進行探討。除了比較朱、郭說法之異同並試析二人治經特色及意義，也希冀由此更明瞭湖湘洋務大將郭嵩燾的治經思想。

二、《大學》「絜矩之道」

《大學》原文提及「絜矩之道」的相關敘述，爲方便討論，茲依郭嵩燾《大學章句質疑》章節之安排，將該章二十三小節《大學》原文，分別標號，依次條列：

第 1 條、所謂平天下在治其國者：上老老而民興孝，上長長而民興弟，上恤孤而民不倍，是以君子有絜矩之道也。

第 2 條、所惡於上，毋以使下；所惡於下，毋以事上；所惡於前，毋以先後；所惡於後，毋以從前；所惡於右，毋以交於左；所惡於左，毋以交於右：此之謂絜矩之道。

第 3 條、《詩》云：「樂只君子，民之父母。」民之所好好之，民之所惡惡之，此之謂民之父母。

第 4 條、《詩》云：「節彼南山，維石岩岩，赫赫師尹，民具爾瞻。」有國者不可以不愼，闢則爲天下戮矣。

第 5 條、《詩》云：「殷之未喪師，克配上帝；儀監於殷，峻命不易。」道得眾則得國，失眾則失國。

第 6 條、是故君子先愼乎德。有德此有人，有人此有土，有土此有財，有財此有用。

第 7 條、德者本也，財者末也。

第 8 條、外本內末，爭民施奪。

第 9 條、是故財聚則民散，財散則民聚。

第 10 條、是故言悖而出者，亦悖而入；貨悖而入者，亦悖而出。

第 11 條、〈康誥〉曰：「惟命不於常！」道善則得之，不善則失之矣。

❷ 筆者另作〈《大學》、《大學章句》、《大學章句質疑》之對照表〉，限於篇幅，此不贅。

第12條、〈楚書〉曰：「楚國無以爲寶，惟善以爲寶。」

第13條、舅犯曰：「亡人無以爲寶，仁親以爲寶。」

第14條、〈秦誓〉曰：「若有一個臣，斷斷兮無他技，其心休休焉，其如有容焉。人之有技，若己有之，人之彥聖，其心好之，不啻若自其口出，寔能容之，以能保我子孫黎民，尚亦有利哉。人之有技，媢疾以惡之，人之彥聖，而違之俾不通，寔不能容，以不能保我子孫黎民，亦曰殆哉。」

第15條、唯仁人放流之，迸諸四夷，不與同中國。此謂唯仁人爲能愛人，能惡人。

第16條、見賢而不能舉，舉而不能先，命也；見不善而不能退，退而不能遠，過也。

第17條、好人之所惡，惡人之所好，是謂拂人之性，菑必逮夫身。

第18條、是故君子有大道，必忠信以得之，驕泰以失之。

第19條、生財有大道，生之者眾，食之者寡，爲之者疾，用之者舒，則財恆足矣。

第20條、仁者以財發身，不仁者以身發財。

第21條、未有上好仁而下不好義者也，未有好義其事不終者也，未有府庫財非其財者也。

第22條、孟獻子曰：「畜馬乘不察於雞豚，伐冰之家不畜牛羊，百乘之家不畜聚斂之臣，與其有聚斂之臣，寧有盜臣。」此謂國不以利爲利，以義爲利也。

第23條、長國家而務財用者，必自小人矣。彼爲善之，小人之使爲國家，菑害並至。雖有善者，亦無如之何矣！此謂國不以利爲利，以義爲利也。❸

---

❸ 本文所引《大學》原文、朱熹《大學章句》原文，均據郭嵩燾《大學章句質疑》所錄，收入《續修四庫全書》（上海：上海古籍出版社，1995 年。經部四書類，第 159 冊，據清光緒十

第 1 條至第 5 條，主要說明平天下在於治其國以及如何治國平天下，而此關鍵點爲「絜矩之道」能否落實，絜矩之道的原則是尊敬老人、敬重長輩、體恤孤苦者，亦即治國者應以仁愛孝親爲本，存仁孝之心，然後以度己之心度人，但非施加厭惡於人，如此天下隨之興仁愛孝親之風。再者，治國者應遵守絜矩之道，《大學》引《詩經・小雅・南山有台》用意即示治國者應從民之所欲，體察民心之好惡，尊賢舉能；引《詩經・小雅・節南山》爲喻，若不能行絜矩之道而與民同好惡，則可能遭致民怨而失眾，甚以被推翻；引《詩經・大雅・文王》爲說，以殷朝滅亡爲鑒，強調行絜矩之道以爭取民心，如此得眾才能得國。

第 6 條至第 11 條，說明治國之施行德治的重要，從正、反兩面闡發治國者應愼乎其德，謹守絜矩之道，在處理德與財之關係上，應以德本財末爲原則，反之若本末倒置，外本內末、輕德重財，則民心離散，甚至起而爭奪，國家社會終致動盪。〈康誥〉所述天命（政權）無常規，即指有善德者能得政權、無德則失之，此申說愼德之於國家的緊要性，勿掠奪人民，勿聚斂財富。

第 12 條至第 17 條，引《國語・楚語》（〈楚書〉）、舅犯之言，說明楚國以善人爲寶、尊重人才以及晉文公能行仁道。又，引《尚書・秦誓》以明治國者須進用品德美善、忠誠專一之賢良，而摒斥心胸狹窄嫉妒賢能的人。以上，從楚昭王、晉文公、秦穆公治國的經驗中，闡發具備美德的治國者，才能愛人、惡人。若能舉賢良而重用之，則國治天下平，反之，不能退罷惡人者，則災難必起。

第 18 條至第 23 條，說明以絜矩之道處理德與財、義與利之關係，提出治國平天下之政治與經濟方面的原則。在政治上，應爲政以德，誠實守信而忌驕泰；在經濟上，應發展生產並節省開支。有仁德與無仁德之治國者，其理財態度不同，對國家也造成了不同的影響，前者以仁心散財以聚民而國家平治；後者搜括民財以飽私囊致社會不安。唯有治國者不與民爭利、不以利爲利，而行以義爲利之措施，並且不用聚斂之小人，因爲小人專務個人私利，其斂財非爲公利，背棄道義，乃至危害

六年思賢講舍刻本），頁 253－259。凡徵引者，僅註明頁碼，不再另註出處。又，引文之標點皆由筆者所附加。

國家。❹

以上是關於《大學》「絜矩」之義及其運用的大意章旨，朱熹《大學章句》於「傳第十章」進行詮解之，而郭嵩燾《大學章句質疑》則置於最末「第六章」（郭氏分《大學》爲六章）案說。

三、「絜矩」原義

《大學》曰：

> 所謂平天下在治其國者：上老老而民興孝，上長長而民興弟，上恤孤而民不倍，是以君子有絜矩之道也。（第1條，頁253）

朱熹《大學章句》注：

> 老老，所謂老吾老也。興，謂有所感發而興起也。孤者，幼而無父之稱。絜，度也。矩，所以爲方也。言此三者，上行下效，捷於影響，所謂家齊而國治也。亦可以見人心之所同，而不可使有一夫之不獲矣。是以君子必當因其所同，推以度物，使彼我之間各得分願，則上下四旁均齊方正，而天下平矣。（第1條朱注，頁253）

郭嵩燾《大學章句質疑》案：

> 《荀子》：「五寸之矩，盡天下之方。」《周髀算經》：「圓出於方，方出於矩」、「平矩以正繩，偃矩以望高，覆矩以測深，臥矩以知遠，環矩以爲圓，合矩以爲方」。絜矩，蓋即句股測量之義，長短遠近高下，皆可絜而知

❹ 以上有關《大學》原文之大意，參考鄭球柏：《四書通說·大學通說》（長沙：湖南人民出版社，2000 年 8 月），以及來可泓：《大學直解·中庸直解》（上海：復旦大學出版社，1999年2月，1版2刷）。

之。（第1條郭案，頁253）

「絜矩」二字之解，朱熹釋為「絜，度也。矩，所以為方也。」朱熹之意，即：絜，指測量、度量；矩，指畫方形之工具。至於郭嵩燾則謂「絜矩，蓋即句股測量之義，長短遠近高下，皆可絜而知之。」所謂「句股」（即「勾股」），指直角三角形，其直角旁的短邊稱為勾，長邊稱為股，對著直角的邊稱為弦。郭嵩燾顯然將「絜矩」之義擴大解釋，其引《荀子》之說以明測量方形之工具外，再引《周髀算經》的說法（《周髀算經》所述算數，主要為直角三角形句股弦之比為 3：4：5，即句三、股四、弦五），以證「絜矩」為測量直角的器具。是故，朱熹與郭嵩燾均同意「絜矩」原義為量方之器具，但，郭嵩燾另提出亦可用在三角形（句股）之測量上。簡言之，朱、郭界義「絜矩」，其相同處為執矩以度方無所不得其正；相異處為郭嵩燾執矩以度勾股之長短遠近高下，而不僅限於正方而已。

四、「絜矩之道」引申義

《大學》曰：

◎所惡於上，毋以使下；所惡於下，毋以事上；所惡於前，毋以先後；所惡於後，毋以從前；所惡於右，毋以交於左；所惡於左，毋以交於右：此之謂絜矩之道。（第2條，頁253）

◎《詩》云：「樂只君子，民之父母。」民之所好好之，民之所惡惡之，此之謂民之父母。（第3條，頁254）

朱熹《大學章句》注：

此覆解上文絜矩二字之義。如不欲上之無禮於我，則必以此度下之心，而亦不敢以此無禮使之。不欲下之不忠於我，則必以此度上之心，而亦不敢以此不忠事之。至於前後左右，無不皆然，則身之所處，上下、四旁、長短、廣狹，彼此如一，而無不方矣。彼同有是心而興起焉者，又豈有一夫之不獲

> 哉。所操者約，而所及者廣，此平天下之要道也。故章內之意，皆自此而推之。（第2條朱注，頁253－254）

又：

> 《詩・小雅・南山有台》之篇。只，語助辭。言能絜矩而以民心爲己心，則是愛民如子，而民愛之如父母矣。（第3條朱注，頁254）

郭嵩燾《大學章句質疑》案：

> 絜矩亦從恕上推出，然恕祇是推己及人至於平天下，各君其國，各子其民，不能盡由己推去，直須度量人情之好惡，準人而推之己。《大學》於「治國」章説箇「機」字，説箇「恕」字，專就己之發動處言之，於平天下章，説箇「絜矩」字，則是就人之適宜處言之。平天下無他，平人之好惡，而無餘義矣。平其好而後無有作好，平其惡而後無有作惡，絜矩者，矩操於身，盡天下之好惡，以矩絜之，而自行其裁成輔相之宜。老老、長長、恤孤，身之矩也，一國之人心同，天下之人心亦同。故曰明德於天下，明其所同具之心而已。（第1條郭案，頁253）

又：

> 絜矩之道，須是以此度彼，使各得其分，非但如恕字之推此一心以度之人而已，人之相處上下前後左右六者，足以盡之，而上下使之相受，前後使之相準，左右使之相交，盡天下之人範圍於矩之中，自須有紀綱法度明示之，則使人不能踰。故夫上下前後左右之各適其宜無他，禮而已矣。《大學》齊家治國平天下皆統之於性功，專就性情好惡上立論，而於「治國」章言教，「平天下」章更不及政教字，而惟約其義於「絜矩」二字之中，上下前後左右，盡人有箇相處之法，聖人之以規矩法度整齊天下，亦即出乎其間，未可

僅以推己度物之義，囫圇看過。（第2條郭案，頁254）

又：

《大學》自誠意正心脩身以至齊家治國，皆從好惡發動處體驗，至平天下而後推出民之所好，民之所惡，以顯絜矩之用，實見得心意之動而與民物相接，盡於「好惡」二字中。聖人云「己欲立而立人，己欲達而達人」，二語最盡立人達人必所好也，非是必所惡也。絜好惡之矩於心而用以整齊天下之好惡，使各當其分，推至諸侯之國，土地闢養老尊賢而有慶，田野荒蕪，遺老失賢，而有讓一準民之好惡行之，曰所好曰所惡，即矩之所由出也。聖人以通天下之志而稱物平施，豈區區求民之所好，求民之所惡，逐物以徇之哉。（第3條郭案，頁254）

絜矩原義爲度方、度勾股之義，在此基調上，朱熹與郭嵩燾均進一步將推己以度人的恕道精神名爲「絜矩之道」（朱謂「因其所同，推以度物」、郭云「絜矩亦從恕上推出」），此即作道德層次之引申。這種認知，顯示朱、郭二人都肯定了己心與人心的共通點。朱熹認爲應將心比心、推己及人，從忠恕立場爲彼此設想，則大家各得其分，「上下、四旁、長短、廣狹，彼此如一，而無不方。」（第2條朱注，頁 253）上位者若施以「老老」、「長長」、「恤孤」之行，爲百姓豎立道德範型，人民亦會跟進。郭嵩燾說：「老老、長長、恤孤，身之矩也，一國之人心同，天下之人心亦同。故曰明德於天下，明其所同具之心而已。」（第 1 條郭案，頁253）仁愛、孝親等倫理美德，此德乃人人所同具。基本上，朱、郭在天賦的德性方面的認知並無差異，均承認人人具有接受仁、孝等倫理道德價值觀的本質（心）以及共同的實際需求（性情慾望、好惡）。

修身、齊家以至治國、平天下的過程，《大學》經文與朱熹《大學章句》注疏發揮，皆從「性情好惡」上立論，另方面，朱熹不也諱言以性情好惡爲治國平天下的要件，實際上也有風險，因爲人的德性有善與不善、人情慾望有惡與不惡之別，換言之，僅從人性道德的角度推擴於外，所產生的結果可能國治亦可能失國，因此確實落行「絜矩」忠恕之道，即是重要課題，「若不能絜矩而好惡徇於一己之偏，則身弒國亡，爲天下之大僇矣。」（第 4 條朱注，頁 254）朱熹這點自覺與郭嵩燾所見相同，郭嵩燾即謂「好惡之矩之存於心者，不能絜之於民則有流於辟者矣」（第 5 條郭案，頁 254）。

儘管郭嵩燾「以此度彼，使各得其分」（第 2 條郭案，頁 254）的基本立場與朱熹同調，但，以道德一心以度人來涵蓋「絜矩之道」，郭嵩燾並不滿足於這種方式，他認爲在以德爲本的基調上，更應摻入明確的法律政紀規定（而這種政教法令之義，郭氏以爲實已化約在《大學》「絜矩」二字之中），從制度面釐清人我相處之分際，以避免有所踰越，其謂「上下使之相受，前後使之相準，左右使之相交，盡天下之人範圍於矩之中，自須有紀綱法度明示之，則使人不能踰」（第 2 條郭案，頁 254）。此意味「絜矩之道」字面雖同，但，朱熹單純地以人性道德角度視之，而郭嵩燾在德性教化之外，更增添了法令等具體運作的內涵，故郭氏直言絜矩之道「未可僅以推己度物之義，囫圇看過。」（第 2 條郭案，頁 254）

五、「絜矩之道」之於治國平天下的運作

由推己及人至於治國平天下的「絜矩之道」，這裡的「天下」概念，朱熹與郭嵩燾所指涉不同。郭嵩燾認爲朱熹平天下的思維，是專就一國境內各族而論，而郭氏之天下觀實跳脫中國即世界的傳統視野，簡言之，其與朱熹的認知（「上下四旁」、「天下」仍指中國）有別。郭嵩燾不採朱熹我族中心的論述模式，轉而提出「各君其國，各子其民，不能盡由己推去，直須度量人情之好惡，準人而推之己。」（第 1 條郭案，頁 253）顯然郭嵩燾從多國角度（世界各國）立論，相較於大多數堅持「夷夏觀」講求夷夏之防、之辨的傳統士人，郭嵩燾之見，不能不謂別具隻眼。

朱熹認爲一國得治即是天下太平，而郭嵩燾則認爲一國成功的治理經驗，無法保證可以推廣於他國而天下太平，依郭氏之見，各國之體制、各國人民之需要，不盡相同，由於其他國家之實際條件互異，朱熹一心度人的絜矩模式，恐無法解決諸多國家問題。郭嵩燾認爲朱熹的一國之治理經驗，無法一體適用於其他國家，即便已設身處地了解他國國情、民情（「人情之好惡」），衡諸其實際的情況與需求，

若無適宜的「絜矩之道」，天下太平的理想也只能是空想罷了。郭嵩燾認爲治一國固然需要靠道德、法律的規範，然而平天下卻不能單憑這樣，一國之政教由上位者確立後，下民即遵守之，反觀全天下國家之上，並無放諸四海教準的教化規範，因此，郭嵩燾認爲「禮」的存在就顯得重要了，人我之間，以禮使上下、前後、左右之人相處恰如其分；國際之間，以朋友之禮相待追求世界和平，郭嵩燾言此即聖人治國整齊天下的方法。郭嵩燾云：「絜矩者，矩操於身，盡天下之好惡，以矩絜之，而自行其裁成輔相之宜。」（第 1 條郭案，頁 253）此處「自行其裁成輔相之宜」即指在平人之好惡時，亦須講求包括禮教政令法度等適當約束。

「絜矩之道」之於治國平天下之運作，《大學》在這方面的敘述，可歸結理財、用人兩方面來說明：

㈠ 以絜矩之道理財

《大學》曰：

> ◎《詩》云：「殷之未喪師，克配上帝；儀監於殷，峻命不易。」道得眾則得國，失眾則失國。（第 5 條，頁 254）
>
> ◎是故君子先愼乎德。有德此有人，有人此有土，有土此有財，有財此有用。（第 6 條，頁 255）
>
> ◎德者本也，財者末也。（第 7 條，頁 255）
>
> ◎外本內末，爭民施奪。（第 8 條，頁 255）
>
> ◎是故財聚則民散，財散則民聚。（第 9 條，頁 255）
>
> ◎是故言悖而出者，亦悖而入；貨悖而入者，亦悖而出。（第 10 條，頁 256）

朱熹《大學章句》注：

> 德，即所謂明德。有人，謂得眾。有土，謂得國。有國則不患無財用矣。（第 6 條朱注，頁 255）

又：

人君以德爲外，以財爲內，則是爭斗其民，而施之以劫奪之教也。蓋財者人之所同欲，不能絜矩而欲專之，則民亦起而爭奪矣。（第8條朱注，頁255）

又：

外本內末故財聚，爭民施奪故民散，反是則有德而有人矣。（第9條朱注，頁255）

又：

因財貨以明能絜矩與不能者之得失也。（第10條朱注，頁256）

郭嵩燾《大學章句質疑》案：

財者天下國家所資以爲用，而人者治國平天下之本也，民之好惡之所繫，尤莫切於此二者，治國之道無他，裕民生、厚民性而已矣。裕民生，非能盡取民生而裕之也，耕斂酌其宜取與定其經，而民生自裕；厚民性，非能盡取民性而厚之也，嚴賢不善之別，明義利之防，而民性自厚，以是推之天下，所好惡同也，定井田之制，申庠序之教，立一王之大法，以整齊天下諸侯，用是以命有德，討有罪，皆是義也。（第5條郭案，頁255）

又：

德者好惡之矩之存於心，所以醞政而絜之民，乃得眾之本也。故曰有德此有人，言民心歸之而後能保有其人也。保有其人斯能保有其土，而土地之闢田野之治，亦須使民得遂其利樂，而後能效其用，有國者之以財爲務，惟其用之不可闕也。《周禮》：「以九賦斂財」、「以九式均節財用」。均節者，即〈王制〉量入爲出之義，以一國之財資一國之用，〈曲禮〉：「年穀不登，君膳不祭肺，馬不食穀。」〈玉藻〉：年不順成，君衣帛搢本，土功不興。〈王制〉又以三年之通制國用（按：應爲「以三十年之通制國用」），以濟民食酌盈劑虛亦有常式，所謂「有財此有用」者，常賦之入自足，取給國用而不虞其乏也。（第6條郭案，頁255）

又：

財生於土而成於人，一國土地山川所入之數，自足養一國之人，而國用亦於是取資焉，取之踰其制而後國有聚財，財聚於上，則民必有不能遂其生者，於是去田里而逐末，而民散於野困，誅求而轉徙，而民散於國上，無聚財之君，則民力之有餘者，自足以待凶荒，藏富於民，即財散於民矣。民各安其田里，自然聚而不散，二語，通論一國之大勢，以見財與民聚散之源，下文貨悖而入，始言聚財之害，民散而國隨之以敝，亦豈能保有其財哉。（第9條郭案，頁255－256）

又：

有國者以理財用人爲要義，無古今一也，〈洪範〉「八政」惟「祀」與「賓」二者，上交鬼神，外接諸侯，其曰食、曰貨，則首重理財；曰司空、曰司徒、曰司寇、曰師，則總歸用人。《大學》於「平天下」章，發其義而一以聚財爲戒，蓋有以察乎有國者之用心，莫不以理財爲急，其用之有豐有儉而皆務富國以爲行政之本，箕子之言，必以食貨爲首政者誠重之也。故於理財先示之戒，而於章末特明生財之有道，以申足理財之意。〈洪範〉之曰食曰貨，亦但就有國者自有之食貨而經理之，非求多於食貨之數也，是乃聖人體察人情之至，節宣天地之宜爲有天下國家者曲示裁成輔相之用此大道，字緊承上，是故君子有大道言之，雲川倪氏以兩大道字，相爲較論，無當經旨。（第19條郭案，頁258）

朱熹認爲上位者治國以德爲本，即「明明德」爲治國平天下之起始點（明德修身亦是絜矩之道的核心內容），能明明德「愼乎其德」則能推己及人，百姓自會擁戴之、土地也得以保有，土地可保則人民樂於耕作使物資充沛，國家財用足矣。反之，不能自身修養，「以德爲外，以財爲內」、「外本內末」，搜括民財與民爭利，人民起而效尤，進而背叛之，終致失國。

郭嵩燾也強調明德之重要，德性澄明，則於「理財」與「用人」甚有助益（「德以爲本而財自生」），而這兩項正是治國之本，郭嵩燾更主張：「裕民生、厚民性」，其「裕」之法爲賦稅合宜、其「厚」之法則爲明辨賢與不善、義與利。在財用問題上，朱熹較重財之有無，僅就《大學》原文作寥寥數語的注說，而所重視者亦限於稅收與劫奪問題，在用度上，朱熹只在「足用之道在乎務本而節用」（第 19 條朱注，頁 258）一處提及，餘並無發揮。而郭嵩燾則在財之有無外，更強調「用度」的重要性，其多次闡發其義，如：其提及財政在治國上的重要性（「財者天下國家所資以爲用」）、論述上位者聚財合宜與否的影響（「財聚於上，則民必有不能遂其生者」、「無聚財之君，則民力之有餘者，自足以待凶荒」），也關心民眾經濟生活與繳稅情況（「非能盡取民生而裕之也，耕斂酌其宜取與定其經，而民生自裕」），更不忽視用度問題（「有國者之以財爲務，惟其用之不可闕也」）。

値得注意的是，郭嵩燾解釋《大學》「有財此有用」句，以經證經的方式，引用禮經如《周禮》、《禮記》中所載「均節」、「量入爲出」的觀念。此顯示郭嵩燾以絜矩之道處理德、財、義、利問題，重視禮教政法的規範（「申庠序之教，立一王之大法」」）與經濟賦稅制度（「定井田之制），而此皆治國平天下所必須，亦是用來命令有德者與討伐有罪者。

㈡ 以絜矩之道用人

茲針對《大學》絜矩之道在用人方面的敘述，酌舉以下三則朱、郭之解字訓詁與義理發揮，以明其解經異同及其特色：

1.關於舅犯之言「仁親」的解說

《大學》曰：

舅犯曰：「亡人無以爲寶，仁親以爲寶。」（第13條，頁256）

朱熹《大學章句》注：

舅犯，晉文公舅狐偃，字子犯。亡人，文公時爲公子，出亡在外也。仁，愛也。事見〈檀弓〉。此兩節又明不外本而內末之意。（第13條朱注，頁256）

郭嵩燾《大學章句質疑》案：

鄭注〈檀弓〉「仁親」親行仁義，此云「仁親」謂「親愛仁道」也，〈晉語〉「喪人無親，信、仁以爲親」、「不仁不信，將何以長利」，似皆訓仁爲仁道，《左傳》：「親仁善鄰，國之寶也。」句法正同。「仁親」字義當訓行仁而能知所親愛，不專訓爲愛親也。（第13條郭案，頁256）

舅犯，即狐偃，字子犯，是春秋時代晉文公重耳的舅舅，《大學》所引舅犯之言，見於《國語・晉語二》、《禮記・檀弓下》，茲分別引原文如下：

乃使公子縶弔公子重耳於狄曰：「寡君使縶弔公子之憂，又重之以喪。寡人聞之，得國常於喪，失國常於喪。時不可失，喪不可久，公子其圖之！」重耳告舅犯。舅犯曰：「不可。亡人無親，信、仁以爲親，是故置之者不殆。父死在堂而求利，人孰仁我？人實有之，我以徼倖，人孰信我？不仁不信，將何以長利？」公子重耳出見使者，曰「君惠弔亡臣，又重有命。重耳身亡父死，不得與於哭泣之位，又何敢有他志，以辱君義？」再拜，不稽首，起而哭，退而不私。……公子縶反，致命穆公。穆公曰：「吾與公子重耳。重耳仁。再拜不稽首，不役爲後也。起而哭，愛其父，孝也。退而不私，不役於利也。」（《國語・晉語二》）[5]

---

[5] 〔晉〕韋昭注：《國語》（北京：中華書局，1985年，《叢書集成初編》），卷8，〈晉語二〉。

又：

> 晉獻公之喪，秦穆公使人弔公子重耳，且曰：「寡人聞之：亡國恒於斯，得國恒於斯。雖吾子儼然在憂服之中，喪亦不可久也，時亦不可失也。孺子其圖之。」以告舅犯，舅犯曰：「孺子其辭焉。喪人無寶，仁親以爲寶。父死之謂何？又因以爲利，而天下其孰能說之？孺子其辭焉。」公子重耳對客曰：「君惠弔亡臣重耳，身喪父死，不得與於哭泣之哀，以爲君憂。父死之謂何？或敢有他志，以辱君義。」稽顙而不拜，哭而起，起而不私。子顯以致命於穆公。穆公曰：「仁夫公子重耳！夫稽顙而不拜，則未爲後也，故不成拜；哭而起，則愛父也；起而不私，則遠利也。」（《禮記・檀弓下》）❻

以上，相同一事，分別載入不同典籍，其旨意爲：晉文公（公子重耳）避驪姬之讒而流亡在外，舅犯隨行。後聞其父晉獻公逝，秦穆公派使臣子顯（縶）前往慰問晉文公，並勸晉文公趁喪亂之際興兵復國，而舅犯則教導晉文公回答子顯，言己爲流亡之人，父親逝世是令人哀痛的事，不能利用這種機會以圖利，其不忍此際動武，婉謝秦穆公支持入爲晉君之意。子顯回國後，向秦穆覆命，秦穆公對晉文公具仁德之心、不以喪事圖利，頗爲讚賞。

所謂「亡人」指的是流亡在外的晉文公，而「仁親」據朱熹注，「仁」者愛也，即親愛親人（指愛晉獻公）。郭嵩燾的理解與朱熹略有不同，由於晉文公已是背棄親人之出亡者，在外已無親人，唯有行仁道，講重誠信與仁德，如此才能知所親愛，進而獲得長遠的利益（回國繼位），是故，此「仁」義不單是心存有愛或是愛而已，郭氏認爲「愛親」之前提爲親近信與仁（即行仁道），將愛推擴出去，不限於親人與非親人，顯然郭氏的解釋比朱熹僅是愛至親的說法，更開闊些，似也較符合經文原旨。又，衡諸《左傳》，郭氏認爲其文句運用亦有相類者：

---

❻ 〔漢〕鄭玄注，〔唐〕孔穎達疏：《禮記正義》（臺北：藝文印書館，1982 年，《十三經注疏》本），卷 9，頁 166－167。

> 五月庚申，鄭伯侵陳，大獲。往歲，鄭伯請成于陳，陳侯不許。五父諫曰：「親仁善鄰，國之寶也。君其許鄭！」陳侯曰：「宋、衛實難，鄭何能爲？」遂不許。（《左傳》隱公六年）❼

以上記載鄭莊公侵入陳國，獲得勝利之事，並言及先前鄭莊公曾向陳國請和，其時五父（陳桓公之弟）曾勸諫其兄須親近仁義、與鄭國交善，然陳桓公不允，卒致陳國罹禍。此「親仁善鄰，國之寶」即謂陳國與鄭國相鄰，當近仁行仁以互善之，此爲治國之寶則。郭嵩燾行仁之說，究其實，即重實行面，他在這方面的闡說頗多，如：「天下將治，則人必尚行；天下將亂，則人必尚言。」❽「道雖近，不行不至。事雖小，不爲不成。」❾

2.關於〈秦誓〉之「人之彥聖」的解說

《大學》曰：

> 〈秦誓〉曰：「若有一個臣，斷斷兮無他技，其心休休焉，其如有容焉。人之有技，若己有之，人之彥聖，其心好之，不啻若自其口出，寔能容之，以能保我子孫黎民，尚亦有利哉。人之有技，媢疾以惡之，人之彥聖，而違之俾不通，寔不能容，以不能保我子孫黎民，亦曰殆哉。」（第14條，頁256）

〈秦誓〉，隸屬《尚書》之一篇，該篇旨爲秦穆公不聽蹇叔之勸而聽信另一大臣杞子之見，出兵襲鄭國，結果慘敗，秦穆公遂作〈誓〉以自責悔過，並反省用人之道。《大學》引〈秦誓〉即意在說明上位者須進用美德與具忠誠心之賢人，而摒斥胸襟狹窄與具嫉妒心之小人，如此才能治國平天下。郭氏云：

---

❼〔晉〕杜預注，〔唐〕孔穎達正義：《春秋左傳正義》（臺北：藝文印書館，1982 年，《十三經注疏》本），卷 4，頁 70。

❽ 郭嵩燾著，湖南人民出版社校點：《郭嵩燾日記》（長沙：湖南人民出版社，1980 年），第 1 卷，頁 499。郭氏重實行的思想，受王夫之知行觀影響頗深。

❾《郭嵩燾日記》，第 2 卷，頁 395。

〈秦誓〉刻畫兩種人，所以有利於國及病國者無他，能容與不能容而已矣。有國者於不能容之人，放而遠之，則其能容可知，能容則賢者日益進，不肖者日益遠，故此下彙舉三項，人以立好惡之準，使有國者知所法戒好惡一得其正，則所好者必天下之公好，所惡者必天下之公惡，如是而後能盡天下之善以從其好，盡天下之不善以從其惡，而國治矣。反是則亂，亂之既成，而菑及乎身，一好惡之，反足以致之爲其好惡之被及於民者大也，《大學》言好惡而引〈秦誓〉以爲好惡示之程，是其所好所惡，一皆以用人爲急，而自古賢不善之分，亦無有逾於此者，此治國平天下必由之理，所以爲絜矩之極則也。（第 17 條郭案，頁 257）

郭嵩燾於〈秦誓〉之詮解，多所發揮，指出治國者能知人民之所好所惡，這是用人之道，亦是絜矩之道應用上的極則。而朱熹注〈秦誓〉曰：

个，古賀反，《書》作「介」。斷，丁亂反。娼，音「冒」。〈秦誓〉，《周書》。斷斷，誠一之貌。彥，美士也。聖，通明也。尚，庶幾也。娼，忌也。違，拂戾也。殆，危也。（第 14 條朱注，頁 256）

須指出，本文所據朱註以郭嵩燾《大學章句質疑》所錄者爲主，而朱熹原來的《大學章句》對字詞多會另註音訓，郭嵩燾《大學章句質疑》錄朱註時，卻將之略去，茲爲便於比較兩方解說異同，故此處將被郭氏略去之朱註音訓引文補上（即「个」，古賀反，《書》作「介」。斷，丁亂反。娼，音「冒」）。

朱熹之於「斷斷」、「彥」、「尚」、「娼」、「違」、「殆」等字之說解，究其實，均本諸於鄭玄注，鄭注云：

〈秦誓〉，《尚書》篇名也。秦穆公伐鄭，爲晉所敗於殽，還誓其臣，而作此篇也。斷斷，誠一之貌也。他技，異端之技也。有技，才藝之技也。「若己有之」、「不啻若自其口出」，皆樂人有善之甚也。美士爲「彥」。黎，眾也。尚，庶幾也。娼妬也。違，猶戾也。俾，使也。佛戾賢人所爲，使功

不通於君也。殆，危也。彥，或作盤。❿

郭嵩燾《大學章句質疑》案：

> 彥當爲喭，《尚書正義》引《論語》「由也喭」作諺。《説文》：「諺，傳言也。」《玉篇》、《廣韻》喭並與唁同，《文心雕龍》：「諺者，直語也，喪言爲不及文，故弔亦稱諺。」疑「由也喭」，正謂其語言直率，傳所引諺之言，直率相傳之言也，人之彥聖，謂人傳許以爲通明，其心好之，不啻自其口出，言人相傳許之言，聞而好之，不啻出諸其口，「違之俾不通」，言人相傳許之言，必阻遏之使不得達也。鄭注：「彥」或作「盤」。《釋詁》盤樂也，鄭氏所見本或作盤聖，蓋亦樂道人善之意。（第 14 條郭案，頁 256）

朱熹承鄭玄注釋，指「彥」爲「美士」義或作「盤」爲「樂」（喜好）解，但郭嵩燾認爲「彥」當爲「喭」、「諺」、「唁」、「盤」字解。郭氏從不同的古籍如《論語》、《玉篇》、《廣韻》、《文心雕龍》、《爾雅・釋詁》等，論證己說。其舉《文心雕龍・書記》所載「諺」是一種樸直的言辭，而喪事的慰問語，因不可文飾，故弔唁亦稱作「諺」。又，《論語・先進》載孔子云「由也喭」，即指子路說話直率，「喭」當爲直率之言，綜前述，郭氏釋「彥」爲「喭」、「諺」、「唁」，均從口部、言部之與說話直率、質樸義訓解。至於「聖」字，朱、郭所指相同，均作「通明」解，另鄭注與郭氏亦作一「善」解。

此外，鄭注「彥」或作「盤」，爲「樂人有善」之意，郭氏引《爾雅・釋詁》釋「盤」爲「樂」也，爲「樂道人善」之意，比較鄭、郭二說，此處之「樂」字，雖鄭、郭均作動詞用，然彼此指涉有別，鄭作「喜好」解，郭作「談論」解。綜合觀之，鄭、朱、郭三人釋「彥」，或以郭氏說法似較成理，據《大學》原文：「人之彥聖，其心好之，不啻若自其口出」，因其中「自其口出」，與言說有關，若依

❿ 《禮記正義》，卷 60，頁 988。

郭說「彥」爲「喭」、「諺」、「唁」、「盤」，則《大學》前後文意似較爲連貫。

3.關於「畜馬乘」、「百乘之家」的解說

《大學》曰：

孟獻子曰：「畜馬乘不察於雞豚，伐冰之家不畜牛羊，百乘之家不畜聚斂之臣，與其有聚斂之臣，寧有盜臣。」此謂國不以利爲利，以義爲利也。（第22條，頁258）

朱熹《大學章句》注：

孟獻子，魯之賢大夫仲孫蔑也。畜馬乘，士初試爲大夫者也。伐冰之家，卿大夫以上，喪祭用冰者也。百乘之家，有采地者也。君子寧亡己之財，而不忍傷民之力；故寧有盜臣，而不畜聚斂之臣。「此謂」以下，釋獻子之言也。（第22條朱注，頁259）

郭嵩燾《大學章句質疑》案：

《左傳》襄二十五年（按：應爲襄公二十七年），「惟卿備百邑」，杜注此一乘之邑，非西井之邑，孔疏引《司馬法》成方十里，具革車一乘。此一乘之邑，方十里也。〈坊記〉孔疏引《司馬法》四邑爲邱，出馬一匹，四邱爲甸，出長轂一乘，而云據《司馬法》之文，車甲馬牛皆計地，令民自出。鄭注〈小司徒〉甸之言乘也，甸方八里，旁加一里，則方十里爲一成，又引《司馬法》畝百爲夫，夫三爲屋，屋三爲井，井十爲通，三十家馬一匹，通十爲成，百井三百家，革車一乘。《易・訟卦》：「其邑人三百户」。《正義》引鄭注小國下大夫之制，《論語》：「駢邑三百」，鄭注云此齊下大夫之制，以此準之，則下大夫采地一成者，得有馬乘。〈坊記〉：「家富不過百乘」，百乘當得采地百里，采地之至大者。朱子《章句》以畜馬乘，爲士

初試爲大夫，百乘之家，爲有采地，恐未然也。（第22條郭案，頁259）

朱熹這番說解完全是承襲鄭玄注，而郭嵩燾則從不同古籍（或古注），如：《左傳》杜預注；《禮記正義》鄭玄注、孔穎達疏；《司馬法》、《易經》、《論語》等中有關先秦制度規定，以質疑朱熹（亦即對鄭玄）見解，朱、郭兩人疏解的焦點在於「畜馬乘」以及「百乘之家」的問題。

郭嵩燾間接轉引兩處《司馬法》的記載，一是《周禮・地官・小司徒》鄭玄注引《司馬法》；一《左傳》「襄公二十七年」孔穎達疏引《司馬法》。茲分別摘引如下：

《司馬法》曰：六尺爲步，步百爲畮（按：同「畝」），畮百爲夫，夫三爲屋，屋三爲井，井十爲通，通爲匹馬，三十家，士一人，徒二人。通十爲成，成百井，三百家，革車一乘，士十人，徒二十人。……。（《周禮・地官・小司徒》鄭玄注引《司馬法》）⓫

又：

《司馬法》：「成方十里，出革車一乘。」此一乘之邑，每邑方十里也。《論語》云：「百乘之家」大夫稱家，邑有百乘，是百乘爲采邑之極。此云「唯卿備百邑」，知所言邑者，皆是一乘之邑，非四井之邑也。杜以一乘名邑，書傳無文，故引《論語》千室、十室，明其大小通稱邑也。（《左傳》襄公二十七年孔穎達疏「唯卿備百邑」引《司馬法》）⓬

郭嵩燾據《司馬法》，以一井三家計，則十井三十家稱一通，三十家者有一匹馬；十通爲三百家稱一成，有一乘革車（車子駕四馬），而先秦之下大夫領有采邑十

⓫ 〔漢〕鄭玄注，〔唐〕賈公彥疏：《周禮注疏》（臺北：藝文印書館，1982年，《十三經注疏》本），卷11，頁170。

⓬ 《春秋左傳正義》，卷38，頁644。

里，每十里包含三百戶人家（即一成）以及具革車一乘，因此，無論從采邑大小或車馬數量，均可知「畜馬乘」應指下大夫階層，這階層是享有十里采邑與一乘革車，若車馬達百輛，此即爲卿大夫階層，稱爲「百乘之家」。郭嵩燾不同意朱熹所指尙在試用階段的士擁有車馬，他間引古籍記載，認爲「畜馬乘」應指具備下大夫身份，且擁有車馬以及采地者。顯然階級對象與采地有無，朱、郭兩人意見不一，以采地論，朱熹主張士爲試用者只有車馬而無封地，而郭氏認爲下大夫領受一成封地也有車馬。至於「百乘之家」，朱、郭都認爲此均享有封地，唯朱氏沒有言明數量大小，而郭氏則指出擁有百里的範圍。

六、結論

從註解「絜矩之道」可知，朱熹、郭嵩燾之注經基調爲義理學取向，而郭尤其不存門戶之見。郭、朱兩人均重視義理發揮，然在音訓部分，兩人明顯不同，朱熹《大學章句》對字詞多會另註音訓，而郭嵩燾《大學章句質疑》中錄朱註時，卻將之略去，更未對字詞進行註音的工作。此顯示郭嵩燾非全面從形、音、義來探討，他關注的重點乃在義理方面，即便有漢學考據之跡，也以義訓爲主，無涉漢學字音餖飣之事。另一方面，朱熹發揮《大學》義理，有些發揮得不錯（郭嵩燾亦有所承襲），然在訓詁方面則不無疑問（此由郭嵩燾質疑朱熹註解「人之彥聖」、「蓄馬乘」、「百乘之家」等可知）。[13]郭嵩燾質疑的對象，不分漢、宋學，雖以朱熹《大學章句》爲主，然實則對鄭玄注、孔穎達疏，亦有所討論。[14]這意味著漢、宋學兩個不同經典詮釋，郭嵩燾都進行了對話，顯見其之獨立的、實事求是的精神。[15]

[13] 另方面，郭氏雖質疑朱熹《大學章句》之區分經傳與補格致傳，然對朱學用功之勤與提示學習《大學》方便處，亦不吝稱許，顯見其治經不立門户之開闊胸襟。

[14] 從郭嵩燾所撰《禮記質疑》、《中庸章句質疑》、《大學章句質疑》、《校訂朱子家禮》可知，前一本，乃針對倍受清代漢學家推崇的鄭玄注而發；後三本，則顯然針對宋學家之作，尤其是朱熹。須指出，郭嵩燾所質疑的部分，並非經典本身，而是爲經典作解釋的鄭注、孔疏、朱注，此從其《大學章句質疑》之質疑情況可證。

[15] 或以爲「質疑」二字較尖銳，有「啓後生輕議儒先之心」，宜改爲「補注」等較緩和之字，然郭氏終未接受此建議。

朱熹與郭嵩燾註解絜矩之道之於治國平天下的作用，其所認知的「天下」是不同的，這恐與彼此所處之時代有密切的關係，就郭嵩燾言，其曾在鴉片戰爭中參與戰守事宜、亦有豐富的洋務經驗（如任廣東巡撫期間即與西方接觸），這些都累積了他對中國的艱難處境與西方列強的認識，亦即無論中國之「夷」或「夏」、「中央」抑或「四方」，每一族都面臨了西方挑戰的同樣困境。郭嵩燾辭粵職返湘後至光緒朝再度獲用出使西洋前，其間有八年的時間，在家鄉從事學術活動（講學與著書立說，《禮記質疑》等學術著作多於此間完成），可以想見，郭嵩燾先前的活動經驗與所形成之觀點應提供了其詮釋經典的養分，明瞭郭嵩燾如此經歷，似不難理解《大學章句質疑》何以具強烈現實關懷以及異於傳統的視野。

在財用問題方面，郭嵩燾筆成大篇幅的文字案說，顯見其對國家經濟、合理賦稅、財政用度的重視，同時也講求民生實業的必要⑯，在著《大學章句質疑》之前，他在參與鎮壓太平軍時，即是首倡在湖南施行「厘金」制度的人，並呈奏章〈各省抽厘金濟餉歷著成效謹就管見所及備溯源流熟籌利弊疏〉以論厘捐，更親自清查山東沿海的稅務，而予友人之信函亦時抒相關言論，其日記亦不乏貨幣制度的見解。郭嵩燾這些早期涉獵稅制經濟方面之經歷，或許也強化他詮解經典的側重面。郭嵩燾出使域外期間，對西方稅收制度與財政理論，也做過細緻的研究。從郭嵩燾之實務經歷與《大學章句質疑》的部分解釋，其經濟思想可謂既務實又全面。

在註解方式上，郭嵩燾引他書以佐其說之次數較朱為多，而朱則多以己意或是承襲鄭注而立說。郭嵩燾進行詮解時，常引其他經書、史書、子書、集書為論據⑰，其中又以引算學書籍《周髀算經》為特殊，此顯示其學識廣博，在傳統經、

---

⑯ 郭嵩燾認為民富為國強之基礎，「國于天地，必有與立，亦豈有百姓困窮而國家自求富強之理？今言富強者，一視為國家本計，與百姓無與。抑不知西洋之富專在民，不在國家也。」見郭嵩燾：〈與友人論仿行西法〉，郭嵩燾著，楊堅點校：《郭嵩燾詩文集》（長沙：嶽麓書社，1984年10月），頁255。

⑰ 《大學章句質疑》中引經、史、子、集之古籍，計有經：《論語》、《孟子》、《中庸》、《爾雅》、《禮記》、《左傳》、《尚書》、《說文》、《玉篇》、《經典釋文》、《周禮》、《易經》等。史：《宋史》、《資治通鑑》、《史記》、《漢書》等。子：《荀子》。集：《文心雕龍》、《文選注》、《周髀算經》等。其他未及書名，僅提治經者名：劉蕺山、王夫之、張子韶、周子等。

史、子、集方面的深厚素養之外，亦掌握科學性之知識。又，郭嵩燾《大學章句質疑》多處引禮經爲說，亦見其具深厚之禮學素養以及重視禮制的思維。而這或許亦能解釋他出使域外之底蘊，「出使」，對於大多數仍習於「華夷之辨」者言，無疑是一件頗難以接受之事，郭嵩燾之友王闓運、李慈銘，即對其出使表達惋惜之說，王謂：「以生平之學行，爲江海之乘雁，又可惜矣」（《湘綺樓書牘》）⑱，李云：「郭侍郎文章學問，世之鳳麟。此次出使，眞爲可惜。」（《越縵堂日記》）⑲當大家視出使工作爲畏途之際，郭嵩燾卻勇於赴任，此不能不謂爲其強烈重禮思想的實踐。

整個來說，從絜矩之道的疏解，似可判分朱熹、郭嵩燾之不同的治經路向及其意義，則似乎郭嵩燾已具備更多元的視野。若將傳統治經分爲以下三種：一是侷限於書齋之中，與世務無涉，僅作純理念世界之探討；二是已走出書齋，兼及治國之事；三是能於書齋中作理念之研討，亦能走出書齋與外接軌，甚至放眼全世界。前兩種，乃傳統文人常見之類型，朱熹即屬第二種；至於第三種，顯然是新型的治經方式，郭嵩燾可歸於此類，他兼具傳統思維與現代作爲，古典與現代在他身上並沒有矛盾，可謂宜古宜今。

---

⑱ 轉見《郭嵩燾先生年譜》，下冊，頁 502。

⑲ 轉見《郭嵩燾先生年譜》，下冊，頁 526。

經　學　研　究　論　叢
第 十 二 輯　 頁311～326
臺灣學生書局　2004 年 12 月

劉敞的生平暨學術成就

江口尚純撰，馮曉庭譯*

一

清人皮錫瑞（1850－1908）在《經學歷史》〈經學變古時代〉一節當中曾經如是說道：

> 經學自唐以至宋初，已陵夷衰微矣。然篤守古義，無取新奇；各承師傳，不憑胸臆；猶漢、唐注疏之遺也。……乃不久而風氣遂變。《困學紀聞》云：「自漢儒至於慶曆閒，談經者守訓故而不鑿，《七經小傳》出，而稍尚新奇矣；至《三經義》行，視漢儒之學若土梗。」據王應麟說，是經學自漢至宋初未嘗大變，至慶曆始一大變也。

上文所論及的《七經小傳》，是北宋劉敞（1019－1068）的著述。一向以漢唐注疏之學爲準則的經學研究，至北宋慶曆（1041－1048）年間樣貌遽變，終爾由南宋朱子（1130－1200）創述新注解，是眾所周知的學術演化進程；根據皮錫瑞所徵引的王應麟言論，劉敞的《七經小傳》可以稱爲引動學術新風潮的濫觴。而針對這個狀態，宋代的吳曾（？－？）也如此表述：

* 馮曉庭，育達技術學院應用中文系助理教授。

國史云：「慶曆以前，學者尚文辭，多守注疏之學，至劉原父爲《七經小傳》，始異諸儒之說……」（《能改齋漫錄》，卷 2，〈注疏之學〉）

依循著上列文字加以推衍，便不能不視劉敞爲宋代經學發展的重要關鍵人物。然而，較《七經小傳》一書更爲甚者，以劉敞斯人爲議題的論述，一直以來是呈現著近乎絕無僅有的狀態。就筆者管見所及，日本國內除了麓保孝（1907－）以外，並沒有其他學者曾經針對劉敞進行研討（《北宋に於ける儒學の展開》，東京：書籍文物流通會，1967 年〔昭和 42〕3 月，第五章第五節〈經史の學——劉公是・公非兄弟〉）。在本文當中，筆者擬就劉敞的生平事蹟展開陳述，並且試著釐析其人的學術成就。

二

劉敞，字仲原父（又字原父、原甫），吉州臨江新喻人氏，學者稱之爲公是先生。劉氏的先祖源出漢楚元王（劉交，？－前 179），世居彭城，西晉末年因引避兵燹遷處江南。其後劉遜（？－？）又自廬陵移居新喻，唐季五代，劉氏先後歷經遜、超（？－？）、逵（？－？）、琠（？－？）四世，至劉式（949？－997？）而大顯家聲。❶劉式字叔度，少幼即雅好學問，年十八、九，辭家居廬山戮力究覽典籍，精心研治《左傳》、《公羊傳》、《穀梁傳》。南唐後主李煜（937－978）時期（961－975），舉「明經科（《三傳》）」進士第一。❷下文所述劉敞於《春秋》學卓然有成一項，理當肇始自劉氏家學淵源。

劉式歸宋之後，歷任大理寺丞、贊善大夫，後又出知通州豐利監、任三司都磨勘，其後又改任工部員外郎，並轉任職於刑部。卒後，受追贈爲禮部尚書。

劉式次子立之（985－1048），字斯立，歷任殿中丞、國子博士、主客郎中，其後官至益州路轉運使。❸劉立之下有五子，長子元卿、次子貞卿早夭，劉敞實際

❶ 《公是集》，卷 51，〈先祖磨勘府君家傳〉。

❷ 《公是集》，卷 51，〈先祖磨勘府君家傳〉；《宋史》，卷 267，〈劉式本傳〉。

❸ 《公是集》，卷 51，〈先考益州府君行狀〉；《居士集》，卷 29，〈尚書主客郎中劉君墓誌

上是立之的長子，下有弟劉攽、劉放二人。

劉敞於慶曆六年（1046）舉進士、御試舉第一，因適逢內兄翰林學士王堯臣（1003－1058）爲編排官，因避嫌而列之爲第二。丁父憂期滿之後，宋仁宗詔試學士院，擢爲太子中允、直集賢院，後改判登聞鼓院吏部南曹尚書考功。當時，鄭國公夏竦（985－1051）辭世，宋仁宗（趙禎，1010－1063）下詔頒諡「文正」；劉敞以擬定諡號爲官署有司的職事、仁宗所爲已侵擾臣官職掌再三上書陳奏，並以世人以「姦邪」評定夏竦爲據、力爭以「正」爲諡缺乏適當性；宋仁宗採納了劉敞的建議，終而改諡夏竦爲「文莊」。❹其後，劉敞仍然屢次對君上提出嚴厲的規諫，當時，指摘劉敞的訕謗爲數頗眾，而官廳署廨當中因心懷忿恨而攻訐劉敞者亦不在少數。然而，仁宗以劉敞所言所諫均出於肺腑眞情爲認知，數度抒解劉敞殺身亡命之困：

> ……雖不合於世，而特被人主之知。方嘉祐中，嫉者眾而攻之急，其雖危而得無害者，仁宗深察其忠也。（《居士集》，卷35，〈集賢院學士劉公墓誌銘〉）

至和二年（1055）八月，劉敞擔任信使出使契丹。劉敞原就詳悉契丹境內山川地理及道程遠邇，而契丹方面爲了誇大路途的險惡遙遠，特意於古北口至柳河行程當間，引領宋朝使團迂迴遠繞，劉敞於是質問契丹通譯：「自松亭趨柳河，甚徑且易，不數日可抵中京，何爲故道此？」通譯只好驚駭地如數將實情托出。此外，順州山中有異獸居藏，樣貌與馬類似、以虎豹爲食，契丹人不能分辨究竟是何物，因此向劉敞徵詢，劉敞回答：「此所謂駮也。」並且援引《山海經》、《管子》等書的載錄詳加說明，描述該物的形狀樣貌及聲音，契丹人因此對於劉敞的博學淵識益加嘆服。❺

使遼歸國之後，劉敞又歷任揚州太守、起居舍人、鄆州太守兼京東西路安撫

銘〉。然而兩文所載劉斯立卒年與享壽有差異。

❹ 《居士集》，卷35，〈集賢院學士劉公墓誌銘〉；《宋史》，卷283，〈夏竦本傳〉。

❺ 《居士集》，卷35，〈集賢院學士劉公墓誌銘〉。

使、知制誥、翰林院學士、判三班院太常寺等官職。擔任揚州知州期間，劉敞以唐代的舊有券契爲據，將官府非法無償自民間徵得的雷塘之地判歸百姓，對於劉敞的德惠，民間的稱頌久久不息。此外，劉敞並釐析審決先前紛雜的政事與獄訟、明定賞罰，鄆州境內肅然大治、道不拾遺。先前，鄆州旱災、蝗害接續不斷，劉敞到任之後，鄆州地界便普降甘霖，同時蝗群也飛翥離境。❻這些鄉野傳說，均衍生自劉敞決獄斷頌正當明確、深得百姓信賴一事。

另一方面，由於劉敞在朝中深得君主信任，所以〈本傳〉當中也載錄了以下的事蹟：

> 積苦眩瞀，屢豫告，帝固重其才，每燕見他學士，必問敞安否。帝食新橙，命賜之。疾少閒，復求外，以爲汝州。（《宋史》，卷78，〈劉敞本傳〉）

治平三年（1066），朝廷以京官徵召，適值劉敞身染病恙，不克奉詔任職，於是改任集賢院學士、判南京留司御史臺。熙寧元年（1068）四月八日，劉敞卒於官舍，得年五十。

劉敞所撰諸書至今依然傳世的，計有：《春秋傳》十五卷、《春秋權衡》十七卷、《春秋意林》二卷、《春秋（傳）說例》一卷、《七經小傳》三卷、《公是先生弟子記》四卷、《公是集》五十四卷。

三

以上關於劉敞生平的概略敘述，主要是以歐陽脩爲劉敞撰寫的墓誌銘充任基本素材。歐陽脩同時也爲劉敞的父親劉立之撰寫墓誌銘（《居士集》，卷 29，〈尚書主客郎中劉君墓誌銘〉），由此可以看出劉敞與歐陽脩的關係匪淺。對於二者的關係，《宋元學案》卷四〈廬陵學案〉將劉敞列爲歐陽脩門下。就年齡的差距來說，劉敞較歐陽脩年少十二歲，二者之間存在著師生的關係意識是極爲合理的推斷。然而，關於二者的往來，文獻中則存載著以下的敘述：

---

❻ 《居士集》，卷35，〈集賢院學士劉公墓誌銘〉；《宋史》，卷78，〈劉敞本傳〉。

劉中原父望歐陽公稍後出，同爲昭陵侍臣，其學問文章勢不相下，然相樂也。歐陽公喜韓退之文，皆成誦，中原父戲以爲韓文究，每戲曰：「永叔于韓文，有公取，有竊取，竊取者無數，公取者粗可數。……永叔〈聚星堂燕集〉云：『退之嘗有云：「青蒿倚長松。」』非公取呼？」歐陽公以退之讀《墨子》不相用不足爲孔墨爲叛道，中原父笑曰：「永叔無傷事主也。」（邵博〔？－？〕：《邵氏聞見後錄》，卷 18）

文忠有不同，原甫閒以謔語酬之，文忠久或不能平。（葉夢得〔1077－1148〕：《避暑話錄》，卷上）

透過以上二則記載，似乎可以理會到劉敞與歐陽脩的關係與所謂師生關係之間是存在著一段差距的。上文略傳當中同時也提及劉敞博學通經一節，這是所有學者都予以肯定的。然而因爲不論對方爲誰總是直言不諱的性格，的確有可能使劉敞表現出的睥睨物表的樣貌。據葉夢得所謂「文忠久或不能平」一語，似乎頗能窺見兩者之間的微妙關係。

除此之外，宋人員興宗（？－？）載錄了以下事蹟：

至和、嘉祐間，歐陽子永叔以古文章明天下，士率曰今之韓愈，而歐亦規愈自名者。予退索其師友淵源，得所謂公是劉子與歐文誼往返，所以考質訓迪甚具。劉於談詠記載，一曰歐九、二曰歐九，語意簡逸。（員興宗：《九華集》，卷 20，〈跋劉原父文〉）

所謂「歐九」，指的便是歐陽脩，歐陽脩行九。如員興宗所述，劉敞的《文集》當中，經常可以見到與歐陽脩應酬唱和的詩作。另一方面，歐陽脩的詩文當中，除了與劉敞相互酬唱的詩作之外，尚有二十八篇與劉敞相關的尺牘，兩者之間情誼的濃密交流於斯表露無遺。劉敞較歐陽脩先行謝世，歐陽脩在爲劉敞撰寫的〈墓誌銘〉當中，充分展現出對於劉敞的追思懷念，無論如何都無法令人相信二者之間曾生齟齬。此外，對於劉敞的學問，歐陽脩極爲讚服稱許，因此在〈墓誌銘〉當中如是追述道：

公（敞）於學博，自《六經》百氏古今傳記，下至天文地理、卜醫數術、佛圖老莊之說，無所不通。

而透過〈劉敞本傳〉的記述，則可以更清晰地見到歐陽脩對劉敞學術的尊崇：

歐陽脩每於書有疑，折簡來問，對其使揮筆，答之不停手，脩服其博。

宋人葉夢得所著的《避暑錄話》中有以下的記錄：

慶曆後，歐陽文忠以文章擅天下，世莫敢有抗衡者。劉原甫雖出其後，以博學通經自許。文忠亦以是推之，作《五代史》、《新唐書》凡例，多問《春秋》于原甫。

由此看來，清人全祖望（1705－1755）評斷二者關係的文字，或許是最為適當的：

當時先生（劉敞）亦自負獨步，虎視一時。雖歐公尚以不讀書為所誚，而歐公不敢怨之。世或言先生卒以此忤歐公，今稽之〈墓誌〉，始知其不然也。（〈公是先生文抄序〉）

總歸地說，或許劉敞與歐陽脩之間並非全然的師生關係，然而二人親密的學友情誼，則是可以確定的。歐陽脩在當時的政治及學術文化界中具備著不動如山的地位，如此而往，以對待門下弟子的情感照看較自身年少十二載的劉敞，當中情狀並非不可理解。而歐陽脩所以稱許推崇劉敞的學識，或許也正是根源自兄長照看少弟、師長照看門生的慈愛目光吧。

四

歐陽脩與劉敞的關係當中深具趣味的，便是所謂金石學。歐陽脩撰有可以說是宋代金石學嚆矢的《集古錄跋尾》十卷❼，翻檢這本書，可以發現特別是在關於論述先秦時期的部分之中，劉敞的名字經常出現，以下所錄便是一例：

右原甫既得韓城鼎，遺余以其銘，而太常博士楊南仲能讀古文篆籀，爲余以今文寫之，而闕其疑者。原甫在長安所得古奇器物數十種，亦自爲《先秦古器記》。原甫博學，無所不通，爲余釋其銘以今文。（卷1，〈韓城鼎銘〉）

劉敞於任職長安期間即致力於出土文物的蒐購，自身並且撰有《先秦古器記》一書，《公是集》卷三十六所載《先秦古器記》諸篇文字當中如是論述道：

先秦古器十有一物，制作精巧，有款識，皆科斗書，爲古學者莫能盡通，以他書參之，迺十得五六。就其可知者校，其世或出周文武時，于今蓋二千有餘歲矣。嗟呼！三王之事，萬不存一，《詩》《書》所記，聖王所立，有可長太息者矣。獨器也乎哉？……孔子曰：「多見而識之，知之次也。」眾不可概，安知天下無能盡辨之者哉？使工模其文，刻于石，又并圖其象，以俟好古博雅君子焉。終此意者，禮家明其制度，小學正其文字。

此外，蔡絛（？－？）所記載的，並非《公是集》所收的《先秦古器記》文字，但是或許可以視爲針對紀錄辨識檢讀古器物款識概要之《先秦古器記》一書而發的相關論敘陳述：

---

❼ 歐陽脩於〈集古錄目序〉一文中說道：

上自周穆王以來、下更秦漢隋唐五代，外至四海九州、名山大澤、窮崖絕谷、荒林破塚、神仙鬼物、詭怪所傳，莫不皆有，以爲《集古錄》。……有卷帙次第，而無時世之先後，蓋其取多而未已，故隨其所得而錄之。又以謂聚多而終必散，乃撮其大要，別爲〈目錄〉。因并載夫可與史傳正其闕繆者，以傳後學，庶益於多聞。

宋人周必大（1126－1204）於〈歐陽文忠公集古錄序〉一文中也說道：

其云「有卷帙次第，而無時世之先後，蓋其取多而未已，故隨其所得而錄之」，此公述千卷不以世代爲序之意也。又云「撮其大要，別爲〈目錄〉。因并載夫可與史傳正其闕繆者，以傳後學」，此公述目錄跋尾之意也。（《廬陵周益國文忠公集》，卷7）

長安號多古簋、敦、鏡、甗、尊、彝之屬，因自著一書，號《先秦古器記》。而文忠公喜集往古石刻，遂又著書名《集古錄》，咸載原父所得古器銘款。（蔡絛：《鐵圍山叢談》，卷 4）

正如前文所述，劉敞學識淵通，對於先秦古文字又能解讀「十之五六」，所以歐陽脩也說道：

以予方集錄古文，故每有所得，必模其銘文以見遺。（《集古錄跋尾》，卷 1，〈古敦銘〉）

原甫博學無所不通，爲余釋其銘文以今文。（《集古錄跋尾》，卷 1，〈韓城鼎銘〉）

表達了先秦古器銘文的釋讀，大多依賴淵源自劉敞的狀態。

劉敞與歐陽脩蒐集金石及古器物銘文拓本，較諸一般附庸風雅的收藏家，在意識內涵上可謂大異其趣。二千餘年以前的事蹟狀況大致上業已消磨殆盡，從劉敞與歐陽脩首度據以檢尋古代社會現象的片鱗支葉起，發掘出土的古代器物於是成爲「禮家明其制度，小學正其文字」的史料。正如同歐陽脩針對此事進行的近一步論述：

因并載夫可與史傳正其闕繆者，以傳後學，數益多聞。（〈集古錄自序〉）

後世發掘出土的古文物，已被認定是寔正既存史策記載錯誤，探知古代歷史、制度、文字、風俗等環節的絕佳材料。時至今日，運用出土文物從事研究已經成爲理所當然，這正是當時劉敞與歐陽脩獨到眼光的遺緒流衍。劉敞與歐陽脩之後，題跋撰述以及金石研究，成爲風行一時的學問，蔡絛在先前所引《鐵圍山叢談》文字之下繼續如是說道：

繇是學士大夫雅多好之，此風遂一煽矣。

五

接下來試著對劉敞的撰述略做說明敘述。

關於劉敞的著述，歐陽脩所撰寫的〈墓誌銘〉有著如是記載：

> 有《文集》六十卷，其爲《春秋》之說，曰《傳》、曰《權衡》、曰《說例》、曰《文權》、曰《意林》，合四十一卷；又《七經小傳》五卷、《弟子記》五卷。而《七經小傳》今盛行於學者。

檢閱這段文字，可以發現〈墓誌銘〉所載與《宋史・劉敞本傳》所述劉敞長於《春秋》學的評價，就其實質撰著而言是符合無誤的。此外，根據上述敘述，劉敞在《春秋》方面共有五部專著，最早成書的是《春秋權衡》，其後則是《春秋傳》，《春秋傳》當中有闡述不盡的處所，則在《春秋意林》一書當中補述鋪陳：

> 原父始爲《權衡》，以平三家之得失，然後集眾說，斷以己意而爲之《傳》。《傳》所不盡者，見之《意林》。（陳振孫（1183？－1261？）：《直齋書錄解題》）

然而《春秋意林》一書，元人吳萊（1297－1340）認爲是未定稿：

> 劉子作《春秋權衡》，自言書成世無有能讀者，至《意林》尚未脫稿，多遺闕。（吳萊所撰〈後序〉，《經義考》，卷180引）

此外，現今傳世的《春秋說例》一書，則是清代乾隆年間四庫館臣自《永樂大典》輯引彙錄而成的；《永樂大典》所徵引的資料書名題爲《春秋傳說例》，而《四庫全書》則因循這個名稱予以著錄。據《直齋書錄解題》所錄，書中條例原爲四十九則，而四庫館臣則僅僅輯得條文二十五則。《春秋文權》一書，《四庫全書》則未予收錄；《藏園群書經眼錄》卷一所載劉敞曾姪孫劉龜從於淳熙十三年（1186）所撰書〈跋〉如是說道：

> 曾伯祖公是先生所作《春秋傳》、《說例》、《權衡》、《意林》四書，元祐閒被旨刊行，今吳、蜀、江東西皆有本。

根據歐陽脩撰寫的〈墓誌銘〉以及劉攽撰寫的〈行狀〉，可以知道劉敞尚有《春秋文衡》，然而從劉龜從的敘述當中，可以發現該書或許並未付梓刊行。

「《春秋》五書」之中，筆者認爲以《春秋權衡》一書最能展現劉敞的學術立場，以下略便加探述。劉敞在該書的〈序〉當中有以下敘述：

> 劉子作《春秋權衡》，《權衡》之書始出，未有能讀者，自序其首曰：權，準也；衡，平也。物雖重必準於權，權雖移必平於衡，故權衡者，天下之公器也，所以使輕重無隱也，所以使低昂適中也。……《春秋》一也，而傳之者三家，其善惡相反，其褒貶相戾，則是何也？非以其無準失輕重耶？且昔董仲舒、江公、劉歆之徒，蓋常相與爭此三家矣，上道堯舜，下據周孔，是非之義不可勝陳，至於今未決，則是何也？非以其低昂不平耶？故利臆說者害公議，便私學者妨大道，此儒者之大禁。準之以其權，則童子不欺；平之以其衡，則市人不惑；今此新書之謂也。

文章的開端，表現了劉敞對於《春秋權衡》所述內容在當時應屬新奇、學術界一時難以接受等事實的體認。至於所謂「《春秋》一也，而傳之者三家，其善惡相反，其褒貶相戾，則是何也？非以其無準失輕重耶」等文字，則展現了劉敞已然意識到《春秋三傳》詮釋唯一文本《春秋》經之美惡褒貶相互扞格舛誤的現象，並且認爲面對《三傳》倘若未能採取「權衡」的基本態度，那麼聖人的眞正意圖便無由得見。關於《春秋三傳》，劉敞也提出下列論點：

> 《左氏》拘於赴告，《公羊》牽於讖緯，《穀梁》窘於日月。（《經義考》徵引）

從以上評論《三傳》得失的言論中，不難發現劉敞《三傳》並重、試圖公允探究《春秋》的治《春秋》學基本心態。劉敞《三傳》並重、以己意斷定其中是非的態度，不能不說是研治《春秋》學的新創舉。關於此節，宋人葉夢得有如是陳述：

> 劉原父知《經》而不廢《傳》，亦不盡從《傳》。據義攷例以折衷之，《經》《傳》更相發明。雖閒有未然，而淵源已正。（《文獻通考》，卷 10，徵引）

四庫館臣在撰寫「提要」之際，也以如是的態度爲準則，對於劉敞的《春秋》學進行以下陳述：

> 其書（《春秋傳》）皆節錄《三傳》事蹟，斷以己意。其褒貶義例，多取諸《公羊》、《穀梁》。……其《經》文雜用《三傳》，不主一家，每以《經》《傳》連書，不復區畫，頗病混淆。……蓋北宋以來，出新意解《春秋》者，自孫復與敞始，復沿啖、趙之餘波，幾於盡廢《三傳》，敞則不盡從《傳》，亦不盡廢《傳》。（《春秋傳》十五卷提要）

與劉敞同時的孫復（992－1057），撰有《春秋尊王發微》一書，盡廢《三傳》，完全由倫理的層面闡釋《春秋》義理。面對《三傳》，劉敞並不全然廢棄，同時也並非毫無意見地遵從接受，其態度基本上是兼採並重、斷以己意。針對劉敞的態度，清人朱彝尊（1629－1709）也有以下敘述：

> 及得劉原仲原父《春秋權衡》讀之，凡《三傳》有害於義者，旁引曲證，必權其輕重，而別其是非，以待讀者之自悟，可謂善學《春秋》者也。（《曝書亭集》，卷 34，〈春秋權衡序〉）

脫離既有的章句注疏之學範疇探究《春秋》學，依循詮釋者自身認識創建新說的學術行爲，承繼自唐代啖助（？－？）以及陸淳（？－？），而孫復與劉敞則爲發其端緒者。劉敞的學說正確與否姑且置之不論，對於在此之前偏失成爲一家之學的《春秋》學而言，以《三傳》並重、依據自身意見判斷其中可取或可棄部分的態度面對《春秋》，的確在當時的《春秋》學界中引起軒然大波。

歐陽脩的《春秋》研究與劉敞又存在著何種關係？歐陽脩並未留下《春秋》學相關專著，僅僅存在著以收錄於《文集》當中之〈春秋論〉爲首的數篇論文。在這些論文之中，歐陽脩發揮了以下論點：

> 三子者，博學而多聞矣，其《傳》不能失者也。孔子之於《經》、三子之於《傳》，有所不同，則學者寧捨《經》而從《傳》。不信孔子而信三子，甚哉其惑也。（《居士集》，卷 18，〈春秋論〉）
>
> 學者不從孔子信爲弒君，而從三子信爲不嘗藥。其捨《經》而從《傳》者，何哉？《經》簡而直，《傳》新而奇，簡直無悅耳之言，而新奇多可喜之論，是以學者樂聞而易惑也。予非敢曰不惑，然信於孔子而篤者也。《經》之所書，予所信也；《經》所不言，予不知也。難者曰：「子之言有激而云爾。夫三子者，學乎聖人，而《傳》所以述《經》也。……非謂捨孔子而信三子也。」予曰：「然則妄意聖人而惑學者，三子之過而已，使學者必信乎三子，予不能奪也。使其惟是之求，則予不得不爲之辯。」（《居士集》，卷 18，〈春秋論〉）
>
> 《經》不待《傳》而通者，十七八；因《傳》而惑者，十五六。……聖人之意，皎然乎《經》，惟明者見之，不爲他說蔽者見之也。（《居士集》，卷 18，〈春秋或問〉）

不全般採信、並列等觀決其去取、不全然廢棄，歐陽脩面對《春秋三傳》的態度與劉敞可謂毫無二致。透過所謂「有所不同，則學者寧捨《經》而從《傳》。不信孔子而信三子」等文字，不僅可以窺得當時《春秋》學發展的狀況，也可以得知歐陽脩的基本立場。然而劉敞竄改《經》《傳》文字的觀點，在此處則並未得見。（此點容後述）至於所謂「《經》之所書，予所信也」、「《經》所不言，予不知也」、「《經》不待《傳》而通者，十七八」等意見，則展現了歐陽脩強烈尊崇

《春秋經》本文、絕不至於改動《經》、《傳》文字的意識。雖然劉敞對於自《春秋》經本文讀取聖人義理的強烈企盼遠較求諸《三傳》更甚，然而「自身意識」在虛心吟味解讀《春秋》經本文、愼重追求聖人義理之前便確切存在的態度，卻是可以肯定的評價。

如是的現象當然影響著劉敞《春秋》學的其他議論，依據自身意識竄改《經》、《傳》文字的狀態也因此產生，這個環節容後再述。

接著筆者將針對三卷的《七經小傳》進行說明，因爲將有專文另加詳述，在此僅進行簡單介紹。

《七經小傳》一書計包括：《尙書》二十二則、《毛詩》三十五則、《周禮》四十一則、《儀禮》四則、《禮記》三十一則、《公羊》一則、《左傳》一則、《國語》一則（《公羊》、《左傳》、《國語》三條經說合併爲「《公羊》附《國語》」一目）、《論語》八十六則，就性質而言可以大致歸爲箚記之屬。書中全然不見劉敞對於《周易》的疏釋文字與意見，而關於《春秋》的條文也僅收錄兩則。《春秋》類條文的稀少，大概是業已存在前文所述數部專著的緣故。

關於《七經小傳》一書的特質，前文曾經提及的吳曾如是說：「國史云：『慶曆以前，學者尙文辭，多守注疏之學，至劉原父爲《七經小傳》，始異諸儒之說。……』」（《能改齋漫錄》）而陳振孫也言道：「前世經學，大抵祖述《注》、《疏》，其以己意言經、著書行世，自敞倡之。」（《直齋書錄解題》）這些評論，整體而言是頗爲適切的。一直以來處於權威地位、隸屬於古代注經系統的多部《傳》、《注》成爲批判駁斥的對象，各部舊說與學者的自我認知及詮釋等同並列、接受檢覈論究。値得注意的是，即便是經傳本文，也隨意加以改竄的現象。以下姑舉一例爲說，關於《尙書・武成篇》，《七經小傳》如是論述道：

> 〈武成〉曰：……。然此書簡冊錯亂，兼有亡佚，粗次定之於下曰：
>
> 「惟一月壬辰旁死魄，越翼日，癸巳，王朝步自周，于征伐商」，此下當次以「底商之罪，告于皇天后土，所過名山大川」云云，下至「大賚于四海，而萬姓悅服」，皆在紂都所行之事也。
>
> 然後次以「厥四月哉生明，王來自商，至于豐」。

> 然後又次于「丁未，祀于周廟」云云，下至「予小子其承厥志」。
>
> 此下武王之誥未終，當有百工受命之語，計脫五、六簡矣。
>
> 然後次以「乃偃武修文」云云。
>
> 然後又次以「列爵惟五」云云。（《七經小傳》，卷上，〈尚書〉，「武成」）

〈武成篇〉首尾不全，後世蔡沈（1167－1230）因為其中包含錯簡而加以改編，可謂疑誤眾多的篇章，而最早嘗試改正其中脫簡、錯簡現象的，大概就屬劉敞了。宋人黃伯思（1079－1118）編著《東觀餘論》一書，便載錄了劉敞寔訂〈武成篇〉一事。

姑且不論其中是非，劉敞勇於寔改經書文字，的確是事實。除此之外，改動經文字句的實例更是不勝枚舉。

筆者在最後所要敘述的，是所謂的《公是先生弟子記》四卷，《郡齋讀書志》記該書篇幅為一卷。《公是先生弟子記》一書所敘包含各類儒學相關問題以及旁說雜論，考覈書名，似乎可以推見本書並非劉敞親手撰寫，而是劉敞弟子對於師尊言論的記載。然而，根據晁公武（1105－1180？）「皇朝劉原甫撰，記其門人答問之言」（《郡齋讀書志》）的載述，又論定《公是先生弟子記》為劉敞親撰。晁公武在上述文字之後，又稱：「楊慥，王安石之徒，書名；王深甫（回），歐陽永叔之徒，書字。」說明了本書包含著對於當時流傳之王安石「新學」的不滿。事實上，《公是先生弟子記》一書中的確存在著針對王安石而發的攻訐，而關於王安石與劉敞的關係，《郡齋讀書志》（《七經小傳》條目）如是敘說：

> 慶曆前，學者尚文詞，多守章句注疏之學，至敞始異諸儒之說。後王安石修《三經義》，蓋本於敞。

針對文中關於二者關係的指陳，應該有進一步精確考覈，因為篇幅有限，在此僅僅略做指陳。

此外，《公是先生弟子記》一書，在《四庫全書總目．子部．道家類存目》之中被著錄為「《極沒要緊》一卷」，之所以會如是登錄，是因為四庫館臣沿引清人錢曾（1629－1701）《讀書敏求記》「《公是先生極沒要緊》一卷。即劉原甫《弟子記》也」的說法，設《弟子記》的別稱《極沒要緊》爲條目所致。然而，四庫館臣因爲「此書皆採錄郭象《莊子・注》語」，將《公是先生弟子記》歸入子部道家類，同時更提出質疑，認爲「此爲好事者所依託」。此中曲折姑爲記錄，以供參考。

以上概略地論述了劉敞的生平事蹟以及學術生涯。在劉敞活動的時期，經學研究的樣貌正如《困學記聞》等書面資料所云，尙未脫離章句注疏之學的範疇，而劉敞的出現，確實是後世懷抱疑經疑傳態度之學者陸續展露頭角的一大契機。換言之，卻除在此之前一直被視爲權威之《傳》、《注》的崇高色彩，將諸書與自身認知等同並列尋求最適切的說解，這樣的態度在當時不能不視之爲新學風。劉敞對於經書的說解難免會遭到師心獨斷的批判，然而，即便在學術風貌方面出現了些許歧異，說劉敞與學侶歐陽脩共同帶動經學研究的新風潮，卻是極爲適當的評價。

關於《七經小傳》一書，筆者另撰專文❽討論，請惠予參酌。

——譯自《中國古典研究》第46號，2001年12月，頁77－89

---

❽ 拙著：〈劉敞の《七經小傳》について——特に《詩經》の論説を中心として——〉（《詩經研究》第26號，2001年12月，頁16－27）。

譯者注：該文已譯爲中文，題名〈劉敞《七經小傳》略述——以〈詩經小傳〉的論說爲例——〉，刊載於《中國文哲研究通訊》第12卷第3期（總第47期），頁61－73，2002年9月。

經 學 研 究 論 叢
第 十 二 輯　頁327~336
臺灣學生書局　2004 年 12 月

胡毓寰先生生平事略及著作目錄

何淑蘋*

壹、生平事略❶

胡毓寰先生，廣東省興寧縣寧新區文星鄉人。❷生於一八九八年四月十一日，卒於一九八一年十月二日，享年八十四歲。

先生父名錫侯，清光緒二十年甲午科（1894）舉人，曾講學於興寧縣學宮，撰有《弓園文存》、《弓園吟草》等詩文集。舅父饒寶書，清光緒十八年（1892）進士，後受聘為清華大學數學系教授，並曾任清廷外交部推算司主事。叔祖父胡曦（1844－1907），字明曜，號曉岑，別號壺園，晚清興梅地區著名學者，與黃遵憲（1848－1905）、丘逢甲（1864－1912）並稱為「晚清嘉應三大詩人」。先生之父錫侯即其高足弟子。曉岑先生一生著述甚豐，計有《湛此心齋詩集》、《湛此心齋詩話》、《枌榆碎事》等四十餘種，惜手稿於晚年被賊盜去，幸賴先生整理殘卷付

* 何淑蘋，東吳大學中國文學系碩士。

❶ 胡毓寰先生著作在臺灣，有正中書局、臺灣商務印書館等書局屢加翻印，流通頗廣。但因先生為當代廣東人士，一般人物傳記工具書未收錄其生平，故讀者多知其書而不識其人。近有鄭卜五先生編著《孟子著述考》（臺北：國立編譯館，2003 年 2 月），於胡毓寰先生所撰《孟學大旨》、《孟子本義》條下，皆註云：「作者生平事蹟待考，傳略不詳。」（見該書頁 113）是故本文之作，期能讓學界對胡先生有較多的認識。

❷ 興寧縣志編修委員會編：《興寧縣志》（廣州：廣東人民出版社，1992 年 4 月），頁 891，誤作「文新鄉」。

印行世。❸

先生既生於書香世家，幼受庭訓，立志向學，喜讀經史典籍，並受父親薰陶，熱衷繪畫藝術。及長，博覽群籍，又工於詩畫，頗有聲鄉里。其後至上海進修，就讀於南方大學❹，民國十二年（1923）返回鄉里服務，先後於平遠石正中學、興寧縣立第一中學、省立梅州第五中學等校教授國文。民國二十九年（1940）任梅縣南華學院（後改為南華大學）教授。民國三十一年（1942）受聘於中山大學，歷任該校師範學院、文學院中文系教授，講授「孔孟研究」、「中國文學史」、「民間文學」等課程。一九四九年中共建國後，成為部聘二級教授，直至一九五五年冬退休。

先生在學期間，即勤於寫作，常向各期刊雜誌投稿。❺更於民國十三年（1924）以白話文體撰成《中國文學源流》一書，為先生個人首部出版之專著。該書後來屢被翻印，暢銷程度可以想見。此後，先生陸續在《文學遺產》、《學術月刊》等期刊雜誌上發表文章，並出版多種講義、專著，一生辛勤著述不輟，累積逾二百萬言。

先生自南方大學畢業後即投身杏壇，數十年間作育桃李無數。因先生授課認真、講學生動，吸引不少校外人士旁聽，成為梅縣教育界名師。教學之餘，又致力於教材編纂及學術研究，中學任教期間，曾先後編撰《粵歌一斑》、《民間戀歌與故事》、《十思量》、《鴛鴦塚》、《民間哲學》、《民間倫理學》、《修辭學講

---

❸ 胡曦生平事蹟可參考：(1)廣東省中山圖書館、廣東省珠海市政協編：《廣東近現代人物詞典》（廣州：廣東科技出版社，1992年10月），頁371，「胡曦」。(2)《客家名人錄（第二卷）》（廣州：花城出版社，1996年），頁450－456。(3)廣東省興寧縣政協文史委員會編：《興寧文史》（未註出版者，1993年11月），第17輯（胡曦曉岑專輯）。

❹ 南方大學為江亢虎（1883－1954）於民國十一年（1922）創設於上海，江氏並自任校長。

❺ 胡庸先生為《客家名人錄（第一卷）》一書撰寫的胡毓寰先生生平說：「他在上海南方大學唸書期間，上海圖書館是他常去的地方，並常向《語絲》等雜誌投稿，稿費成為他交房租和補貼生活費用的主要來源。」按，1923年先生離開南方大學，從上海返回廣東，而《語絲》（周刊）乃孫伏園、周作人等組成之北京語絲社所辦刊物，該刊物於1924年11月17日在北京創刊，故可推知先生投稿《語絲》應不是在南方大學就讀期間，胡庸先生所述或有疑誤。文見黃偉經主編：《客家名人錄（第一卷）》（廣州：花城出版社，1992年），頁237。

義》、《國文選註》等多部專著，內容涵蓋民俗學、文學、倫理學、哲學等。其中尤以客家文藝為題材，採集地方流傳歌謠及故事，在保存和整理鄉邦文獻上，其用心值得肯定。

民國二十五年（1936），先生為研究孔孟學說精義，辭去中學教職，返回興寧家鄉潛心撰述。居鄉寫作數年間，孜孜矻矻，勤奮不輟，終能獲致豐碩成果。計先後出版《孔子訓語類釋》❻、《孟學大旨》、《孟子事蹟考略》、《孟子本義》、《論語本義》、《杜甫詩選注》、《中國通史（上）》等專著多種，除孔孟儒學研究外，也廣涉古典詩學、史學等範圍。其中又以《孟子》學方面用力尤深，成果也最為突出。綜觀先生《孟》學研究特點，在於既取資前賢觀點，又能融合己見，有所創發，對孟子之生平考訂、思想詮解、文本闡釋等，皆有較全面地探討。故於近代《孟》學史上，先生相關著述，當具一定的研究價值。

先生任教南華大學、中山大學期間，正值對日抗戰之際，國家形勢緊張。時中山大學遷移粵北深山內，先生亦隨校遷居。雖處資源貧乏、生活艱苦之環境，仍利用閒暇，編寫《群經概論》、《詩經選注》、《中國文學史講義》、《大學國文講義》等書，以作授課教材或學生參考讀物，足見先生對教育之重視，不因困苦而稍有懈怠。抗戰結束後，中山大學遷返廣州石牌校址，先生曾先後講授中國文學史、孔孟研究、民間文學等課程。一九五五年，先生因罹患高血壓，加上行動不便，經校方批准退休後，遷居康樂村寓所，仍辛勤著述，筆耕不輟。

一九六二年，先生因治療頸部頑癬，照射過量紫外線，導致罹患皮膚癌，歷經三年手術，始終無法有效抑止癌細胞擴散。先生憑著堅強意志，不畏病痛折磨，除施行手術、服藥治療外，又翻閱大量中外相關醫藥典籍文獻，詳細推究病理，進而開立藥方服用，竟有效控制病情。在往後近二十年長期抗癌歷程中，先生一面努力抵抗自身病痛，一面積極蒐集中外防治癌症的相關資料，陸續撰寫出〈關於眩暈的中醫診療方法〉、〈眩暈名義的原始和演變〉、〈關於內經營衛說的問題〉等文章，先後發表在《中醫雜誌》、《醫學史與保健組織》等期刊上；另外，又編撰有

❻ 興寧縣文化局編：《興寧縣文化藝術志》（興寧：興寧縣文化局，1987 年），頁 216，誤作「孔子訓釋」。

《中醫癌症理法治驗備覽》、《癌症中醫方劑草藥匯誌》、《中國醫學史略》、《眩暈的中醫病理學》等多部醫學專著。先生久病成醫，而亟思自救救人，以個人切身經驗，結合傳統與現代醫學理論，積極謀求改良癌症治療之法。其推己及人之精神，實令人敬佩。

一九八一年十月二日，先生因心臟病突發，病逝於廣州中山大學寓所。觀先生一生，治學勤奮，雖困頓艱苦，仍力求教學與研究兼顧，致能累積豐富多樣成果。計其著述，約有專著二十餘種、論文五十餘篇，題材涵蓋經學、哲學、俗文學、醫學等各領域，可謂博涉多方。然而目前可見探討先生學術成就之論著鮮少，顯示出其人其學之研究，尚待學界墾殖。綜觀近代學術討論焦點，往往集中於胡適、顧頡剛、郭沫若、魯迅等少數著名學者身上，其他還有不少應獲肯定的學人，卻被遺忘，而他們的傳記、著述等文獻資料，隨著時間的流逝，正逐漸湮沒。像胡毓寰先生一樣，終生孜孜不倦地奉獻學術、成果豐富的學者，是需要學界投注較多關懷的眼光去加以肯定的。

貳、著作目錄❼

一、專書

㈠經學類

1.孟子本義

⑴上海　正中書局　563頁　1933年10月

⑵南京　正中書局　563頁　1937年

⑶重慶　正中書局　563頁　1940年重慶三版

⑷重慶　正中書局　561頁　1942年12月重慶六版

⑸上海　正中書局　13，563頁　1947年10月滬一版

❼ 本〈著作目錄〉主要參考《客家名人錄（第一卷）》、《興寧縣志》與其他工具書之記載，加以綜合整理後編成。茲分為「專書」、「期刊論文」兩大類，其下再略分「經學」、「醫學」等小類，各小類下依出版時間順序排列。凡出版項不詳者，姑註明「待考」，以俟日後補正。又，為反映胡毓寰先生著作流通的情形，故不避煩瑣，儘量予以羅列。限於筆者所見，疏漏必多，懇請胡先生之親友與識者方家惠予訂補。

(6)臺北　正中書局　13，563頁　1958年4月臺一版

(7)臺北　正中書局　13，563頁　1988年1月臺初版第6次印行

(8)上海　上海書店　12，563頁　1996年（收入《民國叢書》第五編，與梁啟雄《荀子柬釋》合刊）

2.孟學大旨

(1)南京　正中書局　122頁　1936年7月

(2)上海　正中書局　122頁　1936年7月

(3)上海　正中書局　122頁　1947年2月滬一版

(4)上海　正中書局　3，122頁　1947年10月滬四版

(5)臺北　正中書局　122頁　1967年

(6)臺北　正中書局　122頁　1973年臺二版

(7)臺北　正中書局　122頁　1980年12月臺三版

(8)臺北　正中書局　4，156頁　1989年5月（據民25年初版重排）

3.孟子事蹟考略

(1)南京　正中書局　3，103頁　1936年7月

(2)上海　正中書局　4，103頁　1947年11月滬一版

(3)臺北　泰盛書局　4，103頁　1977年7月（封面作者改題「本社編輯部」）

(4)臺北　鄉粹出版社　4，103頁　1977年

4.孟子詮詁　待考[8]

5.孔子訓語類釋

(1)上海　商務印書館　5，156頁　1939年[9]

---

[8] 《孟學大旨》中偶見「辨詳拙著《孟子詮詁》」諸字（見《孟學大旨》【臺北：正中書局，1989年5月】，頁8、頁27），故推知胡毓寰先生曾撰此書，但筆者實際未見。

[9] 上海圖書館藏有一冊，筆者所見為臺灣中央研究院中國文哲研究所圖書館據上海圖書館藏之影印本，卻未見該書之版權頁，無法獲知出版者和出版時間，但根據《客家名人錄（第一卷）》記載，本書是由商務印書館出版。另外，書首有胡毓寰先生撰寫於民國二十七年七月七日的〈序〉文，可以推知本書大約出版於當時。又，《興寧縣志》頁767載本書出版於

⑵長沙　商務印書館　156頁　1940年

⑶長沙　商務印書館　156頁　1941年4月再版

6.論語本義　出版地、出版社待考　1942年⑩

7.群經概論　出版地、出版社待考　1943年⑪

8.詩經選注　出版地、出版社待考　1946年⑫

㈡史學類

1.中國通史（上）　出版地、出版社待考　1940年⑬

㈢思想類

1.民間哲學　待考

2.民間倫理學　待考

㈣文學類

1.中國文學源流⑭

⑴上海　商務印書館　344頁　1924年9月

⑵上海　商務印書館　344頁　1925年10月再版

⑶上海　商務印書館　344頁　1926年10月三版

⑷上海　商務印書館　344頁　1930年5月四版

⑸上海　商務印書館　344頁　1933年6月國難後一版

⑹上海　商務印書館　344頁　1935年5月國難後二版

⑺長沙　商務印書館　344頁　1938年長沙四版

⑻臺北　臺灣商務印書館　344頁　1964年

1939年。今據上述資料補入。

⑩ 據《興寧縣志》頁767載錄。又，《孔子訓語類釋》頁47有「辨詳拙著《論語本義・里仁篇》」一句，可以推知《論語本義》成書當早於《孔子訓語類釋》。

⑪ 同前註，頁767－768。

⑫ 同前註，頁767。

⑬ 同前註，頁768。

⑭ 本書第⑵、⑶、⑷、⑸、⑹條資料，參考陳玉堂：《中國文學史書目提要》（合肥：黃山書社，1986年8月），頁22。

(9)臺北　天聲出版社　4，338頁　1966年

(10)臺北　臺灣商務印書館　4，338頁　1966年臺一版

(11)臺北　臺灣商務印書館　344頁　1971年12月臺一版

(12)臺北　臺灣商務印書館　344頁　1976年10月臺二版

(13)臺北　臺灣商務印書館　7，344頁　1986年4月臺六版

2.粵歌一斑　出版地、出版社待考　1927年[15]

3.民間戀歌與故事　出版地、出版社待考　1929年[16]

4.十思量　出版地、出版社待考　1930年[17]

5.鴛鴦塚　出版地、出版社待考　1930年[18]

6.杜甫詩選注　出版地、出版社待考　1938年[19]

7.修辭學講義　待考

8.中國文學史講義　待考

9.中國平民文學史　待考[20]

(五)醫學類

1.中醫癌症理法治驗備覽　待考

2.癌症中醫方劑草藥匯誌　待考

3.中國醫學史略　待考

4.眩暈的中醫病理學　待考

(六)其他

1.粵方言　待考[21]

2.國文選註　待考

---

[15] 據《興寧縣志》頁767載錄。

[16] 同前註。

[17] 同前註。

[18] 同前註。

[19] 同前註。

[20] 據《興寧縣志》頁768載錄，其他文獻皆未提及此書。

[21] 《孟子本義》中有「采拙著《粵方言》稿」諸字，據以知胡氏曾撰有是書。

3.大學國文講義　待考

4.先祖遺範繫年　待考

二、期刊論文

(一)經學類

1.關於《詩經・噫嘻》篇「昭假」一詞意義的問題

(1)光明日報　「文學遺產」專刊　第123期　1956年9月23日　第8版

(2)文學遺產選集　第2輯　頁83－88　北京　作家出版社　1957年4月

(3)詩經研究論文集　第2集　頁143－148　北京　人民文學出版社　1970年

2.從《詩經・噫嘻》篇的一些詞義說到西周社會性質

(1)學術月刊　1957年第10期　頁69－79　1957年10月

(2)詩經研究論文集　頁225－247　北京　人民文學出版社　1959年2月

3.《詩經・七月》的作者問題初探

(1)文學遺產增刊　第5輯　頁25－42　北京　作家出版社　1957年12月

(2)文學遺產增刊　第5輯　頁25－42　香港　聯合出版社　不著出版年月

(3)詩經研究論文集　第2集　頁104－121　北京　人民文學出版社　1970年

4.關於「納禾稼」及七月作者　光明日報　1957年8月4日[22]

5.論語二十篇沿革及其注釋五種述評　國立中山大學師範學院季刊　第1卷第2期　頁85－89　1943年4月

6.孟子七篇源流及其注釋　學術世界　第1卷第12期　頁58－61　1936年7月

7.批評近人關於孟子之幾部專著　學術世界　第1卷第6期　頁72－79　1935年11月

8.孟子注釋之三部名作的批評[23]

---

[22] 林慶彰先生主編《經學研究論著目錄（1912－1987）》（臺北：漢學研究中心，1994年4月第2版），上冊，頁381，第06558條，將出版年份誤記為「1958」。朱守亮先生編著《詩經論著目錄》（臺北：洪葉文化事業公司，2000年6月），頁260，第4650條，據《經學研究論著目錄》著錄，故同誤。

[23] 「三部名作」指後漢趙岐《孟子章句》、宋代朱熹《孟子集注》、清代焦循《孟子正義》。

申報月刊　第3卷第12號　頁85－92　1934年12月

（續）申報月刊　第4卷第1號　頁153－162　1935年1月

9.孟學卮言　國立中山大學師範學院季刊　第1卷第3期　1944年6月

㈡傳記類

1.胡曉岑事蹟繫年　興寧文史　第17輯（胡曦曉岑專輯）　頁1－4　1993年11月[24]

2.記曉岑先生　興寧文史　第17輯（胡曦曉岑專輯）　頁9－28　1993年11月

3.「湛此心齋遺詩弓園吟草合刊」附記　興寧文史　第17輯（胡曦曉岑專輯）　頁72－73　1993年11月

㈢醫學類

1.關於眩暈的中醫診療方法

中醫雜誌　1956年第2號　頁71－75　1956年2月

（續）中醫雜誌　1956年第3號　頁133－136　1956年3月

2.眩暈名義的原始和演變　醫學史與保健組織　第1卷第4期　頁270－271　1957年12月

3.關於內經營衛說的問題　中醫雜誌　1957年第12號　頁623－624　1957年12月

4.介紹民間疥瘡藥——野芋硫磺油膏　中藥通報　第4卷第7期（總第21期）　頁233－234　1958年7月

5.關於化州桔紅　中醫雜誌　1959年第6號　頁60－61（總頁420－421）　1959年6月

6.自製疥瘡特效藥實驗報導　待考

主要參考文獻

興寧縣文化藝術志　興寧　興寧縣文化局編輯出版　1987年

興寧縣志　興寧縣志編修委員會編　廣州　廣東人民出版社　1992年4月

[24] 本文錄自《先祖遺範繫年》。

客家名人錄（第一卷） 黃偉經主編 廣州 花城出版社 1992 年

附記：本文撰寫過程中，承蒙廣東省立中山圖書館地方文獻部主任倪俊明先生熱心提供相關資料，謹申謝悃。

經　學　研　究　論　叢
第　十　二　輯　　頁337～350
臺灣學生書局　2004 年 12 月

《經學研究論著目錄（1993－1997）》編後感

何淑蘋*

一、前言

一九九五年九月，侯美珍學姐在《國文天地》發表了一篇文章，抒發她參與編輯《經學研究論著目錄（1988－1992）》（以下簡稱《二編》）的感想。❶現在，接續《二編》的《經學研究論著目錄（1993－1997）》（以下簡稱《三編》）出版，林慶彰老師指定助理之一的我也寫一點感想。的確，「事非經過不知難」，唯有親身參與並始終其事者，才能對箇中甘苦有最深刻的體會。回顧近三年工作點滴，編輯過程和曾遭遇的問題，或可提供有志編輯專科目錄者參考，故略記《三編》編輯經過暨心得於後，同時也爲這段歲月留下一點文字紀錄。

二、編輯過程

八十七學年度，林慶彰老師在東吳大學中研所開設「經學史專題研究」的課程，當時適逢《經學研究論著目錄》每隔五年續編一次的時機。到了期末，林老師詢問碩一的我是否願意參與編輯，心想這是很紮實的基礎訓練，所以就答應了。老

---

*　何淑蘋，東吳大學中國文學系碩士。

❶　侯美珍〈事非經過不知難〉，《國文天地》第 11 卷第 4 期（1995 年 9 月），頁 90－96。

師並要我再找三位同學，湊齊一個爲數四人的編輯小組。遍詢之下，同班的劉帥青同學當時打算研究《周易》，碩三的翁敏修學長研究方向是文字學，他們兩人都是經學史課的旁聽生，對編目錄也頗感興趣；另外，臺北市立師範學院應用語文研究所的李盈萱同學，研究方向爲文獻學，也想參與目錄的編輯。如此便湊足四個人。

一九九九年五月，《三編》編輯工作正式開始。前兩部目錄都是由林慶彰老師一人主編，但近年來林老師因勞累過度導致身體狀況欠佳，加上中研院文哲所工作忙碌，恐怕無法顧及，另一方面也基於傳承理念，所以此次便邀請陳恆嵩老師加入，一同擔任主編。

編輯開始，首先是資料的蒐集。我們一方面實際翻檢期刊上的條目抄錄成書卡，一方面利用其他相關目錄的資料進行蒐集，兩者是同步進行的。所謂其他相關目錄，包括陳麗桂教授主編的《兩漢諸子研究論著目錄（1912－1996）》、日本京都大學人文科學研究所編輯發行的《東洋學文獻類目》（1993 年度至 1997 年度）等等。先將這些目錄中與《三編》收錄時間範圍相符、資料內容主題相關的條目勾選出來，然後將之影印剪貼或抄錄作成書卡。因爲各種目錄間的著錄體例詳略不一，所以還要特別注意著錄項的還原，讓每張書卡的著錄方式能夠趨於統一，以便日後整理。這些利用各種工具書剪貼而來的書卡，實際上在後來的整理過程中十之七八都會因重複或著錄項不完整而被淘汰掉，但這樣卻有助於部分條目的修正、補充，讓資料的準確度和廣度能更提升。在利用到的多種目錄之中，又以《東洋學文獻類目》❷最爲重要。《東洋學文獻類目》目前編至一九九九年度，對於大陸期刊收集的程度較其他目錄完備，尤其部分在臺灣不易尋得的期刊，往往也被收錄在內，所以善加利用即可增補不少資料。然而美中不足的是，《東洋學文獻類目》出版速度稍嫌緩慢。猶記《三編》始編之際，該目錄只出版至一九九六年度，等到《三編》書卡分類建檔完畢，作成初稿後，一九九七年度的才新出版。我們只好趕緊將該年度內相關資料找出來，然後利用電腦檢索與《三編》初稿檔案中的相同條

❷ 《東洋學文獻類目》由日本京都大學人文科學研究所編輯發行，原則上採一年一編的方式，偶有「增刊」。該目錄如今已建置電子資料庫（http://www.kanji.zinbun.kyoto-u.ac.jp/db/CHINA3/index.html.ja.utf-8），提供讀者網路檢索使用，十分方便。

目，逐條加以核對，以確定著錄項的完整。這樣一來，使得進度又延遲了不少。

上述利用已出版目錄的作法，其目的在作爲輔助參考之用，因爲它們畢竟是「二手」資料，大多數並非實際對照期刊作登錄，有的甚至還經過多次轉引，訛誤不少。《經學研究論著目錄》之所以能成爲較値得信賴的工具書，正因其所收錄資料大部分確係經過編者親自翻閱，即以實際抄錄自期刊專書的條目爲第一手資料，而非全部仰賴二手資料的轉引。目前出版的目錄中，有些採用剪貼各種相關工具書的方式來堆積資料，將剪來的資料稍作分類整理後，即能在短期內集結成書出版，對於所引用的資料往往未作覆按。這類速成的目錄，通常存在著體例不純、錯漏百出等弊病，容易造成讀者使用上的困擾。而《經學研究論著目錄》採用逐本翻檢期刊、專書的原始方式，將相關資料逐條、逐字抄錄，這種作法雖然相當耗時費力，卻能讓資料的正確度和完整度提升不少，相信是比較負責任的編輯態度。

《三編》耗費在翻檢期刊的時間，大概有八個月左右。我們首先在東吳大學外雙溪校區的圖書館抄錄，四位助理依筆畫數被分配到數百種期刊，各自找出每種期刊與《三編》收錄年份相合的卷期，逐本翻閱，檢得相關條目後，再依照規定的格式抄寫在書卡上。我們不只從目次頁找尋相關的篇目，還需實際翻查期刊內頁，主要是因爲目次常會省略掉「副標題」，而且大陸期刊常有「轉頁」現象，僅憑目次標示出的頁碼無法判別是否有轉頁情況。另外，在抄錄書卡的同時，也要注意將每本期刊的卷期登記在「抄錄期刊工作表」中，這樣一來若換到不同單位的圖書館繼續抄錄時，才可知道有哪些缺漏的卷期需再增補。猶記編輯伊始，我們還需時常拿著「格式表」對照，後來抄錄書卡累積達千張以上，格式早已烙印腦海，揮之不去。這段看似簡單的抄錄工作實際上是漫長而枯燥的，在持續近六個多月後，終於才初步完成。

下一步是補齊東吳圖書館缺收的期刊，我們接著轉移到中央研究院中國文哲研究所和歷史語言研究所工作，在這兩個單位又用了近一個月的時間補抄，最後只剩下一些比較少見的刊物，才再轉移到漢學研究中心去增補。之所以把漢學研究中心作爲最後增補資料的工作場所，主要因爲該單位乃基於保存文獻之原則，採閉架式藏書，讀者必須填寫調閱單，對於編目者而言，在使用上不如其他採開架式的藏書單位來的方便。[8]

期刊經過八個月的抄錄後大抵完成，接下來是專書、論文集的部分。我們工作的場所由圖書館轉移到文哲所。因爲林慶彰老師長期從事經學研究及目錄的編輯，又常參加相關學術研討會，對於經學方面的專書、論文集可謂蒐集豐富，所以我們先在老師的研究室進行抄錄。但是研究室內書籍眾多，空間卻很狹隘，我們必須在斗室中挪來挪去，才能將層層疊疊的書籍逐一搬動，再從中挑揀出符合編輯時間範圍者。在實際抄錄上，論文集的著錄方式則比專書麻煩許多，尤其經學類的論文集需要一式兩份[4]，抄起來比期刊更費時費力，有時一個早上僅能抄好兩、三本論文集，進度十分緩慢。另一方面，因爲不方便長期占用老師的工作場所，所以我們決定加快速度，期間適逢老師要到美國開會一週，爲了節省時間，我們便留在文哲所內日以繼夜的抄錄，累了就輪流休息，拚命趕工之下，終於在老師開會回來後幾天內，將研究室的資料抄完。下一個工作場所轉移到文哲所圖書館。

文哲所圖書館四樓是開架式書庫，我們由一人負責抽取每個書架上的書籍，逐一翻檢出版日期，以挑出合於編輯年限者，其他人則進行書卡的抄錄。這部分的工作大概又進行了三個多月，才把書庫大略的翻過一遍。除了文哲所館藏外，我們也到中研院史語所、東吳大學圖書館等處增補專書、論文集。這種到圖書館逐架逐本翻檢的方式相當費時費力，而且有點大海撈針的感覺[5]，但是因爲目前兩岸都沒有

---

[8] 尤其文哲所圖書館在林慶彰老師的協調下，儘量給予我們抄錄的便利；同時，館員林敏小姐多方配合與協助，讓編輯工作能更順利進行，謹在此致謝。而漢學研究中心方面，透過張錦郎老師的熱心協調，也特別通融我們可以不受調閱冊數規定的限制，節省不少時間，對於張老師和漢學研究中心工作人員的幫助，也在此一併感謝。

[4] 所謂一式兩份，因爲分類時一份要打散各篇名歸入所屬類別，一份要放在「叢書、論文集」這類中。

[5] 經學類書籍一般會放在相同書架，這部分資料在蒐集上並無太大問題，較困難的部分是在需裁篇的專書和論文集，這類資料從書名不易看出與經學間的關連，但其中卻往往收錄相關文章，若不實際翻檢，易因忽略而遺漏。另外，開架式圖書館雖有直接查閱書籍的便利，但同時也存在書刊流動性大的問題，若某書在我們抄錄期間被讀者借出或不在書架上，就不會被我們翻檢到，這些遺漏的資料日後也無從補起，故開架式書庫在資料抄錄上實是利弊互見的。

比較完備的出版品目錄可供參考，所以這部分工作只能盡力去做，疏漏難免，所幸《經學研究論著目錄》是延續性專科目錄，日後若發現的遺漏條目，將可補收入下一編中。

上述期刊、專書、論文集都抄錄成書卡後，工作時間早已超過一年。這一年下來，書卡已累積達二十餘盒，下一步便是將這些書卡進行初步整理。首先，依照「作者姓名」首字筆畫順序排列，如此一來，除了可以淘汰掉一些重複的書卡（第一輪）外，還可以修正若干作者名字訛誤，同時也可以藉此判別作者名字中的簡繁體字等情形。依作者姓名排列整理一遍後，又將全部的書卡打散，再重新依據「期刊名稱」排列，這樣可以再次淘汰重複的書卡（第二輪），而且可以將原本紊亂的期刊名稱作統一，另外排列後所呈現出來的次序，即是作爲修正附錄「收錄期刊報紙一覽表」的參考依據。進行上述兩種不同的排列方式整理後，絕大部分重複的書卡已被剔除，而部分錯誤或缺漏的著錄項也得以修正、增補。

書卡經過整理後，下一步就開始進行分類。由於《經學研究論著目錄》是延續性專科目錄，所以我們依照《二編》的「類目詳表」進行分類。首先，將全部書卡粗分爲經學研究、經學家、其他三大類；第二步再依經學總論、十三經研究、歷朝經學家、其他區分開來；第三步又再進一步細分。經過越來越仔細的分類後，大部分的書卡得以逐漸被歸入所屬類目之中，至於無法確定類目的書卡，則暫時放在一起，等全部書卡都初步歸類完畢後，再經由老師的指導，將這些存有各種疑難雜症、不易分類的書卡，逐一解決。

書卡經過分類後，下一步是將資料條目逐字輸入電腦。前兩部《經學研究論著目錄》的輸入建檔工作，是在書卡全部整理完畢後，交由印刷廠打字排版，而《三編》則是在書卡初步整理後，改由四位編輯負責輸入及校對，這樣由編者自行建檔，又逐條對照書卡校對，可以提高目錄內容的正確度。經過整合檔案後，大概有近兩千頁的份量，與《二編》相比較，已明顯增加不少篇幅，經過考量，「儒學總論」和「新儒學」部分大概有三百多頁，份量雖多，卻與經學較無直接關連，爲縮減篇幅，遂決定刪去這兩部分。❻因此，今日讀者所見《三編》，實非我們當初編輯成果的全貌。對於這些被刪去的部分，筆者仍不免感到可惜，透過這些資料，多少可以反映出幾點當代學術發展上的問題：其一，泛論儒學的文章數量很多，反映出「儒學熱」的現象，但文章發表熱絡是否表示研究興盛，其深度如何？可作深入檢討；其二，新儒學研究成果相當豐富，究竟新儒學研究者關心的課題何在？其成果如何？上述諸問題，都是需要以一部適用的儒學目錄作爲論述基礎，才能進行較全面、完整的分析。

全部書卡條目輸入電腦建檔後，工作方式由紙本卡片轉換爲電腦作業，包括後來的分類調整以及條目覆查等等，都是改由電腦處理，直接修改檔案；至於書卡部分則不再使用，全部備留存檔。電子檔大致整理完成後，全部列印出來，大約有一千多頁，再逐筆打上序號，每筆條目固定編號後，就形成較正式的目錄初稿。下一步是將檔案連同編列序號的初稿交由漢學中心委託印刷廠仿照《二編》樣式進行排版。如此又經過近六個月，我們再以印刷廠重新排版出來的稿子進行校對。由於目錄只是單調的資料排列組合，不像一般書籍具有文章式內容，需要多次校對，而且每經過一次校對，就又能發現不少訛誤，所以一次又一次的反覆校稿雖然手續煩瑣，卻是不能忽視的工作。而且，目錄條目的校對，往往無法依前後文字判斷，一遇問題便需大費周章地找回原出處核對，故與一般書刊的校對困難不同。

印刷廠排回樣稿後，我們大概又花了三個月左右的時間仔細校對，工作場所則換至漢學研究中心內，與編輯王玉琴小姐一起合作。四校之後，目錄的內容終於定稿，再加上「附錄」及「作者索引」，一套完整的《三編》始告完成。轉眼，已三年。

三、編輯時所遭遇的問題

每一部目錄在編輯過程中，難免會遭遇到一些困境。侯美珍學姐在編輯《二

---

❻ 這兩部分資料因只有一九九三至一九九七年間相關研究成果，在資料收錄時間上不具「代表性」，故不擬另行刊載，如有需要參考者，可與我們聯繫。

編》後提出了一些批評和建議❼，部分問題已稍有改善，有些則否，例如「沒有很好的綜合性目錄可資利用」，是長期存在的問題之一。事實上，大部分的學術問題須仰賴有關單位或學界的重視，才有積極改進的可能。雖然一部工具書的出版無法引起多大的刺激或迴響，但仍希望透過揭示《三編》曾遭遇的問題，能讓讀者一起思考看看。

㈠ 臺灣方面

1.欠缺良善的出版品目錄

臺灣部分的出版品目錄，國家圖書館（原稱中央圖書館）編有《中華民國出版圖書目錄》；另外，《書目季刊》設立「新書提要」與「中華民國新書目錄」（原名〈全國出版界最新出版圖書簡目〉，自第十卷第三期起改稱〈中國民國出版新書簡目〉）兩個長期性專欄，後者匯集每三個月左右臺灣出版社新出版的文、史、哲相關書籍，編成簡目，頗便讀者參考，然而「新書目錄」於第三十二卷第三期起停編❽，只保留下「新書提要」繼續編寫。如此取消原本提供讀者一項良好服務的作法，頗令人在惋惜之餘也感到不解。❾《書目季刊》既爲長期受到學界稱譽的優良刊物，類似這樣有益於大眾的專欄，理應用心延續才是。

2.部分目錄紙本已被電子網路取代

自國家圖書館建置完成「中華民國期刊論文索引影像系統」（http://readopac3.ncl.edu.tw/cgi/nc13/m_nc13）提供查詢臺灣地區發表之期刊論著後，《中華民國期刊論文索引》的紙本就不再出版，表示網路電子資料庫的存在已取代紙本目錄。然而，紙本目錄是否仍應予保留？電子資料庫是否足以完全取代紙本目錄？是值得思

---

❼ 出處同註❶。

❽ 據書目季刊社之「本刊啓事」，可見《書目季刊》第 32 卷第 4 期，頁 64。「啓事」之內容爲：「本刊專欄『近三個月文史哲新著簡明選目』，因國家圖書館每月定期出刊《全書新書資訊》，尋檢新書功能已能替代，故自三十二卷三期，本欄停編，敬請　讀者諒察。」

❾ 《全國新書資訊月刊》雖具有介紹新書之功能，但因蒐羅範圍廣大，不像《書目季刊》是以「文史哲」類著作爲主，焦點既較集中，遺漏自應較少，此是《全國新書資訊月刊》所不及之優點。

考的問題。姑且不論兩者間之優劣，筆者以為，在電子資料庫功能尚未「周延」❿之前，紙本目錄的出版，仍有其必要性；況且，即便電子資料庫可提供題名、關鍵詞等各種檢索方式，具有便捷、快速的優點，但對從事文史哲研究的工作者而言，「上網檢索」和「展卷瀏覽」兩者間，相信感覺還是不同的。⓫

㈡ 大陸方面

1.簡體字易造成困擾

抄錄大陸學者的論著，要面臨的基本問題，就是簡繁體字的判斷。目錄的內容，最好採用繁體字，這樣在製作檢索時，才不會分類不一。在轉換簡體為繁體字時，我們常常會遇到一些困擾，篇題因有前後文字，往往還可推敲一下，較難的自然是排列簡單的姓名，無從猜起，常見的像「云」字，是「雲」或「云」，教人如何判別？又例如「閆」字，若屬繁體注音讀作「ㄌㄧㄣˋ」，若屬簡體則為「閻」字之簡化，兩者間該如何區分？

除了不易判別外，大陸期刊文章還有一個值得注意的問題，就是部分文字在簡繁體使用上的規定並不十分嚴謹。例如「辯」、「辨」兩字，意思應有差異，不宜混用，例如孟子「義利之辨」屬學術專有名詞，應用「辨」字無疑，但大陸期刊中往往常見用「辯」字。如此容易積非成是，誤導讀者。

2.期刊常見轉頁現象

翻閱大陸期刊，可以發現經常出現「轉頁」，這實際上是因為編排不當所產生的現象。雖然轉頁的出現看似微不足道，但可以由此比較出兩岸在刊物編輯上的用心程度。在大陸期刊評比制度中，部分屬於一級優良刊物者，竟也會出現轉頁情形。而臺灣地區發行的期刊，轉頁現象就不多見，凸顯出臺灣刊物編輯水準普遍較高，對於這種「小道」也能盡量注意。這是大陸期刊編輯者，應該向臺灣學習之處。

---

❿ 目前可見各種文史目錄之電子資料庫，筆者認為尚待改進的問題，包括「正確度」、「資料年限」、「資料內容完整度」（或缺頁數，或缺出版年月，出版項記載不全）等。

⓫ 筆者曾在拙作〈評《經學研究論著目錄》初、續編〉（收入林師慶彰主編：《專科目錄的編輯方法》，臺北：臺灣學生書局，2001 年 9 月）中，論及資料庫與紙本目錄兩者之功能應是相輔相成的（見頁 146－149），此處不再贅述。

3.文摘、複印報刊資料編輯不善

大陸地區有不少文摘性質的刊物。像是刊名爲「文摘」的，有《新華文摘》、《高等學校文科學報文摘》等等。其著錄方式例如：

王志平、吳敏霞　左傳在中國軍事學術史上具有十分重要的地位
新華文摘　1997年第5期（總第221期）　頁194　1997年5月

除了直接以文摘爲名的刊物外，「複印報刊資料」也是另一種值得注意的同性質刊物。其著錄方式例如：

蔡方鹿　朱熹經學之特徵
複印報刊資料（中國哲學）　1997年第10期　頁99－108
1997年12月

《複印報刊資料》是由中國人民大學社會資料中心所編輯，依學科別分成中國哲學史、外國哲學與哲學史、語言文字學、歷史學、中國近代史、中國古代現代文學、文化研究等等，種類頗多。其內容一般包括目錄和論文兩部分，每期均蒐輯一定時間範圍內的相關期刊論文，彙爲簡目，不過要注意的是該目錄在資料和著錄項兩方面皆不完整，謹可稍作參考；論文部分則是選刊數篇文章，至於其選刊標準如何，不得而知。

這類刊物的編輯，主要是從眾多刊物中，選錄或摘引部分文章，彙爲一編，藉此供讀者閱覽之便。因大陸地區刊物眾多，資訊蒐集不易，故就知識傳遞而言，文摘類刊物相當具有實用性功效。然而，這類刊物在「體例」方面，有一些讀者在使用時須特別留意之處，首先是「任意更動原篇名」，如上面所舉《新華文摘》之例，其篇名原作「論左傳在中國軍事學術史上的地位」，兩相對照，即知增刪數字。此種更改篇名的方式，不論編輯考量爲何，都予人不尊重原作之感，作法實有待商榷。此外，文摘類刊物的問題還包括「引用文章摘錄程度不明確」、「選錄文

章未詳註出版項」等，讀者只要稍加翻閱即可明瞭，此處不再贅述。這些編輯上的問題，都將增加讀者覆檢原篇的困難。

平情而論，文摘、複印報刊資料的編輯，旨在提供各學科相關成果之資訊，就刊物種類浩繁的大陸地區而言，確有助於學術消息流通。但我們在編目時發現，除了上述編輯體例的問題外，內容出現的訛誤處不少，包括錯別字以及期刊名、卷期、頁數等著錄項登錄錯漏等等，顯然這類刊物的編者在求新求快之餘，對於內容正確度方面，還應再多加重視。

四、目錄所反映出的幾個問題

目錄具有「辨章學術，考鏡源流」的功用，對於編者而言，更是深有體會，因爲一般讀者僅看到目錄分類結果，而編者在抄錄過程中，能直接觸及資料，作較廣泛的瀏覽，在翻檢大量資料後，理應產生一些心得。筆者參與《三編》工作時，也逐漸發現一些問題。實際上，這些問題並非只存在《三編》收錄資料的五年間，而是長期積累下來的。筆者僅透過編輯目錄觀察所得，嘗試對兩岸學界提出一點粗淺感想。

㈠ 編輯紀念性論文集應以人為本

臺灣常見壽慶、冥誕、榮退等紀念性論文集出版，但這些論文集在編製過程中，往往以急就章的方式來邀稿、湊文章，有時整本論文集連「主角」的生平經歷、著述目錄等基本資料都沒有專文介紹，讓人搞不清楚究竟是爲誰而編？這類紀念性論文集所收錄的論文，通常是出自及門弟子、親朋好友等人之手，由大家分別撰寫個人專長方面的文章，卻未特別針對當事人的學術成就作出介紹或評論，也大大減低了紀念的意義。一部能凸顯紀念意義的論文集，應該像《楊家駱教授九十冥誕紀念論文集》（臺北：萬卷樓圖書公司，2001 年 5 月），除了親屬所撰寫的回憶性文章外，還收錄了十二篇學者討論楊家駱教授貢獻的相關學術性文章，讓讀者可以從中了解楊教授一生的學術事業和成就，就極富有紀念及參考價值，可以視爲編輯紀念性論文集的最佳範本。

㈡ 一稿數投現象和泛論性文章充斥問題應予正視

論文往往一稿數投，同樣的論著出現於多種刊物，這種現象在大陸地區頗爲明題。因爲大陸幅員廣大，刊物很多，若非經過目錄整理後，清楚的列出來，一般人也很難發現。而學者迫於發表量的要求，多方投稿，難免造成重複刊登的情況。而且，在編目的過程中，我們發現也有同一作品，刊登在不同刊物上，且篇名都略有出入的現象，這樣一方面讓編目者或讀者較難分辨是否屬於同一篇（除非作者有附記說明）。

其次，泛論性文章頗多，水準良莠不齊。對編目者而言，因不宜帶有評論的標準去選錄資料（否則就成「選目」了），所以不管文章內容如何，只要標題相關，均予以收錄，至於文章優劣，則交由讀者自行參酌。然而在編目過程中，我們可以明顯感受到，泛論性文章數量相當多，往往同樣題目一再重覆討論，卻未見新意或創獲，如此徒爲某一論題成果「量」的累積罷了。而且，因爲泛論性文章充斥，專門性文章就相對地難得，以經學爲例，經學專門著述明顯地數量不多，這是當前研究者應該思索的問題。

㈢ 全集編纂應有效予以規劃

近十年來，大陸因爲地方性文化受到重視，各地學校、文化單位將當地名賢、學者的詩文作品全面搜集整理，匯爲「全集」、「全書」、「文集」形式出版，蔚爲風氣。例如朱熹有《朱子文集》（陳俊民校編，臺北：允晨文化實業公司，2000年2月，共10冊）和《朱子全書》（朱杰人、嚴佐之、劉永翔主編，上海：上海古籍出版社，2002年，共27冊）、王守仁《王陽明全集》（吳光等編校，上海：上海古籍出版社，1992年12月，共2冊）、王夫之《船山全書》（船山全書編輯委員會編校，長沙：嶽麓書社，1996年12月出齊，共16冊）、屈大均《屈大均全集》（歐初、王貴忱主編，北京：人民文學出版社，1996年12月，共8冊）、戴震《戴震全集》（戴震研究會、徽州師範專科學校、戴震紀念館編纂，北京：清華大學出版社，1997年7月出齊，共6冊）和《戴震全書》（張岱年主編，合肥：黃山書社，1997年10月出齊，共7冊）。這些全集對於專家學術成果研究，具有最直接的助益。

隨著這些全集的熱烈出版，也引發了一個頗值得關注的問題，就是需要「規劃」。如果欠缺全面的妥善規劃，就會發生像清儒戴震（1723－1777）一家之著述，竟有《戴震全集》、《戴震全書》兩套叢書先後面世的現象。此兩套叢書內容不盡相同，雖可互補收錄文章之不足，但重出部分，迫使讀者於引用時，需再互相比較，分別優劣，然後擇其標點較佳者爲據，如此十分不便。因爲全集編輯規模較大，耗費人力、財力較多，故此類主題重複現象所造成的學術資源浪費也相對嚴重。這方面問題，除了多留意學界流通訊息外，尙需主事者或管理單位有效規劃，方能避免發生。

五、結語

最後，略抒個人編輯感想，作爲結束。回顧三年工作歷程，對林老師常說編目錄不易的概嘆，漸能領會。平心而論，似此類耗時費力又不能獲致相對報酬的工作，實難引人投入，這恐怕也是其他各類專科目錄多付之闕如的主要原因。所幸現今兩岸學界對於文獻整理、工具書編纂都有相當的重視。大陸方面，不少高校早已設立古籍整理研究所，再加上大陸官方國家古籍整理小組的規劃和補助，促使古籍整理成果迅速增加，尤其各種大型叢書、工具書等相繼出版，嘉惠學界良多。臺灣方面，雖然沒有類似大陸國家古籍整理小組這樣的官方機構負責統籌，但有心從事者不少，例如在專科目錄編輯成果上，漢學研究中心出版的《經學研究論著目錄》、《兩漢諸子研究論著目錄》、《敦煌學研究論著目錄》等書，皆已成爲研究該學科之重要工具，而且近幾年相關古籍或古典文獻學整理研究所陸續成立⓬，顯見臺灣古典文獻整理人才的培育工作已積極展開，成果相信指日可待。

回顧兩岸目前已出版的專科目錄，水準良莠不齊，多數體例並未十分嚴謹，資料完整度亦嫌不足；另一方面，專門評介性文章也不多見。究其原因，一般未曾參與編輯者，欠缺實務經驗，書評寫來恐是隔靴搔癢，謂之書介尚可，談不上有什麼具體建議；而實際編目者，只有少數願將經驗化作文字供人參考；且多數專科目錄未再續編，長期持續投入者不多，再加上目錄出版一向不被承認是學術研究成果，

⓬ 臺灣地區目前設有古籍整理相關系所之單位，大概有下列學校，詳情請至該系所網站查詢：(1)雲林科技大學漢學資料整理研究所（http://www.yuntech.edu.tw/~ghc/text.htm）；(2)臺北大學古典文獻學研究所（http://www.ntpu.edu.tw/cbtc/）；(3)淡江大學漢語文化暨文獻資源研究所（http://www2.tku.edu.tw/~tadx/）。

編目者缺乏肯定與鼓勵，漸趨意興闌珊。綜上所述，以致學界雖贊同專科目錄乃學術研究利器，卻始終乏人聞問。是故，編輯人才缺乏、經驗無法傳承，都是亟待解決的問題。

這部《三編》編輯時間長達近三年，收錄下限訂在一九九七年，卻遲至二〇〇二年才出版，除因期間受到颱風、豪雨、地震等天災影響，此外還因配合其他計畫撰稿需要而顛倒流程，使進度拖延數月；後來又因編輯們撰寫碩士論文、結婚生子等個人因素相繼離去，人力嚴重不足；及至送交漢學研究中心審核、排版，又再耗去幾個月的時間。天災、人事種種艱難相加，是以原本預計二〇〇一年出版的目錄延宕許久才完成，對此，我們除深致歉意外，也期許接續的《四編（1998－2002）》可以及早完成。最後，筆者深信，如果一部專科目錄的出版，能對提升該領域研究風氣有些微助益，那麼一切辛苦應是值得的，謹與有志編目者共勉。

【附記】本文承蒙林慶彰老師斧正，一同參與《三編》的東吳大學中研所劉帥青同學、漢學研究中心王玉琴小姐也惠賜寶貴意見，謹致謝忱。

2002 年 9 月初稿

2003 年 3 月二稿

2003 年 9 月定稿

經學研究論叢
第十二輯　頁351～364
臺灣學生書局　2004年12月

晉公子重耳返國涉河時間考

邵東方*

不久前，我曾撰一篇小文討論劉殿爵等在《竹書紀年逐字索引》❶（以下省稱《逐字索引》）中點校朱右曾《汲冢紀年存眞》（以下省稱《存眞》）的某些失誤。芝加哥大學夏含夷（Edward L. Shaughnessy）教授閱讀拙稿後，對文中晉公子重耳返國一段標點的評論提出質疑。爲了推動彼此間的學術商榷，我在此續寫一篇考證性文字，答覆夏教授。爲使讀者便于復按，現將劉殿爵先生等對此段的標點和拙文的討論抄錄于下：

劉殿爵主編《竹書紀年逐字索引》之標點：

〔晉〕惠公十四年，秦穆公帥師送公子重耳，涉自河曲。圍令狐、桑泉、臼衰，皆降于秦師。狐毛與先軫御秦，至于廬柳，乃謂秦穆公使公子縶來與師言，退舍，次于郇，盟于軍。❷

拙文論之曰：

* 邵東方，美國史丹福大學東亞圖書館館長。

❶ 劉殿爵、陳方正主編，何志華博士執行編輯：《竹書紀年逐字索引》（香港：商務印書館，1998年）。

❷ 劉殿爵、陳方正主編，何志華博士執行編輯：《竹書紀年逐字索引》，頁69。

此段輯文實際是朱右曾將《水經》〈涑水注〉、〈河水注〉所引兩段《紀年》原文加以串連。〈涑水注〉：「《竹書紀年》云：晉惠公十五年，秦穆公率師送公子重耳，圍令狐、桑泉、臼衰，皆降于秦師。狐毛與先軫禦秦，至于廬柳，乃謂秦穆公使公子縶來與師言，退舍，次于郇，盟于軍。」〈河水注〉：「晉惠公十五年，秦穆公率師送公子重耳，涉自河曲。」《逐字索引》編者似不知朱氏輯文非但爲合並之條，而且存在中國古書中經常出現的特點或曰缺陷，即後半句主語緣前半句而省。所以弄清各句的主語對理解此段十分重要。還值得注意的是，「乃謂秦穆公使公子縶來與師言」句，明人朱謀 《水經注箋》云：「宋本〔《水經注》〕無『乃謂』。」以上下文義觀之，朱說可從。現參考《左傳・僖公四年》、《國語・晉語四》及《史記・晉世家》中的有關記載，采用現代標點標之，並以｛ ｝括號示出省略主語：「秦穆公帥師送公子重耳。｛秦師與重耳｝涉自河曲，｛秦兵（時重耳仍在秦軍）｝圍令狐、桑泉、臼衰。｛此三地的晉軍｝皆降于秦師（即降于尚未獨立成軍而影響甚大的重耳）。狐毛與先軫禦秦，至于廬柳。秦穆公使公子縶來與師言。｛狐毛、先軫所率晉軍｝退舍，次于郇。｛狐偃與秦、晉大夫｝盟于軍。」

下面是夏含夷教授就此提出的質疑(由筆者翻譯爲中文，括號內爲英文原文)：

你對劉殿爵《竹書紀年逐字索引》頁 69 標點的辨誤已閱。其中有一點，我想是因你不願採用今本《竹書紀年》而造成的小誤，但此誤隱含著極其複雜的問題。

(I have looked at your corrections to Liu Dianjue's *Bamboo Annals* concordance. There is one point where I think your reluctance to look at the *Jinben Bamboo Annals* has caused you to make a small mistake with very great implications.)

你批評《逐字索引》頁 69 誤斷有關秦穆公送重耳返晉的一段記載。你注意到《水經・涑水注》所引《紀年》並無「涉自河曲」〔東方按：夏氏將「河曲」這一地名譯爲 "the bend in the River"，儘管「河曲」之名得自河水自此折而東，但在春秋時期它已成爲一地名。夏氏的翻譯只知其一，不知其二。〕四字，但是你卻未指出「今本」《竹書紀年》將此四字置于全段的末尾，即「重耳」再次出現于此段之後。很明顯，這是由于〈河水注〉引文者的疏忽而把這四個字從後一「公子重耳」挪到了前一「公子重耳」處。劉殿爵的錯誤不只在于因合並了兩條《紀年》原文而造成古文語法問題。劉氏把「涉自河曲」移至前一「公子重耳」後面，這事實上破壞了句子的語法結構。而你在方括號內補上（被省略的〔主語〕）「秦兵」二字也並未眞正解決這個問題。如果從此段中刪掉「涉自河曲」一句，這個句子就極易理解了：「秦穆公率師送公子重耳，圍令狐、桑泉、臼衰，皆降于秦師。」除了曲扭了此句的語法外，劉殿爵和你都忽視了此條敘述的重要部分，即重耳是在秦晉雙方的最後協定簽訂（即下句的主題）後才渡河的。整段文字的結尾正是「今本」《竹書紀年》所記「公子重耳涉自河曲」，標志著重耳重返晉國腹地的最後勝利。

(You criticize p. 69 of the *Zhuzi suoyin* for mispunctuating the passage about Qin Mu Gong escorting Chong Er back to Jin. You note that the Shu Shui zhu quotation of this passage does not have the four characters "she zi He qu" (fords from the bend in the River), but you do not note that the *Jinben Bamboo Annals* puts these four characters at the end of the entire passage after another occurrence of Gongzi Chong Er. It seems clear that what has happened is that there was an eye-skip in He Shui zhu quotation, resulting in this four-character passage being moved from behind one Gongzi Chong Er to behind the other. Liu Dianjue's mistake was not so much grammatical as it was in conflating the two quotations. By leaving "she zi He qu" after the first Gongzi Chong Er, he has indeed broken the grammar of the sentence, but your supplying of an understood "Qin bing" (Qin troops) does not really remedy this. Drop this phrase out of the passage and you have a very easy sentence: "Qin Mu Gong led his troops to escort the Duke's Son Chong Er, surrounding Linghu, Sangquan, and Jiushuai, all of which surrendered to the Qin troops." But more than twisting the grammar of this one sentence, Liu Dianjue and you have both missed the crucial part of the narrative of this entry: Chong Er did not ford the River until after the final negotiations between Qin and Jin had taken place, the topic of the next sentence. By ending the entire entry, as it does only in the *Jinben Bamboo Annals*, "Gongzi Chong Er she zi He qu" marks the final triumphant re-entry of Chong Er into the Jin heartland.)

我認爲，你若想對《竹書紀年》進行堅實的研究，就必須更加仔細地閱讀《紀年》的「今本」文本。正如我曾一再指出的，儘管「今本」並非無可指摘，但它在許多方面都遠優於「古本」。

(I really think that if you hope to produce a definitive study of the *Bamboo Annals*, you will have to begin looking more carefully at the Jinben version of the text. As I have said over and over again, it is not faultless, but in many cases it is far superior to the Guben version.)

夏教授在此認爲「今本」《竹書紀年》所載重耳歸晉渡河的時間，要比「古本」《竹書紀年》更爲眞實。他還特別提醒要注意「今本」的重要史料價值。應該說，他的提示是有意義的，因爲「今本」的確屬于人們應該仔細研讀的文獻。不過，昔日王國維先生撰《今本竹書紀年疏證》，得出「今本」出于僞造的結論。這是近代學者研究「今本」的一項重要成果。所以我們今天並非出于成見而不願閱讀「今本」，而是因爲此書在文獻上不可靠才不以其爲依據。就以晉公子重耳流亡結束何時渡河而言，夏教授據「今本」《竹書紀年》所載提出晉重耳是在咎犯與秦、晉大夫議和以後才渡河的看法，我本人則因「今本」出于依托、所記未必可信而主重耳濟河在圍令狐前之說。

現在爲了辨證這一疑難，茲將朱右曾《汲冢紀年存眞》、❸方詩銘、王修齡《古本竹書紀年輯證》（以下省稱《輯證》）❹所輯重耳返晉的《紀年》佚文以及

❸ 朱右曾：《汲冢紀年存眞》，《續修四庫全書》第 336 冊（上海：上海古籍出版社，1996 年）。

❹ 方詩銘、王修齡：《古本竹書紀年輯證》（上海：上海古籍出版社，1981 年）。

「今本」《竹書紀年》（以下省稱「今本」）❺周襄王十五年條全部抄列下來，以供讀者參閱：

《輯證》：

《汲郡竹書紀年》曰：晉惠公十五年，秦穆公率師送公子重耳，涉自河曲。（《水經・河水注》）

《竹書紀年》云：晉惠公十有五年，秦穆公率師送公子重耳，圍令狐、桑泉、臼衰，皆降于秦師。狐毛與先軫禦秦，至於廬柳，乃謂秦穆公使公子縶來與師言，退舍，次於郇，盟於軍。（《水經・涑水注》）❻

《存眞》（標點爲筆者所加）：

十四年，秦穆公帥師送公子重耳，涉自河曲。圍令狐、桑泉、臼衰，皆降于秦師。狐毛與先軫御秦，至于廬柳，乃謂秦穆公使公子縶來與師言。退舍，次于郇，盟于軍。

朱右曾注：《水經》〈涑水注〉〈河水注〉。○「四」一作「五」，誤也。是年九月，惠公卒，子懷公圉立。冬，文公入，殺懷公于高梁。鄭環曰：「狐毛因父突見執而先歸，故毛時在晉文公。」❼

按：朱右曾將《水經注》〈涑水〉〈河水〉所引內容相近的兩條《竹書紀年》合爲一條。具體地說，朱氏在〈河水注〉所引「涉自河曲」四字後下接〈涑水注〉所引「圍令狐」以下文。

「今本」《竹書紀年》（標點爲筆者所加）：

---

❺ 〔梁〕沈約附注，〔明〕范欽訂：《竹書紀年》，天一閣刊本，《四部叢刊・史部》（北京：中華書局，1936 年）。

❻ 方詩銘、王修齡：《古本竹書紀年輯證》，頁 75－76。

❼ 朱右曾：《汲冢紀年存眞》，頁 26－27。

十五年，晉惠公卒，子懷公圉立。秦穆公帥師送公子重耳，圍令狐、桑泉、白衰，皆降于秦師。狐毛與先軫禦秦，至于廬柳，乃謂秦穆公使公子縶來與師言。次于郇，盟于軍。公子重耳涉自河曲。❽

按：且先不論「今本」所載是否爲〈涑水注〉〈河水注〉所引《紀年》的合並串連，與《存眞》輯文相較，「涉自河曲」四字置于晉秦軍中議和之後。《竹書紀年》的古今二本對重耳涉自河曲的時間記載頗有異同——「古本」記重耳先涉後圍，而「今本」則記重耳先圍後涉。

究竟是「今本」還是《存眞》的排比合乎歷史實際，這必須從其它古書記載中獲得證實。茲分別摘錄關于此事記載的資料于下：

㈠《左傳・僖公二十四年》云：

二十四年春正月，秦伯納之。不書，不告入也。

及河，子犯以璧授公子，曰：「臣負羈紲從君巡於天下，臣之罪甚多矣，臣猶知之，而況君乎？請由此亡。」公子曰：「所不與舅氏同心者，有如白水。」投其璧于河。

濟河，圍令狐，入桑泉，取臼衰。二月甲午，晉師軍于廬柳。秦伯使公子縶如晉師。師退，軍于郇。辛丑，狐偃及秦、晉之大夫盟于郇。壬寅，公子入于晉師。丙午，入于曲沃。丁未，朝于武宮。戊申，使殺懷公于高梁。不書，亦不告也。❾

㈡《國語・晉語四》：

〔魯僖公二十三年〕十月，惠公卒。十二月，秦伯納公子。及河，子犯授公子載璧，曰：「臣從君還軫，巡於天下怨其多矣！臣猶知之，而況君乎？不忍

❽ 〔梁〕沈約附注，〔明〕范欽訂：《竹書紀年》卷下，頁22－23。

❾ 楊伯峻校注：《春秋左傳注》第1冊（北京：中華書局，1981年），頁412－414。

其死，請由此亡。」公子曰：「所不與舅氏同心者，有如河水。」沈璧以質。

董因迎公于河，公問焉，曰：「吾其濟乎？」對曰：「歲在大梁，將集天行。……今及之矣，何不濟之有？且以辰出而以參入，皆晉祥也，而天之大紀也。濟且秉成，必霸諸侯，子孫賴之，君無懼矣。」

公子濟河，召令狐、臼衰、桑泉，皆降。晉人懼，懷公奔高梁。呂甥、冀芮率師，甲午，軍于廬柳。秦伯使公子縶如師，師退，次于郇。辛丑，狐偃及秦、晉大夫盟于郇。壬寅，公〔子〕入于晉師。甲辰，秦伯還。丙午，入于曲沃。丁未，入絳，即位于武宮。戊申，刺懷公于高梁。❿

按：《晉語》所載言之甚明：重耳與董因對話以後即渡河，時在「圍令狐、桑泉、臼衰」之前，而非如「今本」《竹書紀年》所記是在秦晉盟于郇後過河的。

㈢《史記．晉世家》：

文公元年春，秦送重耳至河。咎犯曰：「臣從君周旋天下，過亦多矣。臣猶知之，況於君乎？請從此去矣。」重耳曰：「若反國，所不與子犯共者，河伯視之！」乃投璧河中，以與子犯盟。是時介子推從，在船中，乃笑曰：「天實開公子，而子犯以為己功而要市於君，故足羞也。吾不忍與同位。」乃自隱渡河。秦兵圍令狐，晉軍於廬柳。二月辛丑，咎犯與秦晉大夫盟於郇。壬寅，重耳入於晉師。丙午，入於曲沃。丁未，朝於武宮，即位為晉君，是為文公。群臣皆往。懷公圉奔高梁。戊申，使人殺懷公。⓫

按：楊伯峻謂《史記．晉世家》敘此事全本《左傳》之文（頁 414）。這是有道理的，儘管兩書在個別措辭上稍有差異。這裡先附帶說一下，中華書局點校本《史

❿ 上海師範學院古籍整理組校點：《國語》下冊（上海：上海古籍出版社，1981 年），頁 365－367。韋昭注「公入于晉師」：「案：重耳此時不當稱公，『公』下疑脫『子』字。」

⓫ 司馬遷：《史記》第 5 冊（北京：中華書局，1959 年），頁 1660－1661。

記・晉世家》此段的一處標點值得商榷：「〔介子推〕乃自隱渡河。秦兵圍令狐，晉軍於廬柳。」其實「自隱」不當與「渡河」連讀，而「渡河」應下屬，其主語「重耳」已省略，故此句當作：「〔介子推〕乃自隱。渡河，秦兵圍令狐，晉軍于廬柳。」勘正後的標點有助于說明：重耳渡河（「涉自河曲」）確在圍令狐之前。

將《左傳》、《國語》、《史記》所引合而觀之，有關重耳渡河在先、圍令狐等地在後的史實記載並無出入。這三部文獻還排出了秦軍和重耳進軍的干支紀日，這對于我們了解重耳先涉河這一史事十分重要。茲依《左傳》所記曆日略陳如次：二月甲午（31），⓬晉師軍于廬柳。七天後辛丑（38），狐偃及秦、晉之大夫盟于郇。次日壬寅（39），重耳入于晉師。兩天後甲辰（41），秦穆公回國。又過了兩天丙午（43），重耳入于曲沃。在歷史地圖上按比例尺計算，河曲距郇約有一百五十公里。⓭照常理說，從得到議和信息到從河曲涉河趕至郇，是根本無法在一天內完成的。如果重耳是在得知秦晉盟于郇後開始「涉自河曲」，他怎麼可能在第二天便「入于晉師」呢？

簡言之，取三書記載互校，朱右曾對兩條《紀年》的合並排比，即于「秦穆公率師送公子重耳，涉自河曲」後接「圍令狐」句，較之「今本」將「涉自河曲」置于全段之末更爲確切。這絕不是偶然的巧合，而表明了「古本」所記重耳濟河是有其它可信文獻證據支持的。夏君舍群書而求「今本」，豈非過信「今本」歟？

現在我們要進一步考察酈道元注《水經》是在什麼情形下引述《紀年》的。茲引《水經》及酈注原文如下：

⓬ 雷學淇《竹書紀年義證》云：「據《左傳》：九月，晉惠公卒，次年春正月，秦伯納公子重耳，二月甲午晉師軍于廬柳。此九月是夏正，正月二月是魯曆。……《春秋》用魯曆，故經之時月較夏皆前兩月。左氏傳文每兼用之此，所以紛亂不能一致。」（卷 30，（臺北：藝文印書館，1977 年），頁 475。）楊伯峻《春秋左傳注》曰：「二月無甲午，此及以下六個干支紀日，據王韜推算，並差一個月。」（頁 413）竊以爲王說近是。秦伯納公子乃魯曆正月，晉曆爲上年十二月。《左傳》、《史記》所記二月甲午，辛丑，壬寅，丙午，丁未，戊申等等，則都是晉曆。是年魯曆正月建子，晉曆建丑，相差一個月。上述甲午，辛丑，壬寅，丙午，丁未，戊申等等曆日在魯曆應爲三月。故此處雖《左傳》與《國語》的月份互有差異，但紀日仍然可靠。

⓭ 譚其驤主編：《中國歷史地圖集》第 1 冊（北京：地圖出版社，1982 年），頁 22－23。

〈河水〉：「又南至華陰潼關，渭水從西來注之。」

〔酈道元注：〕汲郡《竹書紀年》曰：「晉惠公十五年，秦穆公帥師送公子重耳，涉自河曲。」⓮

〈涑水〉：「又南過解縣東，又西南，注于張陽池。」

〔酈道元注：〕……涑水又西逕郇城，《詩》云：郇伯勞之，蓋其故國也。杜元凱《春秋釋地》云：今解縣西北有郇城。服虔曰：郇國在解縣東，郇瑕氏之墟也。余按《竹書紀年》云：晉惠公十五年，秦穆公率師送公子重耳，圍令狐、桑泉、臼衰，皆降于秦師。狐毛與先軫禦秦至于廬柳，乃謂秦穆公使公子縶來與師言，退舍，次于郇，盟于軍。」⓯

仔細考察，不難發現以上所引《水經》「河水」與「涑水」經文和酈注，體現了這樣一條思路：⑴河水，流到河曲，就是今風陵渡一帶，成爲一個要津，尤其是秦晉兩國間的重要渡口。⓰《水經》經文說到這一帶，酈注即引《紀年》說明重耳于此渡河，強調在河曲這個重要的地方曾經發生過的一件重要歷史事件。〈河水注〉如此引《紀年》，以重耳「涉自河曲」結尾，乃是自然而正常的。⑵涑水，在今山西西南部，此水流域正是秦穆公與重耳渡河以後前進之路，也是重耳向晉國都城進發的道路。《水經》經文講到此水，酈注即引《紀年》說明秦穆公及重耳進軍路線，著重考證郇城的地理位置而非重耳何時濟河，這也是自然而正常的。朱右曾串連這

⓮ 〔北魏〕酈道元著，〔民國〕楊守敬、熊會貞疏，段熙仲點校，陳橋驛復校：《水經注疏》（南京：江蘇古籍出版社，1989年），頁311－312。段熙仲標點作「汲郡《竹書紀年》」，而方詩銘、王修齡《古本竹書紀年輯證》作「《汲郡竹書紀年》」。段氏把汲郡地名放在書名號外的標點，義乃較勝。

⓯ 〔北魏〕酈道元著，〔民國〕楊守敬、熊會貞疏，段熙仲點校，陳橋驛復校：《水經注疏》，頁588。

⓰ 顧棟高〈春秋時秦晉周鄭衛齊諸國東西南北渡河考〉云：「春秋時其〔東方按：指大河〕津要之見于《左傳》者，凡有數處：一曰蒲津，即晉河曲；…… 秦、晉平日往來多于此。晉公子返國濟河，子犯投璧，…… 俱在此處。」見〔清〕顧棟高輯：《春秋大事表》第1冊（北京：中華書局，1993年），頁961。

兩段《水經》注文時，仍置「涉自河曲」在〈河水注〉之末，這樣做不僅保持了經文原貌，而且也符合歷史事件的客觀進程（重耳只有渡過河曲，才能繼續沿涑水前進）。

前述《水經注》所引「乃謂秦穆公使公子縶來與師言」句，前賢解讀頗不一致，謹備列之：「朱〔謀㙔〕《箋》曰：宋本無乃謂二字。趙〔一清〕云：二字宜存，《箋》說非。〔楊〕守敬按：明范欽本《紀年》亦無乃謂二字，則無二字，是也。」⑰從上下文分析，朱、楊之說應可信從。既然宋本《水經注》引此無「乃謂」二字，那麼這個句子有兩種可能性：一是「乃謂」爲衍文，全句作「秦穆公使公子縶來與師言」；二是在「秦穆公」脫「曰」字，若補之，全句則作「〔狐毛、先軫〕乃謂秦穆公曰：『使公子縶來與師言。』」從語法文意上，兩種讀法皆通。可是從史實看，似「秦穆公使公子縶來與師言」更符合當時的實際情形，因爲當時秦軍在實力上處于優勢，應該是秦穆公而非狐毛、先軫讓公子縶與晉師談判。從陳逢衡《竹書紀年集證》援引徐文靖《竹書紀年統箋》和鄭環《竹書考證》對此段的不同理解，⑱可以看出《竹書紀年》所記其間確有不清楚處。不過陳書同頁所引張宗泰語表明，是張宗泰最先注意到「涉自河曲」不在「盟于軍」下的。現將張氏有關論述全文抄錄于下（標點爲筆者所加）。先引經張宗泰校補的這段《紀年》之文（標點爲筆者所加）：

> 十四年，晉惠公卒，子懷公圉立。秦穆公帥師送公子重耳，涉自河曲。圍令狐、桑泉、臼衰，皆降于秦師。狐毛與先軫御秦，至于廬柳，乃謂秦穆公使公子縶來與師言。退舍，次于郇，盟于軍。

接著便是張氏按語：

---

⑰ 〔北魏〕酈道元著，〔民國〕楊守敬、熊會貞疏，段熙仲點校，陳橋驛復校：《水經注疏》，頁 588。

⑱ 徐文靖主張「御秦當作御晉」。鄭環則駁之，以爲御晉「與《左傳》『晉師軍于廬柳』不合」。詳參陳逢衡：《竹書紀年集證》，《續修四庫全書》第 365 冊（上海：上海古籍出版社，1996 年），頁 492。

近本〔東方按：指「今本」《竹書紀年》〕「涉自河曲」在「盟于軍」下。《水經·河水注》「涉自河曲」亦在惠公十五年，而〈涑水注〉「圍令狐」則在惠公十四年，似是今《紀年》本誤並于一年，而先圍後涉，文當如是。然惠公無十五年。按：《左傳》先濟河、次圍令狐，道理井然，不容臆更，當是《水經注》今本年上歧誤。今據《左傳》正其前後，而依近本之年不分屬。又「退舍」二字近本無，據《水經注》增。⑲

按：原文「而先圍後涉，文當如是」于理不可通（不渡過河，何以能圍河東的城呢？這是根據上下文並依地理位置推定的。），所以「文」字疑爲「不」字之誤。以其實際處理文字的方式可證，「文」字應作「不」字。作「不」字就不存在文意不通的問題。張氏在此揭出「今本」《竹書紀年》將「涉自河曲」用于「盟于軍」後的致誤原因，即誤承《水經·河水注》所引「晉惠公十五年」。前引朱右曾《汲冢紀年存眞》逕取張宗泰的串連方式，更見同義。

最後，讓我舉出清代學者雷學淇對「涉自河曲」四字的安排，作爲重耳先濟河次圍令狐之又一證據。雷氏自 1801 年起從事九年釐訂「今本」《竹書紀年》，自云「取載籍中凡稱引《紀年》者，匯而錄之以校世之傳本，正其訛，補其缺」。⑳其所撰《考訂竹書紀年》中有關重耳返國事跡的正補可資舉隅（標點爲筆者所加）：

秦穆公帥師送公子重耳，涉自河曲。圍令狐、桑泉、臼衰，皆降于秦師。狐尾與先軫御秦，至于廬柳，秦穆公使公子縶來與師言。退舍。次于郇，盟于軍。公子重耳入于曲沃，是爲文公。㉑

⑲ 張宗泰：《校補竹書紀年》，《聚學軒叢刊》第 3 集，頁 546。

⑳ 雷學淇：《竹書紀年義證》卷 1，頁 1。

㉑ 雷學淇：《考訂竹書紀年》卷 5，亦囂囂齋刻本。

雷氏 1810 年成書的《竹書紀年義證》復著其排列（見卷五〈晉紀〉）。[22]值得重視的是，雷氏注意到「吳〔琯〕本『涉自河曲』在末。無『退舍，入于曲沃，是爲文公』十字」與「張〔宗泰〕本『涉自河曲』在圍令狐上」的差異，[13]而他不取吳說而採張說，顯然是經過愼重考慮的。據此可知，在重耳何時渡河這個問題上，即便像雷學淇這樣篤信「今本」的學者也稱重耳渡河在前，此足以坐實「古本」所記之無謬。

《左傳》、《國語》、《史記》關于晉公子重耳返國的記載詳盡可靠，而「古本」《竹書紀年》的記載雖簡于《左傳》、《國語》，卻與之無衝突，蓋因「《竹書紀年》作于戰國中葉，不少文字與《春秋》類同，顯系因襲」。[24]這些文獻記載充分說明，從當時秦晉雙方對峙的情況看，如果不是具有重要影響力的重耳與秦軍一道渡河，秦軍何以能夠迅速招降令狐等地的晉軍，先軫所率晉軍也不會輕易聽從秦國之命退駐郇。所以朱右曾在合並串連《水經注》所引兩條《紀年》時，對于重耳渡河時間的排比，符合史實，斷無可疑。惟「今本」《竹書紀年》卻將「涉自河曲」四字附于秦晉會盟之後，此絕非「今本」別有所據，而是重編者于此漏出作僞的馬腳。

根據所引各種文獻，我對重耳返國過程得出的綜合理解是：⑴秦穆公帥師送重耳，他們從河曲渡河。⑵秦軍圍令狐等邑時，重耳尚在秦軍中，而當時這些地方仍控製于晉軍（晉懷公之軍）手中。⑶其時重耳雖未獨立成軍，卻是有很大影響的人物，所以他能招降晉軍。令狐等地的晉軍投降重耳，自然也可以說投降秦軍（「降于秦師」）。⑷在廬柳抵抗秦軍的也是晉軍（由狐毛、先軫率領）。這支晉軍從秦命接納重耳，退師駐扎于郇。這支軍隊與秦軍達成協議，背棄懷公而接納重耳。⑸所以《左傳》、《國語》、《史記》記，次日重耳入于晉師（此時晉軍才爲晉文公的軍隊），成爲晉國國君。秦穆公則隔了一天啓程回國。

---

[22] 雷學淇：《竹書紀年義證》卷 36，頁 236。王國維、范祥雍輯《古本竹書紀年》，亦從雷氏之排列，見《古本竹書紀年輯校》及《古本竹書紀年輯校訂補》。

[13] 雷學淇：《考訂竹書紀年》卷 5。

[24] 李學勤：〈孔子與《春秋》〉，《綴古集》（上海：上海古籍出版社，1998），頁 20。

夏教授治「今本」《竹書紀年》甚勤，善于讀書得間。不過愚以爲，讀書用思之細，方可達于無間。要作考證文章，不能只看到問題就發表議論，必須要在文獻上下實在的工夫。如果僅是停留在大膽假設的階段，儘管假設有時顯得很機警，結論卻往往牽強難信，與歷史的事實相抵牾。英國史家柯林武德（R. G. Collingwood）說過：「在歷史學中，則出發點並不是假設，它們乃是事實，乃是呈現于歷史學家觀察之前的事實（In history they [the starting-points] are not assumptions, they are facts, and facts coming from under the historian's observation）。」㉕在考辨重耳返晉何時濟河問題上，夏教授之質疑但以「今本」《竹書紀年》爲據，遂有先入之見，其于重耳何時涉河未嘗考索他書，遽斷重耳在晉秦盟約後渡河，頗有推衍過當之處。對此我們應盡可能地搜集各種史料和前人的說法，考校異同、擇善而從，力求證據詳確、立言無失。可以說，如果沒有新的史料出現，晉公子重耳返國渡河時間在晉秦盟約之前當可視爲確論。這一問題的解決亦可證「今本」《竹書紀年》已不盡原文而係據古書記載補成，其間訛謬未可盡正。就「今本」排列「涉自河曲」與《左傳》以下多種古籍相左而言，其不可信據，自屬顯然，使人們不能不對「今本」的性質發生懷疑。這正是本文討論的問題關鍵所在。所以，我們理所當然不能以「今本」所記來否定「古本」《竹書紀年》以及其它古代文獻的記載。

附識：本文屬稿後，承蒙陳捷先教授細心校閱，多所諟正，謹此致謝。

㉕ 〔英〕柯林武德著，何兆武、張文傑譯：《歷史的觀念》（The Idea of History）（北京：商務印書館，1997年），頁349。

經 學 研 究 論 叢
第 十 二 輯　頁365～370
臺灣學生書局　2004 年 12 月

經學博碩士論文目錄
（民國 90、91 年）

劉康威・楊志團*

一、本〈目錄〉收錄民國 90－91 年間，臺灣地區博、碩士研究生完成之「經學類」論文條目。

二、本〈目錄〉所收論文，資料內容若涉及兩類者，則予以「互見」，以方便讀者檢索。

三、論文條目之目錄項，依作者、書名、出版者、出版年月、指導教授等順序排列。

經學史研究

黃寶珠　江藩《漢學師承記》之研究　中興大學中國文學研究所碩士論文　90 年 7 月　胡楚生指導

楊　菁　李光地與清初理學　東吳大學中國文學研究所博士論文　90 年 1 月　林慶彰指導

陳惠美　朱彝尊經史之學研究　東海大學中國文學研究所博士論文　90 年 6 月　陳鴻森指導

楊錦富　阮元經學之研究　高雄師範大學國文學研究所博士論文　90 年 1 月　方

*　劉康威、楊志團，東吳大學中國文學系碩士生。

俊吉指導

甘秉慧　劉熙載《藝概——經義概》研究　彰化師範大學國文教育研究所碩士論文　90年6月　鄭靖時指導

陳金信　崔述群經辨僞研究　彰化師範大學國文教育研究所碩士論文　90年6月　李威熊指導

楊冀華　《易》《庸》《學》的人性本善說與儒學現代化之研究　東吳大學哲學研究所碩士論文　90年6月　張永儁指導

羅素芬　西漢儒生傳講經義部分特質溯源初探　清華大學中國文學研究所碩士論文　91年　朱曉海指導

洪孟君　民間的教育復古風——當代兒童讀經教育的理想性與侷限性　花蓮師範學院民間文學研究所碩士論文　91年　林文寶指導

王文德　阮元《揅經室外集》研究　臺北市立師範學院應用語言文學研究所碩士論文　91年　古國順指導

易

許維萍　宋元易學的復古運動　東吳大學中國文學研究所博士論文　90年6月　林慶彰指導

王宏仁　張惠言易學研究　高雄師範大學國文學研究所博士論文　90年6月　應裕康指導

金德僖　從《周易・繫辭上》「生生之謂易」探索古人對「生死」的理解　臺灣大學哲學研究所碩士論文　90年6月　高懷民、關永中指導

繆弘瑾　易傳的道德哲學　中國文化大學哲學研究所碩士論文　89年11月　楊祖漢指導

陳明彪　王龍溪心學《易》研究　臺灣師範大學中國文學研究所碩士論文　91年　黃慶萱、王財貴指導

廖崇斐　朱子對濂溪〈太極圖說〉之理解與詮釋　中興大學中國文學研究所碩士論文　91年　林安梧指導

顏榮發　周易象傳研究　高雄師範大學國文學研究所碩士論文　91年　黃忠天指導

陳怡青　張爾岐《周易說略》研究　臺北市立師範學院應用語言文學研究所碩士論文　91 年　林慶彰指導

書

許華峰　董鼎《書傳輯錄纂註》研究　中央大學中國文學研究所博士論文　89 年 12 月　岑溢成指導

詩

吉田文子　《詩經》疊詠體研究——語改向換與意義變化的關係　成功大學中國文學研究所碩士論文　90 年 6 月　施炳華指導

趙明媛　姚際恒《詩經通論》研究　中央大學中國文學研究所博士論文　89 年 12 月　岑溢成指導

何思慧　國風異文考索　輔仁大學中國文學研究所碩士論文　90 年 6 月　李添富指導

簡澤峰　胡承珙《毛詩後箋》析論　暨南國際大學中國語文學研究所碩士論文　90 年 6 月　黃忠愼指導

張政偉　戴震、段玉裁、陳奐〈周南〉〈召南〉論述辨異　暨南國際大學中國語文學研究所碩士論文　90 年 6 月　黃忠愼指導

盧詩青　詩經婚戀詩研究　南華大學文學研究所碩士論文　90年6月　耿慶梅指導

三禮

柯慧蓮　今本《禮記》中有關喪服制度的篇章與《儀禮・喪服》篇之關係　中央大學中國文學研究所碩士論文　90 年 6 月　章景明指導

賴俊成　《禮記・學記》研究　中國文化大學中國文學研究所碩士論文　90 年 6 月　應裕康指導

繆敦閔　劉師培《禮經舊說》研究　暨南國際大學中國語文學研究所碩士論文　90 年 6 月　林慶彰指導

陳章錫　王船山禮學研究　中國文化大學哲學研究所博士論文　90 年 6 月　曾昭

旭指導

王　菡　《禮記・樂記》之道德形上學研究　中國文化大學哲學研究所博士論文　90年6月　蔡仁厚指導

王憶仁　《樂記》的美學思想　中國文化大學哲學研究所碩士論文　90年6月　孫長祥指導

濮傳眞　北朝《二戴禮記》學　臺灣大學中國文學研究所博士論文　91年　潘美月指導

洪文郎　《禮記・禮運》研究　中國文化大學中國文學研究所碩士論文　91年　應裕康指導

李金鴦　程瑤田禮學研究　高雄師範大學國文學研究所博士論文　91年　周虎林指導

譚澎蘭　《禮記》的理想政治——德治、禮治與孝治　高雄師範大學國文學研究所博士論文　91年　汪志勇指導

師瓊珮　《朱子家禮》對家的理解——以祠堂爲中心探討　中國文化大學史學研究所碩士論文　91年　蔣義斌指導

春秋・三傳

丁亞傑　清末民初公羊學研究——皮錫瑞、廖平、康有爲　東吳大學中國文學研究所博士論文　90年1月　李威熊指導

奚敏芳　俞曲園《左傳》學研究　東吳大學中國文學研究所博士論文　90年6月　劉正浩指導

張博成　姚際恒《春秋通論》研究　東吳大學中國文學研究所碩士論文　90年6月　林慶彰指導

涂茂奇　趙汸及其《春秋》學研究　東吳大學中國文學研究所碩士論文　90年6月　林慶彰指導

歐修梅　《春秋公羊傳》解經研究　淡江大學中國文學研究所碩士論文　90年6月　黃復山指導

廖培璋　董仲舒春秋學研究　中國文化大學中國文學研究所碩士論文　90年6月

應裕康指導

陳仕桐　魏了翁及其《春秋左傳要義》研究　臺北市立師範學院應用語言文學研究所碩士論文　90 年 6 月　劉兆祐指導

王玉華　清代春秋公羊學之研究　輔仁大學哲學研究所博士論文　90 年 7 月　陳福濱指導

四書

羅雅純　認知、批判與重建——戴東原孟子學注釋之研究　淡江大學中國文學研究所碩士論文　90 年 6 月　袁保新指導

陳純適　清乾嘉時期《孟子》學研究　輔仁大學中國文學研究所博士論文　90 年 6 月　林慶彰指導

吳伯曜　林兆恩《四書正義》研究　彰化師範大學國文教育研究所碩士論文　90 年 6 月　李威熊指導

尹文廷　孫夏峰《四書近指》研究　彰化師範大學國文教育研究所碩士論文　90 年 6 月陳熾彬指導

葉士豪　《論語》「學」之研究　輔仁大學哲學研究所碩士論文　90 年 5 月　曾昭旭指導

廖雲仙　元代論語學研究　東海大學中國文學研究所博士論文　91年　陳鴻森指導

邱培超　劉寶楠《論語正義》研究　中央大學中國文學研究所碩士論文　91 年　岑溢成指導

羅子祥　《論語》中所蘊涵之生死觀　高雄師範大學國文學研究所碩士論文　91 年　曾昭旭指導

向章瑄　朱子《論語》學研究　彰化師範大學國文教育研究所碩士論文　91 年　陳金木指導

陳思吟　從《論語學案》和《人譜》論劉宗周的成人思想之研究　彰化師範大學國文教育研究所碩士論文　91 年　李威熊指導

周芳如　《中庸》「誠」的研究　輔仁大學哲學研究所碩士論文　91 年　陳福濱指導

讖緯

洪春音　緯書與漢代經學關係之研究　東海大學中國文學研究所博士論文　91 年
　　　　陳鴻森指導

經 學 研 究 論 叢
第 十 二 輯　頁371～378
臺灣學生書局　2004 年 12 月

高雄師範大學經學研究所簡介

黃忠天*

壹、前言

凡偉大的民族必有恆久性的文化資產，所謂典籍和藝術正是堆疊璀璨中華文明的兩大珍寶。不過這兩者端賴民族的信仰、了解與愛護，方能亙古而長存。眞難以想像，當有一天，中國人若沒有了上述東西，在未來地球村中，將如何昂首闊步，自信自尊，驕傲地說：「我們是一個具有高度文明的古老民族。」在二〇〇三年八月一日那天，許多嬰兒出生，許多公司開張，許多系所成立，這些事原本稀鬆平常，一如日起日落。但對於熱愛中國文化之士，及深具文化使命感者而言，於撫今追昔，感時傷悲之際，在這許多的許多中，對經學研究所的誕生，必然格外有一番的感觸與期許。

回首臺灣五十年來在經學研究與發揚，相較大陸受限於意識形態框架的約束，雖保有較爲良好的傳承。然而在科技文明的衝擊下，普羅大眾逐漸失去人本的內涵，經學研究人口，也面臨日趨下滑的隱憂。幸賴中央研究院中國文哲研究所與大專院校從事經典教育諸先進們苦心提倡與耕耘，尚能累積若干成果，也培植一些研究的人才。大陸自一九八〇年代以後，也逐漸掙脫樊籬恢復了相關的研究，獲得一些成績。位居寶島南方的高雄，也在高雄師範大學文學院成立了第一所以經學爲導向的專業研究所，展開人才培訓的工作，從第一年招生考試報名人數的踴躍及錄取

* 黃忠天，高雄師範大學經學研究所所長。

率僅 9.6%，競爭激烈可知，而報到率更臻百分之百。由此可見，經學的學習與研究，海峽兩岸終將如冬盡春回，我中華傳統經典的普世價值，也必然能重新喚醒沉睡已久的人心。

貳、成立宗旨

經典爲歷久彌新的常道，不刊之鴻教，更是民族智慧的結晶，而爲中華文化靈魂之所繫。本所秉於經典生生不息的精神，希望藉由深入的研究與教育之推廣：以現代化爲訴求，以倫理實踐爲目標，以人文精神爲關懷，以通經致用爲理想。進而提昇經典研究的水準，闡揚經典的內在價值，復興中華文化的菁華；達到淨化人心，改造社會風氣的功能。

參、成立經過

近年來臺灣大專院校的數量急遽增加，已達一百五十四所左右，但人口出生率卻有逐年遞減之勢，加上進入 WTO 後未來必須面對外國名校來臺灣招生的威脅，在在顯示臺灣大專院校激烈競爭時代的來臨。國立高雄師範大學爲提昇學術研究水準，並因應未來發展轉型之需求，乃央請國文系規劃裁減大學部三班爲兩班，另增設兩研究所。國文系副教授黃忠天在考量國文系本身的研究優勢、師資轉移與研究領域的均衡發展，並在文化傳承使命感的驅使下，乃於國文系未來發展小組會議，毅然提出經學研究所與現代文學研究所的籌設計劃，俾能將現有的國文研究所，略從專業區分爲經學（含思想）、古典文學、現代文學三個研究領域，而且三所碩士畢業生未來復能報考國內各大學中文博士班，藉收統之有元，會之有宗之效。在多次的討論與表決後，經學研究所終獲得國文系多數同仁的認同，以最高票脫穎而出。至於現代文學研究所，則以些微差距的票數，改由華語文教學研究所取而代之。本案經國文系系務會議通過，並由學校報請教育部同意，遂由前教務長蔡培村、前文學院長吳連賞、前國文系系主任江聰平暨李若鶯、方麗娜、蔡根祥、黃忠天、杜明德、王松木、鄭卜五諸教授，組成兩新所籌備小組，另在李興寧助教（行政）與顧秀玉小姐（會計）協助下，多次開會研商，可謂一路走來，備嘗艱辛，本所終於能順利在民國九十二年八月一日正式成立，而爲海內外第一個經學研究所。

首任所長由文學博士黃忠天擔任，並負責督辦研究所各項空間規劃與軟硬體工程之進行。目前所址設於本校和平校區文學大樓五樓，計有所長辦公室、所辦公室、圖書資料室、綜合研討室、一般研討室、專題研討室等六個主要區域，並擁有其他各項軟硬體設備。

肆、研究內涵

經學不但爲中國傳統各種學術研究的源頭活水，而且也可以成爲現代各種相關學術研究的重要論證資源，藉由經學研究所的成立，必然可以帶動各種相關研究的風氣，爲治學奠定深厚廣寬的根基。不過，本所「經學」內涵，固以儒家傳統《十三經》爲主，然亦以研究的整體融通爲考慮，因此，並不排斥同屬中華傳統文化內涵中其他諸家重要典籍的研究，因之具有「經典學」的宏觀意義。研究範圍除義理、考據、訓詁、文字、聲韻、文獻等相關項目外；更以擴展「現代經典」研究範疇、超越傳統意義之「語境」，爲研究的重點，進而擴充爲整理或發揮經典相關問題的系統研究：或以現代意義下的文學、史學、小學、文法、修辭、美學、語言學、倫理學、哲學、思想、文化、教學等不同的研究角度或視野，進行較深入的探討；或與古今中外各種相關思想學術，進行會通比較；或借助於現代各種相關的理論架構，進行合法性、有效性的創新詮釋或分析。藉以發展或開發出較具有實際價值與意義的研究項目及內涵。

伍、課程設計

本所在課程設計上，一方面重視研究生經學專業的訓練，一方面亦兼顧研究生學習視野的開拓。在專業訓練上，將課程區分爲如下四大學程：

一、治學方法：分別規劃有經典研究方法、經典詮釋學研究、古文字學研究、文獻學研究、古代語言學研究、經典疑義研究等課程。希望藉由上述課程，以加強研究生在治學方法上的訓練。

二、經學歷史：分別規劃有經學史研究、先秦儒學史研究、兩漢經學史研究、魏晉南北朝經學史研究、隋唐經學史研究、宋明經學史研究、清代經學史研究、近現代經學史研究等課程，俾使研究生於經學發展的流變，及各時代經學的特色與問題，能有較爲深入的瞭解。

三、基礎經典：分別規劃有易經研究、書經研究、詩經研究、三禮研究、春秋學研究、四書研究、老莊研究等課程。以上課程至少須選修三門，藉以奠定研究生經典基礎課程的根柢。

四、經學相關課題。分別規劃有先秦儒家思想研究、先秦法家思想研究、道家思想研究、讖緯思想研究、兩漢諸子學研究、魏晉玄學研究、佛教思想研究、宋明理學研究、清代學術思想研究、當代儒學研究、經學與人生研究、經學與文學研究、經學與歷史研究、儒道思想比較研究等課程，俾使研究生藉以瞭解經學與各學術間相互的關係，並比較其異同，或掌握其思想之特質。

在開拓學習的視野上，研究生除修習本所開設的各種課程外，並得以在不超過本所規定應修畢業學分（32 學分）的三分之一（10 學分）選修其他研究所課程，併計於畢業學分中。

陸、師資現況

本所現有專任教師三人，均獲有文學博士學位。目前第一年課程分別由黃忠天先生講授經學史研究、蔡根祥先生講授尙書學研究、鄭卜五先生講授春秋學研究。另兼任教師三人，分別由前臺灣師範大學前文學院院長周何先生講授三禮研究、臺灣大學哲學系教授陳鼓應先生講授道家思想研究、中研院文哲所副研究員楊晉龍先生講授經典研究方法與論文寫作。第二年以後，計畫將陸續開設宋明理學、魏晉玄學、易經、四書、詩經、諸子學、佛學等等相關課程，並敦聘學有專精教授蒞所執教。

柒、招生考試

經學研究所雖於八月一日成立，然各項籌備工作早在去年底（2002 年），便積極展開。其中包括師資的轉任、空間的規劃、設備的申購、預算的編列、課程的安排、招生事宜的進行，林林總總，可謂百事待舉。而招生尤爲工作重點，茲略述如下：

一、報考資格：經學研究所碩士班報考資格有二，其一爲教育部認可之國內外公立或已立案之私立大學、獨立學院畢業，得有學士學位者，其二爲具有同等學力規定之資格者。祇要符合上述任一項資格，即可參加入學考試，並不侷限於中文系畢業的學生。

二、報名與考試日期：九十二學年碩士班報名日期在今年三月六日至三月十四日，考試日期在四月二十日。至於九十三學年各項試務工作則仍在行政作業階段，目前尙難以確定實際的日期，不過大致上應與九十二學年相近。

三、考試科目：經學研究所考試除共同科目國文、英文之外，在專業科目方面，須考㈠中國思想史㈡中國文學史㈢經典知識，以上專業科目成績均加權兩倍計算。

四、招生名額：經學研究所由於甫成立，學校報部核定招生名額爲一般碩士生 10 名（含在職或在學），明年度招生名額則將提高爲一般碩士生 15 名（本所目前尙未開放推甄或申請入學）。

五、考試建議：

㈠本所爲避免考生侷限閱讀視野，因此，並不主張公布碩士班入學考試指定參考用書。

㈡文學史與思想史的準備，一如報考國內各中文研究所，如果時間允許，多所涉獵固然甚佳，然總以融會貫通爲宜，創造具合法性之新意者，更不會排斥。

㈢經典知識方面：主要在測驗學生平時對經典的熟悉程度，考生可就曾修習過的經典，略加溫故。測驗的內容主要爲儒道兩家經典，有如經典出處、經典認知、經典應用、經典理解等等。並分選擇題與問答題兩部分，選擇題大致從詩經、尙書、易經、禮記、左傳、論語、孟子、學庸、老子、莊子等十單元均衡命題，佔 60%。問答題可多讀國學概論（或導讀）經學與子學的部分，或經典導讀、入門、淺談之類，佔 40%。如能廣泛閱讀尤佳。

㈣請隨時或定期上高雄師範大學經學研究所網站，以掌握最新消息。

捌、未來發展重點

本所未來發展重點與方向主要有四：

一、加強人格精神教育：經學研究所不僅著重專業人才的培養，更重視人品的提昇。因此，研究生除宜有全方位多元的學習外，本所亦特別注重其精神的陶冶，希望藉由經典的薰習，以養成其健全人格。

二、建立經學資料中心：由於南部地區素來缺乏大型資料中心，以致研究者往往舟車勞頓往來於南北之途，爲解決長期以來研究資源的不足，本所未來擬積極充實經典相關圖書資料，以提供研究者之所需。

三、擴大社會影響層面：今日社會風氣和國民素質，已有日趨澆薄與低俗之勢，欲予以導正與提昇，則發揚傳統優良的經典精神，實乃較爲有效的方式之一。本所因而擬於未來成立經典教育中心，從事經典推廣教育工作，如開辦各種經典研習班、兒童或青少年經典夏令營等等，藉以培養社會各階層閱讀經典興趣，進而陶鑄人格變化氣質。

四、健全經學研究體系：本所在獲得一定教學成果，經過審慎的學術評鑑後，除考慮設立碩士在職專班，開拓更寬廣的進修管道外。並將申請成立博士班，以培養更專業的經學研究人才，進一步提昇經學的研究水準。

五、創造經學研究趨向：本所爲國內外第一個經學研究所，近期除可躋身爲南部經學研究重鎮外，就長期言，更希望立足臺灣，放眼世界，與國內外經學相關研究單位與學者，切磋交流，共同創造經學研究新的趨向。

玖、結語

人類或許無法選擇自然的故鄉，但卻可以選擇心靈的故鄉。經典就是我們心靈的故鄉，經學研究所也願意成爲所有經典愛好者的心靈驛站。感謝在創所篳路藍縷的過程中，許多學術機構與經典同好的協助，如中研院文哲所惠贈該所出版的書刊；副所長林慶彰教授的精神感召與垂詢；副研究員楊晉龍教授轉贈的全套文淵閣四庫薈要本；成功大學中文系張高評教授的熱誠指導；本校國文系主任蔡崇名教授暨同仁的支持與贊助等等，均令人銘記在心。

未來，經學研究所還有許多困難的任務，尚須一一克服，在中華文化復興的使命中，在人心改造的希望工程裡，經學研究所誠盼海內外各界人士，能繼續在精神上或物質上惠予關愛、澆灌與支援，讓這甫誕生的經學所能成爲中華文化的捍衛戰士。雖然目前政府財政困難，各大學均面臨經費拮据的窘境，本所在開創伊始，人事與經費尤爲匱乏，但吾等仍將一本初衷，傳承中華文化的慧命，即使微弱如螢火燭光，也要爲中華文化在今日漫漫長夜中，綻放出永恆的光輝。

【附記】

經學研究所電話 07-7172930 轉 2511，傳眞 07-7713402。

經學研究所網址 http://www.nknu.edu.tw/~jingxue/index.html

經　學　研　究　論　叢
第　十　二　輯　　頁379～382
臺灣學生書局　2004 年 12 月

「常州學者的經學研究」學術研討會

編輯部

中央研究院中國文哲研究所經學文獻組執行的「晚清經學研究計畫」第一年度子計畫「常州地區的經學研究」，執行期間自九十一年一月一日起，至九十一年十二月三十一日止，計有一年，其間召開兩次學術研討會，時間及發表論文如下：

第一次研討會

第一次學術研討會於民國九十一年七月四、五日（星期四、五），假中央研究院中國文哲研究所二樓會議室舉行，發表論文六篇，並進行「常州經學研究的展望」座談會，出席學者及研究生五十餘人。

■91 年 07 月 04 日（星期四）

◎第一場會議（蔣秋華主持）

丁亞傑：李兆洛與常州學風

程克雅：禮圖、禮例、微言——常州學派解經知識系譜析論

◎第二場會議（楊晉龍主持）

張政偉：「《詩經》密碼」

——莊有可《詩蘊》對《詩經》篇、章、句、字數目的闡釋

蔡長林：常州學者莊綬甲

■91 年 07 月 05 日（星期五）

◎第三場會議（周昌龍主持）

楊濟襄：通義與異議　孔廣森對公羊學關鍵論題的統籌與澄清

鄭卜五：劉逢祿「申何難鄭」析論

◎第四場次：「常州經學研究的展望」座談會（陳鴻森主持）

引言人：張壽安

引言人：蔡長林

第二次研討會

「常州學者的經學研究」第二次學術研討會於民國九十一年十二月五、六日（星期四、五）假中央研究院中國文哲研究所二樓會議室舉行，發表論文十三篇，參加學者及研究生六十餘人。

■91 年 12 月 05 日（星期四）

◎第一場會議（陳鴻森主持兼評論）

承　載：李兆洛與常州今文學派

徐興海：宋翔鳳《過庭錄》札記（之一）

陳鵬鳴：常州學派史學思想研究

◎第二場會議（楊晉龍主持兼評論）

陳溫菊：莊存與《周官記》研究及其思想

林素英：宋翔鳳《大學古義說》發微

◎第三場會議（蔡長林主持兼評論）

馮曉庭：莊存與的《春秋》學術論

陳其泰：莊存與：清代公羊學的開山

■91 年 12 月 06 日（星期五）

◎第四場會議（鄭吉雄主持兼評論）

孫劍秋：論莊存與的卦氣說

賴貴三：清常州學派《易經》研究的成果與檢討

◎第五場會議（詹海雲主持兼評論）

丁亞傑：孔廣森公羊通義的學術系譜與解經方法

胡楚生：史法與經例——比較錢大昕及劉逢祿兩篇〈春秋論〉中之見解

◎第六場會議（蔣秋華主持兼評論）

程克雅：怨、讎、叛、逆：劉逢祿與公羊禮學的價值闡釋

黃復山：陳立之讖諱學——《白虎通疏證》引讖解經考論

經 學 研 究 論 叢
第 十 二 輯　頁383～386
臺灣學生書局　2004 年 12 月

宋代經學國際研討會

編輯部

中央研究院中國文哲研究所經學文獻組於民國八十一年舉辦「清代經學國際研討會」、八十四年舉辦「明代經學國際研討會」、八十七年舉辦「元代經學國際研討會」，歷次研討會均邀請國內外專家學者發表十餘至二十餘篇論文，而參與會議的學者與研究生，也多至一、二百人，會中所宣讀發表的論文，經過縝密謹慎的審查程序之後，均彙整編纂成論文集。三次經學國際研討會的召開，不但加深學者隊元、明、清三代經學的認識，同時對於年輕的研究生投入經學研究工作也深具鼓舞的作用。因此，舉辦以各朝代經學為研究範疇的會議，成為中國文哲研究所經學文獻組的重要工作之一。

為延續發揚召開各代經學會議的傳統，經學文獻組於民國九十一年十一月二十至二十二日，假中央研究院學術活動中心第一會議室，舉辦「宋代經學國際研討會」。歷年來以宋代經學為題進行全面性討論的著作多屬經學史性質，這類著作大都篇幅簡短，極難深入探討問題的核心，因此本次研討會擬就「宋學與漢學的比較」、「宋代學者治經的方法」、「宋代學者研究各經的成就」、「宋代經學與各學科的關係」、「宋代經學的傳承與影響」等議題作更深入的討論。會議的議程如下：

■91 年 11 月 20 日（星期三）

開幕式

◎專題演講（林慶彰主持）

程元敏：六二七八號《漢熹平石經・尙書》殘石字甄僞

◎第一場會議（董金裕主持）

李明輝：朱子的仁說及其與湖湘學派的辯論（詹海雲評論）

Christian Soffel：王應麟——愛國的學者抑或不好的歷史學家？（林啓屏評論）

◎第二場會議（劉述先主持）

車行健：試論歐陽修的儒學返本論（高柏園評論）

楊儒賓：「性善」與「良知」——宋儒對孟子兩個核心概念的創造性詮釋（王開府評論）

◎第三場會議（何澤恆主持）

廖名春：「愼獨」本義新證（周鳳五評論）

舒大剛：宋代《古文孝經》的流傳及研究狀況（陳鴻森評論）

曾春海：程伊川《易傳》中的政治理念（胡楚生評論）

■91 年 11 月 21 日（星期四）

◎第四場會議（夏長樸主持）

李紀祥：《大學》之圖解——《朱子語類》中的〈大學圖〉與權近〈大學指掌之圖〉之比較研究（劉又銘評論）

小島毅：新學再考：《孟子》的經學化與禮學（黃俊傑評論）

◎第五場會議（陳麗桂主持）

鍾彩鈞：游酢的經學思想（楊祖漢評論）

土田健次郎：朱熹的經學解釋的方法（龔鵬程評論）

◎第六場會議（劉兆祐）

黃開國：葉適的經學（鄭吉雄評論）

黃沛榮：由出土文物印證宋人《易》說（呂凱評論）

◎第七場會議（蔡宗陽主持）

蔣秋華：夏僎的《尚書》學（許錟輝評論）

許華峰：陳大猷《書集傳》與《書集傳或問》的學派歸屬問題（蔡長林評論）

■91 年 11 月 22 日（星期五）

◎第八場會議（葉國良主持）

陳恆嵩：黃度《尚書》說研究（李振興評論）

林慶彰：鄭樵的《詩經》學（賴明德評論）

◎第九場會議（張以仁主持）

楊晉龍：陸佃與蔡卞《詩經》相關解說比較研究（賀廣如評論）

李家樹：歐陽修、王質以「理」、「情」說《詩》的歷史意（邵東方評論）

◎第十場會議（洪國樑主持）

朱杰人：朱子《詩集傳》引文（趙制陽評論）

劉毓慶：《四庫全書總目》宋代《詩》著提要補正（文幸福評論）

◎第十一場會議（李威熊主持）

彭　林：朱熹的禮學觀（季旭昇評論）

張高評：蘇轍《春秋集解》以史傳經研究（劉正浩評論）

閉幕式

經學研究論叢
第十二輯　頁387～426
臺灣學生書局　2004年12月

出版資訊

一、本專欄收國內外最新出版，有關經學和經學人物之相關專著。惟舊籍重印或再版書，則不予收入。

二、各提要略依經學總論、周易、尚書、詩經、三禮、三傳、四書、孝經、爾雅、讖緯、經學人物等之順序排列。

三、提要前之目錄項，分別依書名、作譯者、出版地、出版者、頁數（冊數）、出版年月等項排列。

四、各提要以簡介各書之內容爲主，如有所評論，僅代表作者之意見。

五、歡迎各界人士提供與本專欄性質相符之著作，以便推介，來書請寄臺北市和平東路一段198號臺灣學生書局經學研究論叢編輯部收。

《十三經辭典・毛詩卷》

《十三經辭典・毛詩卷》　十三經辭典編纂委員會／編　朱玉、董全平、陳惠雲、韋禾毅／責任編輯　西安　陝西人民出版社　共1,358頁　2002年11月

《十三經辭典》由陝西師範大學辭書編纂研究所劉學林教授擔任主編，本辭典即爲《十三經辭典》下所屬之《毛詩卷》，以1980年北京中華書局影印出版之阮刻《十三經注疏》爲本辭典編纂之底本。在檢索使用上，本辭典依學者不同之檢索需求，提供了「部首檢字」、「音序檢字」、「四角號碼檢字」三種檢索方式，使用方便。在內容上，書前有「《詩經》概述」一文，可供初學研究者認識《詩經》研究各方面的概貌。在功能上，除了專釋《詩經》中的字、詞語外，亦據北京中華書局底本及本辭典附錄之「《毛詩》原文」兩種頁碼，編製「詞語索引」，方便學者核對原文；又統計《詩經》中各單字出現次數，以利學者研究參考之用。書末附錄三種，除前述之「《毛詩》原文」外，另有「歷代《詩經》研究參考書目」、

「唐開成石經拓片（縮印件）」之《詩經》部分，可提供作爲《詩經》初學研究者的基本資料。

本辭典卷帙浩繁，編纂可謂費心、勞力及耗時，然尚有可待改進之處。首先，在解釋字、詞義方面，所舉之例若同爲某篇所出，且字、詞義相同者，宜舉一例即可。如「萇楚」條，所舉三例皆出自〈隰有萇楚〉，不免有重複之感。再者，《詩序》原爲一書，後割裂置於各詩篇之下，因此有以爲《詩序》原置於各詩篇之下合刊之誤；且《詩序》爲漢人所作，非《詩經》原有之文，若就廣義言，本辭典將《詩序》排入詞條正文，亦無大過，但就狹義言，宜可再作商榷。另外，在書前之「《詩經》概述」一文中，未能反映現今及臺灣學者研究《詩經》的概況，不免有遺珠之憾。又在「歷代《詩經》研究參考書目」中，書目之編選有未盡妥善之處。在著錄上，未說明選錄書目之標準，且多僅列一種版本，版刻別著錄不完全，又將如糜文開、裴普賢所撰之《詩經欣賞與研究》四冊割裂著錄，雖可反映出版先後，然非一般之著錄體例。此外，近人研究《詩經》書目著錄之缺漏者，如裴普賢所編著之有關《詩經》學著作，其中《詩經評註讀本》則未能列入；趙制陽所撰之《詩經名著評介》共有三集，然未著錄第二、三集。另在「唐開成石經拓片」之欄次編排方面，不便閱讀，宜依直排體例更排之。本辭典待改版時，若能補足上述缺失，則辭典之內容將更臻完善。（蕭開元）

《十三經辭典・春秋穀梁傳卷》

《十三經辭典・春秋穀梁傳卷》　十三經辭典編纂委員會／編　朱玉、董全平、陳惠雲、韋禾毅／責任編輯　西安　陝西人民出版社　共1,218頁　2002年12月

本辭典爲劉學林教授主編之《十三經辭典》下所屬之《春秋穀梁傳卷》，以1980年北京中華書局影印出版之阮刻《十三經注疏》爲本辭典編纂之底本。在檢索使用上，本辭典提供了「部首檢字」、「音序檢字」、「四角號碼檢字」三種檢索方式，提供了讀者不同的使用需求。書前先置饒尚寬教授所撰之「《春秋穀梁傳》概述」一文，就《穀梁傳》的內容性質、主要思想及特點與歷代對《穀梁傳》的研究概況作出介紹，爲《穀梁傳》的初學研究者提供了基本概念。本辭典在內容上，除了專釋《穀梁傳》一書中之字、詞語外，亦據北京中華書局底本及本辭典附錄之「《春秋穀梁傳》原文」兩種頁碼，編製「詞語索引」，方便學者核對原文。另又根據「詞語索引」，統計各單字在《穀梁傳》中出現之次數，以利學者研究參考之用。書末附錄四種，除前述之「《春秋穀梁傳》原文」外，爲使初學研究者能掌握歷代《春秋穀梁傳》學的研究成果，特編製「歷代《春秋穀梁傳》研究參考書目」；又饒尚寬教授以張汝舟先生之《二毋室古代天文曆法論叢．春秋經朔譜》爲基礎，兼採各家之說，編訂《春秋朔閏表》，附記《春秋》時日記載於後，使研究者可掌握《春秋》較爲正確的時間記載。最後則附《春秋穀梁傳》之「唐開成石經拓片（縮印件）」。以上四種附錄，均可提供作爲《春秋穀梁傳》初學研究者的基本資料。（蕭開元）

《十三經辭典．論語卷．孝經卷》

《十三經辭典．論語卷．孝經卷》　十三經辭典編纂委員會／編　朱玉、董全平、陳惠雲、韋禾毅／責任編輯　西安　陝西人民出版社　二卷共745頁　2002年12月

本辭典爲劉學林教授主編之《十三經辭典》下所屬之《論語卷》與《孝經卷》，並將二卷合爲一冊，以1980年北京中華書局影印出版之阮刻《十三經注疏》爲本辭典編纂之底本。在檢索使用上，本辭典提供了「部首檢字」、「音序檢字」、「四角號碼檢字」三種檢索方式，提供了讀者不同的檢索使用需求。在《論語卷》方面，先置馬天祥先生所撰之「《論語》概述」一文，分述了《論語》的作者、成書時代及列入經書的時間、《論語》的結構內容特點、《論語》對後世的影響、歷代研究《論語》的狀況及成就、近代出土竹簡《論語》簡介與今日研究《論語》的意義作出介紹，爲《論語》的初學研究者提供了基本概念。在《孝經卷》方面，首置劉學林先生所撰之「《孝經》概述」一文，就「孝」的產生及發展、《孝經》形成與研究的歷史概況作出介紹，並針對《孝經》的思想內容進行述評，爲《孝經》的初學研究者提供了基本概念。本辭典在內容上，除了專釋《論語》、《孝經》二書中之字、詞語外，亦據北京中華書局底本及本辭典附錄之「《論語》原文」、「《孝經》原文」兩種頁碼，編製「詞語索引」，方便學者核對原文。然《論語卷》、《孝經卷》未能反映臺灣的研究成果，殊爲憾事。二卷書末皆附有

《論語》、《孝經》之原文、歷代研究《論語》、《孝經》之研究參考書目以及《論語》、《孝經》之「唐開成石經拓片（縮印件）」三種附錄，均可提供作爲該書初學研究者的基本資料。惟《論語卷》應依《孟子卷》之附錄內容增加「《大學》《中庸》四書總論類附」之參考書目，除統一體例外，亦可便利研究者翻檢，使研究者獲得更完整之研究成果。（蕭開元）

《十三經辭典・孟子卷》

《十三經辭典・孟子卷》　十三經辭典編纂委員會／編　朱玉、董全平、陳惠雲、韋禾毅／責任編輯　西安　陝西人民出版社　共 1,125 頁　2002 年 11 月

本辭典爲劉學林教授主編之《十三經辭典》下所屬之《孟子卷》，以 1980 年北京中華書局影印出版之阮刻《十三經注疏》爲本辭典編纂之底本。在檢索使用上，本辭典提供了「部首檢字」、「音序檢字」、「四角號碼檢字」三種檢索方式，提供了讀者不同的使用需求。書前先置「《孟子》概述」一文，就《孟子》成書的時間與作者、《孟子》的結構及列入經書的時間、《孟子》的主要思想及特點、及歷代對《孟子》的研究概況作出介紹，爲《孟子》的初學研究者提供了基本概念，然卻未能對現今及臺灣《孟子》學研究的情形加以介紹，殊爲憾事。本辭典在內容上，除了專釋《孟子》一書中之字、詞語外，亦據北京中華書局底本及本辭典附錄之「《孟子》原文」兩種頁碼，編製「詞語索引」，方便學者核對原文。惟「詞語索引」中，有「另見」者、有「見」者、又有「短語」者，書前凡例語意不明，讀者恐有疑惑之處。另又根據「詞語索引」，統計各單字在《孟子》中出現之次數，以利學者研究參考之用。書末附錄四種，除前述之「《孟子》原文」外，爲使初學研究者能掌握歷代《孟子》學研究成果，特編製「歷代《孟子》研究參考書目」；又《孟子》爲四書之一，多與《論語》、《大學》、《中庸》合刊，故亦編製「《大學》《中庸》四書總論類附」之參考書目，使研究者可獲得更完整之研究成果。最後則附「唐開成石經拓片（縮印件）」之《孟子》部分。以上四種附錄，均可提供作爲《孟子》初學研究者的基本資料。（蕭開元）

《經學研究論文選》

《經學研究論文選》　彭林主編　上海　上海書店出版社　316頁　2002年6月

彭林，生於一九四九年，江蘇無錫人，現爲北京清華大學思想文化研究所教授。主要著述有：《周禮主體思想與成書年代研究》、《儀禮全譯》、《儀禮註疏》（點校），以及〈論遷廟禮〉、〈論清人《儀禮》校勘的特色〉、〈經田遺秉偶拾〉、〈六德柬釋〉、〈郭店楚簡與《禮記》的年代〉、〈始者近情，終者近義——子思學派對禮的理論詮釋〉、〈禮學研究五十年〉等論文八十餘篇。編者是大陸從事《三禮》研究的佼佼者，他的博士論文《周禮主體思想與成書年代研究》於一九九一年九月由中國社會科學出版社出版，至今仍是研究《周禮》所必備的參考書。

儒家十三經是中國傳統文化的精華，內容涉及廣泛，而對儒家經典的無知，必定導致對中國傳統文化的淡漠。大陸學術經過十年文革的殘害，使經學的研究陷於低迷的處境。而臺灣的經學研究，在學者的努力下，正蓬勃發展。一九九四年，林慶彰教授克服各種困難，在臺灣創辦《經學研究論叢》，成爲海內外第一份，也是迄今僅見的一份經學研究刊物。除刊登經學研究論文之外，還登載了大量出版資訊、專題書目、經學學術會議報導方面的訊息，受到國際學術界的廣泛肯定。編者鑒於《經學研究論叢》僅在臺灣發行，大陸讀者不易見到，因此在徵得林慶彰教授同意後，從《經學研究論叢》一至七期刊登的近百篇論文中，挑選出十餘篇，編爲《經學研究論文選》，使讀者可以由此窺知二十世紀九〇年代以來經學研究的風格與旨趣。也藉此希望能夠提昇兩岸經學研究的水準。

本論文集共計十六篇，細目如下：馮曉庭〈五代十國的經學〉、〈宋初古文學家的經學觀析論〉，虞萬里〈正續《清經解》編纂考〉，蔡長林〈清代今文學派發展的兩條路向〉，湯志鈞〈莊大久之經學研究〉，許維萍〈李鼎祚《周易集解》略論〉，王清信〈《詩經》三〈頌〉毛《序》與朱《傳》異同之比較研究〉，林慶彰〈梅鷟《尚書譜》研究〉，許華峰〈《尚書譜》、《尚書考異》成書先後的問題〉，陳秀琳〈《儀禮疏》探原試例〉，奚敏芳〈姚際恆之《儀禮》學〉，彭林〈論清人《儀禮》校勘之特色〉，魏慈德〈元代之《禮記》學〉，趙生群〈論三傳不書之例〉，張高評〈《左傳》預言之基型與作用〉，郭丹〈《左傳》與兩漢經學〉。

（葉純芳）

《中國經學十講》

《中國經學十講》 朱維錚著 上海 復旦大學出版社 295頁 2002年10月

朱維錚，一九三六年生，江蘇無錫人。復旦大學歷史學系教授。著有：《走出中世紀》、《音調未定的傳統》、《求索眞文明：晚清學術史論》等書。編輯校注《中國歷史文選》（修訂本）、《梁啓超論清學史二種》、《周予同經學史論著選集》等書。曾長期主持：《中國文化》研究集刊、《中國文化史叢書》的編輯，並主編《學術集林》、《中國近代學術名著》叢書十種、《傳世藏書》經學史類二十一種、諸子類五十種。

本書爲作者多年來關於中國經學史論著的首次結集，收入論文十篇，分別是：一、〈簡說中世紀中國經學史〉，二、〈中國經學與中國文化〉，三、〈從文化傳統看中國經學〉，四、〈中國經學的近代行程〉，五、〈儒術獨遵的轉折過程〉，六、〈《論語》結集撮說〉，七、〈漢學與反漢學〉，八、〈晚清的經今文學〉，九、〈重評《新學僞經考》〉，十、〈中國經學史研究五十年——《周予同經學史論著選集》後記〉。書後並附有中國經學史選讀文獻提要共二十一篇。（葉純芳）

《經學研究論集》

《經學研究論集》 胡楚生著 臺北 臺灣學生書局 526頁 2002年11月

胡楚生，一九三六年生，貴州黎平人。東吳大學文學學士、臺灣省立師範大學文學碩士、南洋大學文學博士，曾任國立中興大學中文系主任、文學院院長，現任東吳大學中文系客座教授、國立中興大學中文系兼任教授。著有《釋名考》、《訓詁學大綱》、《中國目錄學研究》、《潛夫論集釋》、《古籍探義》、《儒行研究》、《清代學術史研究》、《清代學術史研究續編》、《中國目錄學》、《圖書文獻學論集》等書。

本書所收論文共二十二篇，依序爲：〈《詩經》中「行役詩」探究〉、〈「不學詩，無以言」——陳第〈讀《詩》拙言〉箋釋〉、〈《詩序》與詩教——從《詩序》內容看《詩經》之教化理想〉、〈《尙書》中最早之政治原理——以〈堯典〉與〈皋陶謨〉爲闡釋依據〉、〈《尙書》中誓師之辭探析〉、〈「《書》以廣聽，知之術也！」——皮錫瑞論研讀《尙書》之效用〉、〈《儀禮·士冠禮》闡義〉、〈《儀禮·士昏禮》闡義〉、〈《儀禮·覲禮》探析〉、〈孫詒讓《周禮政要》析評——晚清知識分子變法圖強之改革規劃〉、〈〈儒行〉考證〉、〈引史證經，義取鑑借——楊萬里《誠齋易傳》試探〉、〈俞樾〈周易互體徵〉平議〉、〈春秋「鞌」之戰析論〉、〈試論《春秋公羊傳》中「借事明義」之思維模式與表現方法〉、〈《春秋公羊傳》中顯現之人道精神與價值取向〉、〈「春秋三傳束高閣，獨抱遺經究終始」？——盧仝《春秋摘微》析評〉、〈呂大圭論《春秋》要旨〉、〈皮錫瑞《春秋通論》析評〉、〈楊樹達《春秋大義述》析評〉、〈「經學即心學」——試析王陽明與馬一浮對《六經》之觀點〉、〈《五經》要義約論〉。

本書爲作者歷年來從事經學研究的成果，集中所收，多屬分別探究各經問題之作品，惟〈經學即心學〉與〈五經要義約論〉兩篇則爲綜論五經要旨之作，尤其是〈五經要義約論〉一文，可視爲作者對於「五經」較爲完整的看法。（葉純芳）

《經學研究論叢》第十一輯

《經學研究論叢》第十一輯　林慶彰主編　臺北　臺灣學生書局　485頁　2003年6月

本輯收錄有關「周易研究」、「尙書研究」、「詩經研究」、「春秋三傳研究」、「儒學研究」、「小學研究」、「經學文獻」、「古史研究」等論文十三篇以及「序跋選譯」、「經學人物」、「學術會議」、「出版資訊」等。

「周易研究」有許繼起的〈鄭玄《周易注》流變考〉一篇；「尙書研究」有張其昀的〈論《尙書》「其」字兼及「厥」字〉一篇；「詩經研究」有龍宇純〈試說《詩經》的虛詞「侯」〉、俞志慧〈《戰國楚竹書·孔子詩論》校箋〉、馬銀琴〈西周穆王時代的儀式樂歌〉、侯美珍的〈鍾惺《詩經》評點的版本問題〉四篇；「春秋三傳研究」有趙生群〈《春秋》經義的失落與衍生——以弒君之事爲例〉、陳明恩的〈董仲舒春秋學之歷史理論——三統與四法的建構及其內涵〉二篇；「儒學研究」有楊菁〈張伯行對程朱學的傳布及其影響〉、張文朝的〈日本儒學史（六之二）——江戶時代之儒學（二）〉二篇；「小學研究」有周美華的〈連橫《臺灣語典》淺介〉一篇；「經學文獻」有陳鴻森〈錢大昕王鳴盛阮元三家遺文續輯〉一篇；「古史研究」有〈劉殿爵等點校《汲冢紀年存眞》辨誤舉例〉一篇。

「序跋選譯」方面，有〔日〕諸橋轍次著，簡曉花翻譯的〈朱子學大系《朱子學入門》序〉、〔日〕宇野哲人著，簡曉花翻譯的〈陽明學大系《陽明學入門》序說〉二篇；「經學人物」有〔日〕吉川幸次郎撰，王清信、葉純芳標點的〈臧在東先生年譜〉、林慶彰採訪，葉純芳整理的〈訪當代三禮學專家——彭林教授〉。「學術會議」有清代揚州學派學術研討會、清代乾嘉學者的治經貢獻學術研討會、第五屆詩經學國際研討會、第十六屆國際易學學術研討會、第三屆海峽兩岸青年易學論文發表會、第二屆中國經學學術研討會等報導。「出版資訊」列有最新出版，與經學研究相關的書籍五十六種，並有〈提要〉簡要介紹各書內容。（張穩蘋）

《儒家經傳文化與史記》

《儒家經傳文化與史記》 陳桐生著 臺北 洪葉文化事業有限公司 529頁 2002年9月

陳桐生，一九五五年十月生，安徽桐城人。現爲湖北大學人文學院教授，主要研究領域爲《詩經》、《楚辭》、《史記》和儒家經學，著有《中國史官文化與史記》等十種論著，並在海內外發表學術論文八十餘篇。

本書主要在於探討《史記》對六經異傳學術思想的批判與吸取之上。在作者看來，指出《史記》中某一字或某一評價是出於今文經還是古文經固然重要，但更重要的是六經異傳學術思想對《史記》的影響，它所關涉的不是一字一句一篇的問題，而是關聯到《史記》一書的整體構思，關聯到司馬遷的宇宙觀、歷史觀、政治觀、文化觀等一系列重大的問題，作者提出一個觀點：《史記》的學術思想體系正是建立在「厥協六經異傳，整齊百家雜語」之上。

本書除引論外，共分七章，第一章，《史記》與《春秋》（上），說明孔子作《春秋》，是《史記》的理論基礎；第二章，《史記》與《春秋》（中），說明司馬遷對《公羊》義的闡述，以及公羊學派的幾個重要經義，如「經權說」、「愼始審微說」、「德治說」等等；第三章，《史記》與《春秋》（下），說明《史記》

述古文《左傳》的經義舉例；第四章，《史記》與《周易》，除對孔子作《周易》的說法作一釐清外，亦說明《周易》與《史記》之間的宇宙觀、通變論、政治倫理觀、人生觀、學術觀、重時觀念、審微思想、謙退觀念等；第五章，《史記》與《尙書》，作者一一比對《史記》引用《尙書》的篇目，並對《史記》中所引今、古文《尙書》的條目作經說舉例，同時也說明《尙書》對《史記》所產生的影響；第六章，《史記》與《詩經》，對《史記》引用《魯詩》說法舉例，並說明《史記》在寫殷周春秋史時，多取材於《詩經》。《魯詩》不僅爲《史記》提供了豐富的史料，在一定的程度上彌補了上古時期史料不足的缺陷，還爲司馬遷評價歷史提供了經典依據。第七章，《史記》與《三禮》，說明司馬遷重視《三禮》的原因，以及當史遷在撰述《史記》時，多所引用《三禮》的內容，其中尤以《禮記》爲最。書後有結束語：簡論《史記》「厥協六經異傳」。說明《史記》不僅從六經異傳中取材、取義，更重要的是從六經異傳中吸取學術思想理論，在整合六經異傳學術思想基礎上，構築自己的學術大廈。（葉純芳）

《五十年來的經學研究》

《五十年來的經學研究》　林慶彰主編　臺北　臺灣學生書局　353 頁　2003 年 5 月

本書爲臺灣學生書局爲慶祝創業四十週年，所策劃編集的叢書系列之一。藉以回顧政府遷臺後，臺灣在中華文化探究上的努力。其範圍涵蓋圖書文獻學、語言文字學、經學、文學、哲學與宗教等五大領域。其中「經學」類是由中央研究院中國文哲研究所研究員林慶彰先生負責統籌。林先生選定《周易》、《尙書》、《詩經》、《三禮》、《春秋》經傳、《四書》、經學史、經學文獻整理等八個類別，構擬撰寫方向，分別邀請專研各經的青壯代學人撰寫，這些論述反映一九四九年至一九九八年，這五十年來各經的研究成果及其發展情況。茲分別介紹如下：

「《周易》學研究」。由銘傳大學應用中文系副教授許維萍先生撰寫。論述範圍界定在五十年來臺灣學者所發表的與《易經》有關的專書或單篇論文。此外，在這段期間內重新刊印與點校的古籍，因一部分反映了市場的需求，一部分體現了臺灣學者在整理古籍上所作的努力，亦一併納入討論。

「《尚書》研究」。由中央研究院中國文哲研究所副研究員蔣秋華先生撰寫。根據蔣先生的考察分析，臺灣《尚書》學者在這五十年來的相關研究，就面向而論，可說十分廣泛，面面俱到。特別是基本議題及經學史的研究，堪稱成果豐碩。相對地，利用新出土的考古成果從事研究的仍顯不足。此外，通代的《尚書》學史著作至今仍以劉起釪先生的《尚書學史》較爲完整，這部分臺灣學者則有待補強。

「《詩經》學研究概述」。由中央研究院中國文哲研究所副研究員楊晉龍先生撰寫。楊先生首先分析臺灣五十年來影響學術研究的相關背景：如政治、經濟、教育等因素的變化，並從「文獻目錄學史」的角度，以比較確實的統計資料，觀察臺灣近五十年來《詩經》學發展及其影響。不僅舉出臺灣《詩經》學研究的特點，也直言臺灣《詩經》學界諸多偏差現象。

「《三禮》研究」。由東華大學中國語文學系副教授車行健先生撰寫。評介對象基本上以《三禮》典籍以及歷代對這些典籍所進行的注釋及研究爲範圍，凡歷代禮書、禮典及後世的禮俗、禮制，或其他的相關領域及學門等，因不與經學相關，皆不予涉及。論述內容包含研究成果綜覽、重要研究成果舉例，並探討近五十年來《三禮》研究新方向的嘗試。

「《春秋》經傳研究」。由元培科學技術學院副教授丁亞傑先生撰寫。本文亦採取狹義經學定義，研究對象著重在經典作者、性質、流傳、意義、各朝代發展等範圍。並依專題研究、朝代研究、專家研究等部分製成統計表，藉以綜觀臺灣近五十年來的《春秋》學研究概況，展望未來研究方向。

「《四書》研究」。由政治大學中國文學系副教授陳逢源先生撰寫。本文首先針對闡釋《四書》的部分加以分析，包含分論合著、箋注譯釋、札記評述、期刊論文，以及對於《四書》義理的發揚。其次，則是介紹學者對於歷代《四書》學進一步的整理工作。對於臺灣學者於《四書》學的研究成果，有深入的分析。

「經學史研究」，由東吳大學中國文學系副教授陳恆嵩先生撰寫。本文首先針對五十年來的中國經學史研究概況作一綜述，範圍起自先秦時期，迄於民國時期。這類專著近五十年來僅有徐復觀先生的《中國經學史的基礎》以及李威熊先生的《中國經學發展史論》上冊兩部。因此本文以單篇論文及博、碩士論文爲主，歸納研究其研究方向。其他範圍內容尚有經今古文問題、漢宋學問題、讀經問題、石經問題、讖緯問題、以及經學專家如程元敏、李威熊、簡博賢、林慶彰等先生的研究成果。

「經學文獻整理概況」，由亞東技術學院兼任講師游均晶以及康寧護理專科學校兼任講師黃智明兩位先生撰寫。本文專就近五十年來臺灣地區地區相關文獻整理部分重新加以檢視介紹。內容依學者整理經學文獻的方式分爲白話譯註類、標點校勘類、研究論集類、經學目錄類等成果較爲豐碩的部分。此外，其他較零星的文獻整理方式如纂輯類、提要類、索引類，亦有學者積極整理，這些撰著的出版，均可視爲經學文獻整理正逐步受到重視的證據。除此之外，作者更提出其他必須積極整理的類目，如年譜傳記資料、國外學者研究經學著作的譯介、以及電子古籍檢索資料庫的設計等工作，值得經學界重視及努力。（張穩蘋）

《清代經學研究論集》

《清代經學研究論集》　林慶彰著　臺北　中央研究院中國文哲研究所　508 頁　2002 年 8 月

林慶彰，一九四八年十月生，臺灣臺南人。東吳大學中國文學研究所碩士、國家文學博士。現任中央研究院中國文哲研究所研究員、東吳大學中國文學系兼任教授。專研經學、日本漢學、圖書文獻學。著有《豐坊與姚士粦》、《明代考據學研究》、《明代經學研究論集》、《清初的群經辨僞學》、《圖書文獻學研究論集》、《學術論文寫作指引》、《讀書報報寫作指引》（合著）等，主編有：《經學研究論著目錄》、《日本研究經學論著目錄》、《姚際恆著作集》、《日本儒學研究書目》（合編）、《日據時期臺灣儒學參考文獻》、《經學研究論叢》、《國際漢學論叢》等三十餘種。譯有《近代日本漢學家》、《經學史》（合譯）、《論語思想史》（合譯）等，另有學術論文百餘篇。

作者投入經學研究已逾二十餘年，除經學著作外，更編有多種與經學有關的著作集、資料彙編、目錄、叢刊等書，嘉惠學術界。本書爲作者研究清代經學的主要成果。若將清代分爲清初、清中葉、清末三個階段，本書所收的十五篇論文，屬於清初時期的論文有：〈毛奇齡、李塨與清初的經書辨僞活動〉、〈萬斯大的《春秋》學〉、〈姚際恆治經的態度〉、〈姚際恆對朱子《詩集傳》的批評〉、〈姚際恆的《春秋》學〉、〈《通志堂經解》之編纂及其學術價值〉、〈王懋竑的朱子學〉等七篇。這七篇論文所反映的是清初經學發展的兩個面向，一是學者重新檢討儒學的本質，要了解儒學的眞正面目，就應回歸原典；要回歸原典，就應將流行近兩千年的經書和經說重新檢討。一是當時學者或推尊王學，或崇尚朱子學，或抨擊朱子學，呈現多元的學術價值觀。

屬於清代中葉的論文有：〈四庫館臣纂改《經義考》之研究〉、〈清乾嘉考據學者對婦女問題的關懷〉、〈焦循《孟子正義》及其在孟子學之地位〉、〈方東樹對揚州學者的批評〉、〈陳奐《詩毛氏傳疏》的訓釋方法〉、〈劉逢祿《左氏春秋考證》的辨僞方法〉等六篇，這六篇論文反映了乾嘉學術的三個面向，一是乾隆修《四庫全書》時，纂改某些書籍的內容，反映清代文化政策的獨斷。一是乾嘉學者不僅埋首古書堆中，他們也有其經世之道和社會關懷。一是在漢學如日中天時，反漢學的勢力也跟著出現。

屬於清末的論文有：〈張金吾編《詒經堂續經解》的內容及其學術價值〉、〈劉文淇《左傳舊疏考正》研究〉兩篇，這兩篇論文也反映了兩種現象，一是清初納蘭成德編《通志堂經解》、清中葉阮元編《皇清經解》，都有保存文獻之功，張金吾編《詒經堂續經解》，是要接續《通志堂經解》之未備。可見彙編群書爲一書的工作，從清初到清末都有學者在進行。二是揚州學派的特色是「博通」，前人以爲博通的證據反映在編工具書、撰寫學術史上，而作者發現揚州學者皆致力於研究《十三經注疏》，也應是揚州學者博通的證據之一。這部著作的出版，涵蓋了整個清代的學術，不僅是作者辛苦研究的成果，對於研究清代經學史的學者而言，相信有許多的助益。

（葉純芳）

《乾嘉學者的義理學》

《乾嘉學者的義理學》（上）、（下）　林慶彰、張壽安主編　臺北　中央研究院中國文哲研究所　780 頁　2003 年 2 月

「乾嘉學者的義理學」爲中國文哲研究所經學組林慶彰教授主持爲期三年半的「清乾嘉學派經學研究計劃（1999－2002）」的第二個子計劃。本子計劃執行期間爲 1999 年 7 月至 2000 年 12 月，共計召開四次研討會，發表論文二十篇。爲彙集研究成果，提供學者參考之用，故將所發表的論文結集爲《乾嘉學者的義理學》一書。此二十篇論文的研究，大約可以分爲幾個方向，一爲從義理思想本身探討，如周積明、周昌龍、劉玉國、殷善培、林登昱等教授所發表的論文；一爲從方法論的角度探討，如鄭吉雄、張素卿、張麗珠、黃愛平、王俊義等教授所發表的論文；一爲從學術史的角度探討，如林啓屏、李紀祥、李威熊等教授所發表的論文；一爲從經學思想與經世的角度探討，如林慶彰、張壽安、鄭卜五等教授所發表的論文；一爲從文獻考證的角度探討，如陳祖武、梁紹傑等教授所發表的論文；一爲從科技史的角度探討，如馮錦榮教授所發表的論文。本論文集中的各篇論文，可謂對乾嘉學者的義理學做一個全面而深入的探討。

本書所收論文依序如下：上冊——周積明〈《四庫全書總目》與乾嘉「新義理學」〉；林啓屏〈乾嘉義理學的一個思考側面——論「具體實踐」的重要性〉；李威熊〈乾嘉浙東學派之經學觀〉；張壽安〈從「親親尊尊」論儒學禮秩的情理結構〉；林慶彰〈清乾嘉考據學者對婦女問題的關懷〉；張麗珠〈「漢宋之爭」難以調和的根本歧見〉；張素卿〈「經之義存乎訓」的解釋觀念——惠棟經學管窺〉；黃愛平〈戴震學術主張與學術實踐探析——兼論乾嘉漢學治學宗旨〉；周昌龍〈戴震義理學中情欲之社會基礎與驗證〉。下冊——劉玉國〈戴震理欲觀及其反朱子「存天理去人欲」平議〉；李紀祥〈繼孟思維下的道統視域——戴東原與《孟子字義疏證》〉；王俊義〈錢大昕寓義理於訓詁的義理觀探討〉；鄭吉雄〈乾嘉治經方法中的思想史線索——以王念孫《讀書雜志》爲例〉；林登昱〈藉焦循以論戴震的情欲哲學〉；殷善培〈從相人偶到達——論阮元的仁學〉；陳祖武〈關於常州莊氏學淵源之探討——兼論《春秋正辭》之撰著年代〉；鄭卜五〈常州《公羊》學派「經典釋義《公羊》化」〉。論文集後並附有：梁紹傑〈《仁和龔氏家譜》的史料價值——兼論龔自珍的先世學緣〉、馮錦榮〈乾嘉時期考據學與曆算研究的一些問題〉、周積明〈關於乾嘉「新義理學」的通信——兼評張壽安研究員「乾嘉學術」的系列研究〉，以及「乾嘉義理學研究」各次研討會議程表。　（葉純芳）

《從經學到美學：中國近代文論知識話語的嬗變》

《從經學到美學：中國近代文論知識話語的嬗變》　馬睿著　成都　四川民族出版

社 415頁 2002年7月

本書作者認爲，當前學術界的「近代文化熱」、「晚清文化熱」正方興未艾，文論界也紛紛開始關注這一長期以來被忽視的領域。雖然這股研究熱潮令人感到欣喜，但是長久以來的忽視，使文學理論體系在建設的過程中產生盲點。盲點之一是對「文論」的理解缺乏層次，比較籠統，因而誤解了某些文論觀點的具體針對性；盲點之二是對近代文論的內部延續性重視不夠；盲點之三是對近代文論的雙重性和主動性缺乏認識；盲點之四是對近代文論在知識譜系的歸屬上的轉移，還缺乏具體的認識和分析。

爲了突破原有的研究範式和理論框架，作者將近代文論的研究推向更深入，關注近代文論在知識譜系的歸屬上的轉移，釐清圍繞這一轉移而出現的文學觀念、研究對象、理論術語、論證方式、價値判斷的變化，做爲本書的基本出發點。在本書的開始，作者即以儒學、經學與文論做爲探討的對象，這是因爲這三種知識領域在中國近代文化中形成了獨具特色的重疊區域，如果忽視對它的研究，任何關於近代文論的分析和解釋，都只能依據那些漂浮在歷史之河表層上的水沫。這也就是本書之所以在具體研究近代文論之前，要首先探討經學與傳統文論關係的原因。

本書除緒論、結論外，共分爲七章：第一章，儒學．經學．文論；第二章，清代樸學與近代文論；第三章，清代宋學與近代文論；第四章，今文經學的復興與近代文論；第五章，經學話語的裂變與邊緣的崛起；第六章，美學話語的確立：王國維文論的理論歸宿；第七章，近代「文學」的多元定位。（葉純芳）

《王夫之易學》——以清初學術爲視角

《王夫之易學》——以清初學術為視角 汪學群著 北京 社會科學文獻出版社 497頁 2002年5月

汪學群，1956 年生於北京，畢業於遼寧大學哲學系，北京大學哲學碩士，現任中國社會科學院歷史研究所副研究員、科研處長、研究生院歷史系副主任。主要從事清代學術思想史方面的研究，著有《錢穆學術思想評傳》、《清代文化志》（合著）、《錢穆評傳》（合著）、《中國文化史．清前期卷》（合著）等，另有學術論文四十餘篇。

近代以來，研究船山之學的著作不勝枚舉，但專門研究其《易》學成果者，少之又少，且研究方向大多從哲學角度入手。本書則透過自然、人文、社會等各角度，將社會史、學術思想史與《易》學史作整合性的研究。並且探討王夫之《易》學在《易》學史上的貢獻。

本書共分七章，「導論」部分，從王夫之的《易》學與時代談起。包括王夫之治《易》的時代背景、治《易》的特色、思想歷程等；第一章「關於《周易》的性質和內容」，主要探討王夫之對《周易》性質中「占學一理」的認知，以及王夫之對《周易》內容與其他經書及學術關係的探討；第二章「關於《周易》的結構與方法」，王夫之提出「乾坤並建」的思想，探討《易》卦的構成，並梳理其卦序。同時創立「象爻一致」的解《易》方法，強調解《易》靈活性。作者認爲，這對深化《易》原典的研究，頗有啓發；第三章「務實求眞的自然觀」，王夫之治《易》，相當注重其中關於天地自然的內容，作者針對其務實求眞的《易》學自然觀，逐一解析其思想；第四章「和諧發展的變易論」，作者認爲，王夫之提出和諧發展的變易論，與當時明清之際的社會現實有相當大的聯繫，特別是滿漢民族文化上的衝突，以及清廷在政治經濟上對漢人的壓制剝削。王夫之一生處於這樣的變化中，在解《易》的過程中，便充分發揮「窮則便，變則通，通則久」的思想；第五章「天道與人性異同論」，本章主要闡述王夫之《易》學在人文方面的建樹，特別是天道與人性的關係；第六章「人生修養與道德倫理觀」，作者認爲王夫之對《易》學中人生修養與倫理道德的內涵相當重視，有其現實的人生際遇與社會基礎；第七章「經世致用思想」，本章論述明末以來兵連禍結的社會政治環境，分析王夫之務實解經的思想背景，認爲王夫之藉著治《周易》，發展其軍臣君民關係、仁政與法制、以及常變因革等思想；「結束語」則總括王夫之《易》學爲「務實求眞」、「和諧變易」、「平等自由」、「貞死貞生」、「通經致用」等方面，頗多創獲。

（張穩蘋）

《易章句導讀》

《易章句導讀》　陳居淵著　濟南　齊魯書社　357 頁　2002 年 12 月

陳居淵（1952－）江蘇省蘇州市人。1992 年畢業於上海復旦大學古籍研究所，目前擔任該所副教授，主攻中國思想史、經學史、文學史。

焦循的《易章句》十二卷，爲山東大學「易學與中國古代哲學研究中心」，從《四庫全書》和《續修四庫全書》中精選出歷來具有代表性的《易》學著作之一。該中心聘請學有所長的專家，對這些精選出來的《易》學專著進行古籍整理與研究的工作。「整理」指的是一般的文字句讀、校勘，目標在於整理出具有一定權威性的《易》學版本；「研究」則是指由該領域專家對該著作的研究新成果，呈現在每本書前至少三萬字的導言之中。焦循的《易章句》，即由陳居淵教授負責導讀及點校的工作。

本書分爲三個部分，首爲「導讀」，其後分別爲焦循《易章句》及《易圖略》的點校版本。「導讀」部分，分爲五個小節，一是「潛心著述的一代通儒」。簡述清乾嘉之際揚州學派的重要經學家與算學家焦循一生之梗概，並列舉其諸多方面的學術研究專著；二是「『教寓于筮』的易學思想」。逐步驗證焦循「假卜筮而行教」的《易》學觀；三是「『陳義屈奇』的易學構架」。標示出焦循研究《周易》所創立的「旁通」、「相錯」、「時行」、「相錯」、「比例」等《易》學架構和法則，並揭示焦循《易》學研究中最引人注目的，以數學與語言學爲主要工具的研究方法；四是「『褒貶相宜』的歷史評價」。自焦循《易學三書》寫定，這部由算學提供思維方法以及深受考據學風影響的專著，雖然給當時學界帶來轟動效應，另一方面卻也招致嚴厲的批評。作者則認爲，焦循的《易》學研究，一方面繼承和發展了漢代《易》學，一方面也試圖透過創建新的符號而走出傳統象數《易》學，某種程度展示了乾嘉《易學》的形變；五是「《易學三書》的研究及其版本」，略述近代以來學術界對焦循《易》學的研究概況，以及《易學三書》的版本流傳狀況。

至於點校部分，是以《皇清經解》爲底本。校本則以《雕菰樓易學》四十卷手寫原稿本、《焦氏叢書》本、《焦氏遺書》本、《續修四庫全書》本、《雕菰樓經學叢書》本、及單行手寫稿本的《易通釋》、《易圖略》爲主。凡文中出現明顯的錯訛、異文、脫漏，作者均保持原貌，不逕自改正，而是在校記中加以說明。

（張穩蘋）

《簡明周易辭典》

《簡明周易辭典》　褚世昌著　哈爾濱　北方文藝出版社　444 頁　2002 年 5 月

褚世昌，1929 年生，吉林省雙遼市人。哈爾濱學苑中文系教授，目前已經退休。曾分別在東北師大中文系、哈爾濱市教育學院講授語言學理論、古代文學、古漢語言等課程。著有〈周易音韻研究〉，並參與黑龍江人民出版社《歷代名賦注析》等出版工作。

本書是以《周易》經傳爲主要內容所編寫的一部簡明辭典，共收辭目 1427 條。「凡例」之前有「前言」，略述《周易》的幾項基本概念，如「《周易》的經和傳」、「《周易》的由來」（包含書名的意義以及《周易》經、傳文的形成）、「《周易》思想內容」等。

在編排上，本書是以該條文字第一個漢字的漢語拼音字母爲序，各辭目之前均冠有數字號碼。書後附有《周易》原文，以及以筆畫數多寡爲順序排列的索引系統，提供讀者雙向查找翻閱。

辭目依內容分爲三大類型，第一類將《周易》中各卦的卦辭、爻辭、彖辭、象辭等，視爲一個整體，列成一個辭目，加以注釋。其次針對《文言傳》、《繫辭傳》、《說卦傳》、《序卦傳》、《雜卦傳》等篇，依章節列成辭目注釋。另外，則收錄一部分與《周易》相關的術語和概念等解釋辭目。注釋僅限於經傳的範圍，並不引用其他《易》學著作的原文資料，內容相當簡明扼要，以闡明《周易》的哲學思想與古代的社會生活爲主，相當適合初學者入門研究之需。　（張穩蘋）

《讀易提要》

《讀易提要》　潘雨廷著　張文江整理　上海　上海古籍出版社　574 頁　2002 年 3 月

潘雨廷（1925－1991），上海市人。畢業於上海聖約翰大學教育系，而後師事周善培、唐文治、熊十力、馬一浮、楊踐形、薛學潛等先生研究中西學術。曾任華東師範大學古籍研究所教授、中國《周易》研究會副會長、上海道教協會副會長、上海《周易》研究會會長、《上海道教》主編等職。其研究方向著重在宇宙與古今事物的變化，以及東西方文化之聯繫與貫通，對於《易》學及和道教史學致力頗深。在《易》學成就方面，既繼承傳統的象數理論，又發展了象數學藝裡。《易》學相關的代表著作有《周易終始》、《周易集解》、《易學史論文集》、《周易參同契考證》等。

《讀易提要》爲張文江先生根據潘雨廷先生家人保存的遺稿所整理成書。潘先生於 1960 年左右準備撰寫《易學史》，本提要便是他寫作《易學史》的準備工作之一。數年之間，由最初的未足百篇累積到五百多篇，惟其間存稿因文化大革命遭劫，損失大半。當時尚存兩百餘篇，以後又有所增寫，本書所見則有三百多篇。

本書所收典籍，涵蓋《易》學史中的許多名著，作者將西漢時期至近代具有代表性的《易》學典籍，鉤提其要義。依時代分爲十卷，各卷分佈篇數如下：卷一：兩漢（附先秦），14 篇；卷二：魏晉，12 篇；卷三：南北朝隋唐，12 篇；卷四：宋（上），16 篇；卷五：宋（下），51 篇；卷六：元，19 篇；卷七：明，14 篇；卷八：清（上），45 篇。卷九：清（下），39 篇。卷十：近代，22 篇。有許多爲《四庫全書》所未收。內容既總結前人的成果，也包含作者個人的研究心得。其寫作目標之一便是要彌補《四庫提要》中《易》類分經、子爲二，以及不明象數的種種不足。因此，本書不管在質或量上可說是《四庫提要》以來的新發展，具有重要的參考價值。

（張穩蘋）

《詩經專題研究》

《詩經專題研究》　李家樹著　西安　太白文藝出版社　265 頁　2001 年 6 月

本書爲作者多年來參加國際會議的論文所結集而成，共收有論文十二篇，分別是：⑴從經學到文學——方玉潤《詩經原始》讀後，認爲方氏在清代學者中，不再視《詩經》爲「經」，而是將其當作一般詩歌來讀，且《詩經原始》在詩歌創作方面也有初步的理論探索。⑵宋王質《詩總聞》初探，認爲王氏該書在《詩經》學史上受到忽略，應該重新給予公正的評價。⑶王質《詩總聞》的文學觀，認爲王氏該書開啓了用文學眼光來研究《詩經》的傾向，並進一步認爲《詩經》作爲垂訓後世的「經」的地位，是由王氏開始打破的。⑷孔子「思無邪」詩說駁議評述，認爲「思無邪」說表明了孔子對於《詩經》思想內容和詩人創作目的的認可，以及衡量文藝作品的政治尺度較寬鬆，後世腐儒或侈談「美刺」，或提倡禁欲，實已背離孔子的原意。⑸〈國風〉裡的「境界」，嘗試從王國維所揭櫫的詩歌創作原則和批評標準，發掘〈國風〉部分詩人所經營的「境界」，並藉此探討若干詩篇的篇旨。⑹宋程大昌《詩論》對《毛詩序》的態度，認爲程氏該書涉及《詩序》的言論不多，且態度保守，在南宋反《序》風潮中，地位並不重要。⑺《詩》「言」字不作「我」解，嘗試在胡適、王力研究的基礎上，從詩文入手，參考互證，以考察《詩經》中「言」字的多重意義。⑻宋朱、王「淫詩」、「刪詩」說與明人《詩經》研究——一個傳統文化互動個案的剖視，認爲宋代朱熹、王柏的「淫詩」、「刪詩」說動搖了《詩經》的神聖地位，影響明代豐坊、何楷對於《詩經》的詮釋，此種自由解《詩》的風氣，甚至被清代姚際恆、方玉潤等人繼承下來，且開啓了「五四」以後以胡適、顧頡剛等人以民間歌謠的角度去探討《詩經》內容的研究路向。⑼美詩？刺詩？淫詩？情詩？——社會轉型與《詩經》的詮釋問題，嘗試將二千餘年來《詩經》的詮釋或研究階段作一評議，呈現詩歌由美詩、刺詩演變爲淫詩、情詩的歷史過程，並藉此說明思想型態、學術潮流、文化傳統與文學欣賞、學術研究的密切關係。⑽五四「疑古學派」《詩經》研究述評，認爲「疑古學派」在《詩經》研究上反對舊說的觀點失之於偏激，爲了達到還給《詩經》原來的文學面貌，而完全忽視了詩歌的時代作用。⑾英譯三家釋《詩》假借字述評，探討理雅各（James Legge, 1815－1897）、韋理（Arthur Waley, 1889－1966）、高本漢（Bernhard Karlgren, 1889－1978）等英譯三家如何解釋《詩經》的假借字，其各自所根據的理由爲何，並就此作一評述。⑿明李先芳的《讀詩私記》，認爲李氏該書在明代中葉以後的《詩經》著述中，對漢學興起顯然有承先啓後的作用，而在詩旨和故訓方面，亦有可觀之處。

作者李家樹，香港大學哲學博士，英國語言學會會士（F.I.L）。曾任英國倫敦大學東方及非洲學院研究員及新加坡國立大學高級研究員，現任香港大學中文系教授、香港大學亞洲研究中心研究員及中國詩經學會理事。主要研究領域爲語言學與《詩經》研究，著有《國風毛序朱傳異同考析》、《詩經的歷史公案》、《傳統以外的詩經學》、《王質詩總聞研究》等《詩經》研究專著。（王清信）

《詩經異文研究》

《詩經異文研究》 陸錫興著 北京 中國社會科學出版社 255頁 2001年12月

《詩經》在長期的流傳中，產生了文字上的差異，即是所謂的異文。因爲異文牽涉到對詩義的理解，也與《詩經》學史密切相關，所以從漢代以來備受重視。本書以出土金石、簡帛以及敦煌文獻爲基礎，以《詩經》流傳爲線索，對異文的形成及其各個階段發展的特點，做了系統的研究。需要注意的是，有些敦煌文獻由於沒有清晰的影本、或因收藏於海外取得困難而沒有收入，特別是近年來出土的郭店楚簡和上海博物館藏楚簡的《詩經》文獻，由於寫作時間的原因，本書未能納入，殊爲可惜！

本書除了〈引論〉、〈餘論〉之外，共分爲八章，分別是第一章〈先秦及西漢前期的《詩經》流傳〉；第二章〈四家《詩》的分立〉；第三章〈三家《詩》經文〉；第四章〈《毛詩》經文〉；第五章〈《魯詩》與《毛詩》之異同〉；第六章〈三家《詩》亡而《毛詩》獨行〉；第七章〈南北朝時期的《毛詩》異文〉；第八章〈陸德明對異文整理〉；第九章〈唐代字樣學和《毛詩》整理本的形成〉。

作者陸錫興，任職於上海漢語大辭典編纂處，編著有《漢字簡牘草字編》、《中國古代器物大詞典（器皿卷）》、《急就集——陸錫興文字論集》、《漢字傳播史》、《漢字的隱秘世界——漢字民俗史》等書。 （王清信）

《絲竹軒詩說》

《絲竹軒詩說》 龍宇純著 臺北 五四書店 346頁 2002年11月

本書爲作者研究《詩經》論文的結集，由於論文先前已刊登於各刊物，收入本書時，或於隨文處略予更易，或於篇末加案語說明。全書共有十四篇，分別是⑴〈《詩序》與《詩經》〉；⑵〈也談《詩經》的興〉；⑶〈試說《詩經》的雙聲轉韻〉；⑷〈讀《詩》管窺〉；⑸〈析《詩經》「止」字用義〉；⑹〈試釋詩經「式」字用義〉；⑺〈《詩經》「胥」字析義〉；⑻〈《詩》「彼其之子」及「於焉嘉客」釋義〉；⑼〈詩義三則〉；⑽〈說「匪鷻匪鳶」〉；⑾〈《詩經》「于以」說〉；⑿〈從音韻的觀點讀《詩》〉；⒀〈讀《詩》雜記〉；⒁〈試說《詩經》的虛詞「侯」〉。除了⑴、⑵兩篇屬於通論性質，分別提出今人應持平看待《詩序》的價值；以及認爲「興」必是興起下文之作，雖在章中，仍是另起一頭，以興下文，而且「興」必無出現於章尾以作結的結論。其餘各篇，皆爲關於《詩經》語言文字的討論。由於作者長年專研小學，因《詩經》中保留豐富的古代漢語資料而特別留意，在對《詩經》語言文字的考釋上，論證翔實，具有相當高的參考價值。

作者龍宇純（1928－），曾任臺灣大學、中山大學中國文學系系主任，中央研究院歷史語言研究所研究員，北京大學客座教授，著有《韻鏡校注》、《唐寫全本王仁昫刊謬補缺切韻校箋》、《中國文字學》、《中上古漢語音韻論文集》等書。

（王清信）

《詩經研究叢刊》（第三輯）

《詩經研究叢刊》（第三輯）　中國詩經學會編　北京　學苑出版社　310 頁　2002 年 7 月

《詩經研究叢刊》是以《詩經》爲主題的經學專門研究刊物，自第一輯刊行以來，即引起學界重視。發表者包括大陸、香港、臺灣、日本、美國等地學人，足見本《叢刊》影響遍及海內外。如此專門的刊物若能持續不斷地編印下去，相信對於《詩經》學史上疑誤的釐清、新論題或新方法的開發，及研究風氣的推廣等方面，都有相當大的助益。

本輯收錄論文二十四篇。首先是「學術論壇」部分十七篇，依序爲：⑴郭杰〈從《生民》到《離騷》——上古詩歌歷史發展的一個實證考察〉；⑵吳儀鳳〈杜甫與《詩經》〉；⑶許志剛〈雅樂源流考論〉；⑷王金芳〈試論《詩經》音律形成的條件〉；⑸潘嘯龍〈《詩經》抒情人稱研究〉；⑹林淑貞〈擬譬與寓寄〉；⑺謝耀基〈《詩經》顏色字的運用〉；⑻陳桐生〈論《毛詩序》對詩教理論的貢獻〉；⑼李世萍〈論詩教觀產生之根源及其影響〉；⑽王承略〈論《詩序》主體部分可能始撰于孟子學派——《論〈毛詩序〉的寫作年代》之四〉；⑾魯洪生〈《毛傳》標興本義考〉；⑿方銘〈詩志與《詩經》及古代文學的價值〉；⒀邵炳軍〈衛武公《賓之初筵》創作時世考論——兩周之際「二王並立」時期《詩經》創作年代研究之六〉；⒁黃新光、郭瑋〈《七月》的名物訓釋與歷史文化底蘊的發掘〉；⒂張祝平〈鹿鳴・鹿鳴宴・鹿鳴館〉；⒃孟慶茹〈《詩經》的天文學解讀〉；⒄大野圭介〈論《詩經》中的禹〉。

第二部分是「評論」三篇，分別爲：⑴王曉平〈論白川的詩經學〉；⑵季旭昇〈《詩經》研究也應「走出疑古時代」〉；⑶夏傳才〈重視文本研究——張啓成《詩經風雅頌研究論稿》序〉。

第三部分是「學術札記」四篇，分別爲：⑴林少達〈《詩經》的洞天（二題）〉；⑵何愼怡〈《詩古微》提要〉；⑶周錫䪖〈究竟誰人「不素餐」？——《伐檀》解惑〉；⑷錢明鏘〈充分發揮《詩經》在「德治」中的教化作用〉。

書末附有「學術動態」，介紹海峽兩岸及日本等地關於《詩經》研究概況、學術會議或網站建置等消息，可供參考。（何淑蘋）

《詩經研究叢刊》（第四輯）

《詩經研究叢刊》（第四輯）　中國詩經學會編　北京　學苑出版社　285 頁　2003 年 1 月

本輯收錄論文二十篇。首先是「學術論壇」部分十六篇，依序爲：⑴余培林〈《毛詩》標興之商兌〉；⑵黃松毅〈從簡帛《五行》論《詩》之「興」〉；⑶歐天發〈從「藉」的觀點論《詩》興的多義性〉；⑷袁長江〈鄭玄「比興」觀淺析〉；⑸蔣方〈試論《詩經》之文本意義的歷史演化——兼論《毛詩正義》的文本意識〉；⑹李鍾武〈王夫之「二南」論淺探〉；⑺李蹊〈論《詩經》中的「文」與「賦」之關係〉；⑻王政〈《詩經》與琴瑟之喻〉；⑼吳賢哲〈禮樂教化與《詩經》〉；⑽楊興華〈「鄭聲淫」考論〉；⑾錢奕華〈《詩經》「永言配命」探微〉；⑿李劍鋒〈《古詩十九首》與《詩經》〉；⒀繆軍〈情以物遷，辭以情發——魏晉詩文感時感物與《詩經》〉；⒁趙海菱〈論賦在《詩經》敘事詩中的作用〉；⒂楊愛姣〈《詩經》中名詞作疊根的狀態形容詞探析〉；⒃王曉平〈宋學《詩經》研究的東漸——以《毛詩抄》爲中心〉。

其次是「學術札記」四篇，依序爲：⑴季旭昇〈蓼莪三題〉；⑵王巍〈談《詩經》中的婚戀習俗〉；⑶朱一清〈《田間詩學》的求實創新精神〉；⑷蔡若蓮〈遺風逸響兩千年〉。

書末則是「學術動態」，介紹各地所舉辦之學術會議、新書十五種提要，及其它相關訊息。最後附錄寇淑慧〈2001 年《詩經》研究論文索引〉，蒐羅當年度大陸地區相關研究成果，並分類編排，以供讀者參考。（何淑蘋）

《詩經研究叢刊》（第五輯）

《詩經研究叢刊》（第五輯） 中國詩經學會編 北京 學苑出版社 305 頁 2003 年 7 月

本輯收錄論文十九篇。首先是十三篇論文（應屬「學術論壇」專欄，但目錄頁似漏標示出來），依序為：⑴梁錫鋒〈《大武》章數、章次考辨〉；⑵馬銀琴〈周宣王時代的樂歌與詩文本的結集〉；⑶張劍〈關於《邶風・簡兮》的錯簡〉；⑷孫關龍〈《詩經》魚類考〉；⑸蔡若蓮〈孔子論詩〉；⑹鄒然〈《四庫全書總目・詩經》學著作評論述要〉；⑺車行健〈詩人之意與聖人之志——歐陽修《詩本義》的本義觀及其對《詩經》本義的詮釋〉；⑻陳敘〈雕菰樓《詩經》學〉；⑼張輝忠〈《詩經》中的仁義禮智信——從《左傳》中用歌《詩》或者奏《詩》代表言語談起〉；⑽吳全蘭〈巫風的餘韻——《國風》中的歌舞〉；⑾寧宇〈朱熹接受《詩經》過程中的複雜現象〉；⑿程二行〈《邶風・新臺》之詩義與詩藝——兼議聞一多《詩新臺鴻字說》〉；⒀林中明〈《詩經》與企管教育和科技創新〉。

第二部分「現代詩經學人」，為本輯新增欄目，收文兩篇，分別為：⑴王以憲〈論顧頡剛《詩經》研究的方法與貢獻〉；⑵林祥徵〈錢鍾書對《詩經》修辭學的拓展〉。

第三部分「學術札記」四篇，依序為：⑴吳少達〈民間戲曲的先聲——《召南・野有死　》〉；⑵張旭曙〈朱熹「比興」論二題〉；⑶范學新〈也談許穆夫人及其詩《載馳》〉；⑷方正己、索艷華〈《卷耳》又一解〉。

書末「學術動態」七則，提供海峽兩岸和日本等地與《詩經》相關訊息，包括刊物內容、新書提要等，有助於促進《詩經》學研究的交流。（何淑蘋）

《詩經研究史論稿》

《詩經研究史論稿》 張啓成著 貴陽 貴州人民出版社 203頁 2003年2月

本書內容計五章。第一章〈先秦詩經研究概況〉，論述《詩經》作者、功能，及孔、孟、荀之《詩》學觀等。第二章〈兩漢詩經研究概況〉，討論焦延壽、班固、《毛詩》與三家《詩》，以及兩漢《詩經》非經學研究萌芽等問題。第三章〈魏晉至唐代詩經研究概況〉，申論魏晉南北朝《詩》學觀的發展，和《文心雕龍》、《毛詩正義》、《毛詩指說》諸書的《詩》學要旨。第四章〈宋至明清詩經研究概況〉，先探論宋代歐陽修《詩本義》、朱熹《詩集傳》兩部專著，其次綜述明代所呈顯出的《詩經》學新氣象，復次評論清代學者方玉潤《詩經原始》、王先謙《詩三家義集疏》兩部專著。第五章〈近代至當代詩經研究概況〉，先論聞一多關於《詩》性文化研究之方法，次談大陸以外地區包括歐、美、俄、日、韓、新加坡和臺灣等地的《詩經》研究概況，然後比較《詩》與《雅歌》之差異。書末附有〈《詩經》逸詩考〉一文，將逸詩分成四類，略作討論，旨在彰顯逸詩研究價值。

本書作者長期從事《詩經》學研究，於《詩》學之文學、語言或《詩》學史上之時代風氣、學術發展、重要學者專著等論題，均有涉及，並陸續發表在各期刊、論文集中。經過近二十年的累積，將研究成果依時代先後，納入《詩經》研究史的五個歷史時期，而集結成本書。作者運用多種角度對《詩經》進行研究，既有點的討論（例如專人專著），又有面的綜述（例如時代特色），堪稱多樣化的研究方式，使《詩經》學研究史的內涵更形豐富，是本書特色所在。（何淑蘋）

《詩經學史》

《詩經學史》 洪湛侯著 北京 中華書局 838頁 2002年5月

本書除了概括地敘述各種《詩經》研究的資料之外，也從學術史的角度，論述歷代《詩經》研究的治學思想和研究成果，將史料學與學術史結合起來。全書對於《詩經》學研究的分期問題，關於《詩經》史料學對於《詩經》學研究的作用問題，《詩經》經學研究與文學研究並存問題，《詩經》學的評論如何掌握客觀標準和適當分寸等問題，都提出了作者的看法。

本書共分為五編，第一編〈先秦《詩》學〉共有九章，分別是第一章〈《詩三百篇》的產生流傳和結集〉、第二章〈關於六義〉、第三章〈《詩三百篇》的分類排列及其他〉、第四章〈《詩》與和樂〉、第五章〈《詩三百篇》的應用〉、第六章〈《詩》樂評論的先聲〉、第七章〈孔子是《詩》學研究的第一人〉、第八章〈孟子論讀《詩》方法〉、第九章〈荀子引《詩》證言〉、第十章〈戰國末期《詩三百篇》始稱為經〉；第二編〈《詩經》漢學〉共有十章，分別是第一章〈漢代經學概況〉、第二章〈西漢的今文《詩》學〉、第三章〈「詩經漢學」〉、第四章〈魏晉至唐的毛鄭《詩》派〉、第五章〈從經解到義疏的轉變〉、第六章〈陸《疏》是第一部考證《詩經》名物的專書〉、第七章〈《毛詩正義》與《詩》學定於一尊〉、第八章〈敦煌文獻中的《詩經》殘卷〉、第九章〈四言詩的餘風遺韻〉、第十章〈從文學角度說《詩》的文論家和詩人〉；第三編〈《詩經》宋學〉共有十章，分別是第一章〈宋代疑經改經蔚成風氣〉、第二章〈北宋《詩》學革新浪濤滾滾〉、第三章〈關於反《序》存《序》的論爭〉、第四章〈「詩經宋學」的形成及其權威著作《詩集傳》〉、第五章〈南宋的重要《詩》家〉、第六章〈宋代學者已注意到《詩》的文學特點〉、第七章〈元代朱熹《詩集傳》盛極一時〉、第八章〈明代「詩經宋學」的餘緒、第九章〈《詩經》古音學的新突破〉、第十章〈《詩》學為科舉所用〉；第四編〈《詩經》清學〉共有十章，分別是第一章〈清前期的《詩經》研究〉、第二章〈《詩》學轉型期的信號〉、第三章〈「詩經清學」的形成及其特色〉、第四章〈「詩經清學」的代表人物及其著作〉、第五章〈別樹一幟的《詩》家〉、第六章〈精彩紛呈的專題研究〉、第七章〈清代運用文學觀點論《詩》的學者和詩人〉、第八章〈「詩經清學」重視和採用的文獻整理方法〉、第九章〈清代《三家詩》學重要著作〉、第十章〈清代今文《詩》學研究的方法和業績〉；第五編〈現代《詩》學〉共有十章，分別是第一章〈五四以後《詩經》討論熱潮的興起〉、第二章〈《詩經》研究從經學到文學的重要轉變〉、第三章〈重新進行詩篇分類〉、第四章〈探討《詩經》的藝術手法〉、第五章〈對《詩經》基本問題的認識〉、第六章〈以《詩經》為史料開展多學科的研究〉、第七章〈《詩經》文學研究的深入和普及〉、第八章〈《詩經》典籍的整理與編印〉、第九章〈近當代影響較大的《詩經》學者及其著作〉、第十章〈《詩經》研究的反思與展望〉。

作者洪湛侯（1928－），專研文獻學，編著有《文史工具書辭典》（合編）、《中國文獻學新探》、《中國文獻學新編》、《文獻學》、《中國文獻學要籍解題》等書。

（王清信）

《第五屆詩經國際學術研討會論文集》

《第五屆詩經國際學術研討會論文集》 中國詩經學會編 北京 學苑出版社 684頁 2002年7月

二〇〇一年八月六日至十日，由中國詩經學會主辦、湖南懷化師範學院承辦、山西大學文學院協辦的「第五屆詩經國際學術研討會」，於世界自然遺產、中國國家森林公園的湖南省張家界舉行，來自中國、香港、臺灣、新加坡、日本、韓國、美國等地，出席會議的人員約計有三百人，大會共收到論文或提要一百六十餘篇，會後共收錄論文四十九篇、提要八篇，共計五十七篇。「論文部分」分別是⑴黃永堂的〈論先秦古樂與《大武》〉；⑵王長華的〈春秋時代的歌詩〉；⑶馬銀琴的〈「四始」、「四詩」與《詩經》的結構〉；⑷李笑野的〈《詩經》的內在結構探索〉；⑸楊朝明的〈子夏傳經之學考述〉；⑹劉毓慶的〈《詩序》與孟子〉；⑺王承略的〈論《詩序》主體部分的完成不能早於戰國中期——論《毛詩序》的寫作年代之三〉；⑻董運庭的〈「六義」探賾〉；⑼栗原圭介的〈十五國風之道統彝倫考〉；⑽張鳴華的〈〈大雅〉是《詩經》的核心〉；⑾劉生良的〈春秋賦詩——《詩》之傳播接受史上的獨特景觀〉；⑿王培源的〈《詩經》順序變化臆測（提綱）〉；⒀董治安的〈以《詩》觀賦與引《詩》入賦——兩漢《詩》學史札記之一〉；⒁王碩民、劉海的〈《韓詩外傳》用詩與詩論〉；⒂田中和夫的〈論鄭玄的《詩經》學——兼論《毛傳》鄭《箋》之異同〉；⒃賴欣陽的〈《文心雕龍》的《詩經》論述〉；⒄郭全芝的〈《詩集傳》與《詩毛氏傳疏》〉；⒅李玉梅的〈徐渭解讀「興觀群怨」〉；⒆林慶彰的〈李先芳《讀詩私記》研究〉；⒇蔣秋華的〈閻若璩《毛朱詩說》撰成刊行考〉；㉑郭丹的〈《四庫全書總目》中的《詩經》批評〉；㉒李家樹的〈五四「疑古學派」《詩經》研究述評〉；㉓王洲明、呂小霞的〈高亨先生的《詩經》研究〉；㉔殷光熹的〈《詩經》征戰詩中的歷史畫卷；㉕

蕭馳的〈〈大雅〉與史詩〉；(26)林中明的〈中西古代情詩比探短述——並由《易經・乾卦》推演「賦比興」的幾何時空意義〉；(27)辰巳正明的〈《詩經・國風》與中國少數民族的歌唱體系〉；(28)安秉均的〈《詩經》的家庭倫理詩〉；(29)力之的〈關於〈七月〉之作者問題〉；(30)林奉仙的〈〈召南・殷其雷〉詩以「雷」起興的緣由〉；(31)陳新雄的〈從〈燕燕〉詩看《詩序》之價值〉；(32)張崇琛的〈「薇」與《詩經》中的「采薇」詩〉；(33)王鐵軍的〈譚大夫作〈大東〉詩之政治意圖〉；(34)彭衍綸的〈從〈伯兮〉談閨怨詩〉；(35)周東暉的〈〈牆有茨〉等三詩新解〉；(36)楊合鳴的〈《說文》引《詩》略考〉；(37)肖甫春的〈《詩經》古今字之嬗變〉；(38)赫琳的〈從《詩經》結構變換看古漢語變換研究〉；(39)馮凌宇的〈《詩經》特指疑問句探析〉；(40)張輝忠的〈《詩經》詩句中的判斷種類〉；(41)周明初的〈《詩毛氏傳》「不（無）某，某也」訓詁例辨析〉；(42)莊雅州的〈論《詩經》天文意象的多元價值〉；(43)黃維華的〈〈七月〉桑蠶行事辨〉；(44)楊晉龍的〈《文昌化書》內《詩經》資料研究〉；(45)賀江麗的〈《詩經》祈壽觀念的文化闡釋〉；(46)郭芳的〈論《詩經》接受的歷史軌跡〉；(47)盧燕麗的〈《詩經》中的建築文化〉；(48)徐曉軍的〈全面繁榮與繁榮下的思考——近二十年來大陸《詩經》研究〉；(49)香港中國文學學會的〈香港中學的《詩經》教學〉。「論文提要」分別是(1)褚斌杰的〈《詩經》疊詠體探賾〉；(2)張啓成的〈《詩經・唐風》新探〉；(3)周穎南的〈《詩經》——由口頭創作到書寫文學的發展〉；(4)張玉聲、范學新的〈農事詩的生成與田園詩派的初創〉；(5)賀仁智的〈比興與詩歌形象、情意之關係〉；(6)石川三佐男的〈基於王道論的《孔子詩論》和基於婦道論的《詩經・大序》〉；(7)小寺敦的〈《左傳》引《詩》的研究——「賦詩斷章」的背景〉；(8)小林恒彥的〈千古不滅的《詩經》活用於現代教育〉。

從以上的目次可以發現，論文在編排上並未標出分類，但其中除了有關《詩經》學史之外，尚有《詩經》的基本問題、語言文字、個別篇章、文學研究等各方面，呈現出《詩經》研究的蓬勃發展。（王清信）

《「詩經」散論》

《「詩經」散論》 雒啓坤著 北京 商務印書館 234頁 2002年10月

雒啓坤，北京師範大學中國古代文學博士，主要研究先秦兩漢文學。攻讀博士之前，於大學本科及碩士研究生其間皆修習中國古代史，因此在研究與歷史學知識有密切關係的上古文學上，有相對的優勢。

本書爲作者根據其博士論文《詩經與西周、春秋社會》的基礎重新補充完成。全書共分七章。「緒言」部分，論述《詩經》在當時社會政治方面的作用，以及其所反映的西周、春秋社會歷史和文化的各種面相，認爲僅僅研究《詩經》的文學藝術性，是遠遠不夠的；第一章「《詩經》的母體——西周、春秋社會」。作者認爲，每一歷史階段的文學藝術，都是該歷史階段的人們所創造的社會文化的一部分，因此，《詩經》研究應該要以當時的歷史現實爲基礎，在此前提之下，作者認爲西周、春秋時期的中國社會有以下幾項重要特徵：⑴領土國家的概念遠未出現。⑵「國」與「野」的居民成分十分複雜。⑶宗法家族制在社會上占主導地位。⑷家庭公有制占主導地位，私有制的發展極不完備。⑸社會階級、集團關係鬆散、複雜多樣。⑹生產力水平低下。本章不僅透過《詩經》篇章佐證其觀點，同時也採取金文、《左傳》、《尙書》等相關重要材料；第二章「〈國風〉作者辨析」。《詩經》集結至今，各個時代的學者對〈國風〉作者的看法皆有所差異。漢代經生去古未遠，尙能恪守師傳。唐初孔穎達解《毛詩》亦恪守毛、鄭舊詁而少所發明。至宋代以後，理學家對於〈國風〉中大量的淫俚之詩是否爲處在聖王治下的貴族們所作開始質疑。作者則認爲，要辨明（國風）諸詩的作者，應從「以史證詩」以及「以詩證詩」兩大方向，雙管齊下入手考察，方能獲得更具說服力的結果；第三章「詩言志與興、觀、群、怨」。作者提出，在西周、春秋早期的作「詩」時代，「興」是先民極富想像力與藝術意味的表達方式。「觀」、「群」、「怨」在西周、春秋時期〉則有著濃厚的歷史意蘊；第四章「《詩經》祭祀詩與周代貴族政治思想」。作者首先將祭祀詩定義爲基本內容和性質隸屬於人神相接、上通天地以祈福禳災的詩歌，並以〈周頌〉中的〈清廟〉、〈維天之命〉、〈烈文〉、〈天作〉、〈昊天有成命〉、〈我將〉等十數首詩爲基礎，探討其所反映的周代貴族政治思想，其他不專言祭祀而用於祭祀者，亦在論述之列。〈魯頌〉、〈商頌〉則附論於後；第五章「《詩經》宴飲詩論」。作者認為，宴飲詩的產生與原始宗教的祭祀儀式有關，其創作目的是為了維護鞏固周朝的血緣宗法等級制度，其運用則成為春秋時期貴族禮樂文化最重要的表徵；第六章「《詩經》與周代社會思想之變遷」。作者認為《詩經》的創作與集結，可以分為西周初期、西周晚期和春秋早期三個階段，這三個歷史階段也正是周人社會思想的三個重要發展和轉變時期，本章依循此一脈絡，在《詩經》的諸多篇章中取得印證，從而觀察周代社會思想的變遷；第七章「《國風》與西周、春秋地域文化」。在《詩》三百篇中，最能體現西周、春秋時期區域文化色彩的，自然首推〈國風〉。本章透過對十五〈國風〉諸多詩篇的細部分析，輔以其他相關文獻資料，對《詩經》所反映的西周、春秋時期華夏文化的地域色彩，有頗為深入的探討。（張穩蘋）

《詩經風雅頌研究論稿》

《詩經風雅頌研究論稿》　張啓成著　北京　學苑出版社　382頁　2003年1月

本書內容分為四編。第一編「國風研究論稿」，收錄論文十二篇，依序為：(1)〈《詩經》中的風詩〉，(2)〈論《周南》和《召南》〉，(3)〈評《詩經今注》的二南新義——與高亨先生商榷〉，(4)〈《關雎》本義述評〉，(5)〈《周南・卷耳》本義考〉，(6)〈《桃夭》與《一個女人的三段時光》——中西詩歌及婚俗觀念之比較〉，(7)〈《芣苢》為歌詠勞動之作說質疑〉，(8)〈論《邶》、《鄘》、《衛》三風〉，(9)〈《邶風・式微》本義述評〉，(10)〈《邶風・旄丘》本義述評〉，(11)〈《鄘風・相鼠》為民間詩質疑〉，(12)〈許穆夫人和她的《載馳》〉，(13)〈《衛風・考槃》新解〉，(14)〈論《王風》〉，(15)〈論《鄭風》的情歌〉，(16)〈論《齊風》〉，(17)〈《東方未明》本義述評〉，(18)〈論《魏風》〉，(19)〈《魏風・葛屨》本義述評〉，(20)〈《伐檀》題旨討論述評〉，(21)〈論《唐風》〉，(22)〈論《秦風》〉，(23)〈論《陳風》〉，(24)〈論《檜風》和《曹風》〉，(25)〈論《豳風》〉，(26)〈《豳風・七月》的作者及其思想傾向〉，(27)〈《豳風・七月》用彝族太陽曆質疑〉。

第二編「國風閱讀賞析指要」，有四篇，分述《國風》之「習用套語及其特殊含義」、「隱語及其特殊含義」、「興義的深層意識」、「賞析標準與例證」。

第三編「雅詩研究論稿」，收文六篇，分別是：⑴〈《詩經》的雅詩〉，⑵〈聞一多「《小弁》爲棄婦詩」補證〉，⑶〈《小雅・蓼莪》孝道思想的深遠影響〉，⑷〈《小雅・采綠》新解〉，⑸〈《小雅・白華》新探〉，⑹〈《大雅・生民》后稷考〉。

第四編「頌詩研究論稿」，收文四篇，分別是：⑴〈《詩經》頌詩新論〉，⑵〈《魯頌》新探〉，⑶〈論《商頌》爲商詩〉，⑷〈論《商頌》爲商詩補證〉。書末另附〈論石鼓文作年及其與《詩經》之比較〉一文。

本書爲作者長期以來關於《詩經》研究成果的集結，所收錄二十餘篇文章，大都已經登載於《貴州社會科學》、《貴州文史叢刊》等期刊或其它論文集中。尤須注意的是，部分文章在此次收錄時曾經過刪削、修改，與前作稍有出入。故本書可謂作者《詩經》學研究成果之一次總整理。

張啓成，一九三六年生，上海人。上海復旦大學畢業，現任貴州大學教授，兼《貴州文史叢刊》主編等職。已發表論文近一百八十篇，並出版《詩經入門》、《東周列國志校注》、《詩經風雅頌研究論稿》等專著。（何淑蘋）

《考工記圖說》

《考工記圖說》 戴吾三著 濟南 山東畫報出版社 156頁 2003年1月

〈考工記〉見存於《周禮》之中，起因於漢代學者認爲《周禮》中的〈冬官〉已經亡而不存，於是以〈考工記〉補之。只是，取〈考工記〉補〈冬官〉之缺的人，歷來大致有以下幾種不同的說法：一、漢文帝命博士作〈考工記〉補之（《禮記・禮器》孔穎達《疏》）；二、河間獻王購千金不得，取〈考工記〉補之（《經典釋文・敘錄》、《隋書・經籍志》）；三、劉歆以〈考工記〉足之（賈公彥〈敘周禮廢興〉引馬融《傳》）。此外，《太平御覽》引楊泉《物理論》則但云「魯恭王壞孔子宅，得其書，缺〈冬官〉，漢武帝購補之」。

其後，宋儒又有「〈冬官〉不亡」之論，或謂前人誤將冬官屬之地官；或謂妄將冬官散入其餘五官，即五官中亦有互相殽亂者；或謂《周禮》乃未成之書，故〈冬官〉本闕，無煩贅補。各持一說，幾爲聚訟紛如之疑案。

實則，以〈考工記〉補〈冬官〉之舉，或有未當。但就〈考工記〉中所保存古代科學技術史料而言，卻也彌足珍貴。因此，許多研究中國科學技術史的學者，投身於〈考工記〉的研究，著力甚深，成績斐然。其中最著名的，前有聞人軍先生，先後出版有《考工記導讀》、《考工記譯注》與《考工記導讀圖譯》（此書爲《考工記導讀》之繁體字修訂版）。最近，則有戴吾三先生編撰的《考工記圖說》。

《考工記圖說》列爲山東畫報出版社「中國古代物質文化經典圖說叢書」中的一種，該書的內容主要分成三部分：

一、〈考工記〉概說：分述作者國別與〈考工記〉一書的性質、成書年代、版本源流、篇章結構、學術價值。

二、〈考工記〉注釋：爲〈考工記〉本文的各段撰寫提要，並隨文注釋。

三、〈考工記〉圖釋：結合所掌握的考古資料，對〈考工記〉中的許多內容加以配圖申釋。

書首有叢書的〈總序〉、作者〈自序〉，書末有附錄三種：

一、參考論文：收入作者相關論文三篇──〈考工記的文化內涵〉、〈考工記輪之檢驗新探〉、〈考工記「磬折」考辨〉。

二、〈考工記〉圖釋圖錄：以表列的方式，說明本書圖釋中配圖的名稱、出土時間和地點，以及資料來源。

三、參考文獻：分別依原始文獻、論著部分、論文部分三類加以臚列。

戴吾三先生現爲北京清華大學科技史暨古文獻研究所教授，多年來致力於中國古代科技史的研究，著有《考工記圖說》、《成語中的古代科技》，合編有《齊國科技史》、《中國科技典籍研究──第一屆中國科技典籍國際會議論文集》等書。

（黃智信）

《禮經釋例》

《禮經釋例》　淩廷堪著、彭林點校　臺北　中央研究院中國文哲研究所　693 頁　2002 年 12 月

淩廷堪字次仲，安徽歙縣人，生於乾隆二十年（1755），卒於嘉慶十四年（1809），年五十五。爲乾嘉時期著名之經學家、史學家與文學家。

廷堪六歲而孤，家境清貧，十二歲時，棄書學商。年過二十，始發憤讀書，潛心於學。年將三十，肆力於《儀禮》一書，初仿《爾雅》，爲《禮經釋名》十二篇，其後漸覺宏綱細目，必以例爲主，於是仿杜預《春秋釋例》，做《禮經釋例》一書。其間因爲聽說江永有《儀禮釋例》，又見杭世駿《道古堂集》中有〈禮例序〉一文，「慮其雷同，輟而弗作者經歲」。後見二氏皆有志而未逮，於是重取舊稿，證以群經以成之。廷堪於〈序〉中自言「矻矻十餘年，稿凡數易」，〈後序〉中更說：「乾隆丁未歲創始，嘉慶戊辰歲卒業，凡二十有二年，五易稿而後成。」可見此書撰作之漫長與艱辛。

淩廷堪精於禮學，《儀禮》一書，在他看來：「驟閱之如治絲而棼，細繹之皆有經緯可分也；乍睹之如入山而迷，徐歷之皆有塗徑可躋也。」他所謂的「經緯塗徑」，便是「例」。所以《禮經釋例》十三卷，總計歸納出八類二百四十六例，通例四十、飲食例五十六、賓客例十八、射例二十、變例二十一、祭例三十、器服例四十、雜例二十一。，通過這些歸納有序、條理井然的例，可以更爲準確地掌握夙稱難讀的《儀禮》中各種儀節的內容及其所蘊含的禮意。

隨著王文錦先生點校《校禮堂文集》、彭林教授點校《禮經釋例》的陸續出版，對於禮書的研讀以及淩廷堪學術思想的掌握，都有極大的助益。

點校者彭林先生，江蘇無錫人，北京師範大學歷史學博士，現爲北京清華大學思想文化研究所教授。著有《周禮主體思想與成書年代研究》、《文物精品與文化中國》；注譯《儀禮》；點校《周禮注疏》、《儀禮注疏》、《觀堂集林》；主編《武王克商之年研究》、《經學研究論文選》等書。 （黃智信）

《甜蜜的包袱——禮記》

《甜蜜的包袱——禮記》 林素英著 臺北 萬卷樓圖書公司 251頁 2003年2月

「包袱」對於一個旅人來說，雖然是一種負擔，卻使之往來各地時有所憑藉，不虞匱乏，所以是讓人感覺甜蜜而有安全感的寶物。要理解《禮記》這部書的內容，對我們來說，也有可能是一種負擔，正如同「包袱」之於旅人一般，但是這種負擔卻也是甜蜜的負擔，可以使我們的人生旅途過得踏實而安穩，因之作者權稱

《禮記》為「甜蜜的包袱」。

作者曾寫過適合青少年閱讀的《少年禮記》一書，而本書所要介紹《禮記》內容的對象，則是具有高中語文程度以上的讀者。全書共分以下六篇：

第一篇為導讀篇，介紹《禮記》的形成過程、內容、價值，並提供閱讀《禮記》時的建議；

第二篇生活規範，舉出五段《禮記》中所論及的日常生活原則，並引四則實踐規範的史實作為例證；

第三篇生命禮儀，簡介生命歷程中重要的冠、婚、喪、祭四類相關禮儀；

第四篇社交禮儀，談舉行冠禮後拜見長者之禮、鄉飲酒禮、燕禮、射禮；

第五篇朝廷禮儀，說明〈聘義〉中的重要內容；

第六篇理想的國度，分別討論了以〈儒行〉為中心的「儒者的風範」，與〈樂記〉、〈大學〉、〈中庸〉、〈禮運〉等篇中的「理想的意境」。

書首有作者〈自序〉，書末有〈篇後語〉。

林素英教授，臺灣省臺北縣人，曾任花蓮師院語教系副教授，現為臺灣師範大學國文系教授。著有《古代生命禮儀中的生死觀》、《古代祭禮中之政教觀》、《喪服制度的文化意義》、《從郭店簡探究其倫常觀念》、《少年禮記》與本書。

（黃智信）

《禮記樂記之道德形上學》

《禮記樂記之道德形上學》　王菡著　臺北　文史哲出版社　298頁　2002年3月

〈樂記〉為《禮記》中的第十九篇，按孔穎達《禮記正義》所引鄭玄《三禮目錄》的說法，乃十一篇合為此一篇。其後，根據《漢書．藝文志》所記，又有〈樂記〉兩種。其一為劉向校書所得〈樂記〉二十三篇；其二為河間獻王與毛生等共采《周官》及諸子言樂事者，以作〈樂記〉，經王定傳之以授王禹，由王禹所獻之二十四篇〈樂記〉。而這二十三篇本的〈樂記〉與二十四篇的〈王禹記〉，內容並不相同。孔穎達《禮記正義》具引劉向《別錄》所載二十三篇篇名，認為「至劉向為《別錄》時，更載所入〈樂記〉十一篇，又載餘十二篇，為二十三篇。」則《禮記》中的〈樂記〉，相較於劉向二十三篇本〈樂記〉，有十一篇大體上是相同的。

在二十三篇的〈樂記〉與二十四篇的〈王禹記〉均早已不傳的情況下，《禮記・樂記》成爲保存古代音樂理論的一種重要文獻。所以雖然〈樂記〉的篇幅不大，相關的研究論著卻爲數不少。在大陸方面，有吉聯抗譯注《樂記》、中央五七藝術大學音樂學院理論組編《樂記批注》、人民音樂出版社編輯部編《樂記論辯》、呂驥《樂記理論探新》、蔡仲德《樂記、聲無哀樂論注譯與研究》、孫星群《音樂美學之始祖——樂記與詩學》等六種專著。臺灣方面，則有相關學位論文八篇：陳玲琇《樂記研究》、林宜澐《禮記樂記篇思想之研究》、張明祚《樂記美學思想之研究》、蔡宗志《樂記樂教思想研究》、王菡《樂記的美學研究》、吳幸姬《樂記美學思想研究》、王億仁《樂記的美學思想》、王菡《禮記樂記之道德形上學研究》，除《禮記樂記之道德形上學研究》爲博士論文外，其餘均爲碩士論文。

本書爲作者的博士論文，是作者繼碩士論文《樂記的美學研究》之後，再次針對〈樂記〉所做研究的成果。全書共有八個部分，除導論與結論外，分別有下列六章：第一章〈樂記〉的人性論，第二章〈樂記〉的情感理論，第三章〈樂記〉的藝術哲學，第四章〈樂記〉的樂教思想，第五章〈樂記〉論聖君與王道，第六章〈樂記〉的道德形上學。書首有蔡仁厚先生序，書末附參考書目。

王菡，中國文化大學藝術史研究所碩士、哲學研究所博士。（黃智信）

《清初三禮學》

《清初三禮學》 林存陽著 北京 社會科學文獻出版社 375頁 2002年12月

清代禮學的研究非常興盛，在匯集清人經學著作的《清經解》與《續經解》中，有關三禮之作，較其他諸經爲多。但現今學人對於清代禮學研究成績的關注最極其有限，且多侷限於個別學者或專著的論述，罕有以較長時段與較爲宏觀視野來加以考察的。周啓榮（Chow Kai-wing）教授的博士論文“Ritual and Ethics: Classical Scholarship and Lineage Institutions in Late Imperial China, 1600-1830” (Ph.D Dissertation, University of California-Davis, 1988) 對於明末至清前期的禮學有所討論，此外，較具規模的論著，當屬林存陽先生的《清初三禮學》一書。

本書列爲社會科學文獻出版社「明清史研究叢書」中的一種，主要在論述清順治初年至乾隆初年的三禮學，分章情形與各章大致內容如下：

第一章、清初三禮學興起的時代、學術因緣：探究清初三禮學之所以興起，在社會上與學術上的外緣內因，並對此前三禮學的發展與演變，做一歷史考察。

第二章、復興三禮學的醞釀與發展：論述孫奇逢、顏元、李塨、陸世儀等學者對復興禮學的倡導。

第三章、經學諸大師的三禮研究：分論顧炎武、黃宗羲、萬斯大、萬斯同、張爾岐、李光坡、毛奇齡、姚際恆、王夫之等人的禮學研究情況。

第四章、儒臣對三禮學的倡導與撰著：列舉徐乾學、李光地、方苞等三位深受重用、位居顯要的儒臣，對三禮之學的倡導及其本身禮學研究的成績。

第五章、清廷決策與三禮學：說明隨著清廷文化基本政策的調整，使經學越發受到重視，三禮之學也因而受到關注與扶持。

第六章、清初三禮學的歷史地位：歸納清初三禮學在學術史與社會史方面所體現的特徵，並分析對此後禮學所產生的影響。

前後除有作者〈導言〉與〈結語〉外，書首並有叢書編委會名單、叢書序、中國社會科學院歷史研究所學術委員會評審意見、彭林與汪學群教授審讀意見，書末有〈主要參考文獻〉與作者〈後記〉。

林存陽，山東任城人，中國社會科學院歷史學博士，現爲中國社會科學院歷史研究所助理研究員。所撰除本書外，另合著有《曠世大儒——顧炎武》、《中國之倫理精神》、《儒家文化面面觀》等書。（黃智信）

《啖助新春秋學派研究論集》

《啖助新春秋學派研究論集》　林慶彰・蔣秋華主編　臺北　中央研究院中國文哲研究所　639頁　2002年9月

啖助（724－770），是中唐大曆年間的重要經學家。其著作《春秋集傳集注》、《春秋統例》，爲當時理念相近的《春秋》學家趙匡、陸淳提供了綱領式的學術基礎。趙匡所著《春秋闡微纂類義統》，以及陸淳的《春秋集傳纂例》、《春秋集傳辨疑》、《春秋微旨》三書，皆以啖助學說作爲研究及論說的典範。他們以《春秋》經旨爲核心，不滿《春秋》學者信傳而不宗經的固陋習氣，主張破除門戶之見，以具體的理論基礎，對三傳進行大規模的整合與批判。勇於疑古、直探經旨的作風，使得啖助學派成爲中唐大曆年間最具代表性的學術派別。

啖助學派的《春秋》學理論，著眼於「彙整三傳、回歸原典」，惟此一重要學派，近年來才逐漸受到國內學者的重視。中央研究院中國文哲研究所經學文獻組研究員林慶彰先生、副研究員蔣秋華先生，將海內外研究啖助學派的論文，輯爲研究論集，希望在此基礎上，提供相關領域之研究者參考之用。

本論集蒐羅有關啖助學派的研究文獻，分爲上、中、下三編。上編「學說研究」，收錄兩岸三地之多篇相關論文；中編「日文論文」，邀請國內外學者將日本學者研究啖助學派的資料譯爲中文，並收入本論集中；另爲方便學者檢索啖助、趙匡、陸淳之傳記資料，亦編錄「古籍傳記資料」，列入下編，各筆資料施以新式標點。

這部《啖助學派研究論集》，集中保存了兩岸三地及海外大部分的相關研究文獻，雖然這些研究大多屬通論性的論文，無法針對學說內涵及治學理論進行精細深入之解析，但對於瞭解啖助學派的基本脈絡，仍有相當重要的參考價值。

（張穩蘋）

《論語新編注釋》

《論語新編注釋》 賈順先、潘大德、唐平編撰 成都 四川大學出版社 360頁 2001年6月

《論語》是孔子思想智慧的結晶，也是中國文化的核心。其影響不只在東亞一帶，更遠至歐美。中西方學者研究《論語》者大有人在，此書的重要性，由此可知。

《論語》一書自成書以來，便受到中國歷代知識分子的重視，爲此書註解作傳的累出不窮，其中也有許多精闢的意見。傳到海外之後，受到各國學者的重視，也有許多研究成果。本書的編撰者參考了漢代以來的各家注釋，並參照中西方學者對於《論語》一書的見解及新出土的文物史料，重新新編《論語》一書，希望現今的知識分子能對孔子及《論語》有完整且全面性的了解。

本書依照《禮記．大學》篇中所提出的修身、齊家、治國、平天下的層次，將原來的《論語》章節重新編排爲五章十九節。第一章是「仁者愛人」的人生觀，第二章是有教無類，誨人不倦的教育思想，第三章是父慈、子孝、人和、主儉的「齊家」主張，第四章是正己任賢，德治爲主，刑治爲輔的治國策略，第五章是聖賢治世、世界大同的政治理想。將原本散見在《論語》中的相同思想依各章節分別集中注釋，較能釐清其中的思想脈絡。除了章節重新編定外，在各章節的注釋中也結合了各家之長。另外還增加了新出土文物資料上有關於「孔子曰」或是「仲尼曰」的條文，以便能對孔子的思想有更進一步的理解。

本書除了吸取前人的成就外，又納入了近年新出土文物的研究成果，對於《論語》一書的研究，頗具有參考價值。（鄭誼慧）

《孔子的樂論》

《孔子的樂論》　江文也著，楊儒賓譯　臺北　喜瑪拉雅基金會發行　172 頁　2003 年 7 月

江文也（1910－1983）是近代知名的音樂家，活躍於日據時期的臺灣，名聲享譽臺灣、大陸、日本各地。其《上代支那正樂考——孔子の音樂論》（東京：三省堂，1942 年）一書，是作者站在音樂家的立場，推論孔子的音樂思想。全書分成「總說」、「本論」，「本論」又分〈前編：試論孔子以前的「樂」〉和〈後編：孔子之「樂」〉。江氏論孔子以前的「樂」，包括古史傳說的批判等十六項；論孔子之「樂」，包括孔子與音樂家等二十三項。

江氏此書以日文寫作，長期以來沒有翻譯本面世，但仍受到學者關注，所以除《江文也文字作品集》（臺北縣：臺北縣立文化中心，1992 年）收錄了吳光輝先生翻譯的版本外，其後又有林慶彰先生編《日據時期臺灣儒學參考文獻》（臺北：臺灣學生書局，2000 年）時，蒐羅日據時期多位臺灣學者關於儒學的著作，加以整理翻譯，其中也收錄江氏此書。同時間楊儒賓先生也以此爲題進行翻譯，並加上較詳細的注釋，且對江氏疑誤予以訂正；此外，於書末加上附錄兩篇，一爲〈孔子與音樂資料選輯〉，二爲〈江文也研究書目選輯〉，頗便讀者參考。

由上述可知，江文也的《上古支那正樂考——孔子の音樂論》如今已有多種譯本可供閱讀，除反映出江氏樂論受到學界的重視外，也讓我們不禁興起這樣的疑問：是否日據時期的臺灣，還有一些像江氏這樣的文獻，尚待進一步的蒐集、整理？這應該是值得思考的問題。

本書的編譯，是目前可見研究江氏「孔子樂論」最完善的專著，透過譯者的注文，引領讀者更易於了解江氏的音樂思想，是本書特點所在。要補充說明的是，江文也研究相關書目，除譯者所選列書籍之外，還有韓國璜等著《音樂大師江文也》（高雄：敦理出版社，1984 年）、劉靖之主編《江文也研討會論文集》（香港：香港大學亞洲研究中心，1992 年），及甫出版不久的葉迪譯《北京銘：江文也詩集》（臺北縣：臺北縣政府文化局，2002 年）、張己任撰文，趙琴主編《江文也：荊棘中的孤挺花》（宜蘭縣：國立傳統藝術中心，2002 年）等書，可供參考。

譯者楊儒賓，臺灣省臺灣縣人，一九五六年生。臺灣大學中國文學博士。現任清華大學中文系教授。著有《先秦道家道的觀念的發展》、《莊周風貌》、《儒家身體觀》，編有《中國古代思想中的氣論及身體觀》、《中國古代思維方式探索》，並翻譯《東洋冥想的心理學》等書。（何淑蘋）

《屈萬里書信集·紀念文集》

《屈萬里書信集·紀念文集》 山東省圖書館，魚臺縣政協編 濟南 齊魯書社 482 頁 2002 年 9 月

屈萬里（1907－1979），字翼鵬，山東省魚臺縣人。是我國近代著名的學者，在經學、文字學、目錄版本學上都有精深的造詣。一生著述宏富，學術思想影響深遠。

爲了紀念屈萬里先生的學術成就，由山東省圖書館、魚臺縣政協及屈世釗（屈萬里之子）共同合作出版此書。本書共分爲兩部分，一是《屈萬里書信集》，一是《屈萬里紀念文集》。

《屈萬里書信集》輯錄屈萬里先生與友朋的往來信函 212 件，約佔現存的書信一半左右，由屈世釗自臺灣帶回後捐贈山東圖書館。時間上限自 1937 年 10 月，下至 1978 年，另分來函、去函二類。書信日記向來被視爲了解人物的重要資料，而這些信件都是第一次公布的，這些信件對於屈萬里先生的爲人做學、處世往來及生平活動都有更多的了解。此外，信件的作者包括了王獻唐、董作賓、孔德成、王雲五等人。其中對於學術問題的意見或是對當時事件的討論，都對於研究近代中國者而言，是不可或缺的重要資料。

《屈萬里紀念文集》收有文章 29 篇，是由其親屬、朋友、學生等撰寫有關於屈萬里先生的紀念文章。依墓誌銘、事略、屈萬里夫人、朋友、學生、子女的順序按時間先後排列。這些文章除了對屈萬里先生的爲學處事有更進一步的了解外，也對於各時期的活動有重要參考價值。

本書另付有屈萬里先生未發表的〈讀胡適的〈考作象棋的年代〉〉及〈讀〈入聲考〉〉二文，屈萬里先生所藏的友人詩句四十首，以及屈世釗所整理的〈屈萬里先生友朋贈書畫簡介〉。對於屈萬里先生生活的各個側面，都有所呈現。

（鄭誼慧）

《經學研究論叢》撰稿格式

本《論叢》為方便編輯作業，謹訂下列撰稿格式：

一、章節使用符號，依一、㈠、1.、⑴……等順序表示。

二、使用新式標點，以 Word 全形標點符號表為主。如刪節號為……，書名號為《 》，篇名號為〈 〉，書名和篇名連用時，以「・」斷開。如《詩經・小雅・鹿鳴》。

三、用語句所用括號，外括號用「 」表示，有內括號時，用『 』表示。

四、獨立引文，每行低三格。

五、論文之體例，請依下列格式：

㈠人名生卒年

吳澄（1249－1333）

㈡年代時間

1.正德戊寅十三年（1518）

2.西元 1999 年

3.民國八十九年十月十七日

㈢古籍卷數

《王陽明全集》第二十六卷

六、注釋之體例，請依下列格式：

㈠注釋號碼請用阿拉伯數字標示，如❶，❷，❸，……。

㈡以隨頁註方式，採用 Word「插入」工具中之註腳表示。

㈢引用古籍

1.古籍原刻本

〔明〕梅鷟：《尚書考異》（清嘉慶十九年刊《平津館叢書》本），卷 1，頁 4。

2.古籍影印本

〔明〕羅欽順：《整菴存稿》（臺北：臺灣商務印書館，1983 年影印清乾隆年間寫《文淵閣四庫全書》本，第 1261 冊），卷 5，頁 63。

㈣引用專書

王夢鷗：《禮記校證》（臺北：藝文印書館，1976 年 12 月），頁 102。

㈤引用論文

1.期刊論文

屈萬里：〈宋人疑經的風氣〉，《大陸雜誌》第 29 卷第 3 期（1964 年 8 月），頁 23－25。

2.論文集論文

侯外廬：〈吳澄的道統論與經學〉，林慶彰主編：《中國經學史論文選集》（臺北：文史哲出版社，1993 年 3 月），下冊，頁 293。

3.學位論文

張以仁：《國語研究》（臺北：臺灣大學中國文學研究所碩士論文，1958 年），頁 201。

4.報紙論文

丁邦新：〈國內漢學研究的方向和問題〉，《中央日報》，1988 年 4 月 2 日。

㈥再次徵引

1.再次徵引時，可用簡單方式處理，如：

❶ 程元敏：〈書疑考〉，《書目季刊》第 6 卷 3、4 期合刊（1971 年 6 月），頁 93。

❷ 同前註。

❸ 同前註，頁 98。

2.如果再次徵引的註，不接續，可用下列方式表示：

❹ 同註❶，頁 96。

七、投稿方式

㈠逕交或寄送（以下二處擇一）

1.[106] 臺北市大安區和平東路一段 198 號

臺灣學生書局經學研究論叢編輯部

2.[115] 臺北市南港區研究院路二段 128 號

中央研究院中國文哲研究所清代經學研究室

3.來稿請以電腦中文打字，並附上磁片。

㈡或以電子郵件寄送至以下位址：

lwenchon@pcmail.com.tw

請在「主旨」中註明「經學研究論叢投稿稿件」。

國家圖書館出版品預行編目資料

經學研究論叢・第十二輯

林慶彰主編.— 初版.—臺北市：臺灣學生，
2004[民 93]
面；公分

ISBN 957-15-1243-5 (平裝)

1. 經學 – 論文，講詞等

090.7 94000965

經學研究論叢・第十二輯 (全一冊)

主編者：林慶彰
責任編輯：張穩蘋・葉純芳
出版者：臺灣學生書局有限公司
發行人：盧保宏
發行所：臺灣學生書局有限公司
臺北市和平東路一段一九八號
郵政劃撥帳號00024668號
電話：(02)23634156
傳真：(02)23636334
E-mail：student.book@msa.hinet.net
http：//www.studentbooks.com.tw

本書局登記證字號：行政院新聞局局版北市業字第玖捌壹號

印刷所：宏輝彩色印刷公司
中和市永和路三六三巷四二號
電話：(02)22268853

定價：平裝新臺幣四八〇元

西元二〇〇四年十二月初版

09012

ISBN 957-15-1243-5 (平裝)